2025年版
出る順 社労士 必修過去問題集
②社会保険編

Certified Social Insurance and Labor Consultant

はしがき

社会保険労務士試験が難関試験のひとつであることは間違いない。しかし，本試験問題は基本事項を問うものが多く，枝葉末節の知識を要する難問・奇問は少ない。的を射た学習を積み重ねれば，短期合格は十分に可能である。

このような試験に必勝を期すために，LECが総力を結集し，アウトプット学習用として「必修過去問題集」「一問一答過去10年問題集」「選択式徹底対策問題集」の3種の問題集を開発・出版した。この3種の問題集を効率的に実戦学習することにより，アウトプットの合格対策は万全なものとなる。

過去問学習において，「一問一答過去10年問題集」で土台となる実力をつけた上で，本書にて本番同様の5肢択一式に取り組むことで相対的に正解肢を選択する実力を磨くことが可能である。

また，インプットの学習用として，「出る順社労士必修基本書」，教室における講義，通信講座等が用意されている。読者の学習の進行状況に応じて選択利用することにより，短期合格が確実となる。

LECが提供する学習教材・講義を利用して合格ノウハウを体得し，必ずや合格を勝ち取っていただきたい。

なお，本書は，2024年9月6日時点において，2025年4月1日までに施行される法令を基準として作成されたものである。

※発行日以後における法令の改正情報については，「インターネット情報提供サービス」にてご提供いたします。

2024年10月吉日

株式会社東京リーガルマインド
LEC総合研究所
社会保険労務士試験部

本書の特長

1 過去10年間（平成27年から令和6年）の本試験に出題された択一式試験問題と選択式試験問題を掲載しています。

2 試験問題を「出る順社労士必修基本書」の項目に合わせて分類し掲載しているため，「出る順社労士必修基本書」でのインプット学習と過去問題集でのアウトプット学習を効率的に行うことができます。

3 解説ページに「出る順社労士必修基本書」の該当ページを掲載しているので，必修基本書を使って調べたいことがある場合などに大変便利です。

4 学習の目安とするために各問題に重要度（A～Cの3段階）を付けています。

5 最新の法改正情報に基づき，問題の補正を行っています（補正の結果，択一式試験問題の正解が複数ある場合があります）。なお，適切に補正することができない問題に関しては，問題肢及び解説肢に※印を付けてあります。また，改正等により問題として成立しなくなってしまう問題は，「正解なし」又は「複数解答」とし，参考として掲載しました。

ただし，法改正によって選択式問題の空欄の語句に意味がなくなってしまうものについては，その選択式問題そのものを削除し，また，択一式については，法改正により五肢すべてが成立しなくなってしまうものについては，その択一式問題そのものを削除しています。したがって，過去10年間の本試験問題数として不足となる科目があります。

こうして使おう！

1

過去問演習に最適な
表裏一体形式!!!

原則として，一問ごとに問題と解答・解説が
表裏一体形式になっているので，
解答を見てしまうことなく，
問題を解くことができます。

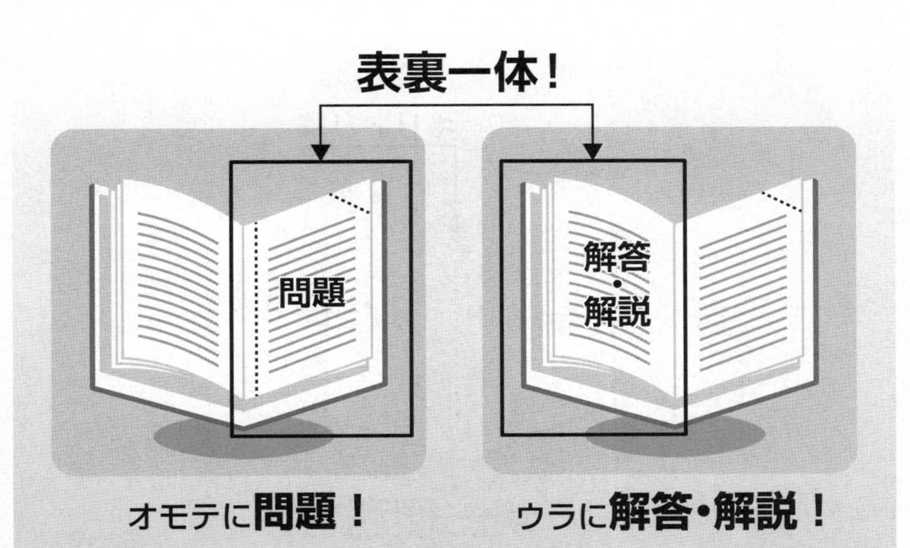

こうして使おう！

❷

キリトリ線を上手に使う!!!

記憶してしまった問題はキリトリ線にそって
切りとってしまえば，簡単に苦手問題だけを
何度もチェックできます。
全部切りとるのが嫌な方は右上スミのキリトリ線のみ
切りとることもできます。

こうして使おう！

❸
「出る順社労士シリーズ」を併用する!!!

すでに勉強している方はもちろん，これから
勉強しようとしている方も「出る順社労士シリーズ」と
併用すれば，より理解を深めることができます。
解説文に「出る順社労士必修基本書」の該当ページを
載せているので，完全理解もバッチリＯＫです。

本書の効果的活用法

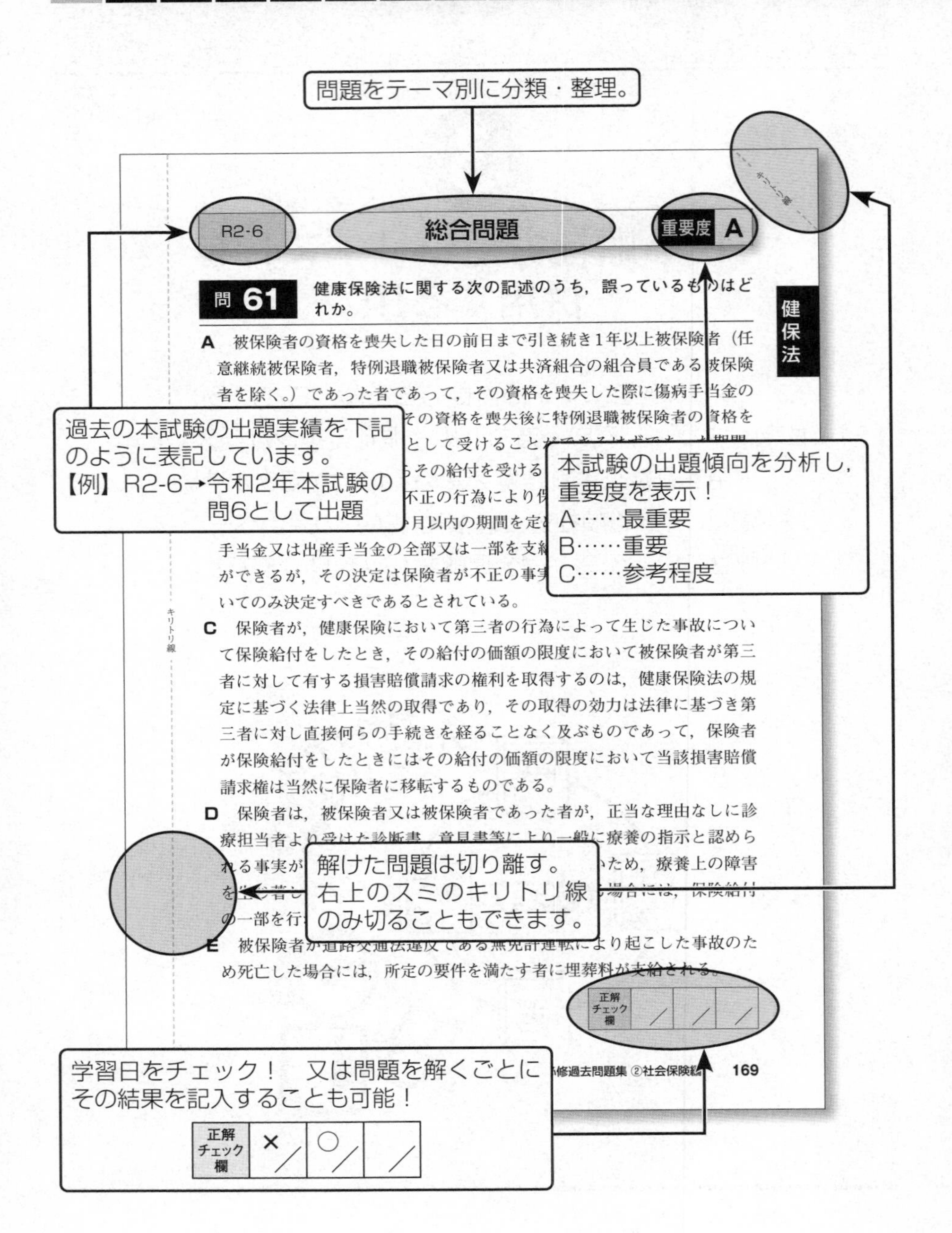

問題をテーマ別に分類・整理。
R2-6
総合問題
重要度 A
問 61
健康保険法に関する次の記述のうち，誤っているものはどれか。
健保法
A 被保険者の資格を喪失した日の前日まで引き続き1年以上被保険者（任意継続被保険者，特例退職被保険者又は共済組合の組合員である被保険者を除く。）であった者であって，その資格を喪失した際に傷病手当金の
過去の本試験の出題実績を下記のように表記しています。
【例】R2-6→令和2年本試験の問6として出題
本試験の出題傾向を分析し，重要度を表示！
A……最重要
B……重要
C……参考程度
キリトリ線
C 保険者が，健康保険において第三者の行為によって生じた事故について保険給付をしたとき，その給付の価額の限度において被保険者が第三者に対して有する損害賠償請求の権利を取得するのは，健康保険法の規定に基づく法律上当然の取得であり，その取得の効力は法律に基づき第三者に対し直接何らの手続きを経ることなく及ぶものであって，保険者が保険給付をしたときにはその給付の価額の限度において当該損害賠償請求権は当然に保険者に移転するものである。
D 保険者は，被保険者又は被保険者であった者が，正当な理由なしに診療担当者より受けた診断書，意見書等により一般に療養の指示と認められる事実が
解けた問題は切り離す。
右上のスミのキリトリ線のみ切ることもできます。
E 被保険者が道路交通法違反である無免許運転により起こした事故のため死亡した場合には，所定の要件を満たす者に埋葬料が支給される。
正解チェック欄
169
学習日をチェック！ 又は問題を解くごとにその結果を記入することも可能！
正解チェック欄
×
○

本書は表が問題，裏が解答・解説という形式です。裏面の正誤等が透けて見えてしまわないように，巻末の黒の用紙をミシン目から切りとり，下敷きとして利用されることをおすすめします。

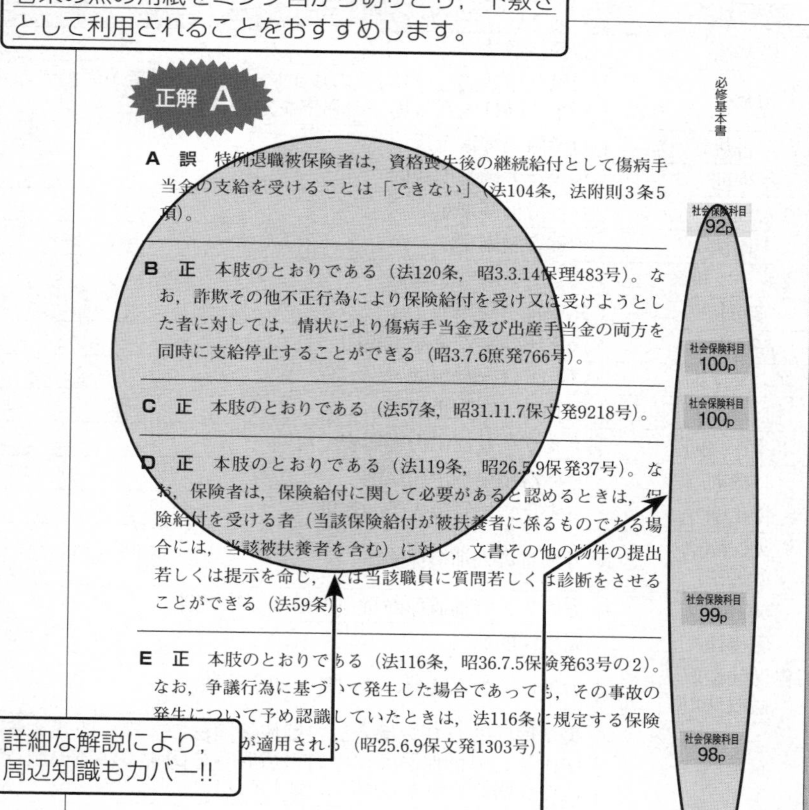

必修基本書

正解 A

A 誤 特例退職被保険者は，資格喪失後の継続給付として傷病手当金の支給を受けることは「できない」（法104条，法附則3条5項）。

社会保険科目 92p

B 正 本肢のとおりである（法120条，昭3.3.14保理483号）。なお，詐欺その他不正行為により保険給付を受け又は受けようとした者に対しては，情状により傷病手当金及び出産手当金の両方を同時に支給停止することができる（昭3.7.6庶発766号）。

社会保険科目 100p

C 正 本肢のとおりである（法57条，昭31.11.7保文発9218号）。

社会保険科目 100p

D 正 本肢のとおりである（法119条，昭26.5.9保発37号）。なお，保険者は，保険給付に関して必要があると認めるときは，保険給付を受ける者（当該保険給付が被扶養者に係るものである場合には，当該被扶養者を含む）に対し，文書その他の物件の提出若しくは提示を命じ，又は当該職員に質問若しくは診断をさせることができる（法59条）。

社会保険科目 99p

E 正 本肢のとおりである（法116条，昭36.7.5保険発63号の2）。なお，争議行為に基づいて発生した場合であっても，その事故の発生について予め認識していたときは，法116条に規定する保険……が適用される（昭25.6.9保文発1303号）。

社会保険科目 98p

17

出題箇所の復習を効率的に行うことができるよう，「2025年版出る順社労士 必修基本書」の該当ページを掲載しました。復習時に是非，お役立て下さい。
なお，該当ページの各略称は，以下の書籍に対応しています。

労働科目 …2025年版 出る順社労士 必修基本書 ①労働科目
社会保険科目 …2025年版 出る順社労士 必修基本書 ②社会保険科目

本書における法令名の記載については，以下の表に基づいた略称を原則使用しています。また，略称を使用している法律名に係る施行令及び施行規則についてもこれに準じ令又は則と略しております。あらかじめ確認のうえ学習を進めてください。

法令名略語表

略　称	正　式　名　称
労基法	労働基準法
預金令	労働基準法第18条第4項の規定に基づき使用者が労働者の預金を受け入れる場合の利率を定める省令
寄宿舎規程	事業附属寄宿舎規程
年少則	年少者労働基準規則
女性則	女性労働基準規則
安衛法	労働安全衛生法
クレーン則	クレーン等安全規則
鉛則	鉛中毒予防規則
高圧則	高気圧作業安全衛生規則
ゴンドラ則	ゴンドラ安全規則
粉じん則	粉じん障害防止規則
ボイラー則	ボイラー及び圧力容器安全規則
有機則	有機溶剤中毒予防規則
特化則	特定化学物質障害予防規則
労災保険法 (労災法)	労働者災害補償保険法
支給金則	労働者災害補償保険特別支給金支給規則
雇用法	雇用保険法
労働保険徴収法 (徴収法)	労働保険の保険料の徴収等に関する法律
整備法	失業保険法及び労働者災害補償保険法の一部を改正する法律及び労働保険の保険料の徴収等に関する法律の施行に伴う関係法律の整備等に関する法律
報奨金令	労働保険事務組合に対する報奨金に関する政令
労審法	労働保険審査官及び労働保険審査会法
行審法	行政不服審査法
健保法	健康保険法
国年法	国民年金法
国年基金令	国民年金基金令
厚年法	厚生年金保険法
基金令	厚生年金基金令
沖縄措置法	沖縄の復帰に伴う特別措置に関する法律

略　称	正　式　名　称
社審法	社会保険審査官及び社会保険審査会法
労働施策総合推進法	労働施策の総合的な推進並びに労働者の雇用の安定及び職業生活の充実等に関する法律
職安法	職業安定法
労働者派遣法 (派遣法)	労働者派遣事業の適正な運営の確保及び派遣労働者の保護等に関する法律
高年齢者雇用安定法 (高年齢者法)	高年齢者等の雇用の安定等に関する法律
障害者雇用促進法 (障害者法)	障害者の雇用の促進等に関する法律
職能法	職業能力開発促進法
男女雇用機会均等法 (均等法)	雇用の分野における男女の均等な機会及び待遇の確保等に関する法律
育児介護休業法 (育介法)	育児休業，介護休業等育児又は家族介護を行う労働者の福祉に関する法律
パートタイム・ 有期雇用労働法	短時間労働者及び有期雇用労働者の雇用管理の改善等に関する法律
最賃法	最低賃金法
賃確法	賃金の支払の確保等に関する法律
中退金法	中小企業退職金共済法
時改法	労働時間等の設定の改善に関する特別措置法
労組法	労働組合法
労調法	労働関係調整法
労契法	労働契約法
個別労働紛争解決促進法 (個紛法)	個別労働関係紛争の解決の促進に関する法律
出入国管理法	出入国管理及び難民認定法
国保法	国民健康保険法
高医法	高齢者の医療の確保に関する法律
介保法	介護保険法
船保法	船員保険法
児手法	児童手当法
確給法	確定給付企業年金法
確拠法	確定拠出年金法
社労士法	社会保険労務士法

CONTENTS

第2編　国民年金法

選択式

択一式

CONTENTS

第3編　厚生年金保険法

選択式

択一式

第4編	社会保険に関する一般常識

選択式

択一式

「出る順社労士シリーズ」購入者のための

登録不要 インターネット情報提供サービス

本書で勉強する方のために、法改正等による書籍の記載内容の補正に関する情報提供ページをご用意しました。
ぜひアクセスして、今すぐ試験に役立つ最新情報を手にしてください。

閲覧方法

LEC社労士のホームページにアクセス
https://www.lec-jp.com/sharoushi

「書籍のご案内」をクリック

社労士とは　LECが選ばれる理由　講座案内　書籍案内　本試験最新情報

または下記にアクセス
https://www.lec-jp.com/sharoushi/book/

をクリック

すぐにご覧いただけます！

＜注意＞上記情報サービスは、2025年社労士本試験当日までとさせていただきます。
また、事前の予告なしに内容等を変更する場合がございます。予めご了承ください。

第1編

健康保険法

過去10年間の出題傾向

健康保険法

□…選択式　○…択一式

出題項目＼年度	平成27年	平成28年	平成29年	平成30年	令和元年	令和2年	令和3年	令和4年	令和5年	令和6年
総則				□						
保険者	○	○	□○	○	○	○	○	○	□○	○
被保険者等	○	○	○	○	○	○	○	□○	○	○
標準報酬	○	○	□○	○	□○	○	□○	○	○	○
届出等	○	○	○	○	○	□○	○	□○	○	○
療養の給付	□	○				□○			○	○
入院時食事療養費	○		○				○		○	
入院時生活療養費									○	
保険外併用療養費	○	○			○			□○		□
療養費	○					○	○	○	○	○
訪問看護療養費	○	□	□○		○	○	○	○	○	○
移送費				○				○		
傷病手当金	○	○	○	○	□○	○	○	○	○	
死亡・出産に関する給付	○	○		□○		○	○	○	□	○
被扶養者に関する保険給付		○	○	○			○		○	□
高額療養費等	○	□○	○	○	○	□○			□○	
資格喪失後の給付	○		○	○	○	○		○		□○
保険給付の通則	○	○	○	○	○	○	○	○	○	○
日雇特例被保険者				○	○		○	○	○	
費用の負担	□		□○	○	□○	○	□○	○	○	○
不服申立て					○					
罰則						○	○	○	○	○
時効	○		○	○	○		○			○

キリトリ線

H30-選択	基本的理念・出産手当金	重要度 A

問 1 次の文中の＿＿の部分を選択肢の中の最も適切な語句で埋め，完全な文章とせよ。

1 健康保険法第2条では，「健康保険制度については，これが医療保険制度の基本をなすものであることにかんがみ，高齢化の進展，［ A ］，社会経済情勢の変化等に対応し，その他の医療保険制度及び後期高齢者医療制度並びにこれらに密接に関連する制度と併せてその在り方に関して常に検討が加えられ，その結果に基づき，医療保険の［ B ］，給付の内容及び費用の負担の適正化並びに国民が受ける医療の［ C ］を総合的に図りつつ，実施されなければならない。」と規定している。

2 健康保険法第102条第1項では，「被保険者が出産したときは，出産の日（出産の日が出産の予定日後であるときは，出産の予定日）［ D ］（多胎妊娠の場合においては，98日）から出産の日［ E ］までの間において労務に服さなかった期間，出産手当金を支給する。」と規定している。

キリトリ線

選択肢

① 以後42日	② 以後56日
③ 以前42日	④ 以前56日
⑤ 一元化	⑥ 医療技術の進歩
⑦ 運営の効率化	⑧ 健康意識の変化
⑨ 後42日	⑩ 後56日
⑪ 高度化	⑫ 持続可能な運営
⑬ 質の向上	⑭ 疾病構造の変化
⑮ 情報技術の進歩	⑯ 多様化
⑰ 前42日	⑱ 前56日
⑲ 民営化	⑳ 無駄の排除

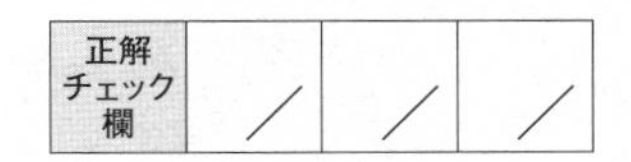

【解　答】

A　⑭ 疾病構造の変化

B　⑦ 運営の効率化

C　⑬ 質の向上

D　③ 以前42日

E　⑩ 後56日

【解　説】

本問1は，健康保険法の基本的理念に関する問題であり，健康保険法（以下本問において「法」とする）2条からの出題である。

健康保険法第2条では，「健康保険制度については，これが医療保険制度の基本をなすものであることにかんがみ，高齢化の進展，疾病構造の変化，社会経済情勢の変化等に対応し，その他の医療保険制度及び後期高齢者医療制度並びにこれらに密接に関連する制度と併せてその在り方に関して常に検討が加えられ，その結果に基づき，医療保険の運営の効率化，給付の内容及び費用の負担の適正化並びに国民が受ける医療の質の向上を総合的に図りつつ，実施されなければならない。」と規定している。

社会保険科目 8p

本問2は，出産手当金に関する問題であり，法102条1項からの出題である。

健康保険法第102条第1項では，「被保険者が出産したときは，出産の日（出産の日が出産の予定日後であるときは，出産の予定日）以前42日（多胎妊娠の場合においては，98日）から出産の日後56日までの間において労務に服さなかった期間，出産手当金を支給する。」と規定している。

社会保険科目 88p

MEMO

R4-選択	被保険者・選定療養・届出

問2

次の文中の□の部分を選択肢の中の最も適切な語句で埋め，完全な文章とせよ。

1　健康保険法第3条第1項の規定によると，特定適用事業所に勤務する短時間労働者で，被保険者となることのできる要件の1つとして，報酬（最低賃金法に掲げる賃金に相当するものとして厚生労働省令で定めるものを除く。）が1か月当たり[A]であることとされている。

2　保険外併用療養費の対象となる選定療養とは，「被保険者の選定に係る特別の病室の提供その他の厚生労働大臣が定める療養」をいい，厚生労働省告示「厚生労働大臣の定める評価療養，患者申出療養及び選定療養」第2条に規定する選定療養として，第1号から第15号が掲げられている。

そのうち第4号によると，「病床数が[B]の病院について受けた初診（他の病院又は診療所からの文書による紹介がある場合及び緊急その他やむを得ない事情がある場合に受けたものを除く。）」と規定されており，第7号では，「別に厚生労働大臣が定める方法により計算した入院期間が[C]を超えた日以後の入院及びその療養に伴う世話その他の看護（別に厚生労働大臣が定める状態等にある者の入院及びその療養に伴う世話その他の看護を除く。）」と規定されている。

3　被保険者（日雇特例被保険者を除く。）は，同時に2以上の事業所に使用される場合において，保険者が2以上あるときは，その被保険者の保険を管掌する保険者を選択しなければならない。この場合は，同時に2以上の事業所に使用されるに至った日から[D]日以内に，被保険者の氏名及び生年月日等を記載した届書を，全国健康保険協会を選択しようとするときは[E]に，健康保険組合を選択しようとするときは健康保険組合に提出することによって行うものとする。

キリトリ線

キリトリ線

重要度 **A**

選択肢

① 5	② 7
③ 10	④ 14
⑤ 90日	⑥ 120日
⑦ 150以上	⑧ 150日
⑨ 180以上	⑩ 180日
⑪ 200以上	⑫ 250以上
⑬ 63,000円以上	⑭ 85,000円以上
⑮ 88,000円以上	⑯ 108,000円以上
⑰ 厚生労働大臣	⑱ 全国健康保険協会の都道府県支部
⑲ 全国健康保険協会の本部	⑳ 地方厚生局長

キリトリ線

正解チェック欄	／	／	／

【解　答】

A　⑮ 88,000円以上

B　⑪ 200以上

C　⑩ 180日

D　③ 10

E　⑰ 厚生労働大臣

【解　説】

本問1は，被保険者に関する問題であり，健康保険法3条1項ただし書からの出題である。

特定適用事業所に勤務する短時間労働者で，被保険者となることのできる要件の1つとして，報酬（最低賃金法に掲げる賃金に相当するものとして厚生労働省令で定めるものを除く。）が1か月当たり88,000円以上であることとされている。

社会保険科目 24p

本問2は，選定療養に関する問題であり，平18.9.12厚労告495号からの出題である。

保険外併用療養費の対象となる選定療養とは，「被保険者の選定に係る特別の病室の提供その他の厚生労働大臣が定める療養」をいい，厚生労働省告示「厚生労働大臣の定める評価療養，患者申出療養及び選定療養」第2条に規定する選定療養として，第1号から第15号が掲げられている。

社会保険科目 66p

そのうち第4号によると，「病床数が200以上の病院について受けた初診（他の病院又は診療所からの文書による紹介がある場合及び緊急その他やむを得ない事情がある場合に受けたものを除く。）」と規定されており，第7号では，「別に厚生労働大臣が定める方法により計算した入院期間が180日を超えた日以後の入院及びその療養に伴う世話その他の看護（別に厚生労働大臣が定める状態等にある者の入院及びその療養に伴う世話その他の看護を除く。）」と規定されている。

本問3は，保険者選択届に関する問題であり，健康保険法施行規則2条1項ほかからの出題である。

被保険者（日雇特例被保険者を除く。）は，同時に2以上の事業所に使用される場合において，保険者が2以上あるときは，その被保険者の保険を管掌する保険者を選択しなければならない。この場合は，同時に2以上の事業所に使用されるに至った日から10日以内に，被保険者の氏名及び生年月日等を記載した届書を，全国健康保険協会を選択しようとするときは厚生労働大臣に，健康保険組合を選択しようとするときは健康保険組合に提出することによって行うものとする。

社会保険科目
52p

キリトリ線

R5-選択	保険者・高額療養費・出産手当金

問 3

次の文中の＿＿の部分を選択肢の中の最も適切な語句で埋め，完全な文章とせよ。

1　健康保険法第5条第2項によると，全国健康保険協会が管掌する健康保険の事業に関する業務のうち，被保険者の資格の取得及び喪失の確認，標準報酬月額及び標準賞与額の決定並びに保険料の徴収（任意継続被保険者に係るものを除く。）並びにこれらに附帯する業務は，［ A ］が行う。

2　健康保険法施行令第42条によると，高額療養費多数回該当の場合とは，療養のあった月以前の［ B ］以内に既に高額療養費が支給されている月数が3か月以上ある場合をいい，4か月目からは一部負担金等の額が多数回該当の高額療養費算定基準額を超えたときに，その超えた分が高額療養費として支給される。70歳未満の多数回該当の高額療養費算定基準額は，標準報酬月額が83万円以上の場合，［ C ］と定められている。

また，全国健康保険協会管掌健康保険の被保険者から健康保険組合の被保険者に変わる等，管掌する保険者が変わった場合，高額療養費の支給回数は［ D ］。

3　健康保険法第102条によると，被保険者（任意継続被保険者を除く。）が出産したときは，出産の日（出産の日が出産の予定日後であるときは，出産の予定日）以前42日（多胎妊娠の場合においては，［ E ］日）から出産の日後56日までの間において労務に服さなかった期間，出産手当金を支給する。

キリトリ線

キリトリ線

重要度 A

健保法

選択肢

①	84	②	91
③	98	④	105
⑤	1年6か月	⑥	2年
⑦	6か月	⑧	12か月
⑨	70歳以上の者は通算される	⑩	44,000円
⑪	93,000円	⑫	140,100円
⑬	670,000円	⑭	厚生労働大臣
⑮	全国健康保険協会支部	⑯	全国健康保険協会本部
⑰	通算されない	⑱	通算される
⑲	日本年金機構	⑳	保険者の判断により通算される

キリトリ線

正解チェック欄	／	／	／

解答・解説

【解　答】
A　⑭ 厚生労働大臣
B　⑧ 12か月
C　⑫ 140,100円
D　⑰ 通算されない
E　③ 98

【解　説】
本問1は，全国健康保険協会が管掌する健康保険に関する問題であり，健康保険法5条2項からの出題である。

健康保険法5条2項によると，全国健康保険協会が管掌する健康保険の事業に関する業務のうち，被保険者の資格の取得及び喪失の確認，標準報酬月額及び標準賞与額の決定並びに保険料の徴収（任意継続被保険者に係るものを除く）並びにこれらに附帯する業務は，厚生労働大臣が行う。

社会保険科目 9p

本問2は，高額療養費に関する問題であり，健康保険法施行令42条及び昭59.9.29保険発74号ほかからの出題である。

健康保険法施行令42条によると，高額療養費多数回該当の場合とは，療養のあった月以前の12か月以内に既に高額療養費が支給されている月数が3か月以上ある場合をいい，4か月目からは一部負担金等の額が多数回該当の高額療養費算定基準額を超えたときに，その超えた分が高額療養費として支給される。70歳未満の多数回該当の高額療養費算定基準額は，標準報酬月額が83万円以上の場合，140,100円と定められている。

社会保険科目 82p

また，全国健康保険協会管掌健康保険の被保険者から健康保険組合の被保険者に変わる等，管掌する保険者が変わった場合，高額療養費の支給回数は通算されない。

本問3は，出産手当金に関する問題であり，健康保険法102条からの出題である。

健康保険法102条によると，被保険者（任意継続被保険者を除く。）が出産したときは，出産の日（出産の日が出産の予定日後であるときは，出産の予定日）以前42日（多胎妊娠の場合においては，98日）から出産の日後56日までの間において労務に服さなかった期間，出産手当金を支給する。

社会保険科目 88p

MEMO

R元-選択	任意継続被保険者の標準報酬月額・傷病手当金・準備金

問 4

次の文中の[　　]の部分を選択肢の中の最も適切な語句で埋め，完全な文章とせよ。

1　任意継続被保険者の標準報酬月額については，原則として，次のアとイに掲げる額のうちいずれか少ない額をもって，その者の標準報酬月額とする。

ア　当該任意継続被保険者が被保険者の資格を喪失したときの標準報酬月額

イ　前年（1月から3月までの標準報酬月額については，前々年）の[　A　]全被保険者の同月の標準報酬月額を平均した額（健康保険組合が当該平均した額の範囲内において規約で定めた額があるときは，当該規約で定めた額）を標準報酬月額の基礎となる報酬月額とみなしたときの標準報酬月額

2　4月1日に労務不能となって3日間休業し，同月4日に一度は通常どおり出勤したものの，翌5日から再び労務不能となって休業した場合の傷病手当金の支給期間は，[　B　]起算されることになる。また，報酬があったために，その当初から支給停止されていた場合の傷病手当金の支給期間は，報酬を受けなくなった[　C　]又は報酬の額が傷病手当金の額より少なくなった[　C　]から起算されることになる。

3　全国健康保険協会は，毎事業年度末において，[　D　]において行った保険給付に要した費用の額（前期高齢者納付金等，後期高齢者支援金等及び日雇拠出金，介護納付金並びに流行初期医療確保拠出金等の納付に要した費用の額（前期高齢者交付金がある場合には，これを控除した額）を含み，出産育児交付金の額並びに健康保険法第153条及び第154条の規定による国庫補助の額を除く。）の1事業年度当たりの平均額の[　E　]に相当する額に達するまでは，当該事業年度の剰余金の額を準備金として積み立てなければならない。

キリトリ線

キリトリ線

重要度 B

健保法

選択肢

①	3月31日における健康保険の		
②	3月31日における当該任意継続被保険者の属する保険者が管掌する		
③	4月1日から	④	4月3日から
⑤	4月4日から	⑥	4月5日から
⑦	9月30日における健康保険の		
⑧	9月30日における当該任意継続被保険者の属する保険者が管掌する		
⑨	12分の1	⑩	12分の3
⑪	12分の5	⑫	12分の7
⑬	当該事業年度及びその直前の2事業年度内		
⑭	当該事業年度及びその直前の事業年度内		
⑮	当該事業年度の直前の2事業年度内		
⑯	当該事業年度の直前の3事業年度内		
⑰	日	⑱	日の2日後
⑲	日の3日後	⑳	日の翌日

キリトリ線

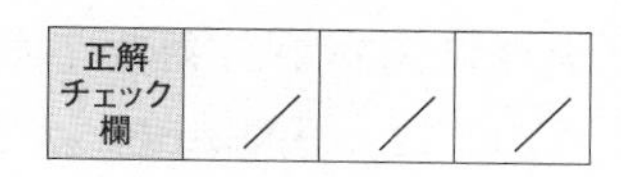

【解　答】

A　⑧ 9月30日における当該任意継続被保険者の属する保険者が管掌する

B　⑥ 4月5日から

C　⑰ 日

D　⑬ 当該事業年度及びその直前の2事業年度内

E　⑨ 12分の1

【解　説】

本問1は，任意継続被保険者の標準報酬月額に関する問題であり，健康保険法（以下本問において「法」とする）47条からの出題である。

任意継続被保険者の標準報酬月額については，原則として，次のアとイに掲げる額のうちいずれか少ない額をもって，その者の標準報酬月額とする。

ア　当該任意継続被保険者が被保険者の資格を喪失したときの標準報酬月額

イ　前年（1月から3月までの標準報酬月額については，前々年）の9月30日における当該任意継続被保険者の属する保険者が管掌する全被保険者の同月の標準報酬月額を平均した額（健康保険組合が当該平均した額の範囲内において規約で定めた額があるときは，当該規約で定めた額）を標準報酬月額の基礎となる報酬月額とみなしたときの標準報酬月額

社会保険科目
45p

本問2は，傷病手当金の支給期間に関する問題であり，昭26.1.24保文発162号及び昭32.1.31保発2号の2からの出題である。

4月1日に労務不能となって3日間休業し，同月4日に一度は通常どおり出勤したものの，翌5日から再び労務不能となって休業した場合の傷病手当金の支給期間は，4月5日から起算されることになる。また，報酬があったために，その当初から支給停止されていた

社会保険科目
71p

場合の傷病手当金の支給期間は，報酬を受けなくなった日又は報酬の額が傷病手当金の額より少なくなった日から起算されることになる。

本問3は，全国健康保険協会に係る準備金に関する問題であり，健康保険法施行令46条1項からの出題である。

全国健康保険協会は，毎事業年度末において，当該事業年度及びその直前の2事業年度内において行った保険給付に要した費用の額（前期高齢者納付金等，後期高齢者支援金等及び日雇拠出金，介護納付金並びに流行初期医療確保拠出金等の納付に要した費用の額（前期高齢者交付金がある場合には，これを控除した額）を含み，出産育児交付金の額並びに健康保険法第153条及び第154条の規定による国庫補助の額を除く。）の1事業年度当たりの平均額の12分の1に相当する額に達するまでは，当該事業年度の剰余金の額を準備金として積み立てなければならない。

H29-選択	報酬・一般保険料率等

問 5

次の文中の［　　］の部分を選択肢の中の最も適切な語句で埋め，完全な文章とせよ。

1　全国健康保険協会管掌健康保険の被保険者に係る報酬額の算定において，事業主から提供される食事の経費の一部を被保険者が負担している場合，当該食事の経費については，厚生労働大臣が定める標準価額から本人負担分を控除したものを現物給与の価額として報酬に含めるが，［ A ］を被保険者が負担している場合には報酬に含めない。

2　健康保険法第160条第4項の規定によると，全国健康保険協会（以下，本問において「協会」という。）は，都道府県別の支部被保険者及びその被扶養者の［ B ］と協会が管掌する健康保険の被保険者及びその被扶養者の［ B ］との差異によって生ずる療養の給付等に要する費用の額の負担の不均衡並びに支部被保険者の［ C ］と協会が管掌する健康保険の被保険者の［ C ］との差異によって生ずる財政力の不均衡を是正するため，政令で定めるところにより，支部被保険者を単位とする健康保険の財政の調整を行うものとされている。

3　健康保険法第90条の規定によると，指定訪問看護事業者は，指定訪問看護の事業の運営に関する基準に従い，訪問看護を受ける者の心身の状況等に応じて［ D ］適切な指定訪問看護を提供するものとされている。

4　1又は2以上の適用事業所について常時700人以上の被保険者を使用する事業主は，当該1又は2以上の適用事業所について，健康保険組合を設立することができる。また，適用事業所の事業主は，共同して健康保険組合を設立することができる。この場合において，被保険者の数は，合算して常時［ E ］人以上でなければならない。

キリトリ線

キリトリ線

重要度 A

健保法

選択肢

① 3,000	② 4,000
③ 5,000	④ 10,000
⑤ 1人当たり保険給付費	⑥ 経費の2分の1以上
⑦ 経費の3分の2以上	⑧ 財政収支
⑨ 主治医の指示に基づき	⑩ 所得階級別の分布状況
⑪ 所要財源率	⑫ 総報酬額の平均額
⑬ 年齢階級別の分布状況	⑭ 標準価額の2分の1以上
⑮ 標準価額の3分の2以上	⑯ 平均標準報酬月額
⑰ 保険医療機関の指示に基づき	⑱ 保険者の指示に基づき
⑲ 保険料率	⑳ 自　ら

キリトリ線

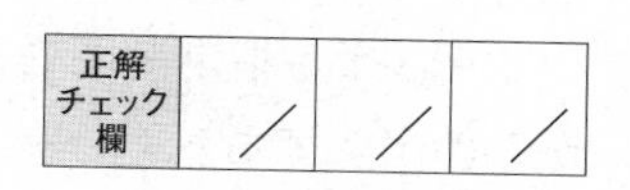

【解　答】

A　⑮ 標準価額の３分の２以上

B　⑬ 年齢階級別の分布状況

C　⑫ 総報酬額の平均額

D　⑳ 自ら

E　① 3,000

【解　説】

本問1は，報酬額の算定に関する問題であり，健康保険法（以下本問において「法」とする）46条ほかからの出題である。

全国健康保険協会管掌健康保険の被保険者に係る報酬額の算定において，事業主から提供される食事の経費の一部を被保険者が負担している場合，当該食事の経費については，厚生労働大臣が定める標準価額から本人負担分を控除したものを現物給与の価額として報酬に含めるが，標準価額の３分の２以上を被保険者が負担している場合には報酬に含めない。

本問2は，健康保険の財政の調整に関する問題であり，法160条４項からの出題である。

健康保険法第160条第４項の規定によると，全国健康保険協会（以下，本問において「協会」という。）は，都道府県別の支部被保険者及びその被扶養者の年齢階級別の分布状況と協会が管掌する健康保険の被保険者及びその被扶養者の年齢階級別の分布状況との差異によって生ずる療養の給付等に要する費用の額の負担の不均衡並びに支部被保険者の総報酬額の平均額と協会が管掌する健康保険の被保険者の総報酬額の平均額との差異によって生ずる財政力の不均衡を是正するため，政令で定めるところにより，支部被保険者を単位とする健康保険の財政の調整を行うものとされている。

社会保険科目
118p

本問3は，指定訪問看護事業者に関する問題であり，法90条１項からの出題である。

健康保険法第90条の規定によると，指定訪問看護事業者は，指定訪問看護の事業の運営に関する基準に従い，訪問看護を受ける者の心身の状況等に応じて自ら適切な指定訪問看護を提供するものとされている。

本問4は，健康保険組合の設立に関する問題であり，法11条ほかからの出題である。

1又は2以上の適用事業所について常時700人以上の被保険者を使用する事業主は，当該1又は2以上の適用事業所について，健康保険組合を設立することができる。また，適用事業所の事業主は，共同して健康保険組合を設立することができる。この場合において，被保険者の数は，合算して常時3,000人以上でなければならない。

社会保険科目
12p

キリトリ線

R6-選択	保険外併用療養費・資格喪失後の出産育児一時金の給付・家族訪問看護療養費

問 6

次の文中の［　　］の部分を選択肢の中の最も適切な語句で埋め，完全な文章とせよ。

1　保険外併用療養費の支給対象となる治験は，［ A ］，患者の自由な選択と同意がなされたものに限られるものとし，したがって，治験の内容を患者等に説明することが医療上好ましくないと認められる等の場合にあっては，保険外併用療養費の支給対象としない。

2　任意継続被保険者がその資格を喪失した後，出産育児一時金の支給を受けることができるのは，任意継続被保険者の［ B ］であった者であって，実際の出産日が被保険者の資格を喪失した日後6か月以内の期間でなければならない。

3　健康保険法第111条の規定によると，被保険者の［ C ］が指定訪問看護事業者から指定訪問看護を受けたときは，被保険者に対し，その指定訪問看護に要した費用について，［ D ］を支給する。［ D ］の額は，当該指定訪問看護につき厚生労働大臣の定めの例により算定した費用の額に［ E ］の給付割合を乗じて得た額（［ E ］の支給について［ E ］の額の特例が適用されるべきときは，当該規定が適用されたものとした場合の額）とする。

キリトリ線

重要度 **B**

選択肢

① 3親等内の親族
② 新たな医療技術，医薬品，医療機器等によるものであることから
③ 家族訪問看護療養費
④ 家族療養費
⑤ 患者に対する情報提供を前提として
⑥ 高額介護合算療養費
⑦ 高額介護サービス費
⑧ 高額療養費
⑨ 困難な病気と闘う患者からの申し出を起点として
⑩ 資格を取得した日の前日まで引き続き1年以上被保険者（任意継続被保険者又は共済組合の組合員である被保険者を除く。）
⑪ 資格を取得した日の前日まで引き続き6か月以上被保険者（任意継続被保険者又は共済組合の組合員である被保険者を除く。）
⑫ 資格を喪失した日の前日まで引き続き1年以上被保険者（任意継続被保険者又は共済組合の組合員である被保険者を含む。）
⑬ 資格を喪失した日の前日まで引き続き6か月以上被保険者（任意継続被保険者又は共済組合の組合員である被保険者を除く。）
⑭ 認定対象者
⑮ 被扶養者
⑯ 扶養者
⑰ 訪問看護療養費
⑱ 保険医療機関が厚生労働大臣の定める施設基準に適合するとともに
⑲ 保険外併用療養費
⑳ 療養費

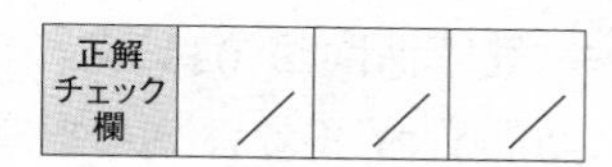

【解　答】

A　⑤ 患者に対する情報提供を前提として

B　⑩ 資格を取得した日の前日まで引き続き1年以上被保険者（任意継続被保険者又は共済組合の組合員である被保険者を除く。）

C　⑮ 被扶養者

D　③ 家族訪問看護療養費

E　④ 家族療養費

【解　説】

本問1は，保険外併用療養費に関する問題であり，令6.3.27保医発0327第10号からの出題である。

保険外併用療養費の支給対象となる治験は，患者に対する情報提供を前提として，患者の自由な選択と同意がなされたものに限られるものとし，したがって，治験の内容を患者等に説明することが医療上好ましくないと認められる等の場合にあっては，保険外併用療養費の支給対象としない。

本問2は，資格喪失後の出産育児一時金の給付に関する問題であり，健康保険法104条及び同法106条からの出題である。

任意継続被保険者がその資格を喪失した後，出産育児一時金の支給を受けることができるのは，任意継続被保険者の資格を取得した日の前日まで引き続き1年以上被保険者（任意継続被保険者又は共済組合の組合員である被保険者を除く。）であった者であって，実際の出産日が被保険者の資格を喪失した日後6か月以内の期間でなければならない。

本問3は，家族訪問看護療養費に関する問題であり，健康保険法111条1項・2項からの出題である。

健康保険法第111条の規定によると，被保険者の被扶養者が指定訪問看護事業者から指定訪問看護を受けたときは，被保険者に対し，その指定訪問看護に要した費用について，家族訪問看護療養費を支給する。家族訪問看護療養費の額は，当該指定訪問看護につき厚生労働大臣の定めの例により算定した費用の額に家族療養費の給付割合を乗じて得た額（家族療養費の支給について家族療養費の額の特例が適用されるべきときは，当該規定が適用されたものとした場合の額）とする。

キリトリ線

H27-選択	一部負担金・延滞金の割合

問 7 次の文中の[　　]の部分を選択肢の中の最も適切な語句で埋め，完全な文章とせよ。

1 平成26年4月1日以降に70歳に達した被保険者が療養の給付を受けた場合の一部負担金の割合は，[　A　]から療養の給付に要する費用の額の2割又は3割となる。

例えば，標準報酬月額が28万円以上である70歳の被保険者（昭和19年9月1日生まれ）が平成27年4月1日に療養の給付を受けるとき，当該被保険者の被扶養者が67歳の妻のみである場合，厚生労働省令で定める収入の額について[　B　]であれば，保険者に申請することにより，一部負担金の割合は2割となる。なお，過去5年間に当該被保険者の被扶養者となった者は妻のみである。

本問において，災害その他の特別の事情による一部負担金の徴収猶予又は減免の措置について考慮する必要はない。

2 保険料その他健康保険法の規定による徴収金を滞納する者に督促した場合に保険者等が徴収する延滞金の割合については，同法附則第9条により当分の間，特例が設けられている。令和6年の租税特別措置法の規定による財務大臣が告示する割合は年0.4％とされたため，令和6年における延滞税特例基準割合は年1.4％となった。このため，令和6年における延滞金の割合の特例は，[　C　]までの期間については年[　D　]％とされ，[　C　]の翌日以後については年[　E　]％とされた。

キリトリ線

重要度 A

選択肢

① 0.8	② 1.8	③ 2.4	④ 3.8
⑤ 7.1	⑥ 7.3	⑦ 8.1	⑧ 8.7

⑨ 70歳に達する日

⑩ 70歳に達する日の属する月

⑪ 70歳に達する日の属する月の翌月

⑫ 70歳に達する日の翌日

⑬ 督促状による指定期限の翌日から3か月を経過する日

⑭ 督促状による指定期限の翌日から6か月を経過する日

⑮ 納期限の翌日から3か月を経過する日

⑯ 納期限の翌日から6か月を経過する日

⑰ 被保険者と被扶養者の収入を合わせて算定し，その額が383万円未満

⑱ 被保険者と被扶養者の収入を合わせて算定し，その額が520万円未満

⑲ 被保険者のみの収入により算定し，その額が383万円未満

⑳ 被保険者のみの収入により算定し，その額が520万円未満

正解チェック欄	／	／	／

【解　答】

A　⑪ 70歳に達する日の属する月の翌月

B　⑲ 被保険者のみの収入により算定し，その額が383万円未満

C　⑮ 納期限の翌日から3か月を経過する日

D　③ 2.4

E　⑧ 8.7

【解　説】

本問1は，一部負担金の割合に関する問題であり，健康保険法(以下本問において「法」とする）74条1項及び令34条2項からの出題である。

平成26年4月1日以降に70歳に達した被保険者が療養の給付を受けた場合の一部負担金の割合は，70歳に達する日の属する月の翌月から療養の給付に要する費用の額の2割又は3割となる。

災害その他の特別の事情による一部負担金の徴収猶予又は減免の措置について考慮する必要はない場合において，例えば，標準報酬月額が28万円以上である70歳の被保険者（昭和19年9月1日生まれ）が平成27年4月1日に療養の給付を受けたとき，当該被保険者の被扶養者が67歳の妻のみ（過去5年間に当該被保険者の被扶養者となった者は妻のみ）である場合，厚生労働省令で定める収入の額について被保険者のみの収入により算定し，その額が383万円未満であれば，保険者に申請することにより，一部負担金の割合は2割となる。

社会保険科目
61p

本問2は，延滞金の割合に関する問題であり，法181条1項ほかからの出題である。

保険料その他健康保険法の規定による徴収金を滞納する者に督促した場合に保険者等が徴収する延滞金の割合については，同法附則9条により，特例として，法181条1項に規定する本来の割合（年14.6％及び年7.3％）は，当分の間，各年の租税特別措置法の規定による特例基準割合が年7.3％の割合に満たない場合には，その年中においては，年14.6％の割合にあっては当該特例基準割合に年7.3％の割合を加算した割合とされ，年7.3％の割合にあっては当該特例基準割合に年１％の割合を加算した割合（当該加算した割合が年7.3％の割合を超える場合には，年7.3％の割合）とされる。令和6年の租税特別措置法の規定による財務大臣が告示する割合は年0.4％とされたため，令和6年における延滞税特例基準割合は年1.4％となった。このため，令和6年における延滞金の割合の特例は，納期限の翌日から３か月を経過する日までの期間については年2.4％（1.4％＋１％）とされ，納期限の翌日から３か月を経過する日の翌日以後については年8.7％（1.4％＋7.3％）とされた。

なお，出題当時は，「特例基準割合」とされていたが，令2.3.31法律８号（所得税法等一部改正法）により，令和3年1月1日から，当該「特例基準割合」は「延滞税特例基準割合」に改正された。なお，「延滞税特例基準割合」とは，租税特別措置法94条１項に規定する延滞税特例基準割合をいい，平均貸付割合（各年の前年の11月30日までに財務大臣が告示する割合）に年１％の割合を加算した割合をいう（租税特別措置法94条ほか）。

社会保険科目
127p

R2-選択

一部負担金・高額療養費等

問 8

次の文中の[　　]の部分を選択肢の中の最も適切な語句で埋め，完全な文章とせよ。

1　健康保険法第82条第2項の規定によると，厚生労働大臣は，保険医療機関若しくは保険薬局に係る同法第63条第3項第1号の指定を行おうとするとき，若しくはその指定を取り消そうとするとき，又は保険医若しくは保険薬剤師に係る同法第64条の登録を取り消そうとするときは，政令で定めるところにより，[A]ものとされている。

2　保険医療機関又は保険薬局から療養の給付を受ける者が負担する一部負担金の割合については，70歳に達する日の属する月の翌月以後である場合であって，療養の給付を受ける月の[B]以上であるときは，原則として，療養の給付に要する費用の額の100分の30である。

3　50歳で標準報酬月額が41万円の被保険者が1つの病院において同一月内に入院し治療を受けたとき，医薬品など評価療養に係る特別料金が10万円，室料など選定療養に係る特別料金が20万円，保険診療に要した費用が70万円であった。この場合，保険診療における一部負担金相当額は21万円となり，当該被保険者の高額療養費算定基準額の算定式は「80,100円＋（療養に要した費用－267,000円）×1％」であるので，高額療養費は[C]となる。

4　健康保険法施行規則第29条の規定によると，健康保険法第48条の規定による被保険者の資格の喪失に関する届出は，様式第8号又は様式第8号の2による健康保険被保険者資格喪失届を日本年金機構又は健康保険組合（様式第8号の2によるものである場合にあっては，日本年金機構）に提出することによって行うものとするとされており，この日本年金機構に提出する様式第8号の2による届書は，[D]を経由して提出することができるとされている。

5　健康保険法第181条の2では，全国健康保険協会による広報及び保険料の納付の勧奨等について，「協会は，その管掌する健康保険の事業の円滑な運営が図られるよう，[E]に関する広報を実施するとともに，保険料の納付の勧奨その他厚生労働大臣の行う保険料の徴収に係る業務に対す

キリトリ線

る適切な協力を行うものとする。」と規定している。

選択肢

①	7,330円	②	84,430円
③	125,570円	④	127,670円
⑤	社会保障審議会の意見を聴く	⑥	住所地の市区町村長
⑦	傷病の予防及び健康の保持	⑧	所轄公共職業安定所長
⑨	所轄労働基準監督署長	⑩	前月の標準報酬月額が28万円
⑪	前月の標準報酬月額が34万円	⑫	全国健康保険協会理事長
⑬	地方社会保険医療協議会に諮問する		
⑭	中央社会保険医療協議会に諮問する		
⑮	当該事業の意義及び内容	⑯	当該事業の財政状況
⑰	都道府県知事の意見を聴く	⑱	標準報酬月額が28万円
⑲	標準報酬月額が34万円	⑳	療養環境の向上及び福祉の増進

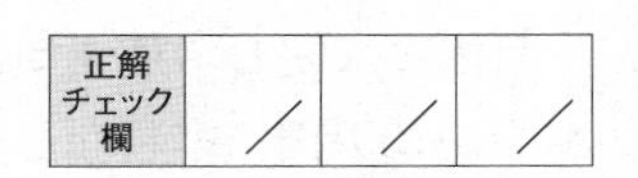

【解　答】

A　⑬ 地方社会保険医療協議会に諮問する

B　⑱ 標準報酬月額が28万円

C　③ 125,570円

D　⑧ 所轄公共職業安定所長

E　⑮ 当該事業の意義及び内容

【解　説】

本問1は，地方社会保険医療協議会への諮問に関する問題であり，健康保険法（以下「法」とする）82条2項からの出題である。

法82条2項の規定によると，厚生労働大臣は，保険医療機関若しくは保険薬局に係る法63条3項1号の指定を行おうとするとき，若しくはその指定を取り消そうとするとき，又は保険医若しくは保険薬剤師に係る同法64条の登録を取り消そうとするときは，政令で定めるところにより，地方社会保険医療協議会に諮問するものとされている。

社会保険科目
55p

本問2は，療養の給付に係る一部負担金に関する問題であり，法74条1項，健康保険法施行令（以下「令」とする）34条1項からの出題である。

保険医療機関又は保険薬局から療養の給付を受ける者が負担する一部負担金の割合については，70歳に達する日の属する月の翌月以後である場合であって，療養の給付を受ける月の標準報酬月額が28万円以上であるときは，原則として，療養の給付に要する費用の額の100分の30である。

社会保険科目
61p

本問3は，高額療養費に関する問題であり，法115条，令41条からの出題である。

50歳で標準報酬月額が41万円の被保険者が1つの病院において同一月内に入院し治療を受けたとき，医薬品など評価療養に係る特別料金が10万円，室料など選定療養に係る特別料金が20万円，保険診療に要した費用が70万円であった。この場合，保険診療における一部負担金相当額は21万円となり，当該被保険者の高額療養費算定基準額の算定式は「80,100円＋（療養に要した費用－267,000円）×1％」であるので，高額療養費は125,570円（一部負担金相当額（210,000円）から高額療養費算定基準額（84,430円）を控除した額）となる。

社会保険科目
80p

本問4は，被保険者の資格喪失の届出に関する問題であり，健康保険法施行規則（以下「則」とする）29条2項からの出題である。

則29条の規定によると，法48条の規定による被保険者の資格の喪失に関する届出は，様式第8号又は様式第8号の2による健康保険被保険者資格喪失届を日本年金機構又は健康保険組合（様式第8号の2によるものである場合にあっては，日本年金機構）に提出することによって行うものとするとされており，この日本年金機構に提出する様式第8号の2による届書は，所轄公共職業安定所長を経由して提出することができるとされている。

本問5は，全国健康保険協会による広報及び保険料の納付の勧奨等に関する問題であり，法181条の2からの出題である。

法181条の2では，全国健康保険協会による広報及び保険料の納付の勧奨等について，「協会は，その管掌する健康保険の事業の円滑な運営が図られるよう，当該事業の意義及び内容に関する広報を実施するとともに，保険料の納付の勧奨その他厚生労働大臣の行う保険料の徴収に係る業務に対する適切な協力を行うものとする。」と規定している。

MEMO

キリトリ線

H28-選択	高額療養費・訪問看護療養費	重要度	A

健保法

問 9

次の文中の［　　］の部分を選択肢の中の最も適切な語句で埋め，完全な文章とせよ。

1　55歳で標準報酬月額が83万円である被保険者が，特定疾病でない疾病による入院により，同一の月に療養を受け，その療養（食事療養及び生活療養を除く。）に要した費用が1,000,000円であったとき，その月以前の12か月以内に高額療養費の支給を受けたことがない場合の高額療養費算定基準額は，252,600円＋(1,000,000円－［A］）×１％の算定式で算出され，当該被保険者に支給される高額療養費は［B］となる。また，当該被保険者に対し，その月以前の12か月以内に高額療養費が支給されている月が3か月以上ある場合（高額療養費多数回該当の場合）の高額療養費算定基準額は，［C］となる。

2　訪問看護療養費は，健康保険法第88条第2項の規定により，厚生労働省令で定めるところにより，［D］が必要と認める場合に限り，支給するものとされている。この指定訪問看護を受けようとする者は，同条第3項の規定により，厚生労働省令で定めるところにより，［E］の選定する指定訪問看護事業者から，電子資格確認等により被保険者であることの確認を受け，受けるものとされている。

キリトリ線

選択肢

①　40,070円	②　42,980円
③　44,100円	④　44,400円
⑤　45,820円	⑥　80,100円
⑦　93,000円	⑧　140,100円
⑨　267,000円	⑩　558,000円
⑪　670,000円	⑫　842,000円
⑬　医　師	⑭　医療機関
⑮　介護福祉士	⑯　看護師
⑰　厚生労働大臣	⑱　自　己
⑲　都道府県知事	⑳　保険者

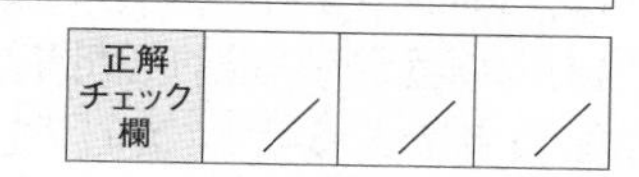

解答・解説

【解　答】

A　⑫ 842,000円
B　⑤ 45,820円
C　⑧ 140,100円
D　⑳ 保険者
E　⑱ 自己

【解　説】

本問1は，高額療養費に関する問題であり，健康保険法（以下本問において「法」とする）115条，健康保険法施行令41条・42条からの出題である。

55歳で標準報酬月額が83万円である被保険者が，特定疾病でない疾病による入院により，同一の月に療養を受け，その療養（食事療養及び生活療養を除く）に要した費用が1,000,000円であったとき，その月以前の12か月以内に高額療養費の支給を受けたことがない場合の高額療養費算定基準額は，252,600円＋（1,000,000円－842,000円）×１％の算定式で算出され，当該被保険者に支給される高額療養費は45,820円となる。また，当該被保険者に対し，その月以前の12か月以内に高額療養費が支給されている月が３か月以上ある場合（高額療養費多数回該当の場合）の高額療養費算定基準額は，140,100円となる。

社会保険科目
80, 82p

上記前段の場合の高額療養費の計算過程は以下のとおりである。
①一部負担金の額…1,000,000円×３割＝300,000円
②高額療養費算定基準額…252,600円＋（1,000,000円－842,000円）×１％＝254,180円
③高額療養費の金額…300,000円－254,180円＝45,820円

本問2は，訪問看護療養費に関する問題であり，法88条２項・３項からの出題である。

社会保険科目
68p

訪問看護療養費は，健康保険法第88条第２項の規定により，厚生労働省令で定めるところにより，保険者が必要と認める場合に限り，支給するものとされている。この指定訪問看護を受けようとする者は，同条第３項の規定により，厚生労働省令で定めるところにより，自己の選定する指定訪問看護事業者から，電子資格確認等により被保険者であることの確認を受け，受けるものとされている。

MEMO

健保法

R3-選択	一般保険料率・標準報酬月額

問 10

次の文中の［　　］の部分を選択肢の中の最も適切な語句で埋め，完全な文章とせよ。

1　健康保険法第156条の規定による一般保険料率とは，基本保険料率と［ A ］とを合算した率をいう。基本保険料率は，一般保険料率から［ A ］を控除した率を基準として，保険者が定める。［ A ］は，各年度において保険者が納付すべき前期高齢者納付金等の額及び後期高齢者支援金等の額並びに流行初期医療確保拠出金等の額（全国健康保険協会が管掌する健康保険及び日雇特例被保険者の保険においては，［ B ］額）の合算額（前期高齢者交付金がある場合には，これを控除した額）を当該年度における当該保険者が管掌する被保険者の［ C ］の見込額で除して得た率を基準として，保険者が定める。

2　毎年3月31日における標準報酬月額等級の最高等級に該当する被保険者数の被保険者総数に占める割合が100分の1.5を超える場合において，その状態が継続すると認められるときは，その年の［ D ］から，政令で，当該最高等級の上に更に等級を加える標準報酬月額の等級区分の改定を行うことができる。ただし，その年の3月31日において，改定後の標準報酬月額等級の最高等級に該当する被保険者数の同日における被保険者総数に占める割合が［ E ］を下回ってはならない。

キリトリ線

キリトリ線

重要度 A

健保法

選択肢

① 6月1日	② 8月1日
③ 9月1日	④ 10月1日
⑤ 100分の0.25	⑥ 100分の0.5
⑦ 100分の0.75	⑧ 100分の1
⑨ 総報酬額	⑩ 総報酬額の総額

⑪ その額から健康保険法第153条及び第154条の規定による国庫補助額を控除した

⑫ その額から特定納付金を控除した

⑬ その額に健康保険法第153条及び第154条の規定による国庫補助額を加算した

⑭ その額に特定納付金を加算した

⑮ 調整保険料率	⑯ 特定保険料率
⑰ 標準報酬月額の総額	⑱ 標準報酬月額の平均額
⑲ 標準保険料率	⑳ 付加保険料率

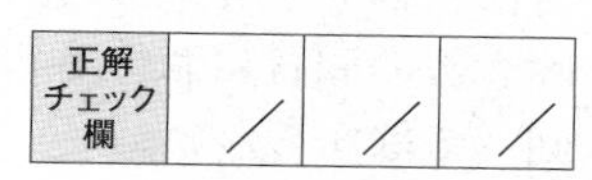

キリトリ線

【解　答】

A　⑯ 特定保険料率

B　⑪ その額から健康保険法第153条及び第154条の規定による国庫補助額を控除した

C　⑩ 総報酬額の総額

D　③ 9月1日

E　⑥ 100分の0.5

【解　説】

本問1は，一般保険料率に関する問題であり，健康保険法（以下本問において「法」とする）156条1項1号，法160条14項からの出題である。

法156条の規定による一般保険料率とは，基本保険料率と特定保険料率とを合算した率をいう。基本保険料率は，一般保険料率から特定保険料率を控除した率を基準として，保険者が定める。特定保険料率は，各年度において保険者が納付すべき前期高齢者納付金等の額及び後期高齢者支援金等の額並びに流行初期医療確保拠出金等の額（全国健康保険協会が管掌する健康保険及び日雇特例被保険者の保険においては，その額から法153条及び154条の規定による国庫補助額を控除した額）の合算額（前期高齢者交付金がある場合には，これを控除した額）を当該年度における当該保険者が管掌する被保険者の総報酬額の総額の見込額で除して得た率を基準として，保険者が定める。

社会保険科目
119p

本問2は，標準報酬月額に関する問題であり，法40条2項からの出題である。

毎年3月31日における標準報酬月額等級の最高等級に該当する被保険者数の被保険者総数に占める割合が100分の1.5を超える場合において，その状態が継続すると認められるときは，その年の9月1日から，政令で，当該最高等級の上に更に等級を加える標準報酬月額の等級区分の改定を行うことができる。ただし，その年の3月31日において，改定後の標準報酬月額等級の最高等級に該当する被保険者数の同日における被保険者総数に占める割合が100分の0.5を下回ってはならない。

社会保険科目
37p

キリトリ線

H29-1	保険者	重要度 A

健保法

問 1 健康保険法に関する次の記述のうち，誤っているものはどれか。

A 全国健康保険協会の常勤役員は，厚生労働大臣の承認を受けたときを除き，営利を目的とする団体の役員となり，又は自ら営利事業に従事してはならない。

B 小規模で財政の窮迫している健康保険組合が合併して設立される地域型健康保険組合は，合併前の健康保険組合の設立事業所が同一都道府県内であれば，企業，業種を超えた合併も認められている。

C 任意継続被保険者の保険料の徴収に係る業務は，保険者が全国健康保険協会の場合は厚生労働大臣が行い，保険者が健康保険組合の場合は健康保険組合が行う。

D 健康保険組合が解散により消滅した場合，全国健康保険協会が消滅した健康保険組合の権利義務を承継する。

E 全国健康保険協会は，市町村（特別区を含む。）に対し，政令で定めるところにより，日雇特例被保険者の保険に係る保険者の事務のうち全国健康保険協会が行うものの一部を委託することができる。

キリトリ線

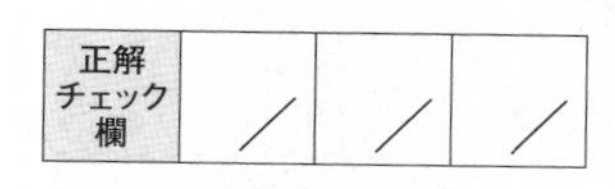

A 正 本肢のとおりである（法7条の15）。

B 正 本肢のとおりである（法附則3条の2第1項）。なお，健全化計画は，指定の日の属する年度の翌年度を初年度とする3箇年間の計画とされている（令30条）。

社会保険科目 120p

C 誤 任意継続被保険者の保険料の徴収に係る業務は，保険者が全国健康保険協会の場合は「全国健康保険協会」が行い，保険者が健康保険組合の場合は健康保険組合が行う（法5条，法6条）。

社会保険科目 9p

社会保険科目 14p

D 正 本肢のとおりである（法26条4項）。

E 正 本肢のとおりである（法203条2項）。

キリトリ線

H28-1	保険者	重要度 B

問 2

保険者及び適用事業所に関する次のアからオの記述のうち，正しいものの組合せは，後記AからEまでのうちどれか。

ア　健康保険組合がその設立事業所を増加させ，又は減少させようとするときは，その増加又は減少に係る適用事業所の事業主の全部の同意を得なければならないが，併せて，その適用事業所に使用される被保険者の2分の1以上の同意も得なければならない。

イ　任意適用事業所に使用される者（被保険者である者に限る。）の4分の3以上が事業主に対して任意適用取消しの申請を求めた場合には，事業主は当該申請を厚生労働大臣に対して行わなければならない。

ウ　外国の在日大使館が健康保険法第31条第1項の規定に基づく任意適用の認可を厚生労働大臣に申請したときは，当該大使館が健康保険法上の事業主となり，保険料の納付，資格の得喪に係る届の提出等，健康保険法の事業主としての諸義務を遵守する旨の覚書を取り交わされることを条件として，これが認可され，その使用する日本人並びに派遣国官吏又は武官でない外国人（当該派遣国の健康保険に相当する保障を受ける者を除く。）に健康保険法を適用して被保険者として取り扱われる。

エ　健康保険組合連合会は，全国健康保険協会の後期高齢者支援金に係る負担の不均衡を調整するために，全国健康保険協会に対する交付金の交付事業を行っている。

オ　全国健康保険協会は，毎事業年度において，当該事業年度及びその直前の2事業年度内において行った保険給付に要した費用の額の1事業年度当たりの平均額の3分の1に相当する額までは，当該事業年度の剰余金の額を準備金として積み立てなければならない。なお，保険給付に要した費用の額は，前期高齢者納付金（前期高齢者交付金がある場合には，これを控除した額）を含み，国庫補助の額を除くものとする。

A （アとイ）　B （アとウ）　C （イとエ）
D （ウとオ）　E （エとオ）

正解チェック欄	／	／	／

キリトリ線

本問のアからオまでのそれぞれの記述の正誤は以下のとおりであり，したがって，ア及びウを正しいとするBが解答となる。

ア　正　本肢のとおりである（法25条1項）。

社会保険科目
14p

イ　誤　本肢のような規定はなく，被保険者から任意適用取消しの申請を求められた場合であっても，事業主は，当該申請をする義務はない（法33条）。

社会保険科目
21～22p

ウ　正　本肢のとおりである（昭30.7.25省発保123の2号）。

エ　誤　健康保険組合が管掌する健康保険の医療に関する給付，保健事業及び福祉事業の実施又は健康保険組合に係る前期高齢者納付金等，後期高齢者支援金等，日雇拠出金，介護納付金若しくは流行初期医療確保拠出金等の納付に要する費用の財源の不均衡を調整するため，健康保険組合連合会は，「会員である健康保険組合」に対する交付金の交付の事業を行うものとされている（法附則2条1項）。

オ　誤　全国健康保険協会は，毎事業年度末において，当該事業年度及びその直前の2事業年度内において行った保険給付に要した費用の額（前期高齢者納付金等，後期高齢者支援金等及び日雇拠出金，介護納付金並びに流行初期医療確保拠出金等の納付に要した費用の額（前期高齢者交付金がある場合には，これを控除した額）を含み，出産育児交付金の額並びに国庫補助の額を除く）の1事業年度当たりの平均額の「12分の1」に相当する額に達するまでは，当該事業年度の剰余金の額を準備金として積み立てなければならない（令46条1項）。

キリトリ線

H30-1	保険者	重要度 A

問 3 保険者に関する次のアからオの記述のうち，誤っているものの組合せは，後記AからEまでのうちどれか。

ア　全国健康保険協会の運営委員会の委員は，9人以内とし，事業主，被保険者及び全国健康保険協会の業務の適正な運営に必要な学識経験を有する者のうちから，厚生労働大臣が各同数を任命することとされており，運営委員会は委員の総数の3分の2以上又は事業主，被保険者及び学識経験を有する者である委員の各3分の1以上が出席しなければ，議事を開くことができないとされている。

イ　健康保険組合でない者が健康保険組合という名称を用いたときは，10万円以下の過料に処する旨の罰則が定められている。

ウ　全国健康保険協会が業務上の余裕金で国債，地方債を購入し，運用を行うことは一切できないとされている。

エ　健康保険組合は，分割しようとするときは，当該健康保険組合に係る適用事業所に使用される被保険者の4分の3以上の多数により議決し，厚生労働大臣の認可を受けなければならない。

オ　厚生労働大臣は，全国健康保険協会の事業年度ごとの業績について，評価を行わなければならず，この評価を行ったときは，遅滞なく，全国健康保険協会に対し，当該評価の結果を通知するとともに，これを公表しなければならない。

A　（アとイ）　**B**　（アとウ）　**C**　（イとオ）
D　（ウとエ）　**E**　（エとオ）

キリトリ線

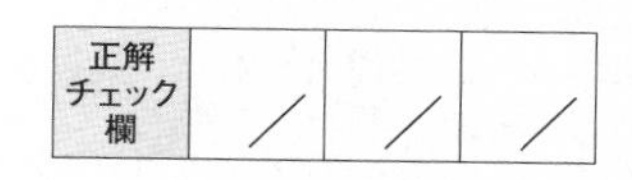

正解チェック欄	／	／	／

本問のアからオまでのそれぞれの記述の正誤は以下のとおりであり，したがって，ウ及びエを誤りの記述とするDが解答となる。

ア　正　本肢のとおりである（法7条の18第2項，則2条の4第5項）。なお，全国健康保険協会の運営委員会の委員の任期は，原則として，2年とする。ただし，補欠の委員の任期は，前任者の残任期間とする（法7条の18第3項・4項）。

社会保険科目 10p

イ　正　本肢のとおりである（法220条）。

ウ　誤　全国健康保険協会は，業務上の余裕金で国債，地方債の取得による運用をすることは「認められている」（令1条の2）。

エ　誤　健康保険組合は，分割しようとするときは，組合会において「組合会議員の定数」の4分の3以上の多数により議決し，厚生労働大臣の認可を受けなければならない（法24条1項）。

社会保険科目 14p

オ　正　本肢のとおりである（法7条の30）。なお，全国健康保険協会は，毎事業年度，貸借対照表，損益計算書，利益の処分又は損益の処理に関する書類その他厚生労働省令で定める書類及びこれらの附属明細書（「財務諸表」という）を作成し，これに当該事業年度の事業報告書及び決算報告書を添え，監事及び会計監査人の意見を付けて，決算完結後2月以内に厚生労働大臣に提出し，その承認を受けなければならない（法7条の28第2項）。

社会保険科目 11p

R元-1	保険者	重要度 A

問 4　保険者に関する次の記述のうち，誤っているものはどれか。

A　全国健康保険協会（以下本問において「協会」という。）と協会の理事長又は理事との利益が相反する事項については，これらの者は代表権を有しない。この場合には，協会の監事が協会を代表することとされている。

B　保険者等は被保険者の資格の取得及び喪失の確認又は標準報酬の決定若しくは改定を行ったときは，当該被保険者に係る適用事業所の事業主にその旨を通知し，この通知を受けた事業主は速やかにこれを被保険者又は被保険者であった者に通知しなければならない。

C　健康保険組合の理事の定数は偶数とし，その半数は健康保険組合が設立された適用事業所（以下「設立事業所」という。）の事業主の選定した組合会議員において，他の半数は被保険者である組合員の互選した組合会議員において，それぞれ互選する。理事のうち１人を理事長とし，設立事業所の事業主の選定した組合会議員である理事のうちから，事業主が選定する。

D　協会の理事長，理事及び監事の任期は3年，協会の運営委員会の委員の任期は2年とされている。

E　協会は，毎事業年度，財務諸表を作成し，これに当該事業年度の事業報告書及び決算報告書を添え，監事及び厚生労働大臣が選任する会計監査人の意見を付けて，決算完結後2か月以内に厚生労働大臣に提出し，その承認を受けなければならない。

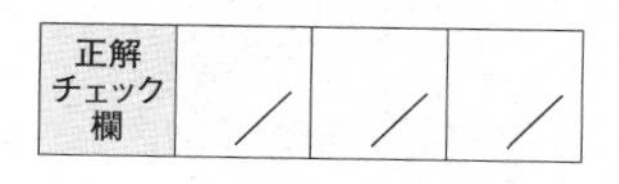

正解チェック欄	／	／	／

A 正 本肢のとおりである（健康保険法（以下本問において「法」とする）7条の16）。

B 正 本肢のとおりである（法49条1項・2項）。なお，被保険者が被保険者の資格を喪失した場合において，その者の所在が明らかでないため，本肢の通知をすることができないときは，事業主は，厚生労働大臣又は保険者等にその旨を届け出なければならない（同条3項）。

社会保険科目 37p

C 誤 理事のうち1人を理事長とし，設立事業所の事業主の選定した組合会議員である理事のうちから，「理事が選挙する」。本肢前段の記述は正しい（法21条2項・3項）。

社会保険科目 13p

D 正 本肢のとおりである（法7条の12第1項，法7条の18第3項）。なお，監事は協会の業務の執行及び財務状況を監査する（法7条の10第4項）。

E 正 本肢のとおりである（法7条の28第2項）。なお，本肢の「財務諸表」とは，貸借対照表，損益計算書，利益の処分又は損失の処理に関する書類その他厚生労働省令で定める書類及びこれらの附属明細書をいう。

社会保険科目 10p

H27-1	被保険者及び被扶養者	重要度 A

問 5 被保険者及び被扶養者に関する次の記述のうち，正しいものはどれか。

A 適用事業所に臨時に使用され，日々雇い入れられている者が，連続して1か月間労務に服し，なお引き続き労務に服したときは一般の被保険者の資格を取得する。この場合，当該事業所の公休日は，労務に服したものとみなされず，当該期間の計算から除かれる。

B 労働者派遣事業の事業所に雇用される登録型派遣労働者が，派遣就業に係る1つの雇用契約の終了後，1か月以内に次回の雇用契約が見込まれるため被保険者資格を喪失しなかった場合において，前回の雇用契約終了後10日目に1か月以内に次回の雇用契約が締結されないことが確実となったときは，前回の雇用契約終了後1か月を経過した日の翌日に被保険者資格を喪失する。

C 特例退職被保険者の資格取得の申出は，健康保険組合において正当の理由があると認めるときを除き，特例退職被保険者になろうとする者に係る年金証書等が到達した日の翌日（被用者年金給付の支給がその者の年齢を事由としてその全額について停止された者については，その停止すべき事由が消滅した日の翌日）から起算して20日以内にしなければならない。ただし，健康保険組合が新たに特定健康保険組合の認可を受けた場合は，この限りではない。

D 被保険者の配偶者で届出をしていないが事実上婚姻関係と同様の事情にあるものの祖父母は，国内居住要件等のほか，その被保険者と同一の世帯に属し，主としてその被保険者により生計を維持する場合であっても，被扶養者とはならない。

E 特例退職被保険者が資格確認書を紛失した場合の資格確認書の再交付申請は，一般の被保険者であったときの事業主を経由して行う。ただし，災害その他やむを得ない事情により，当該事業主を経由して行うことが困難であると保険者が認めるときは，事業主を経由することを要しない。

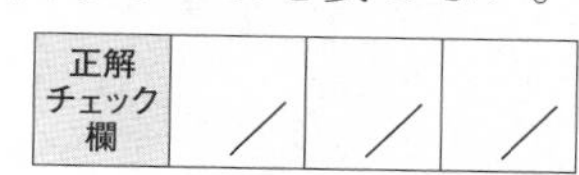

正解チェック欄	／	／	／

正解 D

A　誤　本肢の場合，事業所の公休日は「労務に服したものとみなして」当該期間（日数）の計算に「加える」ものとされている（法3条1項，昭3.3.30保理302号ほか）。

B　誤　本肢の派遣労働者は，次回の雇用契約が締結されないことが確実となった日又は前回の雇用契約終了後1か月を経過した日の「いずれか早い日」をもって使用関係が終了したものとされるため，「次回の雇用契約が締結されないことが確実となった日（前回の雇用契約終了後10日目）」の翌日に，被保険者の資格を喪失する（平14.4.24保保発0424001号ほか）。

C　誤　特例退職被保険者の資格取得の申出は，原則として，特例退職被保険者になろうとする者に係る年金証書等が到達した日の翌日（被用者年金給付の支給がその者の年齢を事由としてその全額について停止された者については，その停止すべき事由が消滅した日の翌日）から起算して「3月以内」にしなければならない（則168条3項・4項）。

社会保険科目
31p

D　正　本肢のとおりである（法3条7項）。

E　誤　特例退職被保険者の場合，資格確認書の再交付申請は当該被保険者が行い，「事業主を経由しない」（則49条5項，則170条）。本肢は，出題当時は「被保険者証」に関する問題であったが，改正により令和6年12月2日からは新たな被保険者証の交付は行われないこととなり，所定の場合に資格確認書が交付されることとなった（法51条の3ほか）。

キリトリ線

R4-2	被保険者及び被扶養者	重要度 A

問 6 被保険者及び被扶養者に関する次の記述のうち，誤っているものはどれか。

A 被保険者の数が5人以上である適用事業所に使用される法人の役員としての業務（当該法人における従業員が従事する業務と同一であると認められるものに限る。）に起因する疾病，負傷又は死亡に関しては，傷病手当金を含めて健康保険から保険給付が行われる。

B 適用事業所に新たに使用されることになったが，使用されるに至った日から自宅待機とされた場合は，雇用契約が成立しており，かつ，休業手当が支払われるときには，その休業手当の支払いの対象となった日の初日に被保険者の資格を取得する。また，当該資格取得時における標準報酬月額の決定については，現に支払われる休業手当等に基づき決定し，その後，自宅待機が解消したときは，標準報酬月額の随時改定の対象とする。

C 出産手当金の支給要件を満たす者が，その支給を受ける期間において，同時に傷病手当金の支給要件を満たした場合は，出産手当金の支給が優先され，支給を受けることのできる出産手当金の額が傷病手当金の額を上回っている場合は，当該期間中の傷病手当金は支給されない。

D 任意継続被保険者となるためには，被保険者の資格喪失の日の前日まで継続して2か月以上被保険者（日雇特例被保険者，任意継続被保険者，特例退職被保険者又は共済組合の組合員である被保険者を除く。）でなければならず，任意継続被保険者に関する保険料は，任意継続被保険者となった月から算定する。

E 保険者は，健康保険法第51条の3第1項の規定により同項に規定する書面の交付又は同項に規定する事項の電磁的方法による提供を求める被保険者（以下本肢において「申請者」という。）（任意継続被保険者を除く）に資格確認書を交付しようとするときは，これを事業主に送付しなければならないとされているが，保険者が支障がないと認めるときは，これを申請者に送付することができる。

正解チェック欄	／	／	／

キリトリ線

A 誤　本肢の場合，法人の役員としての業務に起因する疾病，負傷又は死亡に関して保険給付は「行われない」。法人の役員としての業務に起因する疾病，負傷又は死亡に関して保険給付が行われるのは，被保険者の数が「5人未満」である適用事業所に使用される法人の役員としての一定の業務に起因する疾病等である（法53条の2，則52条の2）。

社会保険科目
101p

B 正　本肢のとおりである（昭50.3.29保険発25号・庁保険発8号）。

社会保険科目
23, 40p

C 正　本肢のとおりである（法103条1項）。なお，出産手当金を支給すべき場合において傷病手当金が支払われたときは，その支払われた傷病手当金は，原則として出産手当金の内払とみなされる（同条2項）。

社会保険科目
74p

D 正　本肢のとおりである（法3条4項，法157条1項）。なお，任意継続被保険者に関する保険料については，その月の10日（初めて納付すべき保険料については，保険者が指定する日）までに納付しなければならないとする（法164条1項）。

社会保険科目
117p

E 正　本肢のとおりである（則47条5項）。本肢は，出題当時は「被保険者証」に関する問題であったが，改正により令和6年12月2日からは新たな被保険者証の交付は行われないこととなり，被保険者又はその被扶養者が電子資格確認を受けることができない状況にあるときに限り，被保険者は保険者に申請書を提出して，被保険者等の資格情報に係る書面の交付又は電磁的方法による当該情報の提供を求めることができ，この場合に保険者が当該書面又は電磁的方法により提供したものを「資格確認書」という（法51条の3，則47条1項・2項）。なお，保険者が必要と認めるときは，当分の間，職権で当該書面の交付又は電磁的方法による提供をすることができるものとされている（令5法附則15条ほか）。

MEMO

R4-8	標準報酬月額

問 7　定時決定及び随時改定等の手続きに関する次の記述のうち，正しいものはどれか。

A　被保険者Aは，労働基準法第91条の規定により減給の制裁が6か月にわたり行われることになった。そのため，減給の制裁が行われた月から継続した3か月間（各月とも，報酬支払基礎日数が17日以上あるものとする。）に受けた報酬の総額を3で除して得た額が，その者の標準報酬月額の基礎となった従前の報酬月額に比べて2等級以上の差が生じたため，標準報酬月額の随時改定の手続きを行った。なお，減給の制裁が行われた月以降，他に報酬の変動がなかったものとする。

B　被保険者Bは，4月から6月の期間中，当該労働日における労働契約上の労務の提供地が自宅とされたことから，テレワーク勤務を行うこととなったが，業務命令により，週に2回事業所へ一時的に出社した。Bが事業所へ出社した際に支払った交通費を事業主が負担する場合，当該費用は報酬に含まれるため，標準報酬月額の定時決定の手続きにおいてこれらを含めて計算を行った。

C　事業所が，在宅勤務に通常必要な費用として金銭を仮払いした後に，被保険者Cが業務のために使用した通信費や電気料金を精算したものの，仮払い金額が業務に使用した部分の金額を超過していたが，当該超過部分を事業所に返還しなかった。これら超過して支払った分も含め，仮払い金は，経費であり，標準報酬月額の定時決定の手続きにおける報酬には該当しないため，定時決定の手続きの際に報酬には含めず算定した。

キリトリ線

キリトリ線

重要度 B

健保法

D　X事業所では，働き方改革の一環として，超過勤務を禁止することにしたため，X事業所の給与規定で定められていた超過勤務手当を廃止することにした。これにより，当該事業所に勤務する被保険者Dは，超過勤務手当の支給が廃止された月から継続した3か月間に受けた報酬の総額を3で除した額が，その者の標準報酬月額の基礎となった従前の報酬月額に比べて2等級以上の差が生じた。超過勤務手当の廃止をした月から継続する3か月間の報酬支払基礎日数はすべて17日以上であったが，超過勤務手当は非固定的賃金であるため，当該事業所は標準報酬月額の随時改定の手続きは行わなかった。なお，超過勤務手当の支給が廃止された月以降，他に報酬の変動がなかったものとする。

E　Y事業所では，給与規定の見直しを行うに当たり，同時に複数の変動的な手当の新設及び廃止が発生した。その結果，被保険者Eは当該変動的な手当の新設及び廃止が発生した月から継続した3か月間（各月とも，報酬支払基礎日数は17日以上あるものとする。）に受けた報酬の総額を3で除して得た額が，その者の標準報酬月額の基礎となった従前の報酬月額に比べて2等級以上の差が生じたため，標準報酬月額の随時改定の手続きを行った。なお，当該変動的な手当の新設及び廃止が発生した月以降，他に報酬の変動がなかったものとする。

キリトリ線

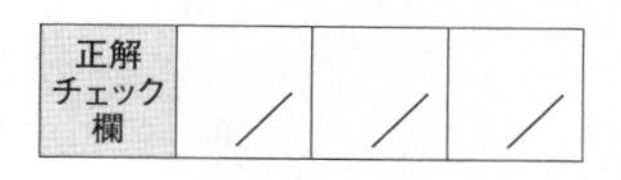

A 誤 減給の制裁は「固定的賃金の変動には当たらない」。したがって，本肢の場合は，随時改定の対象とはならない（令5.6.27事務連絡）。

B 誤 本肢の交通費は，原則として，実費弁償と認められるため，「報酬に含まれない」。したがって，当該交通費は定時決定において報酬月額に含まれない（令5.6.27事務連絡）。

C 誤 本肢の仮払金のうち，通信費や電気料金に充てられた部分は報酬に該当しないが，それ以外の「超過部分は報酬に該当する」。したがって，当該超過部分は定時決定において報酬月額に含めなければならない（令5.6.27事務連絡）。

D 誤 超過勤務手当は非固定的賃金ではあるものの，超過勤務手当の廃止は「賃金体系の変更に当たる」。したがって，本肢の場合，随時改定の対象となる（令5.6.27事務連絡）。

E 正 本肢のとおりである（令5.6.27事務連絡）。

R5-10	傷病手当金	重要度 A

問 8　傷病手当金に関する次の記述のうち，正しいものはどれか。

A　被保険者（任意継続被保険者を除く。）が業務外の疾病により労務に服することができないときは，その労務に服することができなくなった日から起算して4日を経過した日から労務に服することができない期間，傷病手当金を支給する。

B　傷病手当金の待期期間について，疾病又は負傷につき最初に療養のため労務不能となった場合のみ待期が適用され，その後労務に服し同じ疾病又は負傷につき再度労務不能になった場合は，待期の適用がない。

C　傷病手当金を受ける権利の消滅時効は2年であるが，その起算日は労務不能であった日ごとにその当日である。

D　令和5年4月1日に被保険者の資格を喪失した甲は，資格喪失日の前日まで引き続き1年以上の被保険者（任意継続被保険者，特例退職被保険者又は共済組合の組合員である被保険者ではないものとする。）期間を有する者であった。甲は，令和5年3月27日から療養のため労務に服することができない状態となったが，業務の引継ぎのために令和5年3月28日から令和5年3月31日までの間は出勤した。この場合，甲は退職後に被保険者として受けることができるはずであった期間，傷病手当金の継続給付を受けることができる。

E　傷病手当金の支給期間中に被保険者が死亡した場合，当該傷病手当金は当該被保険者の死亡日の前日分まで支給される。

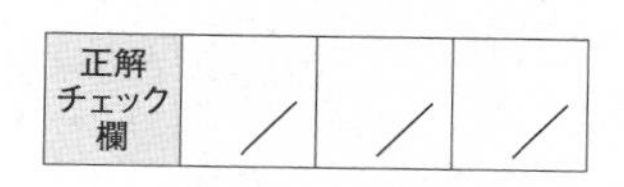

A　誤　被保険者（任意継続被保険者を除く）が療養のため労務に服することができないときは，その労務に服することができなくなった日から起算して「3日」を経過した日から労務に服することができない期間，傷病手当金を支給する（法99条1項）。

社会保険科目
71p

B　正　本肢のとおりである（昭2.3.11保理1085号）。

社会保険科目
72p

C　誤　傷病手当金の支給を受ける権利の消滅時効の起算日は，労務不能であった日ごとにその「翌日」である。本肢前段の記述は正しい（法193条1項，昭30.9.7保険発199号の2）。

社会保険科目
133p

D　誤　傷病手当金の継続給付は，「その資格を喪失した際に傷病手当金の支給を受けている」ことが要件の1つである。本肢の甲は，傷病手当金の待期が完成しておらず，資格喪失の際に傷病手当金の支給を受けていなかったため，「傷病手当金の継続給付を受けることはできない」（法104条）。

社会保険科目
91p

E　誤　死亡当日は，なお被保険者の資格があるので，その日の傷病手当金は支給されるものである。したがって，傷病手当金は，被保険者の「死亡日の分まで」支給される（法36条，法99条1項ほか）。

キリトリ線

H27-2	保険給付	重要度 A

健保法

問 9 保険給付に関する次の記述のうち，誤っているものはどれか。

A 適用事業所に使用される被保険者が傷病手当金を受けるときには，老齢基礎年金及び老齢厚生年金との調整は行われない。

B 令和6年6月1日からの入院時食事療養費に係る食事療養標準負担額は，原則として，1食につき490円とされているが，被保険者及び全ての被扶養者が市区町村民税非課税であり，かつ，所得が一定基準に満たないことについて保険者の認定を受けた高齢受給者については，1食につき110円とされている。

C 現に海外に居住する被保険者からの療養費の支給申請は，原則として事業主を経由して行うこととされている。また，その支給は，支給決定日の外国為替換算率（買レート）を用いて海外の現地通貨に換算され，当該被保険者の海外銀行口座に送金される。

D 70歳未満で標準報酬月額が53万円以上83万円未満の被保険者が，1つの病院等で同一月内の療養の給付について支払った一部負担金の額が，以下の式で算定した額を超えた場合，その超えた額が高額療養費として支給される（高額療養費多数回該当の場合を除く。）。

167,400円＋（療養に要した費用－558,000円）×1％

E 保険者は，偽りその他不正の行為により保険給付を受け，又は受けようとした者に対して，6か月以内の期間を定め，その者に支給すべき傷病手当金又は出産手当金の全部又は一部を支給しない旨の決定をすることができる。ただし，偽りその他不正の行為があった日から1年を経過したときは，この限りでない。

キリトリ線

正解チェック欄	／	／	／

A 正 本肢のとおりである（法108条5項）。老齢退職年金給付との調整が行われるのは，法104条の規定により資格喪失後の傷病手当金の継続給付の支給を受けるべき者に限られている。

B 正 本肢のとおりである（法85条2項，則58条，令6.3.5厚告65号ほか）。

社会保険科目 62～63p

C 誤 本肢の場合の療養費の支給は，支給決定日の外国為替換算率（「売レート」）を用いて「円」に換算される。また，その受領は事業主等が代理して行うものとされ，「国外への送金は行われない」（昭56.2.25保険発10号・庁保険発2号）。

社会保険科目 68p

社会保険科目 80p

D 正 本肢のとおりである（令41条1項，令42条1項）。

社会保険科目 100p

E 正 本肢のとおりである（法120条）。

キリトリ線

H27-4	保険給付	重要度 B

問 10 **保険給付に関する次のアからオの記述のうち，誤っているものの組合せは，後記AからEまでのうちどれか。**

ア　健康保険法第104条の規定による資格喪失後の傷病手当金の継続給付を受けることができる者が，請求手続を相当期間行わなかったため，既にその権利の一部が時効により消滅している場合であっても，時効未完成の期間については請求手続を行うことにより当該継続給付を受けることができる。

イ　高額療養費の支給要件，支給額等は，療養に必要な費用の負担の家計に与える影響及び療養に要した費用の額を考慮して政令で定められているが，入院時生活療養費に係る生活療養標準負担額は高額療養費の算定対象とならない。

ウ　犯罪の被害を受けたことにより生じた傷病は，一般の保険事故と同様に，健康保険の保険給付の対象とされており，犯罪の被害者である被保険者は，加害者が保険者に対し損害賠償責任を負う旨を記した誓約書を提出しなくとも健康保険の保険給付を受けられる。

エ　訪問看護療養費に係る指定訪問看護を受けようとする者は，主治の医師が指定した指定訪問看護事業者から受けなければならない。

オ　被保険者が介護休業期間中に出産手当金の支給を受ける場合，その期間内に事業主から介護休業手当で報酬と認められるものが支給されているときは，その額が本来の報酬と出産手当金との差額より少なくとも，出産手当金の支給額について介護休業手当との調整が行われる。

A　（アとイ）　**B**　（アとエ）　**C**　（イとオ）
D　（ウとエ）　**E**　（ウとオ）

キリトリ線

正解チェック欄	／	／	／

本問のアからオまでのそれぞれの記述の正誤は以下のとおりであり，したがって，アとエを誤りとするBが解答となる。

ア 誤 被保険者の資格喪失後何らの手続をとることなく相当期間を経過したため資格喪失後の傷病手当金の継続給付を受ける権利の一部がすでに時効により消滅している場合には，時効未完成の期間についても，資格喪失後の傷病手当金の継続給付を受けることは「できない」ものと解されている（昭31.12.24保文発11283号）。

イ 正 本肢のとおりである（法115条）。

社会保険科目 79～80p

ウ 正 本肢のとおりである（平23.8.9保保発0809第３号）。第三者行為災害における加害者が保険者に対して損害賠償責任を負う旨を記した加害者の誓約書があることは，医療保険の給付を行うために必要な条件ではないことから，当該誓約書の提出がなくとも医療保険の給付は行われることとされている。

エ 誤 訪問看護療養費に係る指定訪問看護を受けようとする者は，厚生労働省令で定めるところにより，「自己の選定する」指定訪問看護事業者から，電子資格確認等により被保険者であることの確認を受け，受けるものとされている（法88条３項）。

オ 正 本肢のとおりである（法108条２項，平11.3.31保険発46号・庁保険発９号）。

社会保険科目 89p

H28-3	保険給付	重要度 A

問 11 保険給付に関する次の記述のうち，正しいものはどれか。

A 70歳未満の被保険者又は被扶養者の受けた療養について，高額療養費を算定する場合には，同一医療機関で同一月内の一部負担金等の額が21,000円未満のものは算定対象から除かれるが，高額介護合算療養費を算定する場合には，それらの費用も算定の対象となる。

B 定期的健康診査の結果，疾病の疑いがあると診断された被保険者が精密検査を行った場合，その精密検査が定期的健康診査の一環として予め計画されたものでなくとも，当該精密検査は療養の給付の対象とはならない。

C 被保険者が就業中の午後4時頃になって虫垂炎を発症し，そのまま入院した場合，その翌日が傷病手当金の待期期間の起算日となり，当該起算日以後の3日間連続して労務不能であれば待期期間を満たすことになる。

D 患者申出療養とは，高度の医療技術を用いた療養であって，当該療養を受けようとする者の申出に基づき，療養の給付の対象とすべきものであるか否かについて，適正な医療の効率的な提供を図る観点から評価を行うことが必要な療養として厚生労働大臣が定めるものをいい，被保険者が厚生労働省令で定めるところにより，保険医療機関のうち，自己の選定するものから，電子資格確認等により被保険者であることの確認を受け，患者申出療養を受けたときは，療養の給付の対象とはならず，その療養に要した費用について保険外併用療養費が支給される。

E 70歳以上の被保険者が人工腎臓を実施する慢性腎不全に係る療養を受けている場合，高額療養費算定基準額は，当該被保険者の所得にかかわらず，20,000円である。

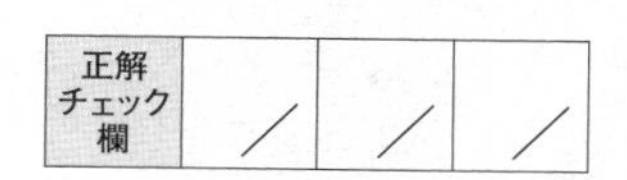

正解チェック欄	／	／	／

A　誤　70歳未満の被保険者又は被扶養者について，高額介護合算療養費を算定する場合においても，一部負担金等の額が21,000円未満のものは，その算定対象から除かれる。本肢前段の記述については正しい（令43条の２第１項）。

社会保険科目 80p

B　誤　定期的健康診査の結果，疾病の疑いがあると診断された被保険者が精密検査を受けた場合，「当該精密検査は療養の給付の対象となる」（法63条１項）。

社会保険科目 58～59p

C　誤　待期期間は，労務に服することができない状態になった日（その状態になった時が，業務終了後である場合においては翌日）から起算する。本肢の場合，就業中に虫垂炎を発症し，そのまま入院しているため，「その発症した日が待期期間の起算日となる」（法99条１項，昭5.10.13保発52号）。

社会保険科目 71～72p

D　正　本肢のとおりである（法63条２項４号，法86条１項）。

社会保険科目 65p

E　誤　70歳以上の被保険者が人工腎臓を実施する慢性腎不全に係る療養を受けている場合，高額療養費算定基準額は，当該被保険者の所得にかかわらず，「10,000円」である（令42条９項）。

社会保険科目 80～82p

キリトリ線

H28-7	保険給付	重要度 A

健保法

問 12 保険給付に関する次の記述のうち，誤っているものはどれか。

A 被保険者が単に経済的理由により人工妊娠中絶術を受けた場合は，療養の給付の対象とならない。

B 被保険者の資格を喪失した日の前日まで引き続き1年以上被保険者（任意継続被保険者，特例退職被保険者又は共済組合の組合員である被保険者を除く。）であった者が傷病により労務不能となり，当該労務不能となった日から3日目に退職した場合には，資格喪失後の継続給付としての傷病手当金の支給を受けることはできない。

C 被保険者が予約診察制をとっている病院で予約診察を受けた場合には，保険外併用療養費制度における選定療養の対象となり，その特別料金は，全額自己負担となる。

D 保険医療機関等は，生活療養に要した費用につき，その支払を受ける際，当該支払をした被保険者に交付する領収証に入院時生活療養費に係る療養について被保険者から支払を受けた費用の額のうち生活療養標準負担額とその他の費用の額とを区分して記載しなければならない。

E 引き続き1年以上被保険者（任意継続被保険者，特例退職被保険者又は共済組合の組合員である被保険者を除く。）であった者がその被保険者の資格を喪失し，国民健康保険組合（規約で出産育児一時金の支給を行うこととしている。）の被保険者となった場合，資格喪失後6か月以内に出産したときには，健康保険の保険者がその者に対して出産育児一時金を支給することはない。

キリトリ線

正解チェック欄	／	／	／

正解 E

社会保険科目 60p

A 正 本肢のとおりである（昭27.9.29保発56号）。

B 正 本肢のとおりである（昭32.1.31保発2号の2）。資格喪失の日前療養のため労務に服することのできない状態が3日間連続しているのみでは，いまだ現に傷病手当金の支給を受けているわけではなく，また，支給を受けうる状態にもないため，資格喪失後の継続給付としての傷病手当金の支給を受けることはできない。

社会保険科目 92p

C 正 本肢のとおりである（法86条1項，平18.9.12厚労告495号）。

社会保険科目 65〜66p

D 正 本肢のとおりである（法85条の2第5項）。

社会保険科目 64p

E 誤 健康保険の資格喪失後の出産育児一時金の支給を受けることができる者が，同時に国民健康保険の出産育児一時金の支給も受けることができる場合，「その者の意思に基づき，いずれかを選択受給することとされている」。したがって，健康保険の保険者から出産育児一時金の支給を受ける旨の意思表示をすれば，健康保険の保険者から出産育児一時金の支給を受けることができる（この場合，国民健康保険の出産育児一時金は支給されない）（法106条，平23.6.3保保発0603第2号）。

キリトリ線

H28-8	保険給付	重要度 A

問 13 保険給付に関する次の記述のうち，誤っているものはどれか。

A 傷病手当金は，その支給期間に一部でも報酬が支払われていれば支給額が調整されるが，当該支給期間以前に支給された通勤定期券の購入費であっても，傷病手当金の支給期間に係るものは調整の対象になる。

B 被保険者が妊娠4か月以上で出産をし，それが死産であった場合，家族埋葬料は支給されないが，出産育児一時金は支給の対象となる。

C 傷病手当金の支給要件として継続した3日間の待期期間を要するが，土曜日及び日曜日を所定の休日とする会社に勤務する従業員が，金曜日から労務不能となり，初めて傷病手当金を請求する場合，その金曜日と翌週の月曜日及び火曜日の3日間で待期期間が完成するのではなく，金曜日とその翌日の土曜日，翌々日の日曜日の連続した3日間で待期期間が完成する。

キリトリ線

D 健康保険法第104条の規定による資格喪失後の傷病手当金の支給を受けるには，資格喪失日の前日まで引き続き1年以上被保険者（任意継続被保険者，特例退職被保険者又は共済組合の組合員である被保険者を除く。）である必要があり，この被保険者期間は，同一の保険者でなければならない。

E 被保険者が死亡し，その被保険者には埋葬料の支給を受けるべき者がいないが，別に生計をたてている別居の実の弟が埋葬を行った場合，その弟には，埋葬料の金額の範囲内においてその埋葬に要した費用に相当する金額が支給される。

正解チェック欄	／	／	／

A 正 本肢のとおりである（法108条1項）。

B 正 本肢のとおりである（法101条，昭27.6.16保文発2427号，昭23.12.2保文発898号）。

社会保険科目
87, 89p

C 正 本肢のとおりである（法99条1項，昭2.2.5保理659号）。待期期間中の日は，労務に服することができない日であればよく，勤務先の所定休日であっても，労務に服することができない日であれば，待期期間を構成する。

社会保険科目
72p

D 誤 資格喪失後の傷病手当金の支給に係る「引き続き1年以上被保険者」であった期間については，「同一の保険者による被保険者期間であることといった制限はない」（法104条）。

E 正 本肢のとおりである（法100条2項）。埋葬費は，埋葬料の支給を受けるべき者がない場合に，埋葬を行った者に対して支給されるものである。

社会保険科目
87p

H29-3	保険給付	重要度 A

問 14 給付に関する次の記述のうち，誤っているものはどれか。

A 傷病手当金の額の算定において，原則として，傷病手当金の支給を始める日の属する月以前の直近の継続した12か月間の各月の標準報酬月額（被保険者が現に属する保険者等により定められたものに限る。）の平均額を用いるが，その12か月間において，被保険者が現に属する保険者が管掌する健康保険の任意継続被保険者である期間が含まれるときは，当該任意継続被保険者である期間の標準報酬月額も当該平均額の算定に用いることとしている。

B 被保険者が死亡したとき，被保険者の高額療養費の請求に関する権利は，被保険者の相続人が有するが，診療日の属する月の翌月の1日から2年を経過したときは，時効により消滅する。なお，診療費の自己負担分は，診療日の属する月に支払済みのものとする。

C 健康保険組合は，規約で定めるところにより，被保険者が保険医療機関又は保険薬局に支払った一部負担金の一部を付加給付として被保険者に払い戻すことができる。

D 被保険者の標準報酬月額が260,000円で被保険者及びその被扶養者がともに72歳の場合，同一の月に，被保険者がＡ病院で受けた外来療養による一部負担金が20,000円，被扶養者がＢ病院で受けた外来療養による一部負担金が10,000円であるとき，被保険者及び被扶養者の外来療養に係る高額療養費は18,000円となる。

E 保険医療機関又は保険薬局の指定は，病院若しくは診療所又は薬局の開設者の申請により，厚生労働大臣が行い，指定の日から起算して6年を経過したときは，その効力を失う。

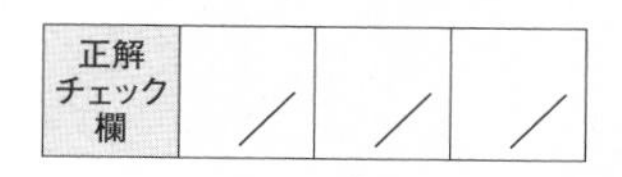

正解チェック欄	／	／	／

A　正　本肢のとおりである（法99条2項，則84条の2第5項）。なお，協会が，解散により消滅した健康保険組合の権利義務を承継したときは，当該健康保険組合が定めた標準報酬月額は，協会が支給する傷病手当金の額の計算の基礎となる標準報酬月額に含まれる（則84条の2第4項）。

社会保険科目 73p

B　正　本肢のとおりである（法193条1項，昭2.2.18保理719号，昭48.11.7保険発99号・庁保険発21号）。

社会保険科目 132〜133p

C　正　本肢のとおりである（法53条）。

社会保険科目 102〜103p

D　誤　本肢の被保険者は72歳であり，療養のあった月の標準報酬月額が28万円未満であるため，外来療養に係る高額療養費の高額療養費算定基準額は18,000円となり，また，「外来療養に係る高額療養費は被保険者又は被扶養者各人ごとに計算するため」，外来療養に係る高額療養費は次に掲げるとおり，「2,000円」となる（令41条5項，令42条5項）。

①被保険者の外来療養に係る高額療養費
…20,000円－18,000円＝2,000円

②被扶養者の外来療養に係る高額療養費
…10,000円＜18,000円　∴0円

③合計…2,000円＋0円＝「2,000円」

社会保険科目 81p

E　正　本肢のとおりである（法65条1項，法68条1項）。

社会保険科目 54p

キリトリ線

R4-9	保険給付	重要度 B

問 15 現金給付である保険給付に関する次の記述のうち，正しいものはどれか。

健保法

A　被保険者が自殺により死亡した場合は，その者により生計を維持していた者であって，埋葬を行う者がいたとしても，自殺については，健康保険法第116条に規定する故意に給付事由を生じさせたときに該当するため，当該給付事由に係る保険給付は行われず，埋葬料は不支給となる。

B　被保険者が出産手当金の支給要件に該当すると認められれば，その者が介護休業期間中であっても当該被保険者に出産手当金が支給される。

C　共済組合の組合員として6か月間加入していた者が転職し，1日の空白もなく，A健康保険組合の被保険者資格を取得して7か月間加入していた際に，療養のため労務に服することができなくなり傷病手当金の受給を開始した。この被保険者が，傷病手当金の受給を開始して3か月が経過した際に，事業所を退職し，A健康保険組合の任意継続被保険者になった場合でも，被保険者の資格を喪失した際に傷病手当金の支給を受けていることから，被保険者として受けることができるはずであった期間，継続して同一の保険者から傷病手当金の給付を受けることができる。

D　療養費の支給対象に該当するものとして医師が疾病又は負傷の治療上必要であると認めた治療用装具には，義眼，コルセット，眼鏡，補聴器，胃下垂帯，人工肛門受便器（ペロッテ）等がある。

E　移送費の支給が認められる医師，看護師等の付添人による医学的管理等について，患者がその医学的管理等に要する費用を支払った場合にあっては，現に要した費用の額の範囲内で，診療報酬に係る基準を勘案してこれを評価し，現に移送に要した費用とともに移送費として支給を行うことができる。

キリトリ線

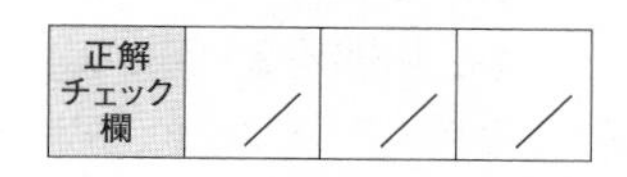

A　誤　自殺は故意に基づく事故ではあるが，死亡は最終的1回限りの絶対的な事故であるとともに，この死亡に対する保険給付としての埋葬料は，被保険者であった者に生計を依存していた者で埋葬を行う者に対して支給されるという性質のものであるから，故意に給付事由を生じさせたときには該当しないものとして取り扱うため，本肢の場合，「埋葬料が支給される」（昭26.3.19保文発721号）。

社会保険科目
98p

B　正　本肢のとおりである（平11.3.31保険発46号・庁保険発9号）。

社会保険科目
88〜89p

C　誤　資格喪失後の傷病手当金の継続給付は，被保険者の資格を喪失した日の前日まで引き続き1年以上被保険者（任意継続被保険者，特例退職被保険者又は「共済組合の組合員である被保険者を除く」）であった者であって，その資格を喪失した際に傷病手当金の支給を受けているものに支給されるものである。本肢の被保険者は，その資格喪失日の前日まで引き続き13か月間被保険者であったが，そのうち6か月は共済組合の組合員であったため，1年以上被保険者であったことの要件を満たさないことから，資格喪失後の傷病手当金の継続給付を受けることはできない（法104条）。

社会保険科目
91p

D　誤　所定の義眼，コルセットは療養費の支給対象となるが，原則として，「眼鏡，補聴器，胃下垂帯，人工肛門受便器（ペロッテ）は療養費の支給対象とならない」（令5.3.17事務連絡ほか）。

E　誤　医師，看護婦等の付添人による医学的管理等について，患者がその医学的管理等に要する費用を支払った場合にあっては，現に要した費用の額の範囲内で，「移送費とは別に」，診療報酬に係る基準を勘案してこれを評価し，「療養費」の支給を行うことができる（平6.9.9保険発119号・庁保険発9号）。

R4-10	費用の負担

問 16　費用の負担に関する次の記述のうち，誤っているものはどれか。

A　3月31日に会社を退職し，翌日に健康保険の被保険者資格を喪失した者が，4月20日に任意継続被保険者の資格取得届を提出すると同時に，4月分から翌年3月分までの保険料をまとめて前納することを申し出た。この場合，4月分は前納保険料の対象とならないが，5月分から翌年の3月分までの保険料は，4月末日までに払い込むことで，前納に係る期間の各月の保険料の額の合計額から，その期間の各月の保険料の額を年4分の利率による複利現価法によって前納に係る期間の最初の月から当該各月までのそれぞれの期間に応じて割り引いた額の合計額（この額に1円未満の端数がある場合において，その端数金額が50銭未満であるときは，これを切り捨て，その端数金額が50銭以上であるときは，これを1円として計算する）を控除した額となる。

B　6月25日に40歳に到達する被保険者に対し，6月10日に通貨をもって夏季賞与を支払った場合，当該標準賞与額から被保険者が負担すべき一般保険料額とともに介護保険料額を控除することができる。

C　4月1日にA社に入社し，全国健康保険協会管掌健康保険の被保険者資格を取得した被保険者Xが，4月15日に退職し被保険者資格を喪失した。この場合，同月得喪に該当し，A社は，被保険者Xに支払う報酬から4月分としての一般保険料額を控除する。その後，Xは4月16日にB社に就職し，再び全国健康保険協会管掌健康保険の被保険者資格を取得し，5月以降も継続して被保険者である場合，B社は，当該被保険者Xに支払う報酬から4月分の一般保険料額を控除するが，この場合，A社が徴収した一般保険料額は被保険者Xに返還されることはない。

D　育児休業期間中に賞与が支払われた者が，育児休業期間中につき保険料免除の取扱いが行われている場合は，当該賞与に係る保険料が徴収されることはないが，標準賞与額として決定され，その年度における標準賞与額の累計額に含めなければならない。

キリトリ線

重要度 B

E 日雇特例被保険者が，同日において，午前にA健康保険組合管掌健康保険の適用事業所で働き，午後に全国健康保険協会管掌健康保険の適用事業所で働いた。この場合の保険料の納付は，各適用事業所から受ける賃金額により，標準賃金日額を決定し，日雇特例被保険者が提出する日雇特例被保険者手帳に適用事業所ごとに健康保険印紙を貼り，これに消印して行われる。

正解チェック欄	／	／	／

キリトリ線

A　誤　本肢の場合，5月分から翌年3月分までの保険料は，4月末日までに払い込むことで，前納に係る期間の各月の保険料額の合計額から政令で定める控除額（前納に係る期間の各月の保険料額の合計額から，その期間の各月の保険料の額を年4分の利率による複利現価法によって前納に係る期間の最初の月から当該各月までのそれぞれの期間に応じて割り引いた額の合計額を控除した額）を控除した額となる。本肢は，政令で定める控除額が納付額となっているため誤りである。その他の記述は正しい（令48条，令49条，則139条1項）。

社会保険科目 124p

B　正　本肢のとおりである（法156条1項）。

社会保険科目 116～117, 123～124p

C　正　本肢のとおりである（法156条1項・3項，昭19.6.6保発363号）。

D　正　本肢のとおりである（法159条ほか）。

社会保険科目 47, 122～123p

E　誤　日雇特例被保険者が，1日において2以上の事業所に使用される場合には，「初めに使用される事業所から受ける賃金」につき，所定の方法により計算した額をもって賃金日額とする。また，この場合の保険料の納付義務は，「初めにその者を使用する事業主」が負う。したがって，本肢の場合，A健康保険組合管掌健康保険の適用事業所から受ける賃金額により標準賃金日額を決定し，健康保険印紙の貼付及び消印はA健康保険組合管掌健康保険の適用事業所の事業主によって行われる（法125条1項，法169条2項）。

社会保険科目 106, 128p

キリトリ線

H27-3	総合問題	重要度 B

問 17 健康保険法に関する次の記述のうち，正しいものはどれか。

A 給与規程が7月10日に改定され，その日以降の賞与の支給回数が年間を通じて4回から3回に変更された適用事業所における被保険者については，翌年の標準報酬月額の定時決定による標準報酬月額が適用されるまでの間において支給された賞与については，標準賞与額の決定は行われない。なお，当該事業所の全ての被保険者について標準報酬月額の随時改定は行われないものとする。

B 被保険者が病床数200床以上の病院で，他の病院や診療所の文書による紹介なしに初診を受け，保険外併用療養費の選定療養として特別の費用を徴収する場合，当該病院は同時に2以上の傷病について初診を行ったときはそれぞれの傷病について特別の料金を徴収することができる。

C 健康保険組合が保険料の納付義務者に対して所定の事項を記載した納入告知書で納入の告知をした後，健康保険法第172条の規定により納期日前に保険料のすべてを徴収しようとする場合，当該納期日の変更については，口頭で告知することができる。

D 被保険者が刑事施設に拘禁されたときは，原則として，疾病，負傷又は出産につき，その期間に係る保険給付は行われない。また，前月から引き続き一般の被保険者である者が刑事施設に拘禁された場合については，原則として，その翌月以後，拘禁されなくなった月までの期間，保険料は徴収されない。

E 同一の月に同一の保険医療機関において内科及び歯科をそれぞれ通院で受診したとき，高額療養費の算定上，1つの病院で受けた療養とみなされる。

正解チェック欄	／	／	／

キリトリ線

A　正　本肢のとおりである（法3条6項，昭53.6.20保発47号・庁保発21号ほか)。賞与の支給が7月1日前の1年間を通じ4回以上行われているときは，当該賞与は標準報酬月額に係る「報酬」に該当するものとされており，賞与の支払い回数が，当該年の7月2日以降新たに年間を通じて4回以上又は4回未満に変更された場合においても，次期標準報酬月額の定時決定（7月，8月又は9月の随時改定を含む）による標準報酬月額が適用されるまでの間は，報酬に係る当該賞与の取扱いは変わらないものとされている。したがって，本肢の場合，翌年の定時決定による標準報酬月額が適用されるまでの間において支給された賞与については，標準賞与額の決定は行われない。

B　誤　本肢の場合，当該病院が同時に2以上の傷病について初診を行った場合でも，選定療養に係る特別の料金を徴収することができるのは，「1回」である（平24.3.5保医発0305第1号ほか)。

C　誤　本肢の納期日の変更は，納付義務者に「書面」で告知しなければならない（則137条2項)。

D　誤　本肢の場合，原則として，被保険者が刑事施設に拘禁された「月」以後，拘禁されなくなった「月の前月」までの期間，保険料は徴収されない（法118条，法158条)。

社会保険科目
99, 122p

E　誤　高額療養費の支給要件に該当するか否かを判定する場合，歯科と内科を併せ有する医療機関にあっては，歯科，内科別の単位でその要件に該当するか否かが判定されるため，本肢の場合，高額療養費の算定上，1つの病院で受けた療養とは「みなされない」（令43条9項，昭48.10.17保険発95号・庁保険発18号)。

H27-5	総合問題	重要度 A

問 18　健康保険法に関する次の記述のうち，正しいものはどれか。

A　強制適用事業所が，健康保険法第３条第３項各号に定める強制適用事業所の要件に該当しなくなったとき，被保険者の２分の１以上が希望した場合には，事業主は厚生労働大臣に任意適用事業所の認可を申請しなければならない。

B　学生が卒業後の４月１日に就職する予定である適用事業所において，在学中の同年3月１日から職業実習をし，事実上の就職と解される場合であっても，在学中であれば被保険者の資格を取得しない。

C　健康保険法施行規則においては，保険者は3年ごとに一定の期日を定め，被扶養者に係る確認をすることができることを規定している。

D　被保険者が解雇され（労働法規又は労働協約に違反することが明らかな場合を除く。），事業主から資格喪失届が提出された場合，労使双方の意見が対立し，当該解雇について裁判が提起されたときにおいても，裁判において解雇無効が確定するまでの間は，被保険者の資格を喪失したものとして取り扱われる。

E　任意継続被保険者が，保険料（初めて納付すべき保険料を除く。）を納付期日までに納付しなかったときは，納付の遅延について正当な理由があると保険者が認めた場合を除き，督促状により指定する期限の翌日にその資格を喪失する。

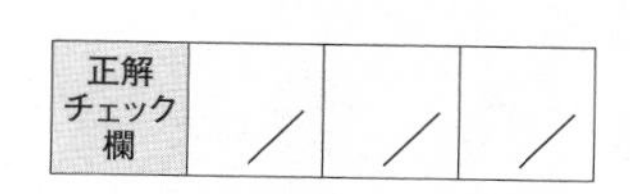

正解チェック欄	／	／	／

A 誤 強制適用事業所が事業内容の変更や従業員数の減少により強制適用事業所に該当しなくなったときは，被保険者の希望の有無にかかわらず，その事業所について任意適用事業所の「認可があったものとみなされる」（法32条）。

社会保険科目 21p

B 誤 卒業後就職予定の事業所で職業実習を行う者は，事実上の就職と解されれば被保険者として取り扱うこととされており，本肢の者は，被保険者の資格を「取得する」（昭16.12.22社発1580号）。

社会保険科目 22p

C 誤 則50条1項においては，保険者は，「毎年」一定の期日を定め，被扶養者に係る確認をすることができることを規定している（則50条1項）。

D 正 本肢のとおりである（昭25.10.9保発68号）。

E 誤 本肢の場合，当該「保険料の納付期日の翌日」に，被保険者の資格を喪失する（法38条）。

社会保険科目 28p

H27-6	総合問題	重要度 A

問 19 健康保険法に関する次の記述のうち，誤っているものはどれか。

A 出産育児一時金の額は，公益財団法人日本医療機能評価機構が運営する産科医療補償制度に加入する医療機関等の医学的管理下における在胎週数22週に達した日以後の出産（死産を含む。）であると保険者が認めたときには50万円，それ以外のときには48万8千円である。

B 保険薬局から薬剤の支給を受けようとする40歳の被保険者が，保険医療機関において保険医が交付した処方せんを当該保険薬局に提出した場合であっても，当該保険薬局から被保険者証の提出を求められたときは，被保険者証もあわせて提出しなければならない。

C 保険医療機関は，食事療養に要した費用につき，その支払を受ける際，当該支払をした被保険者に対し，入院時食事療養費に係る療養について被保険者から支払を受けた費用の額のうち食事療養標準負担額とその他の費用の額とを区分して記載した領収書を交付しなければならない。

D 被保険者が無医村において，医師の診療を受けることが困難で，応急措置として緊急に売薬を服用した場合，保険者がやむを得ないものと認めるときは，療養費の支給を受けることができる。

E 70歳未満の被保険者が保険医療機関において，治療用補装具の装着を指示され，補装具業者から治療用補装具を購入し，療養費の支給を受けた場合には，高額療養費の算定上，同一の月の当該保険医療機関の通院に係る一部負担金と治療用補装具の自己負担分（21,000円未満）とを合算することができる。

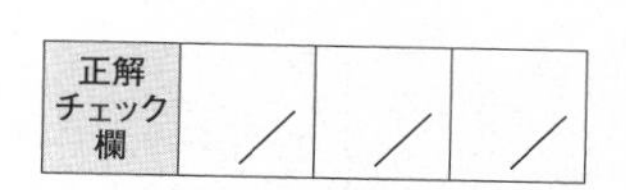

A 正 本肢のとおりである（令36条，平20.12.17保保発1217007号ほか）。被保険者等が病院，診療所又は助産所（「医療機関等」という）との間に出産育児一時金の支給申請及び受取に係る代理契約を締結の上，出産育児一時金の額を限度として，医療機関等が被保険者等に代わって出産育児一時金の支給申請及び受取を直接保険者と行う，出産育児一時金の医療機関等への「直接支払制度」が設けられている（平23.1.31保発0131第2号ほか）。

社会保険科目 88p

B 誤 出題当時は正しい記述であったが，いわゆるオンライン資格確認の導入により，処方せんの提出のみをもって，保険薬局等から薬剤の支給を受けることができることとなっている（法63条3項，法51条の3，則54条）。また，改正により，令和6年12月2日からは，新たな被保険者証の交付は行われないこととなった。

C 正 本肢のとおりである（法85条8項，則62条）。

D 正 本肢のとおりである（昭13.8.20社庶1629号）。

E 誤 治療用補装具に係る高額療養費は，同一医療機関における，それぞれの費用のみをもって支給対象となるか否かを判断するものであり，当該医療機関におけるレセプト（診療報酬支払明細書）と合算して支給額を決定するものではないとされている。したがって，本肢の場合，高額療養費の算定上，同一の月の当該保険医療機関の通院に係る一部負担金と治療用補装具の自己負担分（21,000円未満）とを合算することは「できない」（昭48.11.7保険発99号・庁保険発21号）。

キリトリ線

H27-7	総合問題	重要度 A

問 20 健康保険法に関する次のアからオの記述のうち，誤っているものの組合せは，後記AからEまでのうちどれか。

ア　健康保険組合が一般保険料率を変更しようとするときは，その変更について厚生労働大臣の認可を受けなければならず，一般保険料率と調整保険料率とを合算した率の変更が生じない一般保険料率の変更の決定についても，認可を受けることを要する。

イ　健康保険組合は，健康保険法第180条第1項の規定による督促を受けた納付義務者がその指定の期限までに保険料等を納付しないときは，厚生労働大臣の認可を受け，国税滞納処分の例によってこれを処分することができる。

ウ　健康保険組合の設立の認可に係る厚生労働大臣の権限は，地方厚生局長又は地方厚生支局長に委任されている。

エ　保険者が健康保険組合であるときは，健康保険法第44条第1項の規定による保険者算定の算定方法は，規約で定めなければならない。

オ　健康保険法第28条第2項では，指定健康保険組合は健全化計画に従い，事業を行わなければならないこととされているが，この規定に違反した指定健康保険組合の事業又は財産の状況により，その事業の継続が困難であると認めるときは，厚生労働大臣は，当該健康保険組合の解散を命ずることができる。

A　（アとウ）　**B**　（アとオ）　**C**　（イとエ）
D　（イとオ）　**E**　（ウとエ）

正解チェック欄	／	／	／

キリトリ線

本問のアからオまでのそれぞれの記述の正誤は以下のとおりであり，したがって，アとウを誤りとするAが解答となる。

ア　誤　健康保険組合が一般保険料率を変更しようとするときは，その変更について厚生労働大臣の認可を受けなければならないが，一般保険料率と調整保険料率とを合算した率の変更が生じない一般保険料率の変更の決定は，「厚生労働大臣の認可を受けることを要しない」ものとされている（法160条13項，法附則2条8項）。なお，健康保険組合が一般保険料率と調整保険料率とを合算した率の変更が生じない一般保険料率の変更の決定をしたときは，当該変更後の一般保険料率を厚生労働大臣に届け出なければならない（法附則2条9項）。

社会保険科目 119p

イ　正　本肢のとおりである（法180条4項・5項）。

社会保険科目 126p

ウ　誤　健康保険組合の設立の認可に係る厚生労働大臣の権限は，地方厚生局長等には「委任されていない」（則159条）。

社会保険科目 16p

エ　正　本肢のとおりである（法44条2項）。なお，「保険者算定」とは，定時決定，資格取得時決定，育児休業等を終了した際の改定若しくは産前産後休業を終了した際の改定の規定によって報酬月額を算定することが困難であるとき又は定時決定，資格取得時決定，随時改定，育児休業等を終了した際の改定若しくは産前産後休業を終了した際の改定の規定によって算定した額が著しく不当であると認めるときに，保険者等が算定する額を当該被保険者の報酬月額とする規定のことである。

社会保険科目 44p

オ　正　本肢のとおりである（法28条2項，法29条2項）。なお，健全化計画は，指定の日の属する年度の翌年度を初年度とする3箇年間の計画とされている（令30条）。

H27-8	総合問題	重要度 A

問 21　健康保険法に関する次の記述のうち，正しいものはどれか。

A　被保険者が同時に2事業所に使用される場合において，それぞれの適用事業所における保険者が異なる場合は，選択する保険者に対して保険者を選択する届出を提出しなければならないが，当該2事業所の保険者がいずれも全国健康保険協会であれば，日本年金機構の業務が2つの年金事務所に分掌されていても届出は必要ない。

B　年収250万円の被保険者と同居している母（58歳であり障害者ではない。）は，年額100万円の遺族厚生年金を受給しながらパート労働しているが健康保険の被保険者にはなっていない。このとき，母のパート労働による給与の年間収入額が120万円であった場合，その他の要件を満たす限り，母は当該被保険者の被扶養者になることができる。

C　月，週その他一定期間によって報酬が定められている被保険者に係る資格取得時の標準報酬月額は，被保険者の資格を取得した日現在の報酬の額をその期間における所定労働日数で除して得た額の30倍に相当する額を報酬月額として決定される。

D　資格を取得する際に厚生労働大臣から被保険者資格証明書の交付を受けた被保険者に対して資格確認書が交付されたときは，当該資格証明書はその被保険者に係る適用事業所の事業主が回収し，破棄しなければならない。

E　標準報酬月額の定時決定に際し，当年の4月，5月，6月の3か月間に受けた報酬の額に基づいて算出した標準報酬月額と，前年の7月から当年の6月までの間に受けた報酬の額に基づいて算出した標準報酬月額の間に2等級以上の差が生じ，この差が業務の性質上例年発生することが見込まれるため保険者算定に該当する場合の手続きはその被保険者が保険者算定の要件に該当すると考えられる理由を記載した申立書にその申立に関する被保険者の同意書を添付して提出する必要がある。

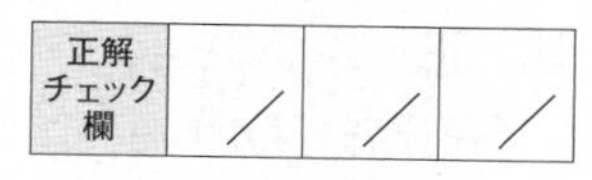

A　誤　被保険者が同時に2事業所に使用される場合において，当該2事業所の保険者がいずれも全国健康保険協会である場合に，当該2事業所に係る日本年金機構の業務が2つの年金事務所に分掌されているときは，被保険者は，その被保険者に関する日本年金機構の業務を分掌する年金事務所を選択しなければならず，当該選択については，「一定事項を記載した届書を厚生労働大臣に提出する」ことによって行うものとされている。その他の記述については正しい（則1条の3，則2条1項・4項）。

B　誤　被扶養者としての届出に係る者（「認定対象者」という）が被保険者と同一の世帯に属している場合，認定対象者の年間収入が130万円未満（認定対象者が60歳以上又は一定の障害者である場合は180万円未満）であって，かつ，被保険者の年間収入の2分の1未満である場合は，その他の要件を満たす限り，原則として，被扶養者に該当するものとされている。本肢の母の年間収入は220万円（遺族厚生年金100万円＋給与収入120万円）であり，被保険者の年間収入（250万円）の2分の1以上であるため，原則として，当該母は当該被保険者の被扶養者となることは「できない」（法3条7項，平5.3.5保発15号・庁保発4号ほか）。

社会保険科目
33～34p

C　誤　本肢の場合，被保険者の資格を取得した日現在の報酬の額をその期間の「総日数」で除して得た額の30倍に相当する額を報酬月額として，標準報酬月額が決定される（法42条1項）。

社会保険科目
39p

D　誤　本肢の場合，被保険者資格証明書の交付を受けた被保険者は，直ちに，被保険者資格証明書を事業主を経由して厚生労働大臣に「返納」しなければならない（則50条の2第3項）。

E　正　本肢のとおりである（平23.3.31保発0331第17号，平23.7.1事務連絡ほか）。

キリトリ線

H27-9	総合問題	重要度 A

健保法

問 22 健康保険法に関する次の記述のうち，誤っているものはどれか。

A 本社と支社がともに適用事業所であり，人事，労務及び給与の管理（以下本問において「人事管理等」という。）を別に行っている会社において，本社における被保険者が転勤により支社に異動しても，引き続きその者の人事管理等を本社で行っている場合には，本社の被保険者として取り扱うことができる。

B 全国健康保険協会管掌健康保険の適用事業所であるＡ社で，3月に200万円，6月に280万円の賞与が支給され，それぞれ標準賞与額が200万円及び280万円に決定された被保険者が，Ａ社を同年8月31日付で退職し，その翌日に資格喪失した。その後，同年9月11日に健康保険組合管掌健康保険の適用事業所であるＢ社で被保険者資格を取得し，同年12月に100万円の賞与の支給を受けた。この場合，「健康保険標準賞与額累計申出書」を当該健康保険組合に提出することにより，当該被保険者の標準賞与額は93万円と決定される。

C 継続して1年以上健康保険組合の被保険者（任意継続被保険者又は特例退職被保険者を除く。）であった者であって，被保険者の資格を喪失した際に傷病手当金の支給を受けている者は，資格喪失後に任意継続被保険者となった場合でも，被保険者として受けることができるはずであった期間，継続して同一の保険者から傷病手当金を受けることができるが，資格喪失後に特例退職被保険者となった場合には，傷病手当金の継続給付を受けることはできない。

D 傷病手当金を受ける権利の消滅時効は2年であるが，その起算日は労務不能であった日ごとにその翌日である。

E 同一の疾病又は負傷及びこれにより発した疾病に関する傷病手当金の支給期間は，その支給を始めた日から通算して1年6か月間を超えないものとされているが，日雇特例被保険者の場合には，厚生労働大臣が指定する疾病を除き，その支給を始めた日から起算して6か月を超えないものとされている。

正解チェック欄	／	／	／

キリトリ線

A 正 本肢のとおりである（法3条1項ほか）。

B 誤 標準賞与額の上限額の適用については，全国健康保険協会管掌健康保険における被保険者期間中に決定された標準賞与額と，健康保険組合管掌健康保険における被保険者期間中に決定された標準賞与額とは通算されないこととされている。また，標準賞与額の上限額（573万円）は年度（毎年4月1日から翌年3月31日までをいう）の累計額でみるため，本肢の場合，標準賞与額はこの上限額を超えておらず，12月に受けた賞与（100万円）に係る標準賞与額は「100万円」となる（法45条，平19.5.1庁保険発0501001号ほか）。本肢の場合，標準賞与額の年度の累計額は573万円を超えていないため，「健康保険標準賞与額累計申出書」を提出する必要はない。

C 正 本肢のとおりである（法104条，法附則3条5項）。

社会保険科目
91p

D 正 本肢のとおりである（法193条1項，昭30.9.7保険発199号の2）。なお，傷病手当金に限らず，健康保険の保険給付を受ける権利は，これを行使することができる時から2年で時効によって消滅する。

社会保険科目
132~133p

社会保険科目
74, 109p

E 正 本肢のとおりである（法99条4項，法135条3項）。

MEMO

H27-10　総合問題

問 23　短時間労働者でない被保険者が多胎妊娠し（出産予定日は6月12日），3月7日から産前休業に入り，6月15日に正常分娩で双子を出産した。産後休業を終了した後は引き続き育児休業を取得し，子が1歳に達した日をもって育児休業を終了し，その翌日から職場復帰した。産前産後休業期間及び育児休業期間に基づく報酬及び賞与は一切支払われておらず，職場復帰後の労働条件等は次のとおりであった。なお，職場復帰後の3か月間は所定労働日における欠勤はなく，育児休業を終了した日の翌日に新たな産前休業に入っていないものとする。この被保険者に関する次のアからオの記述のうち，誤っているものの組合せは，後記AからEまでのうちどれか。

【職場復帰後の労働条件等】

始業時刻　10：00

終業時刻　17：00

休憩時間　1時間

所定の休日　毎週土曜日及び日曜日

給与の支払形態　日額12,000円の日給制

給与の締切日　毎月20日

給与の支払日　当月末日

ア　事業主は出産した年の3月から8月までの期間について，産前産後休業期間中における健康保険料の免除を申し出ることができる。

イ　出産手当金の支給期間は，出産した年の5月2日から同年8月10日までである。

ウ　事業主は産前産後休業期間中における健康保険料の免除期間の終了月の翌月から，子が1歳に達した日の翌日が属する月の前月までの期間について，育児休業期間中における健康保険料の免除を申し出ることができる。

キリトリ線

エ　出産した年の翌年の6月末日に支払われた給与の支払基礎日数が17日未満であるため，同年7月末日及び8月末日に受けた給与の総額を2で除した額に基づく標準報酬月額が，従前の標準報酬月額と比べて1等級以上の差がある場合には育児休業等終了時改定を申し出ることができる。

オ　職場復帰後に育児休業等終了時改定に該当した場合は，改定後の標準報酬月額がその翌年の8月までの各月の標準報酬月額となる。なお，標準報酬月額の随時改定には該当しないものとする。

A　(アとイ)　**B**　(アとオ)　**C**　(イとウ)
D　(ウとエ)　**E**　(エとオ)

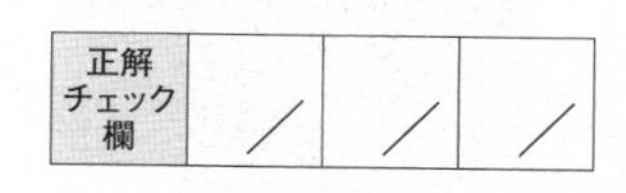

本問のアからオまでのそれぞれの記述の正誤は以下のとおりであり，したがって，アとイを誤りとするAが解答となる。

ア 誤 産前産後休業期間中の保険料免除の規定による保険料免除期間は，産前産後休業を開始した日の属する月からその産前産後休業が終了する日の翌日が属する月の前月までの期間である。したがって，本肢の場合，産前産後休業を開始した日（出産した年の3月7日）の属する月である出産した年の3月からその産前産後休業が終了する日の翌日（同年8月11日）が属する月の前月である同年「7月」までの期間について，事業主は，産前産後休業期間中における健康保険料の免除を申し出ることができる（法159条の3）。

社会保険科目
123p

イ 誤 出産手当金の支給期間は，出産の日（出産の日が出産の予定日後であるときは，出産の予定日）以前42日（多胎妊娠の場合は98日）から出産の日後56日までの間において労務に服さなかった期間である。したがって，本肢の場合，出産手当金の支給期間は，出産した年の「3月7日」から同年8月10日までである（法102条，昭31.3.14保文発1956号）。

社会保険科目
88p

ウ 正 本肢のとおりである（法159条1項）。育児休業等期間中の保険料免除の期間は，その育児休業等を開始した日の属する月とその育児休業等が終了する日の翌日が属する月とが異なる場合，その育児休業等を開始した日の属する月からその育児休業等が終了する日の翌日が属する月の前月までの期間である。本肢の場合，子が1歳に達した日をもって育児休業を終了することとなっているため，その子が1歳に達した日の翌日が属する月の前月まで保険料が免除される。

社会保険科目
122～123p

エ　正　本肢のとおりである（法43条の2第1項）。育児休業等終了時改定は，育児休業等を終了した被保険者（当該育児休業等終了日の翌日に産前産後休業終了時改定に係る産前産後休業を開始している被保険者を除く）が，当該育児休業等終了日において当該育児休業等に係る3歳に満たない子を養育する場合に，その使用される事業所の事業主を経由して保険者等に申出をしたときに行われ，育児休業等終了日の翌日が属する月以後3月間（育児休業等終了日の翌日において使用される事業所で継続して使用された期間に限るものとし，報酬支払の基礎となった日数が17日未満である月があるときは，その月を除く）に受けた報酬の総額をその期間の月数で除して得た額を報酬月額として，従前の標準報酬月額と比べて2等級以上の差がなくても標準報酬月額が改定される。本肢の場合，被保険者の申出により，育児休業等終了日（子が1歳に達した日）の翌日（出産した年の翌年の6月15日）が属する月以後3月間である6月末日，7月末日及び8月末日に支払われた給与のうち，給与の支払基礎日数が17日未満である6月末日に支払われた給与を除く給与（すなわち7月末日及び8月末日に支払われた給与）の総額をその期間の月数である2で除して得た額を報酬月額として，標準報酬月額が改定されることとなる。

社会保険科目
41～42p

オ　正　本肢のとおりである（法43条の2第2項）。育児休業等終了時改定によって改定された標準報酬月額は，育児休業等終了日の翌日から起算して2月を経過した日の属する月の翌月からその年の8月（当該翌月が7月から12月までのいずれかの月である場合は，翌年の8月）までの各月の標準報酬月額とされる。したがって，本肢の場合，育児休業等終了時改定によって改定された標準報酬月額は，育児休業等終了日の翌日（出産した年の翌年の6月15日）から起算して2月を経過した日の属する月の翌月である9月からその翌年の8月までの各月の標準報酬月額となる。

社会保険科目
41～42p

MEMO

キリトリ線

H28-2	総合問題	重要度 A

健保法

問 24　健康保険法に関する次の記述のうち，正しいものはどれか。

A　養子縁組をして養父母を被扶養者としている被保険者が，生家において実父が死亡したため実母を扶養することとなった。この場合，実母について被扶養者認定の申請があっても，養父母とあわせての被扶養者認定はされない。

B　合併により設立された健康保険組合又は合併後存続する健康保険組合のうち一定の要件に該当する合併に係るものは，当該合併が行われた日の属する年度及びこれに続く5か年度に限り，1,000分の30から1,000分の130までの範囲内において，不均一の一般保険料率を決定することができる。

C　毎年3月31日における標準報酬月額等級の最高等級に該当する被保険者数の被保険者総数に占める割合が100分の1.5を超える場合において，その状態が継続すると認められるときは，その年の9月1日から，政令で，当該最高等級の上に更に等級を加える標準報酬月額の等級区分の改定を行うことができるが，その年の3月31日において，改定後の標準報酬月額等級の最高等級に該当する被保険者数の同日における被保険者総数に占める割合が100分の1を下回ってはならない。

D　高齢受給者証を交付された特例退職被保険者は，高齢受給者証に記載されている一部負担金の割合が変更されるとき，当該被保険者は5日以内に高齢受給者証を返納しなければならないが，そのときは事業主を通じて保険者に返納しなければならない。

E　一般の被保険者は，その住所を変更したときは，速やかに，変更後の住所を事業主に申し出るとともに，被保険者証を事業主に提出しなければならない。事業主は，その申出を受けたときは，遅滞なく，変更後の住所を被保険者証を添えて厚生労働大臣又は健康保険組合に届け出なければならない。

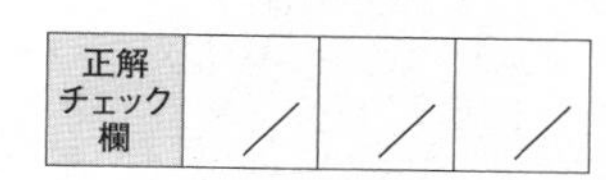

正解チェック欄	／	／	／

キリトリ線

A 誤 本肢の場合，実母は直系尊属に該当するため，養父母とあわせて実母についても所定の要件を満たす限り，「被扶養者となる」（法３条７項）。

社会保険科目 31～32p

B 正 本肢のとおりである（法附則３条の２第１項）。

社会保険科目 120p

C 誤 本肢の場合，その年の３月31日において，改定後の標準報酬月額等級の最高等級に該当する被保険者数の同日における被保険者総数に占める割合が「100分の0.5」を下回ってはならない。その他の記述については正しい（法40条２項）。

社会保険科目 37p

D 誤 本肢の高齢受給者証の返納は，当該被保険者が「直接」保険者（特定健康保険組合）に返納する。その他の記述については正しい（則52条３項，則170条）。

E 誤 本肢の住所変更について，一般の被保険者は事業主への申出の際に「被保険者証を提出する必要はなく」，また，事業主は届出の際に「被保険者証を添える必要はない」（則28条の２第１項，則36条の２）。なお，改正により，令和６年12月２日からは，新たな被保険者証の交付は行われないこととなった。

社会保険科目 50p

H28-4	総合問題	重要度 B

問 25　健康保険法に関する次の記述のうち，正しいものはどれか。

A　被保険者の被扶養者が第三者の行為により死亡し，被保険者が家族埋葬料の給付を受けるときは，保険者は，当該家族埋葬料の価額の限度において当該被保険者が当該第三者に対して有する損害賠償請求権を代位取得し，第三者に対して求償できる。

B　被保険者である適用事業所の代表取締役は，産前産後休業期間中も育児休業期間中も保険料免除の対象から除外されている。

C　保険者等は，被保険者が賞与を受けた月において，その月に当該被保険者が受けた賞与額に基づき，これに千円未満の端数を生じたときは，これを切り捨てて，その月における標準賞与額を決定する。ただし，その月に当該被保険者が受けた賞与によりその年度における標準賞与額の累計額が540万円（健康保険法第40条第2項の規定による標準報酬月額の等級区分の改定が行われたときは，政令で定める額。）を超えることとなる場合には，当該累計額が540万円となるようその月の標準賞与額を決定し，その年度においてその月の翌月以降に受ける賞与の標準賞与額は零とする。

D　保険医個人が開設する診療所は，病床の有無に関わらず，保険医療機関の指定を受けた日から，その指定の効力を失う日前6か月から同日前3か月までの間に，別段の申出がないときは，保険医療機関の指定の申出があったものとみなされる。

E　健康保険法第150条第1項では，保険者は，高齢者医療確保法の規定による特定健康診査及び特定保健指導を行うように努めなければならないと規定されている。

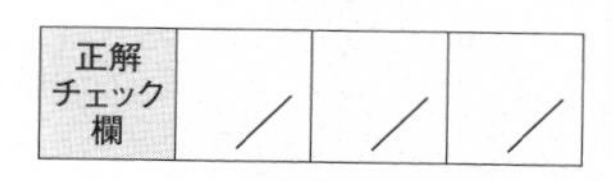

正解チェック欄	／	／	／

A　正　本肢のとおりである（法57条1項，昭48.9.26保発34号・庁保発16号）。

社会保険科目
100p

B　誤　代表取締役は，育児介護休業法にいう「労働者」にあたらないため，育児休業が取得できず，育児休業期間中の保険料免除の適用を受けることができないが，健康保険法にいう「産前産後休業」とは，出産の日（出産の日が出産の予定日後であるときは，出産の予定日）以前42日（多胎妊娠の場合においては，98日）から出産の日後56日までの間において労務に服さないこと（妊娠又は出産に関する事由を理由として労務に服さない場合に限る）をいうことから，代表取締役であっても，ここでいう産前産後休業を取得することは可能であるため，産前産後休業期間中の保険料免除の適用を受けることができる（法159条，法159条の2）。

社会保険科目
122~123p

C　誤　標準賞与額の年度累計額は，「573万円」である。その他の記述については正しい（法45条1項）。

社会保険科目
47p

D　誤　保険医個人が開設する診療所であって，「病床を有さないもの」は，保険医療機関の指定を受けた日から，その指定の効力を失う日前6か月から同日前3か月までの間に，別段の申出が無いときは，保険医療機関の指定の申請があったものとみなされる（法68条2項）。

社会保険科目
54p

E　誤　法150条1項では，「保険者は，高齢者の医療の確保に関する法律20条の規定による特定健康診査及び同法24条の規定による特定保健指導を『行うものとする』」と規定されている（法150条1項）。

社会保険科目
17p

キリトリ線

H28-5	総合問題	重要度 A

健保法

問 26 健康保険法に関する次の記述のうち，誤っているものはどれか。

A 保険医又は保険薬剤師の登録及び登録取消に係る厚生労働大臣の権限は，地方厚生局長又は地方厚生支局長に委任されている。

B 適用事業所の事業主が納期限が5月31日である保険料を滞納し，指定期限を6月20日とする督促を受けたが，実際に保険料を完納したのが7月31日である場合は，原則として6月1日から7月30日までの日数によって計算された延滞金が徴収されることになる。

C 健康保険法では，保険給付を受ける権利は，これを行使することができる時から2年を経過したときは時効によって消滅することが規定されている。この場合，消滅時効の起算日は，療養費は療養に要した費用を支払った日の翌日，月間の高額療養費は診療月の末日（ただし，診療費の自己負担分を診療月の翌月以後に支払ったときは，支払った日の翌日），高額介護合算療養費は計算期間（前年8月1日から7月31日までの期間）の末日の翌日である。

D 被保険者が副業として行う請負業務中に負傷した場合等，労働者災害補償保険の給付を受けることのできない業務上の傷病等については，原則として健康保険の給付が行われる。

E 被保険者が産前産後休業をする期間について，基本給は休業前と同様に支給するが，通勤の実績がないことにより，通勤手当が支給されない場合，その事業所の通勤手当の制度自体が廃止されたわけではないことから，賃金体系の変更にはあたらず，標準報酬月額の随時改定の対象とはならない。

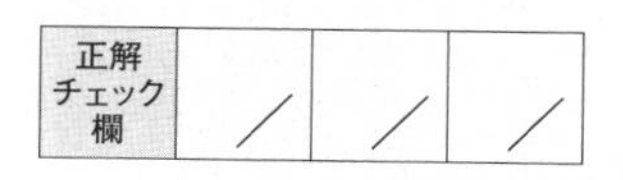

正解チェック欄	／	／	／

A 正　本肢のとおりである（法205条，則159条1項5号の2）。

B 正　本肢のとおりである（法181条1項）。延滞金の計算の基礎となる日数は，納期限の翌日から徴収金完納又は財産差押えの日の前日までの期間の日数である。本肢の場合，納期限の翌日は6月1日であり，徴収金完納の日の前日は7月30日であるため，本肢のとおり，6月1日から7月30日までの日数を基礎として延滞金が計算される。

社会保険科目
127p

C 誤　月間の高額療養費の支給を受ける権利の消滅時効の起算日は，診療を受けた月の「翌月1日」（診療費の自己負担分を診療月の翌月以後に支払ったときは，支払った日の翌日）である。その他の記述については正しい（法193条1項，昭48.11.7保険発99号・庁保険発21号ほか）。

社会保険科目
132～133p

D 正　本肢のとおりである（法1条，平25.8.14事務連絡）。

E 正　本肢のとおりである（法43条，令5.6.27事務連絡）。

H28-6	総合問題	重要度 A

問 27 健康保険法に関する次の記述のうち，誤っているものはどれか。

A 健康保険法第116条では，被保険者又は被保険者であった者が，自己の故意の犯罪行為により又は故意に給付事由を生じさせたときは，当該給付事由に係る保険給付は行われないと規定されているが，被扶養者に係る保険給付についてはこの規定が準用されない。

B 適用事業所に使用されなくなったため，被保険者（日雇特例被保険者を除く。）の資格を喪失した者であって，喪失の日の前日まで継続して2か月以上被保険者（日雇特例被保険者，任意継続被保険者，特例退職被保険者又は共済組合の組合員である被保険者を除く。）であった者は，保険者に申し出て，任意継続被保険者になることができる。ただし，船員保険の被保険者又は後期高齢者医療の被保険者等である者は任意継続被保険者となることができない。

C 保険者は，保険給付を受ける者が，正当な理由なしに，文書の提出等の命令に従わず，又は答弁若しくは受診を拒んだときは，保険給付の全部又は一部を行わないことができる。

D 指定訪問看護事業者の指定について，厚生労働大臣は，その申請があった場合において，申請者が健康保険法の規定により指定訪問看護事業者に係る指定を取り消され，その取消しの日から5年を経過しない者であるときは指定をしてはならない。

E 適用事業所の事業主に変更があったときは，変更後の事業主は，①事業所の名称及び所在地，②変更前の事業主及び変更後の事業主の氏名又は名称及び住所，③変更の年月日を記載した届書を厚生労働大臣又は健康保険組合に5日以内に提出しなければならない。

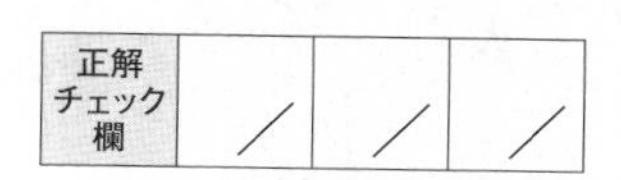

A 誤 法116条では，被保険者又は被保険者であった者が，自己の故意の犯罪行為により，又は故意に給付事由を生じさせたときは，当該給付事由に係る保険給付は，行われないと規定されているが，この規定は「被扶養者に係る保険給付について，準用されている」（法116条，法122条）。

B 正 本肢のとおりである（法3条4項）。なお，本肢の申出は，原則として，被保険者（日雇特例被保険者等を除く）の資格を喪失した日から20日以内にしなければならない。ただし，保険者は，正当な理由があると認めるときは，この期間を経過した後の申出であっても，受理することができる（法37条1項）。

社会保険科目
27～28p

C 正 本肢のとおりである（法121条）。

D 正 本肢のとおりである（法89条4項4号）。

社会保険科目
56p

E 正 本肢のとおりである（則31条）。なお，事業主の氏名若しくは住所，事業所の名称若しくは所在地又は事業主が法人であるときは内国法人若しくは外国法人の別等に変更があったときは，5日以内に，以下の事項を記載した届書を厚生労働大臣又は健康保険組合に提出しなければならない（則30条）。
①事業所の名所及び所在地
②変更前の事項及び変更後の事項並びに変更の年月日

社会保険科目
51p

H28-9	総合問題	重要度 A

問 28 健康保険法に関する次のアからオの記述のうち，正しいものの組合せは，後記AからEまでのうちどれか。

ア　疾病により療養の給付を受けていた被保険者が疾病のため退職し被保険者資格を喪失した。その後この者は，健康保険の被保険者である父親の被扶養者になった。この場合，被扶養者になる前に発病した当該疾病に関しては，父親に対し家族療養費の支給は行われない。

イ　出産手当金の額は，1日につき，出産手当金の支給を始める日の属する月以前の直近の継続した12か月間の各月の標準報酬月額を平均した額の30分の1に相当する額の3分の2に相当する金額とする。ただし，その期間が12か月に満たない場合は，出産手当金の支給を始める日の属する月の標準報酬月額の30分の1に相当する額の3分の2に相当する金額とする。

ウ　育児休業等の期間中における健康保険料の免除の申出は，被保険者が1歳に満たない子を養育するため育児休業をし，その後1歳から1歳6か月に達するまでの子を養育するため育児休業をし，更にその後3歳に達するまでの子を養育するため育児休業に関する制度に準じて講ずる措置による休業をする場合，その都度，事業主が当該育児休業等期間中において行うものとされている。

エ　短時間就労者の標準報酬月額の定時決定について，4月，5月及び6月における算定の対象となる報酬の支払基礎日数が，各月それぞれ16日であった場合，従前の標準報酬月額で決定される。なお，本肢の被保険者である短時間就労者は，健康保険法施行規則24条の2に規定する「短時間労働者である被保険者」ではないものとする。

オ　報酬又は賞与の全部又は一部が，通貨以外のもので支払われる場合においては，その価額は，その地方の時価によって，厚生労働大臣が定めるが，健康保険組合は，規約で別段の定めをすることができる。

A（アとエ）　**B**（イとウ）　**C**（イとエ）
D（アとオ）　**E**（ウとオ）

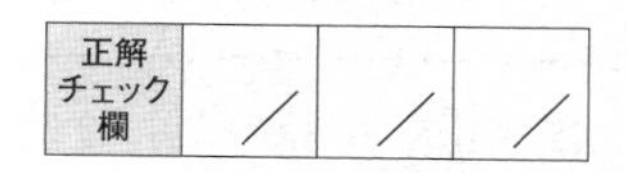

正解チェック欄	／	／	／

本問のアからオまでのそれぞれの記述の正誤は以下のとおりであり，したがって，ウ及びオを正しいとするEが解答となる。

ア　誤　被扶養者になる前に発病した疾病に対しても家族療養費の支給は行われる（法110条1項，昭26.10.16保文発4111号）。

イ　誤　出産手当金の額は，1日につき，出産手当金の支給を始める日の属する月以前の直近の継続した12月間の各月の標準報酬月額を平均した額の30分の1に相当する額の3分の2に相当する金額とする。ただし，同日の属する月以前の直近の継続した期間において標準報酬月額が定められている月が12月に満たない場合にあっては，「次の①又は②に掲げる額のうちいずれか少ない額の3分の2に相当する金額」とされている（法102条2項）。

①出産手当金の支給を始める日の属する月以前の直近の継続した各月の標準報酬月額を平均した額の30分の1に相当する額

②出産手当金の支給を始める日の属する年度の前年度の9月30日における全被保険者の同月の標準報酬月額を平均した額を標準報酬月額の基礎となる報酬月額とみなしたときの標準報酬月額の30分の1に相当する額

社会保険科目
88～89p

ウ　正　本肢のとおりである（法159条，則135条）。

社会保険科目
122～123p

エ　誤　本肢の短時間就労者に係る定時決定については，4月，5月及び6月の3か月間のうち支払基礎日数がいずれも17日未満の場合は，その3か月のうち支払基礎日数が15日以上17日未満の月の報酬月額の平均により算定された額をもって，「保険者算定による額とすること」とされている。したがって，本肢の場合，4月，5月及び6月の報酬支払基礎日数がいずれも16日であるため，4月，5月及び6月の報酬月額の平均により算定された額をもって保険者算定による額をもって，標準報酬月額が決定される（平18.5.12庁保険発0512001号）。

オ　正　本肢のとおりである（法46条）。

社会保険科目
36p

キリトリ線

H28-10	総合問題	重要度 A

問 29 健康保険法に関する次の記述のうち，誤っているものはどれか。

A 被保険者の直系尊属，配偶者，子，孫及び弟妹であって，国内居住要件等のほか，主としてその被保険者により生計を維持するものは，原則として，被扶養者となることができるが，後期高齢者医療の被保険者である場合は被扶養者とならない。

B 同時に2以上の事業所で報酬を受ける被保険者について，それぞれの事業所において同一月に賞与が支給された場合，その合算額をもって標準賞与額が決定される。

C 標準報酬月額の定時決定等における支払基礎日数の取扱いとして，月給者で欠勤日数分に応じ給与が差し引かれる場合にあっては，その月における暦日の数から当該欠勤日数を控除した日数を支払基礎日数とする。

D 国民健康保険組合の被保険者である者が，全国健康保険協会管掌健康保険の適用事業所に使用されることとなった場合であっても，健康保険法第3条第1項第8号の規定により健康保険の適用除外の申請をし，その承認を受けることにより，健康保険の適用除外者となることができる。

E 産前産後休業を終了した際の改定は，固定的賃金に変動がなく残業手当の減少によって報酬月額が変動した場合も，その対象となる。

キリトリ線

正解チェック欄	／	／	／

社会保険科目
31～33p

A 正　本肢のとおりである（法3条7項）。なお，兄姉であって，主としてその被保険者により生計を維持するものは，その他の要件を満たす限り，被扶養者となることができる。

B 正　本肢のとおりである（法45条2項）。なお，保険者等は，標準報酬（標準報酬月額及び標準賞与額をいう）の決定若しくは改定を行ったときは，その旨を当該事業主に通知しなければならない（法49条1項）。

C 誤　標準報酬月額の定時決定等における報酬支払基礎日数の取扱いとして，月給者で欠勤日数分に応じ給与が差し引かれる場合にあっては，その月における「就業規則，給与規程等に基づき事業所が定めた日数」から当該欠勤日数を控除した日数が報酬支払基礎日数となる（法41条1項，平18.5.12庁保険発0512001号）。

D 正　本肢のとおりである（法3条1項）。

E 正　本肢のとおりである（法43条の3第1項）。

H29-2	総合問題	重要度 A

問 30　健康保険法に関する次の記述のうち，正しいものはどれか。

A　被保険者は，被保険者又はその被扶養者が40歳に達したことにより介護保険第2号被保険者に該当するに至ったときは，遅滞なく，所定の事項を記載した届書を事業主を経由して日本年金機構又は健康保険組合に届け出なければならない。

B　健康保険の標準報酬月額は，第1級の58,000円から第47級の1,210,000円までの等級区分となっている。

C　被保険者と届出をしていないが事実上婚姻関係と同様の事情にある配偶者の兄で，被保険者とは別の世帯に属しているが，被保険者により生計を維持する者は，国内居住要件等を満たす限り，被扶養者になることができる。

D　被保険者の兄姉は，国内居住要件等のほか，主として被保険者により生計を維持している場合であっても，被保険者と同一世帯でなければ被扶養者とはならない。

E　任意継続被保険者に関する保険料の納付期日は，初めて納付すべき保険料を除いてはその月の10日とされている。任意継続被保険者が初めて納付すべき保険料を除き，保険料を納付期日までに納めなかった場合は，納付の遅延について正当な理由があると保険者が認めたときを除き，その翌日に任意継続被保険者の資格を喪失する。

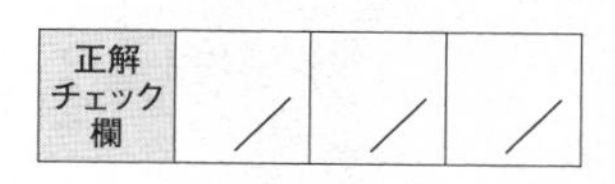

A　誤　40歳に達したことにより介護保険第2号被保険者に該当するに至ったときは，本肢の介護保険第2号被保険者に該当するに至った場合の届出を行う必要はない（則41条1項）。

B　誤　健康保険の標準報酬月額は，第1級の58,000円から「第50級の1,390,000円」までの等級区分となっている（法40条1項）。

社会保険科目 36p

C　誤　被保険者と事実婚関係にある者の兄については，生計維持の有無や同一世帯・別世帯等にかかわらず，当該被保険者の「被扶養者とされない」（法3条7項）。

社会保険科目 31p

D　誤　被保険者の兄姉は，国内居住要件等のほか，主として被保険者により生計を維持していれば，「被保険者と世帯を同じくしていなくても」，原則として，被扶養者となる（法3条7項1号）。

社会保険科目 31p

E　正　本肢のとおりである（法38条3号，法164条1項）。

社会保険科目 28, 124p

キリトリ線

H29-4	総合問題	重要度 A

健保法

問 31

健康保険法に関する次のアからオの記述のうち，正しいものの組合せは，後記AからEまでのうちどれか。

ア　介護保険料率は，各年度において保険者が納付すべき介護納付金（日雇特例被保険者に係るものを除く。）の額を当該年度における当該保険者が管掌する介護保険第2号被保険者である被保険者の総報酬額の総額の見込額で除して得た率を基準として，保険者が定める。なお，本問において特定被保険者に関する介護保険料率の算定の特例を考慮する必要はない。

イ　被保険者に係る療養の給付は，同一の傷病について，介護保険法の規定によりこれに相当する給付を受けることができる場合には，健康保険の給付は行われない。

ウ　健康保険事業の事務の執行に要する費用について，国庫は，全国健康保険協会に対して毎年度，予算の範囲内において負担しているが，健康保険組合に対しては負担を行っていない。

エ　事業主は，被保険者に係る4分の3未満短時間労働者に該当するか否かの区別の変更があったときは，当該事実のあった日から10日以内に被保険者の区別変更の届出を日本年金機構又は健康保険組合に提出しなければならない。なお，本問の4分の3未満短時間労働者とは，1週間の所定労働時間が同一の事業所に使用される通常の労働者の1週間の所定労働時間の4分の3未満である者又は1か月間の所定労働日数が同一の事業所に使用される通常の労働者の1か月間の所定労働日数の4分の3未満である者であって，健康保険法第3条第1項第9号イからハまでのいずれの要件にも該当しないものをいう。

オ　前月から引き続き任意継続被保険者である者が，刑事施設に拘禁されたときは，原則として，その月以後，拘禁されなくなった月までの期間，保険料は徴収されない。

A　（アとイ）　**B**　（アとエ）　**C**　（イとウ）
D　（ウとオ）　**E**　（エとオ）

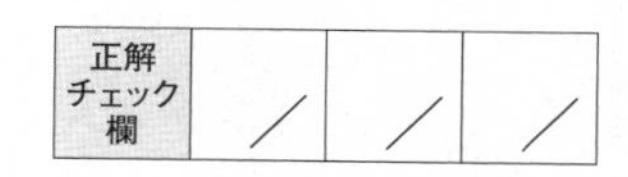

キリトリ線

本問のアからオまでのそれぞれの記述の正誤は以下のとおりであり，したがって，ア及びイを正しい記述とするAが解答となる。

ア　正　本肢のとおりである（法160条16項）。

社会保険科目 120p

イ　正　本肢のとおりである（法55条3項）。

社会保険科目 97p

ウ　誤　健康保険事業の事務の執行に要する費用に係る国庫負担は，全国健康保険協会のみならず，「健康保険組合に対しても行われる」。その他の記述については正しい（法151条）。

社会保険科目 114p

エ　誤　本肢の場合，所定の事項を記載した届書を当該事実があった日から「5日以内」に，日本年金機構又は健康保険組合に提出しなければならない（則28条の3）。

社会保険科目 50p

オ　誤　「任意継続被保険者」は，刑事施設に拘禁された場合であっても，保険料は「徴収される」（法158条）。

社会保険科目 122p

キリトリ線

H29-5	総合問題	重要度 A

健保法

問 32 健康保険法に関する次の記述のうち，誤っているものはどれか。

A 被保険者が闘争，泥酔又は著しい不行跡によって給付事由を生じさせたときは，当該給付事由に係る保険給付は，その全部又は一部を行わないことができる。

B 従業員が3人の任意適用事業所で従業員と同じような仕事に従事している個人事業所の事業主は，健康保険の被保険者となることができる。

C 厚生労働大臣は，全国健康保険協会管掌健康保険の適用事業所に係る名称及び所在地，特定適用事業所であるか否かの別を，インターネットを利用して公衆の閲覧に供する方法により公表することができる。

D 移送費は，被保険者が，移送により健康保険法に基づく適切な療養を受けたこと，移送の原因である疾病又は負傷により移動をすることが著しく困難であったこと，緊急その他やむを得なかったことのいずれにも該当する場合に支給され，通院など一時的，緊急的とは認められない場合については支給の対象とならない。

E 厚生労働大臣は，保険医療機関若しくは保険薬局の指定を行おうとするとき，若しくはその指定を取り消そうとするとき，又は保険医若しくは保険薬剤師の登録を取り消そうとするときは，政令で定めるところにより，地方社会保険医療協議会に諮問するものとされている。

キリトリ線

正解チェック欄	／	／	／

A 正 本肢のとおりである（法117条）。なお，本肢の給付制限の規定は，被扶養者に関する保険給付について準用されている（法122条）。

社会保険科目 99p

B 誤 個人事業所の事業主は，適用事業所に使用される者でないため，被保険者とならない（法3条1項）。

C 正 本肢のとおりである（則159条の10）。なお，本肢の規定において，事業所に係る日本年金機構の業務を分掌する年金事務所及び事業主が国，地方公共団体又は法人であるときは，法人番号等についてもインターネットを利用して公衆の閲覧に供する方法により公表することができる（則159条の10第1項5号・6号）。

D 正 本肢のとおりである（法97条，則81条，平6.9.9保険発119号・庁保険発9号）。

社会保険科目 70p

E 正 本肢のとおりである（法82条2項）。

社会保険科目 55p

H29-6	総合問題	重要度 A

問 33 健康保険法に関する次の記述のうち，誤っているものはどれか。

A 72歳の被保険者で指定訪問看護事業者から指定訪問看護を受けようとする者は，資格確認書及び高齢受給者証を当該指定訪問看護事業者に提出するものとする。なお，本肢は，当該指定訪問看護事業者において，健康保険法施行規則第53条に規定する電子的確認を受けることができる場合及び一部負担金の割合が記載され又は記録されている資格確認書を提出し又は提示する場合を除くものとし，当該指定訪問看護事業者から電子資格確認による確認を受けてから継続的な指定訪問看護を受けている場合でないものとする。

B 事業主は，当該事業主が被保険者に対して支払うべき報酬額が保険料額に満たないため保険料額の一部のみを控除できた場合においては，当該控除できた額についてのみ保険者等に納付する義務を負う。

C 共に全国健康保険協会管掌健康保険の被保険者である夫婦が共同して扶養している者に係る被扶養者の認定においては，被扶養者とすべき者の人数にかかわらず，年間収入の多い方の被扶養者とすることを原則とするが，夫婦双方の年間収入が同程度（夫婦双方の年間収入の差額が年間収入の多い方の1割以内とする）である場合は，被扶養者の地位の安定を図るため，届出により，主として生計を維持する者の被扶養者とすることができる。

D 50歳である一般の被保険者は，当該被保険者又はその被扶養者が介護保険第2号被保険者に該当しなくなったときは，遅滞なく，所定の事項を記載した届書を事業主を経由して厚生労働大臣又は健康保険組合に届け出なければならないが，事業主の命により被保険者が外国に勤務することとなったため，いずれの市町村又は特別区の区域内にも住所を有しなくなったときは，当該事業主は，被保険者に代わってこの届書を厚生労働大臣又は健康保険組合に届け出ることができる。

E 保険医の登録をした医師の開設した診療所で，かつ，当該開設者である医師のみが診療に従事している場合には，当該診療所は保険医療機関の指定があったものとみなされる。なお，当該診療所は，健康保険法第65条第3項又は第4項に規定するいわゆる指定の拒否又は一部拒否の要件に該当しないものとする。

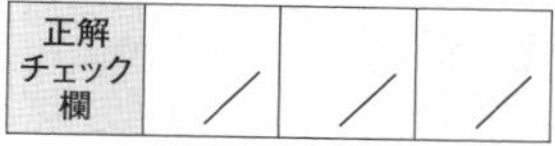

A　正　本肢のとおりである（則53条2項ほか）。なお，改正により，令和6年12月2日からは，新たな被保険者証の交付は行われないこととされ，被保険者又はその被扶養者が電子資格確認を受けることができない状況にあるときに限り，資格確認書（当該状況にある場合に，保険者から被保険者等の資格情報について書面又は電磁的方法により提供されたものをいう）が交付又は提供されることとなった。

B　誤　事業主は，「被保険者に対して支払った報酬から当該被保険者が負担すべき保険料額の全額を控除したか否かにかかわらず」，保険料の全額を納付しなければならない（法164条1項，昭2.2.14保理218号）。

C　正　本肢のとおりである（令3.4.30保保発0430第2号）。なお，本肢の「被保険者の年間収入」とは，過去の収入，現時点の収入，将来の収入等から今後1年間の収入を見込んだものとされている。

D　正　本肢のとおりである（則40条1項・3項）。なお，本肢の介護保険第2号被保険者とは，市町村又は特別区の区域内に住所を有する40歳以上65歳未満の医療保険加入者をいう（介護保険法9条2号）。

E　正　本肢のとおりである（法69条）。なお，本肢の規定は，所定の診療所又は薬局において適用されるものであり，病院については適用されない。

社会保険科目
54p

キリトリ線

H29-7	総合問題	重要度 A

問 34 健康保険法に関する次の記述のうち，正しいものはどれか。

A 被保険者（特定長期入院被保険者を除く。以下本肢において同じ。）が保険医療機関である病院又は診療所から食事療養を受けたときは，保険者は，その被保険者が当該病院又は診療所に支払うべき食事療養に要した費用について，入院時食事療養費として被保険者に対し支給すべき額の限度において，被保険者に代わり当該病院又は診療所に支払うことができ，この支払があったときは，被保険者に対し入院時食事療養費の支給があったものとみなされる。

B 保険医療機関又は保険薬局は，14日以上の予告期間を設けて，その指定を辞退することができ，保険医又は保険薬剤師は，14日以上の予告期間を設けて，その登録の抹消を求めることができる。

C 被保険者の被扶養者が指定訪問看護事業者から指定訪問看護を受けたときは，被扶養者に対しその指定訪問看護に要した費用について，訪問看護療養費を支給する。

D 保険者は，被保険者又は被保険者であった者が，刑事施設，労役場その他これらに準ずる施設に拘禁された場合には，被扶養者に対する保険給付を行うことができない。

E 保険者は，偽りその他不正の行為によって保険給付を受けた者があるときは，その者からその給付の価額の全部又は一部を徴収することができるが，事業主が虚偽の報告若しくは証明をし，その保険給付が行われたものであるときであっても，保険者が徴収金を納付すべきことを命ずることができるのは，保険給付を受けた者に対してのみである。

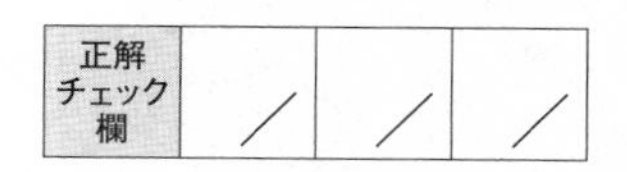

正解チェック欄	／	／	／

キリトリ線

A 正 本肢のとおりである（法85条5項・6項）。

B 誤 保険医療機関又は保険薬局は，「1月以上」の予告期間を設けて，その指定を辞退することができ，保険医又は保険薬剤師は，「1月以上」の予告期間を設けて，その登録の抹消を求めることができる（法79条）。

社会保険科目
54～56p

C 誤 被保険者の被扶養者が指定訪問看護事業者から指定訪問看護を受けたときは，「被保険者に対し」，その指定訪問看護に要した費用について，「家族訪問看護療養費」を支給する（法111条1項）。

社会保険科目
78p

D 誤 被保険者又は被保険者であった者が，刑事施設，労役場その他これらに準ずる施設に拘禁された場合には，疾病，負傷又は出産につき，その期間に係る所定の保険給付は行われないが，この場合であっても，「被扶養者に係る保険給付を行うことを妨げない」ものとされている（法118条）。

社会保険科目
99p

E 誤 本肢の場合，虚偽の報告又は証明をした事業主に対し，保険給付を受けた者と連帯して徴収金を納付すべきことを命ずることができる。その他の記述については正しい（法58条1項・2項）。

社会保険科目
102p

H29-8	総合問題	重要度 A

問 35 健康保険法に関する次の記述のうち，正しいものはどれか。

A 傷病手当金は被保険者が療養のため労務に服することができないときに支給されるが，この療養については，療養の給付に係る保険医の意見書を必要とするため，自費診療で療養を受けた場合は，傷病手当金が支給されない。

B 全国健康保険協会管掌健康保険の被保険者が適用事業所を退職したことにより被保険者資格を喪失し，その同月に，他の適用事業所に就職したため組合管掌健康保険の被保険者となった場合，同一の病院で受けた療養の給付であったとしても，それぞれの管掌者ごとにその月の高額療養費の支給要件の判定が行われる。

C 68歳の被保険者で，その者の厚生労働省令で定めるところにより算定した収入の額が520万円を超えるとき，その被扶養者で72歳の者に係る健康保険法第110条第2項第1号に定める家族療養費の給付割合は70％である。

D 傷病手当金の支給を受けるべき者が，同一の疾病につき厚生年金保険法による障害厚生年金の支給を受けることができるときは，傷病手当金の支給が調整されるが，障害手当金の支給を受けることができるときは，障害手当金が一時金としての支給であるため傷病手当金の支給は調整されない。

E 資格喪失後の継続給付として傷病手当金の支給を受けていた者が，被保険者資格の喪失から3か月を経過した後に死亡したときは，死亡日が当該傷病手当金を受けなくなった日後3か月以内であっても，被保険者であった者により生計を維持していた者であって，埋葬を行うものが埋葬料の支給を受けることはできない。

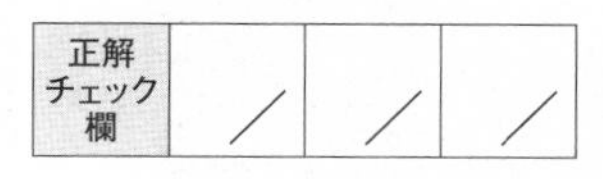

正解チェック欄	／	／	／

A 誤 傷病手当金は，被保険者が療養のため労務に服することができないときに支給されるが，この「療養のため」については，「保険給付として受ける療養のために限らず，それ以外の療養のためをも含む」ものとされている（法99条1項，昭2.2.26保発345号）。

社会保険科目 71p

B 正 本肢のとおりである（昭48.11.7保険発99号・庁保険発21号）。

C 誤 被保険者が70歳未満であるため，「被保険者の収入の額にかかわらず」，72歳の被扶養者に係る家族療養費の給付割合は「80％」となる（法110条2項1号）。

社会保険科目 77～79p

D 誤 同一の傷病につき，傷病手当金と障害手当金の支給を受けることができるときは，「傷病手当金の支給が調整される」（法108条4項）。

社会保険科目 76p

E 誤 資格喪失後の継続給付としての傷病手当金を受けなくなった日後3か月以内に死亡した場合，被保険者資格の喪失から3か月を経過した後に死亡したときであっても，被保険者であった者により生計を維持していた者であって，埋葬を行うものは，その被保険者の最後の保険者から埋葬料の支給を「受けることができる」（法105条1項）。

社会保険科目 93p

キリトリ線

H29-9	総合問題	重要度 A

健保法

問 36 健康保険法に関する次のアからオの記述のうち，誤っているものの組合せは，後記ＡからＥまでのうちどれか。なお，本問における短時間労働者とは，１週間の所定労働時間が同一の事業所に使用される通常の労働者の１週間の所定労働時間の４分の３未満である者又は１か月間の所定労働日数が同一の事業所に使用される通常の労働者の１か月間の所定労働日数の４分の３未満である者のことをいう。

ア　特定適用事業所とは，事業主が同一である１又は２以上の適用事業所であって，当該１又は２以上の適用事業所に使用される特定労働者の総数が常時50人を超えるものの各適用事業所のことをいう。

イ　特定適用事業所に使用される短時間労働者の年収が130万円未満の場合，被保険者になるか，被保険者になることなく被保険者である配偶者の被扶養者になるかを選択することができる。

ウ　特定適用事業所に使用される短時間労働者について，健康保険法第３条第１項第９号の規定によりその報酬が月額88,000円未満である場合には，被保険者になることができないが，この報酬とは，賃金，給料，俸給，手当，賞与その他いかなる名称であるかを問わず，労働者が労働の対償として受けるすべてのものをいう。

エ　特定適用事業所において被保険者である短時間労働者の標準報酬月額の定時決定は，報酬支払いの基礎となった日数が11日未満である月があるときは，その月を除いて行う。また，標準報酬月額の随時改定は，継続した３か月間において，各月とも報酬支払いの基礎となった日数が11日以上でなければ，その対象とはならない。

オ　特定適用事業所に使用される短時間労働者について，１週間の所定労働時間が20時間未満であるものの，事業主等に対する事情の聴取やタイムカード等の書類の確認を行った結果，残業等を除いた基本となる実際の労働時間が直近２か月において週20時間以上である場合で，今後も同様の状態が続くと見込まれるときは，当該所定労働時間は週20時間以上であることとして取り扱われる。

A（アとエ）　**B**（アとオ）　**C**（イとウ）
D（イとエ）　**E**（ウとオ）

正解チェック欄	／	／	／

本問のアからオまでのそれぞれの記述の正誤は以下のとおりであり，したがって，イ及びウを誤りの記述とするCが解答となる。

社会保険科目 26p

ア　正　本肢のとおりである（平24法附則46条12項）。

イ　誤　特定適用事業所に使用される短時間労働者の年収が130万円未満の場合に，被保険者となるか被扶養者となるかを選択できるという規定はない（法3条1項・7項，平5.3.5保発15号）。特定適用事業所に使用される短時間労働者の年収が130万円未満105万6千円（報酬月額8万8千円）以上の場合，被保険者となる場合（短時間労働者に係る他の適用除外要件（週所定労働時間20時間未満等）のいずれにも該当しない場合）があり，この場合，被保険者となるから配偶者の被扶養者となることはできない。年収が130万円未満105万6千円（報酬月額8万8千円）以上の場合であって，被保険者とならない場合（短時間労働者に係る他の適用除外要件のいずれかに該当する場合）は，被保険者とならない（選択によって被保険者となれるわけではない）。また，年収が105万6千円（報酬月額8万8千円）未満である場合は，健康保険法の適用除外に該当し，被保険者とならない（この場合も選択によって被保険者となれるわけではない）。

ウ　誤　短時間労働者に係る適用除外要件としての「報酬が8万8千円未満であること」の「報酬」には，健康保険法上の報酬（賃金，給料，俸給，手当，賞与その他いかなる名称であるかを問わず，労働者が，労働の対償として受けるすべてのもののうち，臨時に受けるもの及び3月を超える期間ごとに受けるものを除いたもの）から「最低賃金法4条3項各号に掲げる賃金（最低賃金額に含まれない賃金）に相当するものとして厚生労働省令で定めるもの（臨時に支払われる賃金や1月を超える期間ごとに支払われる賃金等）」を除いたものをいう（法3条1項9号・5項，則23条の4）。

社会保険科目 24～25，35p

社会保険科目 38p

エ　正　本肢のとおりである（法41条1項，法43条1項）。

オ　正　本肢のとおりである（令4.3.18保保発0318第1号）。

H29-10	総合問題	重要度 A

問 37 健康保険法に関する次の記述のうち，誤っているものはどれか。

健保法

A 被保険者が，故意に給付事由を生じさせたときは，その給付事由に係る保険給付は行われないこととされているが，自殺未遂による傷病について，その傷病の発生が精神疾患等に起因するものと認められる場合は，故意に給付事由を生じさせたことに当たらず，保険給付の対象となる。

B 任意継続被保険者の標準報酬月額は，原則として，当該任意継続被保険者が被保険者の資格を喪失したときの標準報酬月額，又は前年（1月から3月までの標準報酬月額については，前々年）の9月30日における当該任意継続被保険者の属する保険者が管掌する全被保険者の標準報酬月額を平均した額を標準報酬月額の基礎となる報酬月額とみなしたときの標準報酬月額のいずれか少ない額とされるが，その保険者が健康保険組合の場合，当該平均した額の範囲内においてその規約で定めた額があるときは，当該任意継続被保険者が被保険者の資格を喪失したときの標準報酬月額又は当該規約で定めた額を標準報酬月額の基礎となる報酬月額とみなしたときの標準報酬月額のいずれか少ない額とすることができる。

C 前月から引き続き被保険者であり，7月10日に賞与を30万円支給された者が，その支給後である同月25日に退職し，同月26日に被保険者資格を喪失した。この場合，事業主は当該賞与に係る保険料を納付する義務はない。

D 標準報酬月額の定時決定について，賃金計算の締切日が末日であって，その月の25日に賃金が支払われる適用事業所において，6月1日に被保険者資格を取得した者については6月25日に支給される賃金を報酬月額として定時決定が行われるが，7月1日に被保険者資格を取得した者については，その年に限り定時決定が行われない。

E 全国健康保険協会管掌健康保険の被保険者が，報酬の一部を現物給与として受け取っている場合において，当該現物給与の標準価額が厚生労働大臣告示により改正されたときは，標準報酬月額の随時改定を行う要件である固定的賃金の変動に該当するものとして取り扱われる。

正解チェック欄	／	／	／

キリトリ線

A　正　本肢のとおりである（法116条，昭13.2.10社庶131号）。自殺未遂による傷病に関しては，療養の給付等又は傷病手当金は支給されないのが原則であるが，精神障害により自殺を企てたものと認める場合は「故意」には該当せず，保険給付はなすべきものとされている（平22.5.21保保発0521第1号ほか）。

社会保険科目
98p

B　正　本肢のとおりである（法47条）。

社会保険科目
45〜46p

C　正　本肢のとおりである。前月から引き続き被保険者である者がその資格を喪失した場合においては，その月分の保険料は，算定しない（法156条3項）。

社会保険科目
117p

D　誤　定時決定は，6月1日から7月1日までの間に被保険者の資格を取得した者に対しては行われない。したがって，本肢の6月1日に被保険者資格を取得した者については，その年に限り定時決定は行われない。その他の記述については正しい（法41条3項）。

社会保険科目
38p

E　正　本肢のとおりである（法43条1項，令5.6.27事務連絡）。

キリトリ線

H30-2	総合問題	重要度 A

健保法

問 38 健康保険法に関する次の記述のうち，正しいものはどれか。

A 保険医療機関として指定を受けた病院であっても，健康保険組合が開設した病院は，診療の対象者をその組合員である被保険者及び被扶養者のみに限定することができる。

B 高額療養費の算定における世帯合算は，被保険者及びその被扶養者を単位として行われるものであり，夫婦がともに被保険者である場合は，原則としてその夫婦間では行われないが，夫婦がともに70歳以上の被保険者であれば，世帯合算が行われる。

C 任意適用事業所の適用の取消しによる被保険者の資格の喪失並びに任意継続被保険者及び特例退職被保険者の資格の喪失の要件に該当した場合は，被保険者が保険者等に資格喪失の届書を提出しなければならず，当該資格喪失の効力は，保険者等の確認によって生ずる。

D 標準報酬月額が1,330,000円（標準報酬月額等級第49級）である被保険者が，現に使用されている事業所において，固定的賃金の変動により変動月以降継続した3か月間（各月とも，報酬支払の基礎となった日数が，17日以上であるものとする。）に受けた報酬の総額を3で除して得た額が1,415,000円となった場合，随時改定の要件に該当する。

E 被保険者が通勤途上の事故で死亡したとき，その死亡について労災保険法に基づく給付が行われる場合であっても，埋葬料は支給される。

キリトリ線

正解チェック欄	／	／	／

A 誤 保険医療機関は，すべての被保険者及び被扶養者の診療を行うものであり，「一部の被保険者及び被扶養者に限定することはできない」(昭32.9.2保険発123号)。

B 誤 世帯合算の対象となるのは被保険者及びその被保険者の被扶養者に係る一部負担金等であり，被保険者同士の一部負担金等は，「その年齢にかかわらず，世帯合算の対象とならない」(令41条)。

社会保険科目 80p

C 誤 任意適用事業所の適用の取消しによる被保険者の資格の喪失並びに任意継続被保険者及び特例退職被保険者の資格の喪失の効力発生については，保険者等の「確認は不要」である（法39条1項)。

社会保険科目 30p

D 正 本肢のとおりである（平30.3.1保発0301第9号ほか)。標準報酬月額等級50級（報酬月額が1,415,000円以上である場合に限る）が降給したことにより，その算定月額が49級の標準報酬月額に該当することとなった場合にも，その他の要件を満たす限り，随時改定の対象となる。

社会保険科目 40p

E 誤 被保険者に係る埋葬料の支給は，同一の死亡について，労災保険法の規定により埋葬料に相当する給付を受けることができる場合には，「行われない」(法55条1項)。

社会保険科目 97p

H30-3	**総合問題**	重要度 A

問 39 健康保険法に関する次の記述のうち，誤っているものはどれか。

A 被保険者に係る所定の保険給付は，同一の傷病について，災害救助法の規定により，都道府県の負担で応急的な医療を受けたときは，その限度において行われない。

B 高額介護合算療養費は，健康保険法に規定する一部負担金等の額並びに介護保険法に規定する介護サービス利用者負担額及び介護予防サービス利用者負担額の合計額が，介護合算算定基準額に支給基準額を加えた額を超える場合に支給される。高額介護合算療養費は，健康保険法に基づく高額療養費が支給されていることを支給要件の1つとしており，一部負担金等の額は高額療養費の支給額に相当する額を控除して得た額となる。

C 全国健康保険協会管掌健康保険の適用事業所の事業主は，被保険者に賞与を支払った場合は，支払った日から5日以内に，健康保険被保険者賞与支払届を日本年金機構に提出しなければならないとされている。

D 全国健康保険協会管掌健康保険の被保険者について，標準報酬月額の定時決定に際し，4月，5月，6月のいずれかの1か月において休職し，事業所から低額の休職給を受けた場合，その休職給を受けた月を除いて報酬月額を算定する。

E 被保険者の配偶者で届出をしていないが事実上婚姻関係と同様の事情にあるものの父母及び子であって，その被保険者と同一の世帯に属し，主として被保険者により生計を維持されてきたものについて，その配偶者で届出をしていないが事実上婚姻関係と同様の事情にあるものが死亡した場合，引き続きその被保険者と同一世帯に属し，主としてその被保険者によって生計を維持される当該父母及び子は，その他の要件を満たす限り，被扶養者に認定される。

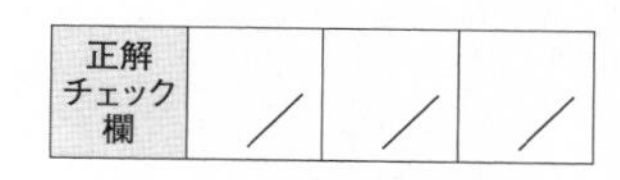

正解チェック欄	／	／	／

A　正　本肢のとおりである（法55条4項）。

社会保険科目 98p

B　誤　高額介護合算療養費の支給要件に「健康保険法に基づく高額療養費が支給されていること」というものはない。その他の記述は正しい（法115条の2第1項，令43条の2第1項）。

社会保険科目 84～85p

C　正　本肢のとおりである（則27条1項）。

社会保険科目 50p

D　正　本肢のとおりである（昭36.1.26保発4号，昭36.1.26保険発7号，昭37.6.28保険発71号ほか）。

E　正　本肢のとおりである（法3条7項4号）。なお，本肢の「被保険者と同一の世帯に属し」とは，被保険者と住居及び家計を共同にすることをいい，同一戸籍内にあるか否かを問わず，被保険者が世帯主であることを要しない（昭15.6.26社発7号）。

社会保険科目 31p

H30-4	総合問題	重要度 A

問 40　健康保険法に関する次の記述のうち，正しいものはどれか。

A　健康保険事業の収支が均衡しない健康保険組合であって，政令で定める要件に該当するものとして厚生労働大臣より指定を受けた健康保険組合は，財政の健全化に関する計画を作成し，厚生労働大臣の承認を受けたうえで，当該計画に従い，その事業を行わなければならない。この計画に従わない場合は，厚生労働大臣は当該健康保険組合と地域型健康保険組合との合併を命ずることができる。

B　全国健康保険協会管掌健康保険において，事業主が負担すべき出張旅費を被保険者が立て替え，その立て替えた実費を弁償する目的で被保険者に出張旅費が支給された場合，当該出張旅費は労働の対償とは認められないため，報酬には該当しないものとして取り扱われる。

C　全国健康保険協会管掌健康保険の任意継続被保険者の妻が被扶養者となった場合は，5日以内に，被保険者は所定の事項を記入した被扶養者届を，事業主を経由して全国健康保険協会に提出しなければならない。

D　国庫は，予算の範囲内において，健康保険事業の執行に要する費用のうち，高齢者医療確保法の規定による特定健康診査及び特定保健指導の実施に要する費用の全部を補助することができる。

E　全国健康保険協会管掌健康保険及び健康保険組合管掌健康保険について，適用事業所以外の事業所の任意適用の申請に対する厚生労働大臣の認可の権限は，日本年金機構に委任されている。

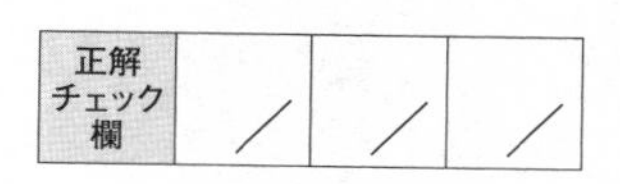

正解チェック欄	／	／	／

正解 B

A 誤 指定健康保険組合が健全化計画に従わない場合，厚生労働大臣は，「当該指定健康保険組合の解散を命ずることができる」。本肢前段の記述は正しい（法28条1項・2項，法29条2項）。

B 正 本肢のとおりである（法3条5項）。

社会保険科目
35p

C 誤 全国健康保険協会管掌健康保険の任意継続被保険者が被扶養者届を提出すべき場合，5日以内に「直接」全国健康保険協会に提出しなければならない（則38条5項）。

社会保険科目
52p

D 誤 国庫は，予算の範囲内において，健康保険事業の執行に要する費用のうち，特定健康診査等の実施に要する費用の「一部」を補助することができる（法154条の2）。

社会保険科目
116p

E 誤 健康保険組合管掌健康保険における任意適用の認可に係る厚生労働大臣の権限は，「地方厚生局長等」に委任されている（法205条，則159条ほか）。なお，適用事業所以外の事業の任意適用の申請に対する厚生労働大臣の認可の「権限に係る事務（健康保険組合に係る者を除く）」については，日本年金機構に行わせるものとされている（法204条1項）。

キリトリ線

H30-5	総合問題	重要度 A

問 41 健康保険法に関する次のアからオの記述のうち，誤っているものの組合せは，後記AからEまでのうちどれか。

ア　健康保険組合は，組合債を起こし，又は起債の方法，利率若しくは償還の方法を変更しようとするときは，厚生労働大臣の認可を受けなければならないが，厚生労働省令で定める軽微な変更をしようとするときは，この限りでない。健康保険組合は，この厚生労働省令で定める軽微な変更をしたときは，遅滞なく，その旨を厚生労働大臣に届け出なければならない。

イ　健康保険組合は，予算超過の支出又は予算外の支出に充てるため，予備費を設けなければならないが，この予備費は，組合会の否決した使途に充てることができない。

ウ　保険料その他健康保険法の規定による徴収金を滞納する者があるときは，原則として，保険者は期限を指定してこれを督促しなければならない。督促をしようとするときは，保険者は納付義務者に対して督促状を発する。督促状により指定する期限は，督促状を発する日から起算して14日以上を経過した日でなければならない。

エ　一般の被保険者に関する毎月の保険料は，翌月末日までに，納付しなければならない。任意継続被保険者に関する毎月の保険料は，その月の10日までに納付しなければならないが，初めて納付すべき保険料については，被保険者が任意継続被保険者の資格取得の申出をした日に納付しなければならない。

オ　健康保険組合は，規約で定めるところにより，事業主の負担すべき一般保険料額又は介護保険料額の負担の割合を増加することができる。

A（アとイ）　**B**（アとウ）　**C**（イとオ）
D（ウとエ）　**E**（エとオ）

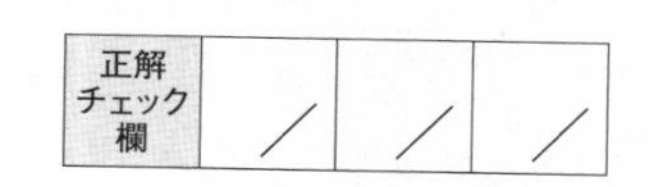

キリトリ線

本問のアからオまでのそれぞれの記述の正誤は以下のとおりであり，したがって，ウ及びエを誤りとするDが解答となる。

ア　正　本肢のとおりである（令22条）。

イ　正　本肢のとおりである（令18条）。

ウ　誤　保険料その他健康保険法の規定による徴収金を滞納する者があるときは，原則として，「保険者等」は，期限を指定して，これを督促しなければならない。督促をしようとするときは，「保険者等」は，納付義務者に対して，督促状を発する。督促状により指定する期限は，督促状を発する日から起算して「10日以上」を経過した日でなければならない（法180条1項～3項）。

社会保険科目 126p

エ　誤　任意継続被保険者が初めて納付すべき保険料については，「保険者が指定する日まで」に納付しなければならない。その他の記述は正しい（法164条1項）。

社会保険科目 124p

オ　正　本肢のとおりである（法162条）。

社会保険科目 121p

キリトリ線

H30-6	総合問題	重要度 A

健保法

問 42 健康保険法に関する次の記述のうち，正しいものはどれか。

A　臓器移植を必要とする被保険者がレシピエント適応基準に該当し，海外渡航時に日本臓器移植ネットワークに登録している状態であり，かつ，当該被保険者が移植を必要とする臓器に係る，国内における待機状況を考慮すると，海外で移植を受けない限りは生命の維持が不可能となる恐れが高い場合には，海外において療養等を受けた場合に支給される療養費の支給要件である健康保険法第87条第1項に規定する「保険者がやむを得ないものと認めるとき」に該当する場合と判断できる。

B　工場の事業譲渡によって，被保険者を使用している事業主が変更した場合，保険料の繰上徴収が認められる事由に該当することはない。

C　任意継続被保険者が保険料を前納する場合，4月から9月まで若しくは10月から翌年3月までの6か月間のみを単位として行わなければならない。

D　保険者は，偽りその他不正の行為により保険給付を受け，又は受けようとした者に対して，6か月以内の期間を定め，その者に支給すべき療養費の全部又は一部を支給しない旨の決定をすることができるが，偽りその他不正の行為があった日から3年を経過したときは，この限りでない。

E　日雇特例被保険者が出産した場合において，その出産の日の属する月の前4か月間に通算して30日分以上の保険料がその者について納付されていなければ，出産育児一時金が支給されない。

キリトリ線

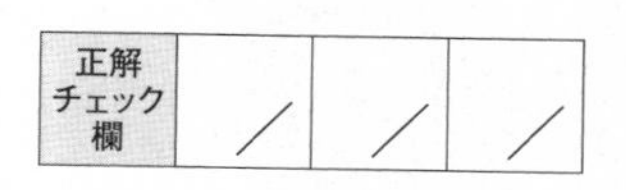

A 正 本肢のとおりである（平29.12.22保保発1222第2号）。

B 誤 工場の事業譲渡によって，被保険者を使用している事業主が変更した場合は，法172条（保険料の繰上徴収）に規定する「被保険者の使用される事業所が，廃止された場合」に該当するものとして，「繰上徴収が認められる」（昭5.11.5保理513号）。

社会保険科目
125～126p

C 誤 保険料の前納は，4月から9月まで若しくは10月から翌年3月までの6月間又は「4月から翌年3月までの12月間」を単位として行うものとする。また，当該6月又は12月の間において，任意継続被保険者の資格を取得した者又はその資格を喪失することが明らかである者については，当該6月間又は12月間のうち，その資格を取得した日の属する月の翌月以降の期間又はその資格を喪失する日の属する月の前月までの期間の保険料について前納を行うことができる（令48条）。

社会保険科目
125p

D 誤 保険者は，偽りその他不正の行為により保険給付を受け，又は受けようとした者に対して，6月以内の期間を定め，その者に支給すべき「傷病手当金又は出産手当金」の全部又は一部を支給しない旨の決定をすることができる。ただし，偽りその他不正の行為があった日から「1年」を経過したときは，この限りでない（法120条）。

社会保険科目
100p

E 誤 日雇特例被保険者が出産した場合において，その出産の日の属する月の前4月間に通算して「26日分」以上の保険料がその者について納付されていなければ，出産育児一時金が支給されない（法137条）。

社会保険科目
110p

キリトリ線

H30-7	総合問題	重要度 A

健保法

問 43 健康保険法に関する次の記述のうち，正しいものはどれか。

A 保険者は，被保険者の被扶養者が，正当な理由なしに療養に関する指示に従わないときは，当該被扶養者に係る保険給付の全部を行わないことができる。

B 健康保険組合は，支払上現金に不足を生じたときは，準備金に属する現金を繰替使用し，又は一時借入金をすることができるが，この繰替使用した金額及び一時借入金は，やむを得ない場合であっても，翌会計年度内に返還しなければならない。

C 移送費の支給が認められる医師，看護師等の付添人による医学的管理等について，患者がその医学的管理等に要する費用を支払った場合にあっては，現に要した費用の額の範囲内で，移送費とは別に，診療報酬に係る基準を勘案してこれを評価し，療養費の支給を行うことができる。

D 療養費の請求権の消滅時効については，療養費の請求権が発生し，かつ，これを行使し得るに至った日の翌日より起算される。例えば，コルセット装着に係る療養費については，コルセットを装着した日にコルセットの代金を支払わず，その1か月後に支払った場合，コルセットを装着した日の翌日から消滅時効が起算される。

E 被扶養者が疾病により家族療養費を受けている間に被保険者が死亡した場合，被保険者は死亡によって被保険者の資格を喪失するが，当該資格喪失後も被扶養者に対して家族療養費が支給される。

キリトリ線

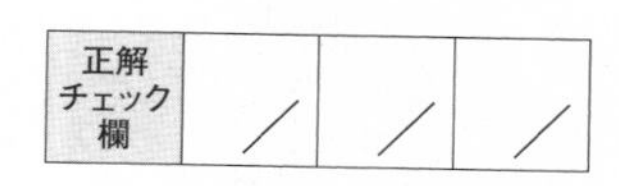

正解チェック欄	／	／	／

A 誤 保険者は，被保険者の被扶養者が，正当な理由なしに療養に関する指示に従わないときは，当該被扶養者に係る保険給付の「一部」を行わないことができる（法119条，法122条）。

社会保険科目 99p

B 誤 繰替使用した金額及び一時借入金は，「当該会計年度内」に返還しなければならない。本肢前段の記述は正しい（令21条）。

C 正 本肢のとおりである（平6.9.9保険発119号・庁保険発9号）。

D 誤 本肢の場合，コルセットの「代金を支払った日の翌日」から消滅時効が起算される。本肢前段の記述は正しい（法193条1項，昭31.3.13保文発193号）。

社会保険科目 132～133p

E 誤 家族療養費は，「被保険者に対して支給」されるものであり，被保険者資格喪失後の保険給付の制度の対象ともされていないことから，被保険者の資格喪失後においては，家族療養費は「支給されない」（法104条，法106条，法110条ほか）。

社会保険科目 77p

キリトリ線

H30-8	総合問題	重要度 B

健保法

問 44 健康保険法に関する次のアからオの記述のうち，誤っているものの組合せは，後記AからEまでのうちどれか。なお，本問における短時間労働者とは，1週間の所定労働時間が同一の事業所に使用される通常の労働者の1週間の所定労働時間の4分の3未満である者又は1か月間の所定労働日数が同一の事業所に使用される通常の労働者の1か月間の所定労働日数の4分の3未満である者のことをいう。

ア　特定適用事業所に使用される短時間労働者の被保険者資格の取得の要件の1つである，1週間の所定労働時間が20時間以上であることの算定において，1週間の所定労働時間が短期的かつ周期的に変動し，通常の週の所定労働時間が一通りでない場合は，当該周期における1週間の所定労働時間の平均により算定された時間を1週間の所定労働時間として算定することとされている。

イ　短時間労働者を使用する特定適用事業所の被保険者の総数（短時間労働者を除く。）が常時50人以下になり，特定適用事業所の要件に該当しなくなった場合であっても，事業主が所定の労働組合等の同意を得て，当該短時間労働者について適用除外の規定の適用を受ける旨の申出をしないときは，当該短時間労働者の被保険者資格は喪失しない。

ウ　全国健康保険協会管掌健康保険の特定適用事業所に使用される短時間労働者が被保険者としての要件を満たし，かつ，同時に健康保険組合管掌健康保険の特定適用事業所に使用される短時間労働者の被保険者としての要件を満たした場合は，全国健康保険協会が優先して，当該被保険者の健康保険を管掌する保険者となる。

エ　特定適用事業所に使用される短時間労働者の被保険者資格の取得の要件の1つである，報酬の月額が88,000円以上であることの算定において，家族手当は報酬に含めず，通勤手当は報酬に含めて算定する。

オ　全国健康保険協会管掌健康保険において，短時間労働者ではない被保険者は，給与締め日の変更によって給与支給日数が減少した場合であっても，支払基礎日数が17日以上であれば，通常の定時決定の方法によって標準報酬月額を算定するものとして取り扱われる。

A（アとエ）　**B**（アとオ）　**C**（イとウ）
D（イとオ）　**E**（ウとエ）

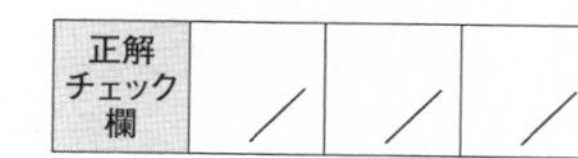

キリトリ線

本問のアからオまでのそれぞれの記述の正誤は以下のとおりであり，したがって，ウ及びエを誤りとするEが解答となる。

ア　正　本肢のとおりである（令4.3.18保保発0318第1号）。

イ　正　本肢のとおりである（平24法附則46条２項・12項）。

社会保険科目 26p

ウ　誤　被保険者は，同時に２以上の事業所に使用される場合において，保険者が２以上あるときは，その被保険者の保険を管掌する「保険者を選択しなければならない」。この取扱いは短時間労働者である被保険者についても同様である（則１条の３第１項）。

エ　誤　報酬の月額が88,000円以上であることの算定において，家族手当及び「通勤手当は含めない」で算定する（法３条１項９号ハ，則23条の４第６号，最低賃金法４条３項，令4.3.18保保発0318第1号）。

社会保険科目 24, 35p

オ　正　本肢のとおりである（令5.6.27事務連絡）。なお，本肢の場合において，給与締め日の変更によって給与支払日数が減少し，報酬支払基礎日数が17日未満となった場合には，その月を除外した上で報酬の平均を算出し，標準報酬月額を算定する。

キリトリ線

H30-9	総合問題	重要度 A

問 45 健康保険法に関する次の記述のうち，正しいものはどれか。

健保法

A 被保険者の資格を喪失した日の前日まで引き続き1年以上被保険者（任意継続被保険者又は共済組合の組合員である被保険者を除く。）であった者であって，その資格を喪失した際，その資格を喪失した日の前日以前から傷病手当金の支給を受けている者は，その資格を喪失した日から通算して1年6か月間，継続して同一の保険者から当該傷病手当金を受給することができる。

B 全国健康保険協会管掌健康保険において，給与計算期間の途中で昇給した場合，昇給した給与が実績として1か月分確保された月を固定的賃金の変動が報酬に反映された月として扱い，それ以後3か月間に受けた報酬を計算の基礎として随時改定に該当するか否かを判断するものとされている。

C 被保険者の資格喪失後の出産により出産育児一時金の受給資格を満たした被保険者であった者が，当該資格喪失後に船員保険の被保険者になり，当該出産について船員保険法に基づく出産育児一時金の受給資格を満たした場合，いずれかを選択して受給することができる。

D 傷病手当金は，療養のために労務に服することができなかった場合に支給するものであるが，その療養は，医師の診療を受けた場合に限られ，歯科医師による診療を受けた場合は支給対象とならない。

E 出産手当金の支給要件を満たす者が，その支給を受ける期間において，同時に傷病手当金の支給要件を満たした場合，いずれかを選択して受給することができる。

キリトリ線

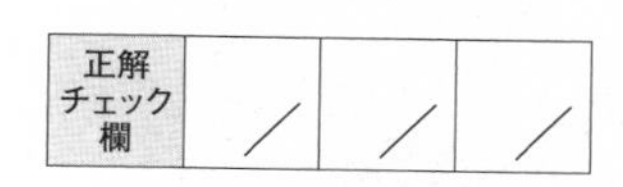

正解チェック欄	/	/	/

A　誤　継続給付たる傷病手当金の支給期間は，「その支給を始めた日」から通算して1年6月間である。その他の記述は正しい（法99条4項，法104条）。

社会保険科目 91p

B　正　本肢のとおりである（令5.6.27事務連絡ほか）。

C　誤　被保険者であった者が船員保険の被保険者となったときは，資格喪失後の保険給付は行われないため，本肢の場合，「船員保険法に基づく出産育児一時金が支給される」（法107条）。

社会保険科目 95p

D　誤　傷病手当金は，療養のために労務に服することができなかった場合に支給されるものであるが，その療養は，医師の診療を受けた場合に限られず，「歯科医師による診療を受けた場合も支給対象となる」（法99条1項，則84条2項・3項）。

E　誤　出産手当金が支給される場合おいては，原則として，その期間，傷病手当金は支給されないため，本肢の場合，「出産手当金を優先して受給する」（法103条1項）。

社会保険科目 74p

H30-10	総合問題	重要度 A

問 46　健康保険法に関する次の記述のうち，正しいものはどれか。

A　被保険者が5人未満である適用事業所に所属する法人の代表者は，業務遂行の過程において業務に起因して生じた傷病に関しても健康保険による保険給付の対象となる場合があるが，その対象となる業務は，当該法人における従業員（健康保険法第53条の2に規定する法人の役員以外の者をいう。）が従事する業務と同一であると認められるものとされている。

B　被保険者の配偶者の63歳の母が，遺族厚生年金を150万円受給しており，それ以外の収入が一切ない場合，被保険者がその額を超える仕送りをしていれば，被保険者と別居していたとしても，その他の要件を満たす限り，被保険者の被扶養者に該当する。

C　適用事業所に使用されるに至った日とは，事実上の使用関係の発生した日であるが，事業所調査の際に資格取得の届出もれが発見された場合は，調査の日を資格取得日としなければならない。

D　被扶養者が6歳に達する日以後の最初の3月31日以前である場合，家族療養費の額は，当該療養（食事療養及び生活療養を除く。）につき算定した費用の額（その額が現に当該療養に要した費用の額を超えるときは，当該現に療養に要した費用の額）に100分の90を乗じて得た額である。

E　任意継続被保険者が75歳に達し，後期高齢者医療の被保険者になる要件を満たしたとしても，任意継続被保険者となった日から起算して2年を経過していない場合は，任意継続被保険者の資格が継続するため，後期高齢者医療の被保険者になることはできない。

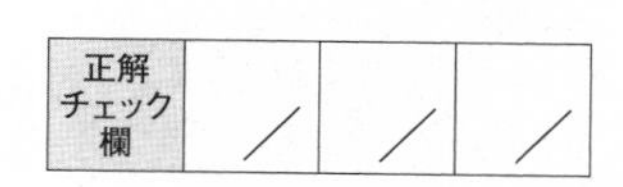

A 正 本肢のとおりである（法53条の2，則52条の2）。

社会保険科目 101p

B 誤 本肢の配偶者の母が，被保険者の被扶養者となるためには，国内居住要件等のほか，「被保険者と同一の世帯に属していること」が必要である（法3条7項，平5.3.5保発15号・庁保発4号）。

社会保険科目 31p

C 誤 資格取得の届出もれが発見された場合においても，「事実上の使用関係の発生した日」をもって資格取得日とされる（昭5.11.6保規522号）。

D 誤 本肢の家族療養費の給付割合は，「100分の80」である。その他の記述は正しい（法110条2項）。

社会保険科目 77～78p

E 誤 任意継続被保険者は，後期高齢者医療の被保険者等となったときは，その日に「任意継続被保険者の資格を喪失する」（法38条6号）。

社会保険科目 28p

R元-2	総合問題	重要度 A

問 47 健康保険法に関する次の記述のうち，正しいものはどれか。

A 被保険者の資格を取得した際に決定された標準報酬月額は，その年の6月1日から12月31日までの間に被保険者の資格を取得した者については，翌年の9月までの各月の標準報酬月額とする。

B 67歳の被扶養者が保険医療機関である病院の療養病床に入院し，療養の給付と併せて生活療養を受けた場合，被保険者に対して入院時生活療養費が支給される。

C 保険者は，訪問看護療養費の支給を行うことが困難であると認めるときは，療養費を支給することができる。

D 標準報酬月額が28万円以上53万円未満である74歳の被保険者で高額療養費多数回該当に当たる者であって，健康保険の高額療養費算定基準額が44,400円である者が，月の初日以外の日において75歳に達し，後期高齢者医療制度の被保険者の資格を取得したことにより，健康保険の被保険者資格を喪失したとき，当該月における外来診療に係る個人単位の健康保険の高額療養費算定基準額は22,200円とされている。

E 被保険者が死亡したときは，埋葬を行う者に対して，埋葬料として5万円を支給するが，その対象者は当該被保険者と同一世帯であった者に限られる。

キリトリ線

正解チェック欄	／	／	／

A 誤 被保険者の資格を取得した際に決定された標準報酬月額は，その年の6月1日から12月31日までの間に被保険者の資格を取得した者については，翌年の「8月」までの各月の標準報酬月額とする（法42条2項）。

社会保険科目 39～40p

B 誤 本肢の場合，被保険者に対して「家族療養費」が支給される（法110条1項）。

社会保険科目 77p

C 誤 保険者は，「療養の給付若しくは入院時食事療養費，入院時生活療養費若しくは保険外併用療養費の支給」（以下「療養の給付等」という）を行うことが困難であると認めるとき，又は被保険者が保険医療機関等以外の病院，診療所，薬局その他の者から診療，薬剤の支給若しくは手当を受けた場合において，保険者がやむを得ないものと認めるときは，療養の給付等に代えて，療養費を支給することができる。したがって，「訪問看護療養費の支給を行うことが困難であると認めるときについては，療養費は支給されない」（法87条1項）。

社会保険科目 67p

D 正 本肢のとおりである（令42条4項2号）。本肢の者に係る多数回該当の場合の高額療養費算定基準額は，本来は44,400円であるが，本肢の月はいわゆる75歳到達時特例対象療養の適用があるため，その2分の1に相当する金額である22,200円が高額療養費算定基準額となる。

社会保険科目 80～82p

E 誤 被保険者が死亡したときは，「その者により生計を維持していた者であって」，埋葬を行うものに対し，埋葬料として，5万円が支給される。この「生計を維持していた者」については，「被保険者と同一世帯にあったか否かは問われない」（法100条1項，令35条，昭7.4.25保規129号）。

社会保険科目 87p

R元-3	総合問題	重要度 A

問 48 健康保険法に関する次の記述のうち，誤っているものはどれか。

A 国に使用される被保険者であって，健康保険法の給付の種類及び程度以上である共済組合の組合員であるものに対しては，同法による保険給付を行わない。

B 保険料徴収の対象となる賞与とは，いかなる名称であるかを問わず，労働者が，労働の対償として3か月を超える期間ごとに支給されるものをいうが，6か月ごとに支給される通勤手当は，賞与ではなく報酬とされる。

C 保険者から一部負担金等の徴収猶予又は減免の措置を受けた被保険者が，その証明書を提出して保険医療機関で療養の給付を受けた場合，保険医療機関は徴収猶予又は減免された一部負担金等相当額については，審査支払機関に請求することとされている。

D 被保険者が，厚生労働省令で定めるところにより，保険医療機関等のうち自己の選定するものから，電子資格確認等により被保険者であることの確認を受け，評価療養，患者申出療養又は選定療養を受けたときは，その療養に要した費用について，保険外併用療養費を支給する。保険外併用療養費の支給対象となる先進医療の実施に当たっては，先進医療ごとに，保険医療機関が別に厚生労働大臣が定める施設基準に適合していることを地方厚生局長又は地方厚生支局長に届け出るものとされている。

E 高額介護合算療養費は，一部負担金等の額並びに介護保険の介護サービス利用者負担額及び介護予防サービス利用者負担額の合計額が著しく高額である場合に支給されるが，介護保険から高額医療合算介護サービス費又は高額医療合算介護予防サービス費が支給される場合には支給されない。

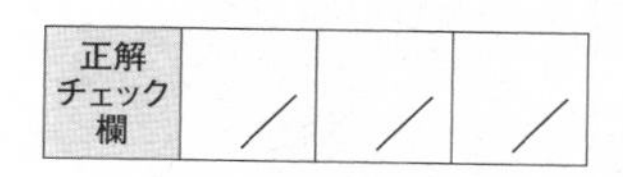

正解チェック欄	／	／	／

A 正 本肢のとおりである（法200条）。なお，厚生労働大臣は，共済組合について，必要があると認めるときは，その事業及び財産に関する報告を徴し，又はその運営に関する指示をすることができる（法201条）。

B 正 本肢のとおりである（法3条6項）。なお，臨時に支払われるものは，健康保険法上の報酬にも賞与にも該当しない。

社会保険科目 36p

C 正 本肢のとおりである（平18.11.15庁保発1115001号）。

D 正 本肢のとおりである（法86条1項，平21.3.31保医発0331003号）。なお，本肢の「評価療養」とは，厚生労働大臣が定める高度の医療技術を用いた療養その他の療養であって，療養の給付の対象とすべきものであるか否かについて，適正な医療の効率的な提供を図る観点から評価を行うことが必要な療養（患者申出療養を除く）として厚生労働大臣が定めるものをいう（法63条2項3号）。

社会保険科目 65p

E 誤 高額介護合算療養費は，介護保険法の高額医療合算介護サービス費又は高額医療合算介護予防サービス費が支給される場合であっても，他の要件を満たす限り，支給される（法115条の2第1項）。

社会保険科目 84p

キリトリ線

R元-4	総合問題	重要度 A

健保法

問 49

健康保険法に関する次のアからオの記述のうち，誤っているものの組合せは，後記AからEまでのうちどれか。

ア　代表者が１人の法人の事業所であって，代表者以外に従業員を雇用していないものについては，適用事業所とはならない。

イ　厚生労働大臣は，保険医療機関の指定をしないこととするときは，当該医療機関に対し弁明の機会を与えなければならない。

ウ　出産手当金を受ける権利は，出産した日の翌日から起算して２年を経過したときは，時効によって消滅する。

エ　傷病手当金の一部制限については，療養の指揮に従わない情状によって画一的な取扱いをすることは困難と認められるが，制限事由に該当した日以後において請求を受けた傷病手当金の請求期間１か月について，概ね10日間を標準として不支給の決定をなすこととされている。

オ　政令で定める要件に該当するものとして厚生労働大臣の承認を受けた健康保険組合は，介護保険第２号被保険者である被保険者に関する保険料額を，一般保険料額と特別介護保険料額との合算額とすることができる。

A　（アとイ）　**B**　（アとウ）　**C**　（イとエ）
D　（ウとオ）　**E**　（エとオ）

正解チェック欄	／	／	／

キリトリ線

本問のアからオまでのそれぞれの記述の正誤は以下のとおりであり，したがって，アとウを誤りとするBが解答となる。

ア 誤 法人の理事，監事，取締役，代表社員，無限責任社員等法人の代表者又は業務執行者であっても，法人から，労務の対償として報酬を受けている者は，「法人に使用される者」として被保険者の資格を取得するものとされている。したがって，代表者1人の法人の事業所であっても，その代表者が労務の対償として報酬を受けていれば，法人に使用される者が存在することとなるから，適用事業所となり得る（法3条3項2号，昭24.7.28保発74号）。

社会保険科目 22p

イ 正 本肢のとおりである（なお，本肢の弁明の機会の付与は，厳密には，医療機関の「開設者」に対して行うものである）（法83条）。

ウ 誤 出産手当金を受ける権利は，「労務に服さなかった日ごとにその翌日」から起算して2年を経過したときは，時効によって消滅する（法193条1項，昭30.9.7保険発199号の2）。

社会保険科目 132〜133p

エ 正 本肢のとおりである（昭26.5.9保発37号）。

オ 正 本肢のとおりである（法附則8条1項ほか）。

社会保険科目 117p

キリトリ線

R元-5	総合問題	重要度 A

健保法

問 50 健康保険法に関する次の記述のうち，誤っているものはどれか。

A 労働者災害補償保険（以下「労災保険」という。）の任意適用事業所に使用される被保険者に係る通勤災害について，労災保険の保険関係の成立の日前に発生したものであるときは，健康保険により給付する。ただし，事業主の申請により，保険関係成立の日から労災保険の通勤災害の給付が行われる場合は，健康保険の給付は行われない。

B 健康保険法の被扶養者には，被保険者の配偶者で届出をしていないが事実上婚姻関係と同様の事情にあるものの父母及び子であって，その被保険者と同一の世帯に属し，主としてその被保険者により生計を維持するものを含む。なお，当該父母及び子は，国内居住要件等を満たしているものとする。

C 被扶養者としての届出に係る者（以下「認定対象者」という。）が被保険者と同一世帯に属している場合，当該認定対象者の年間収入が130万円未満（認定対象者が60歳以上の者である場合又は概ね厚生年金保険法による障害厚生年金の受給要件に該当する程度の障害者である場合にあっては180万円未満）であって，かつ，被保険者の年間収入を上回らない場合には，当該世帯の生計の状況を総合的に勘案して，当該被保険者がその世帯の生計維持の中心的役割を果たしていると認められるときは，被扶養者に該当する。

D 被保険者が，心疾患による傷病手当金の期間満了後なお引き続き労務不能であり，療養の給付のみを受けている場合に，肺疾患（心疾患との因果関係はないものとする。）を併発したときは，肺疾患のみで労務不能であると考えられるか否かによって傷病手当金の支給の可否が決定される。

E 資格喪失後，継続給付としての傷病手当金の支給を受けている者について，一旦稼働して当該傷病手当金が不支給となったとしても，完全治癒していなければ，その後更に労務不能となった場合，当該傷病手当金の支給が復活する。

正解チェック欄	／	／	／

キリトリ線

A　正　本肢のとおりである（昭48.12.1保険発105号・庁保険発24号ほか）。

社会保険科目
97p

B　正　本肢のとおりである（法3条7項）。なお，本肢の「主として被保険者によって生計を維持」において，「主として」とは生計依存の程度を示し，「生計維持」は，その者の生計の基礎を被保険者に置くという趣旨である。

社会保険科目
31p

C　正　本肢のとおりである（平5.3.5保発15号・庁保発4号）。なお，共済組合の組合員に対しては，その者が主たる被扶養者である場合に扶養手当等の支給が行われることとされているので，夫婦の双方又はいずれか一方が共済組合の組合員であって，その者に当該被扶養者に関し，扶養手当又はこれに相当する手当の支給が行われている場合には，その支給を受けている者の被扶養者として差し支えない（昭60.6.13保険発66号・庁保険発22号）。

D　正　本肢のとおりである（昭26.7.13保文発2349号）。

E　誤　資格喪失後，継続給付としての傷病手当金の支給を受けている者については，一旦稼働して当該傷病手当金が不支給となった場合には「完全治癒であると否とを問わず」，その後更に労務不能となっても傷病手当金の支給は「復活しない」（昭26.5.1保文発1346号）。

R元-6	総合問題	重要度 A

問 51 健康保険法に関する次の記述のうち，正しいものはどれか。

A 全国健康保険協会は政府から独立した保険者であることから，厚生労働大臣は，事業の健全な運営に支障があると認める場合には，全国健康保険協会に対し，都道府県単位保険料率の変更の認可を申請すべきことを命ずることができるが，厚生労働大臣がその保険料率を変更することは一切できない。

B 保険料の先取特権の順位は，国税及び地方税に優先する。また，保険料は，健康保険法に別段の規定があるものを除き，国税徴収の例により徴収する。

C 日雇特例被保険者の保険の保険者の業務のうち，日雇特例被保険者手帳の交付，日雇特例被保険者に係る保険料の徴収及び日雇拠出金の徴収並びにこれらに附帯する業務は，全国健康保険協会が行う。

D 厚生労働大臣は，全国健康保険協会と協議を行い，効果的な保険料の徴収を行うために必要があると認めるときは，全国健康保険協会に保険料の滞納者に関する情報その他必要な情報を提供するとともに，当該滞納者に係る保険料の徴収を行わせることができる。

E 任意継続被保険者は，保険料が前納された後，前納に係る期間の経過前において任意継続被保険者に係る保険料の額の引上げが行われることとなった場合においては，当該保険料の額の引上げが行われることとなった後の期間に係る保険料に不足する額を，前納された保険料のうち当該保険料の額の引上げが行われることとなった後の期間に係るものが健康保険法施行令第50条の規定により当該期間の各月につき納付すべきこととなる保険料に順次充当されてもなお保険料に不足が生じる場合は，当該不足の生じる月の初日までに払い込まなければならない。

正解チェック欄	／	／	／

A 誤 厚生労働大臣は，都道府県単位保険料率が，当該都道府県における健康保険事業の収支の均衡を図る上で不適当であり，協会が管掌する健康保険の事業の健全な運営に支障があると認めるときは，協会に対し，相当の期間を定めて，当該都道府県単位保険料率の変更の認可を申請すべきことを命ずることができ，また，厚生労働大臣は，協会が当該期間内に当該申請をしないときは，社会保障審議会の議を経て，「当該都道府県単位保険料率を変更することができる」（法160条10項・11項）。

社会保険科目
119p

B 誤 保険料の先取特権の順位は，「国税及び地方税に次ぐ」ものとされている。本肢後段の記述は正しい（法182条，法183条）。

社会保険科目
128p

C 誤 日雇特例被保険者の保険の保険者の業務のうち，日雇特例被保険者手帳の交付，日雇特例被保険者に係る保険料の徴収及び日雇拠出金の徴収並びにこれらに附帯する業務は，「厚生労働大臣」が行う（法123条２項）。

社会保険科目
9,
105~106p

D 正 本肢のとおりである（法181条の３第１項）。

E 誤 本肢の場合，不足する額を，当該「不足を生ずる月の10日まで」に払い込まなければならない（則139条２項）。

R元-7	総合問題	重要度 A

問 52　健康保険法に関する次のアからオの記述のうち，正しいものの組合せは，後記AからEまでのうちどれか。

ア　厚生労働大臣は，保険医療機関又は保険薬局の指定の申請があった場合において，当該申請に係る病院若しくは診療所又は薬局の開設者又は管理者が，健康保険法その他国民の保健医療に関する法律で，政令で定めるものの規定により罰金の刑に処せられ，その執行を終わり，又は執行を受けることがなくなるまでの者であるときは，その指定をしないことができる。

イ　被保険者が指定訪問看護事業者から指定訪問看護を受けたときは，保険者は，その被保険者が当該指定訪問看護事業者に支払うべき当該指定訪問看護に要した費用について，訪問看護療養費として被保険者に対し支給すべき額の限度において，被保険者に代わり，当該指定訪問看護事業者に支払うことができる。この支払いがあったときは，被保険者に対し訪問看護療養費の支給があったものとみなす。

ウ　入院時食事療養費，入院時生活療養費，保険外併用療養費，療養費，訪問看護療養費，移送費，傷病手当金，埋葬料，出産育児一時金，出産手当金，家族療養費，家族訪問看護療養費，家族移送費，家族埋葬料及び家族出産育児一時金の支給は，その都度，行わなければならず，毎月一定の期日に行うことはできない。

エ　全国健康保険協会管掌健康保険に係る高額医療費貸付事業の対象者は，被保険者であって高額療養費の支給が見込まれる者であり，その貸付額は，高額療養費支給見込額の90％に相当する額であり，100円未満の端数があるときは，これを切り捨てる。

オ　指定訪問看護事業者は，当該指定に係る訪問看護事業所の名称及び所在地その他厚生労働省令で定める事項に変更があったとき，又は当該指定訪問看護の事業を廃止し，休止し，若しくは再開したときは，厚生労働省令で定めるところにより，20日以内に，その旨を厚生労働大臣に届け出なければならない。

A　（アとイ）　**B**　（アとエ）　**C**　（イとウ）
D　（ウとオ）　**E**　（エとオ）

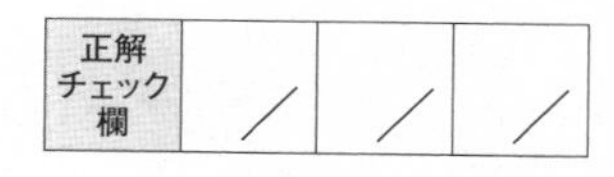

キリトリ線

本問のアからオまでのそれぞれの記述の正誤は以下のとおりであり，したがって，アとイを正しいとするAが解答となる。

社会保険科目
54p

ア　正　本肢のとおりである（法65条3項）。

イ　正　本肢のとおりである（法88条6項・7項ほか）。なお，訪問看護療養費の支給は，本肢のとおり現物給付の方法で行われるため，時効の問題は生じない。

ウ　誤　傷病手当金及び出産手当金については，その支給を毎月一定の期日に行うことができる（昭17.1.9社発5号）。

エ　誤　高額医療費貸付事業による貸付額は，高額療養費支給見込額の「80％」に相当する額とされている。その他の記述は正しい（昭60.4.6庁保発7号）。

オ　誤　本肢の場合，指定訪問看護事業者は，「10日以内」に，その旨を厚生労働大臣に届け出なければならない（法93条）。

R元-8	総合問題	重要度 B

問 53 健康保険法に関する次の記述のうち，誤っているものはどれか。

A 退職を事由に支払われる退職金であって，退職時に支払われるものは報酬又は賞与として扱うものではないが，被保険者の在職時に，退職金相当額の全部又は一部を給与や賞与に上乗せするなど前払いされる場合は，労働の対償としての性格が明確であり，被保険者の通常の生計にあてられる経常的な収入としての意義を有することから，原則として，報酬又は賞与に該当する。

B 産前産後休業期間中における保険料の免除については，例えば，5月16日に出産（多胎妊娠を除く。）する予定の被保険者が3月25日から出産のため休業していた場合，当該保険料の免除対象は4月分からであるが，実際の出産日が5月10日であった場合は3月分から免除対象になる。

C 保険者は，毎年一定の期日を定め，資格確認書の検認又は更新をすることができるが，この検認又は更新を行った場合において，その検認又は更新を受けない資格確認書は無効である。

D 資格喪失後の継続給付としての傷病手当金を受けるためには，資格喪失日の前日まで引き続き1年以上被保険者であったことが要件の1つとされているが，転職等により異なった保険者における被保険者期間（1日の空白もなく継続しているものとする。）を合算すれば1年になる場合には，その要件を満たすものとされている。なお，これらの被保険者期間には，任意継続被保険者，特例退職被保険者又は共済組合の組合員である被保険者の期間は含まれないものとする。

E 傷病手当金は，労務不能でなければ支給要件を満たすものではないが，被保険者がその本来の職場における労務に就くことが不可能な場合であっても，現に職場転換その他の措置により就労可能な程度の他の比較的軽微な労務に服し，これによって相当額の報酬を得ているような場合は，労務不能には該当しない。また，本来の職場における労務に対する代替的性格をもたない副業ないし内職等の労務に従事したり，あるいは傷病手当金の支給があるまでの間，一時的に軽微な他の労務に服することにより，賃金を得るような場合その他これらに準ずる場合も同様に労務不能には該当しない。

正解チェック欄	／	／	／

A 正 本肢のとおりである（平15.10.1保保発1001002号・庁保険発1001001号）。

社会保険科目
35〜36p

B 正 本肢のとおりである（法159条の3）。産前産後休業とは，出産の日（出産の日が出産の予定日後であるときは出産の予定日）以前42日（多胎妊娠の場合は98日）から出産の日後56日までの間において労務に服さないこと（妊娠又は出産に関する事由を理由として労務に服さない場合に限る）をいう。したがって，出産の日が出産の予定日後である場合には，出産の予定日を基準とし，出産の予定日である5月16日以前42日である4月5日の属する月である4月から保険料が免除される。しかし，実際の出産の日が出産の予定日より早いこととなった場合には，出産の日である5月10日以前42日である3月30日の属する月である3月から保険料が免除されることとなる。

社会保険科目
123p

C 正 本肢のとおりである（則50条1項・9項）。

D 正 本肢のとおりである（法104条）。

社会保険科目
91p

E 誤 本来の職場における労務に対する代替的性格をもたない副業ないし内職等の労務に従事したり，あるいは傷病手当金の支給があるまでの間，一時的に軽微な他の労務に服することにより，賃金を得るような場合その他これらに準ずる場合には，通常なお「労務不能に該当する」。本肢前段の記述は正しい（平15.2.25保保発0225007号・庁保険発4号）。

R元-9	総合問題	重要度 B

問 54 健康保険法に関する次のアからオの記述のうち，正しいものの組合せは，後記AからEまでのうちどれか。

ア　被保険者の1週間の所定労働時間の減少により資格喪失した者が，事業所を退職することなく引き続き労働者として就労している場合には，任意継続被保険者になることが一切できない。

※イ　任意継続被保険者が，健康保険の被保険者である家族の被扶養者となる要件を満たした場合，任意継続被保険者の資格喪失の申出をすることにより被扶養者になることができる。

ウ　同一の事業所においては，雇用契約上一旦退職した者が1日の空白もなく引き続き再雇用された場合，退職金の支払いの有無又は身分関係若しくは職務内容の変更の有無にかかわらず，その者の事実上の使用関係は中断することなく存続しているものであるから，被保険者の資格も継続するものであるが，60歳以上の者であって，退職後継続して再雇用されるものについては，使用関係が一旦中断したものとみなし，当該事業所の事業主は，被保険者資格喪失届及び被保険者資格取得届を提出することができる。

エ　3か月間の報酬の平均から算出した標準報酬月額（通常の随時改定の計算方法により算出した標準報酬月額。「標準報酬月額A」という。）と，昇給月又は降給月以後の継続した3か月の間に受けた固定的賃金の月平均額に昇給月又は降給月前の継続した12か月及び昇給月又は降給月以後の継続した3か月の間に受けた非固定的賃金の月平均額を加えた額から算出した標準報酬月額（以下「標準報酬月額B」という。）との間に2等級以上の差があり，当該差が業務の性質上例年発生することが見込まれる場合であって，現在の標準報酬月額と標準報酬月額Bとの間に1等級以上の差がある場合は保険者算定の対象となる。

オ　4月，5月，6月における定時決定の対象月に一時帰休が実施されていた場合，7月1日の時点で一時帰休の状況が解消していれば，休業手当等を除いて標準報酬月額の定時決定を行う。例えば，4月及び5月は通常の給与の支払いを受けて6月のみ一時帰休による休業手当等が支払われ，7月1日の時点で一時帰休の状況が解消していた場合には，6月分を除いて4月及び5月の報酬月額を平均して標準報酬月額の定時決定を行う。

A　（アとイ）　**B**　（アとエ）　**C**　（イとウ）
D　（ウとオ）　**E**　（エとオ）

正解チェック欄	／	／	／

ア　誤　本肢の者は，他の要件を満たす限り，任意継続被保険者となることができる（法3条4項）。

社会保険科目 27p

※イ　正　本肢のとおりである。出題当時は誤りの肢であったが，改正により，任意継続被保険者でなくなることを希望する旨を，保険者に申し出た場合において，その申出が受理された日の属する月の末日が到来したときは，その翌日に，任意継続被保険者の資格を喪失することとなったため，本肢の者が当該申出により任意継続被保険者の資格を喪失したときは，健康保険の被保険者の被扶養者となることができる。

社会保険科目 28p

ウ　正　本肢のとおりである（平25.1.25保保発0125第1号）。

エ　誤　3か月間の報酬の平均から算出した標準報酬月額A（通常の随時改定の計算方法により算出した標準報酬月額）と，昇給月又は降給月以後の継続した3か月の間に受けた固定的賃金の月平均額に昇給月又は降給月前の継続した「9か月」及び昇給月又は降給月以後の継続した3か月の間に受けた非固定的賃金の月平均額を加えた額から算出した標準報酬月額B（年間平均額から算出した標準報酬月額）との間に2等級以上の差があり，当該差が業務の性質上例年発生することが見込まれる場合であって，現在の標準報酬月額と標準報酬月額Bとの間に1等級以上の差がある場合は，保険者算定の対象とする（平30.3.1保保発0301第1号ほか）。

オ　正　本肢のとおりである（令5.6.27事務連絡ほか）。

R元-10	総合問題	重要度 B

問 55 健康保険法に関する次の記述のうち，誤っているものはどれか。

A さかのぼって降給が発生した場合，その変動が反映された月（差額調整が行われた月）を起算月として，それ以後継続した3か月間（いずれの月も支払基礎日数が17日以上であるものとする。）に受けた報酬を基礎として，保険者算定による随時改定を行うこととなるが，超過支給分の報酬がその後の報酬から差額調整された場合，調整対象となった月の報酬は，本来受けるべき報酬よりも低額となるため，調整対象となった月に控除された降給差額分を含まず，差額調整前の報酬額で随時改定を行う。

B 被保険者の長期にわたる休職状態が続き実務に服する見込がない場合又は公務に就任しこれに専従する場合においては被保険者資格を喪失するが，被保険者の資格を喪失しない病気休職の場合は，賃金の支払停止は一時的であり，使用関係は存続しているため，事業主及び被保険者はそれぞれ賃金支給停止前の標準報酬に基づく保険料を折半負担し，事業主はその納付義務を負う。

C 給与計算の締切り日が毎月15日であって，その支払日が当該月の25日である場合，7月30日で退職し，被保険者資格を喪失した者の保険料は7月分まで生じ，8月25日支払いの給与（7月16日から7月30日までの期間に係るもの）まで保険料を控除する。

D 全国健康保険協会管掌健康保険における同一の事業所において，賞与が7月150万円，12月250万円，翌年3月200万円であった場合の被保険者の標準賞与額は，7月150万円，12月250万円，3月173万円となる。一方，全国健康保険協会管掌健康保険の事業所において賞与が7月150万円であり，11月に健康保険組合管掌健康保険の事業所へ転職し，賞与が12月250万円，翌年3月200万円であった場合の被保険者の標準賞与額は，7月150万円，12月250万円，3月200万円となる。

E 介護休業期間中の標準報酬月額は，その休業期間中に一定の介護休業手当の支給があったとしても，休業直前の標準報酬月額の算定の基礎となった報酬に基づき算定した額とされる。

正解チェック欄	／	／	／

健保法

キリトリ線

A 正 本肢のとおりである（令5.6.27事務連絡）。

B 正 本肢のとおりである（昭26.3.9保文発619号ほか）。

社会保険科目 121p

C 誤 被保険者が7月30日で退職した場合，資格喪失日は7月31日となり，「7月については保険料は算定されない」。したがって，「7月25日払いの給与まで」保険料（6月分の保険料）を控除することとなる（法156条3項，法167条1項）。

社会保険科目 123p

D 正 その月に当該被保険者が受けた賞与によりその年度における標準賞与額の累計額が573万円を超えることとなる場合には，当該累計額が573万円となるようその月の標準賞与額を決定する。本肢前段の被保険者の場合，7月及び12月に決定された標準賞与額の合計が400万円であるため，翌年3月の標準賞与額は173万円となる。また，この年度累計による上限は保険者単位で適用されるため，一の年度内に保険者が変更された場合は，保険者ごとに年度あたり573万円が上限となる。したがって，本肢後段の被保険者の場合，12月の賞与支給後の時点での標準賞与額の合計は250万円であるため，翌年3月の標準賞与額は200万円となる（法45条1項，平19.5.1庁保険発0501001号ほか）。

社会保険科目 47p

E 正 本肢のとおりである（平11.3.31保険発46号・庁保険発9号）。

キリトリ線

R2-1	総合問題	重要度 B

問 56　健康保険法に関する次の記述のうち，誤っているものはどれか。

健保法

A　全国健康保険協会は，被保険者の保険料に関して必要があると認めるときは，事業主に対し，文書その他の物件の提出若しくは提示を命じ，又は当該協会の職員をして事業所に立ち入って関係者に質問し，若しくは帳簿書類その他の物件を検査させることができる。

B　被保険者が同一疾病について1年6か月間傷病手当金の支給を受けたが疾病が治癒せず，その療養のため労務に服することができず収入の途がない場合であっても，被保険者である間は保険料を負担する義務を負わなければならない。

C　患者申出療養の申出は，厚生労働大臣が定めるところにより，厚生労働大臣に対し，当該申出に係る療養を行う医療法第4条の3に規定する臨床研究中核病院（保険医療機関であるものに限る。）の開設者の意見書その他必要な書類を添えて行う。

キリトリ線

D　特定適用事業所に使用される短時間労働者の被保険者資格の取得の要件である「1週間の所定労働時間が20時間以上であること」の算定において，短時間労働者の所定労働時間が1か月の単位で定められ，特定の月の所定労働時間が例外的に長く又は短く定められているときは，当該特定の月以外の通常の月の所定労働時間を12分の52で除して得た時間を1週間の所定労働時間とする。

E　地域型健康保険組合は，不均一の一般保険料率に係る厚生労働大臣の認可を受けようとするときは，合併前の健康保険組合を単位として不均一の一般保険料率を設定することとし，当該一般保険料率並びにこれを適用すべき被保険者の要件及び期間について，当該地域型健康保険組合の組合会において組合会議員の定数の3分の2以上の多数により議決しなければならない。

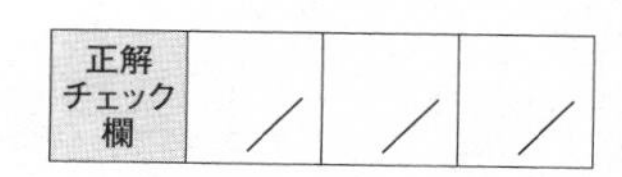

正解チェック欄	／	／	／

A 誤 「厚生労働大臣」は，被保険者の資格，標準報酬，保険料又は保険給付に関して必要があると認めるときは，事業主に対し，文書その他の物件の提出若しくは提示を命じ，又は「当該職員」をして事業所に立ち入って関係者に質問し，若しくは帳簿書類その他の物件を検査させることができる（法198条1項）。なお，立入検査等に係る厚生労働大臣の権限（健康保険組合に係る場合を除き，保険給付に関するものに限る）に係る事務は，原則として，全国健康保険協会に行わせるものとされているが，この場合，全国健康保険協会は，あらかじめ，厚生労働大臣の認可を受けなければならない（法204条の7第1項，法204条の8）。

B 正 本肢のとおりである（法161条1項・2項）。

社会保険科目 120~121p

C 正 本肢のとおりである（法63条4項）。

社会保険科目 65p

D 正 本肢のとおりである（令4.3.18保保発0318第1号）。

E 正 本肢のとおりである（令25条の2）。

社会保険科目 120p

キリトリ線

R2-2	総合問題	重要度 B

健保法

問 57 健康保険法に関する次の記述のうち，正しいものはどれか。

A 保険医又は保険薬剤師の登録の取消しが行われた場合には，原則として取消し後5年間は再登録を行わないものとされているが，過疎地域の持続的発展の支援に関する特別措置法に規定する過疎地域を含む市町村（人口5万人以上のものを除く。）に所在する医療機関又は薬局に従事する医師，歯科医師又は薬剤師については，その登録の取消しにより当該地域が無医地区等となる場合は，取消し後2年が経過した日に再登録が行われたものとみなされる。

B 高額介護合算療養費に係る自己負担額は，その計算期間（前年の8月1日からその年の7月31日）の途中で，医療保険や介護保険の保険者が変更になった場合でも，変更前の保険者に係る自己負担額と変更後の保険者に係る自己負担額は合算される。

C 特定健康保険組合とは，特例退職被保険者及びその被扶養者に係る健康保険事業の実施が将来にわたり当該健康保険組合の事業の運営に支障を及ぼさないこと等の一定の要件を満たしており，その旨を厚生労働大臣に届け出た健康保険組合をいい，特定健康保険組合となるためには，厚生労働大臣の認可を受ける必要はない。

D 指定訪問看護事業者が，訪問看護事業所の看護師等の従業者について，厚生労働省令で定める基準や員数を満たすことができなくなったとしても，厚生労働大臣は指定訪問看護事業者の指定を取り消すことはできない。

E 被保険者資格を取得する前に初診日がある傷病のため労務に服することができず休職したとき，療養の給付は受けられるが，傷病手当金は支給されない。

正解チェック欄	／	／	／

キリトリ線

A　誤　本肢の場合，保険医又は保険薬剤師の登録の取消し後「2年未満で再登録を認めることができる」こととされている。本肢前段の記述は正しい（法71条2項1号，平10.7.27老発485号・保発101号）。

B　正　本肢のとおりである（令43条の2ほか）。

C　誤　特定健康保険組合とは，特例退職被保険者及びその被扶養者係る健康保険事業の実施が将来にわたり当該健康保険組合の事業の運営に支障を及ぼさないこと等の一定の要件に該当するものとして「厚生労働大臣の認可を受けた健康保険組合」をいう。したがって，特定健康保険組合となるためには，「厚生労働大臣の認可を受けなければならない」（法附則3条1項，則163条）。

社会保険科目
29p

D　誤　指定訪問看護事業者が，訪問看護事業所の看護師等の従業者について，厚生労働省令で定める基準や員数を満たすことができなくなったときは，厚生労働大臣は，指定訪問看護事業者の指定を「取り消すことができる」（法95条1号）。

社会保険科目
57p

E　誤　被保険者の資格取得が適正である限り，その資格取得前の疾病又は負傷に対しても保険給付をなすものであるとされており，被保険者資格取得前にかかった疾病又は受けた負傷についても，所定の要件を満たせば，療養の給付のみならず，「傷病手当金についても支給される」（昭26.5.1保文発1346号，昭26.10.16保文発4111号）。

社会保険科目
72p

キリトリ線

R2-3	総合問題	重要度 A

健保法

問 58 **健康保険法に関する次のアからオの記述のうち，正しいものの組合せは，後記AからEまでのうちどれか。**

ア　伝染病の病原体保有者については，原則として病原体の撲滅に関し特に療養の必要があると認められる場合には，自覚症状の有無にかかわらず病原体の保有をもって保険事故としての疾病と解するものであり，病原体保有者が隔離収容等のため労務に服することができないときは，傷病手当金の支給の対象となるものとされている。

イ　指定訪問看護は，末期の悪性腫瘍などの厚生労働大臣が定める疾病等の利用者を除き，原則として利用者1人につき週5日を限度として受けられるとされている。

ウ　配偶者である被保険者から暴力を受けた被扶養者は，被保険者からの届出がなくとも，当該被害者から，被保険者と当該被害者が生計維持関係にないことを申し立てた申出書とともに，婦人相談所が発行する配偶者からの暴力を理由として保護（来所相談を含む。）した旨の証明書を添付して，当該被害者が被扶養者から外れる旨を申し出ることにより，被扶養者から外れることができる。

エ　所在地が一定しない事業所に使用される者で，継続して6か月を超えて使用される場合は，その使用される当初から被保険者になる。

オ　被保険者（外国に赴任したことがない被保険者とする。）の被扶養者である配偶者に日本国外に居住し日本国籍を有しない父がいる場合，当該被保険者により生計を維持している事実があると認められるときは，当該父は被扶養者として認定される。

A（アとイ）　**B**（アとウ）　**C**（イとエ）
D（ウとオ）　**E**（エとオ）

キリトリ線

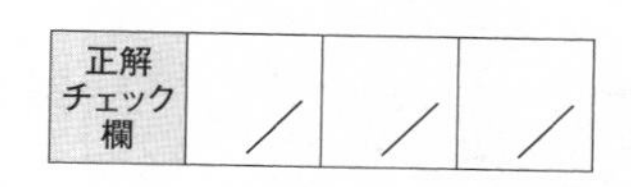

正解チェック欄	／	／	／

本問のアからオまでのそれぞれの記述の正誤は以下のとおりであり，したがって，アとウを正しいとするBが解答となる。

ア　正　本肢のとおりである（昭29.10.25保険発261号）。

イ　誤　訪問看護療養費は，末期の悪性腫瘍などの厚生労働大臣が定める疾病等の利用者を除き，原則として利用者1人につき「週3日」を限度として受けられるとされている（令2.3.5保発0305第3号ほか）。

ウ　正　本肢のとおりである（令3.3.29保保発0329第1号ほか）。

エ　誤　所在地が一定しない事業所に使用される者は，その使用期間の長さにかかわらず，「被保険者となることができない」（法3条1項3号）。

社会保険科目
24p

オ　誤　本肢の被保険者の配偶者の父（3親等内の親族で，被保険者の直系尊属，配偶者，子，孫及び兄弟姉妹に該当しないもの）は，生計維持要件は満たしているが，「同一世帯要件」及び「国内居住等要件」を満たしていないため，「被扶養者として認定されない」（法3条7項）。

社会保険科目
31p

R2-4 **総合問題** 重要度 **A**

問 59 健康保険法に関する次の記述のうち，誤っているものはどれか。

A 厚生労働大臣が健康保険料を徴収する場合において，適用事業所の事業主から健康保険料，厚生年金保険料及び子ども・子育て拠出金の一部の納付があったときは，当該事業主が納付すべき健康保険料，厚生年金保険料及び子ども・子育て拠出金の額を基準として按分した額に相当する健康保険料の額が納付されたものとされる。

B 定期健康診断によって初めて結核症と診断された患者について，その時のツベルクリン反応，血沈検査，エックス線検査等の費用は保険給付の対象とはならない。

C 被保険者の資格を喪失した日の前日まで引き続き1年以上被保険者（任意継続被保険者，特例退職被保険者又は共済組合の組合員である被保険者ではないものとする。）であった者が，その被保険者の資格を喪失した日後6か月以内に出産した場合，出産したときに，国民健康保険の被保険者であっても，その者が健康保険法の規定に基づく出産育児一時金の支給を受ける旨の意思表示をしたときは，健康保険法の規定に基づく出産育児一時金の支給を受けることができる。

D 標準報酬月額が56万円である60歳の被保険者が，慢性腎不全で1つの病院から人工腎臓を実施する療養を受けている場合において，当該療養に係る高額療養費算定基準額は10,000円とされている。

E 新たに適用事業所に使用されることになった者が，当初から自宅待機とされた場合の被保険者資格については，雇用契約が成立しており，かつ，休業手当が支払われているときは，その休業手当の支払いの対象となった日の初日に被保険者の資格を取得するものとされる。

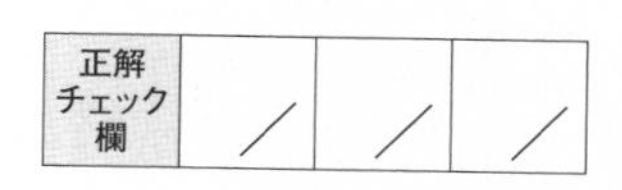

正解チェック欄	／	／	／

A　正　本肢のとおりである（法159条の2）。

B　正　本肢のとおりである（昭28.4.3保険発59号ほか）。

C　正　本肢のとおりである（法106条ほか）。なお，資格喪失後受胎したことが明らかな場合でも，資格喪失後6月以内に出産したときは，出産育児一時金の給付が行われる（昭8.4.25保規142号）。

社会保険科目
94p

D　誤　本肢の者は，標準報酬月額が53万円以上であり，人工腎臓を実施している慢性腎不全に係る療養を受ける70歳未満の者であることから，高額療養費算定基準額は「2万円」とされている（令42条9項ほか）。

社会保険科目
84p

E　正　本肢のとおりである（昭50.3.29保険発25号・庁保険発8号）。なお，一時帰休中の被保険者については，労働基準法26条の規定に基づく休業手当又は労働協約等に基づく報酬が支払われるときは，被保険者の資格は存続する（昭50.3.29保険発25号・庁保険発8号）。

社会保険科目
23p

キリトリ線

R2-5	総合問題	重要度 A

健保法

問 60 健康保険法に関する次のアからオの記述のうち，正しいものの組合せは，後記AからEまでのうちどれか。

ア　被扶養者の要件として，被保険者と同一の世帯に属する者とは，被保険者と住居及び家計を共同にする者をいい，同一の戸籍内にあることは必ずしも必要ではないが，被保険者が世帯主でなければならない。

イ　任意継続被保険者の申出は，被保険者の資格を喪失した日から20日以内にしなければならず，保険者は，いかなる理由がある場合においても，この期間を経過した後の申出は受理することができない。

ウ　季節的業務に使用される者について，当初4か月以内の期間において使用される予定であったが業務の都合その他の事情により，継続して4か月を超えて使用された場合には使用された当初から一般の被保険者となる。

エ　実際には労務を提供せず労務の対償として報酬の支払いを受けていないにもかかわらず，偽って被保険者の資格を取得した者が，保険給付を受けたときには，その資格を取り消し，それまで受けた保険給付に要した費用を返還させることとされている。

オ　事業主は，被保険者に支払う報酬がないため保険料を控除できない場合でも，被保険者の負担する保険料について納付する義務を負う。

A　（アとイ）　**B**　（アとウ）　**C**　（イとエ）
D　（ウとオ）　**E**　（エとオ）

正解チェック欄	／	／	／

キリトリ線

本問のアからオまでのそれぞれの記述の正誤は以下のとおりであり，したがって，エとオを正しいとするEが解答となる。

ア　誤　被扶養者の要件として，被保険者と同一の世帯に属する者とは，被保険者と住居及び家計を共同にするものをいい，同一戸籍内にあるか否かを問わず，「被保険者が世帯主であることを要しない」ものとされている（昭15.6.26社発7号）。

社会保険科目 32p

イ　誤　任意継続被保険者の資格取得の申出は，原則として，被保険者の資格を喪失した日から20日以内にしなければならないが，保険者は，「正当な理由があると認めるときは，この期間を経過した後の申出であっても，受理することができる」（法37条）。

社会保険科目 27～28p

ウ　誤　本肢の季節的業務に使用される者は，当初4か月以内の期間において使用される予定であったため，「一般の被保険者とはならない」（法3条1項ただし書き）。なお，季節的業務に使用される者であっても，当初から継続して4か月を超えて使用されるべき場合は，使用された当初から一般の被保険者となる。

社会保険科目 24p

エ　正　本肢のとおりである（昭26.12.3保文発5255号）。

オ　正　本肢のとおりである（法161条2項）。

社会保険科目 120～121p

R2-6 **総合問題** 重要度 A

問 61 **健康保険法に関する次の記述のうち，誤っているものはどれか。**

A 被保険者の資格を喪失した日の前日まで引き続き1年以上被保険者（任意継続被保険者，特例退職被保険者又は共済組合の組合員である被保険者を除く。）であった者であって，その資格を喪失した際に傷病手当金の支給を受けている者が，その資格を喪失後に特例退職被保険者の資格を取得した場合，被保険者として受けることができるはずであった期間，継続して同一の保険者からその給付を受けることができる。

B 保険者は，偽りその他不正の行為により保険給付を受け，又は受けようとした者に対して，6か月以内の期間を定め，その者に支給すべき傷病手当金又は出産手当金の全部又は一部を支給しない旨の決定をすることができるが，その決定は保険者が不正の事実を知った時以後の将来においてのみ決定すべきであるとされている。

C 保険者が，健康保険において第三者の行為によって生じた事故について保険給付をしたとき，その給付の価額の限度において被保険者が第三者に対して有する損害賠償請求の権利を取得するのは，健康保険法の規定に基づく法律上当然の取得であり，その取得の効力は法律に基づき第三者に対し直接何らの手続きを経ることなく及ぶものであって，保険者が保険給付をしたときにはその給付の価額の限度において当該損害賠償請求権は当然に保険者に移転するものである。

D 保険者は，被保険者又は被保険者であった者が，正当な理由なしに診療担当者より受けた診断書，意見書等により一般に療養の指示と認められる事実があったにもかかわらず，これに従わないため，療養上の障害を生じ著しく給付費の増加をもたらすと認められる場合には，保険給付の一部を行わないことができる。

E 被保険者が道路交通法違反である無免許運転により起こした事故のため死亡した場合には，所定の要件を満たす者に埋葬料が支給される。

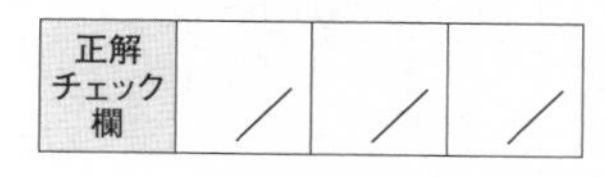

正解チェック欄	／	／	／

A 誤 特例退職被保険者は，資格喪失後の継続給付として傷病手当金の支給を受けることは「できない」（法104条，法附則3条5項）。

社会保険科目 92p

B 正 本肢のとおりである（法120条，昭3.3.14保理483号）。なお，詐欺その他不正行為により保険給付を受け又は受けようとした者に対しては，情状により傷病手当金及び出産手当金の両方を同時に支給停止することができる（昭3.7.6庶発766号）。

社会保険科目 100p

C 正 本肢のとおりである（法57条，昭31.11.7保文発9218号）。

社会保険科目 100p

D 正 本肢のとおりである（法119条，昭26.5.9保発37号）。なお，保険者は，保険給付に関して必要があると認めるときは，保険給付を受ける者（当該保険給付が被扶養者に係るものである場合には，当該被扶養者を含む）に対し，文書その他の物件の提出若しくは提示を命じ，又は当該職員に質問若しくは診断をさせることができる（法59条）。

社会保険科目 99p

E 正 本肢のとおりである（法116条，昭36.7.5保険発63号の2）。なお，争議行為に基づいて発生した場合であっても，その事故の発生について予め認識していたときは，法116条に規定する保険給付の制限が適用される（昭25.6.9保文発1303号）。

社会保険科目 98p

キリトリ線

R2-7	総合問題	重要度 B

健保法

問 62 健康保険法に関する次の記述のうち，誤っているものはどれか。

A 日雇特例被保険者が療養の給付を受けるには，これを受ける日において当該日の属する月の前2か月間に通算して26日分以上又は当該日の属する月の前6か月間に通算して78日分以上の保険料が納付されていなければならない。

B 全国健康保険協会の短期借入金は，当該事業年度内に償還しなければならないが，資金の不足のため償還することができないときは，その償還することができない金額に限り，厚生労働大臣の認可を受けて，これを借り換えることができる。この借り換えた短期借入金は，1年以内に償還しなければならない。

C 保険者は，保健事業及び福祉事業に支障がない場合に限り，被保険者等でない者にこれらの事業を利用させることができる。この場合において，保険者は，これらの事業の利用者に対し，利用料を請求することができる。利用料に関する事項は，全国健康保険協会にあっては定款で，健康保険組合にあっては規約で定めなければならない。

D 健康保険組合の設立を命ぜられた事業主が，正当な理由がなくて厚生労働大臣が指定する期日までに設立の認可を申請しなかったとき，その手続の遅延した期間，その負担すべき保険料額の2倍に相当する金額以下の過料に処する旨の罰則が定められている。

E 任意継続被保険者は，将来の一定期間の保険料を前納することができる。この場合において前納すべき額は，前納に係る期間の各月の保険料の額の合計額である。

キリトリ線

正解チェック欄	／	／	／

A 正 本肢のとおりである（法129条2項）。

社会保険科目 108p

B 正 本肢のとおりである（法7条の31第2項・3項）。なお，協会は，その業務に要する費用に充てるため必要な場合において，厚生労働大臣の認可を受けて，短期借入金をすることができる（同条1項）。

社会保険科目 11p

C 正 本肢のとおりである（法150条6項，則154条）。なお，保険者は，被保険者等の療養のために必要な費用に係る資金若しくは用具の貸付けその他の被保険者等の療養若しくは療養環境の向上又は被保険者等の出産のために必要な費用に係る資金の貸付けその他の被保険者等の福祉の増進のために必要な事業を行うことができる（法150条3項）。

社会保険科目 17p

D 正 本肢のとおりである（法218条）。

E 誤 任意継続被保険者の保険料の前納に係る前納すべき額は，前納に係る期間の各月の保険料の額「から政令で定める額を控除した額」とされている（法165条1項・2項）。なお，この「政令で定める額」とは，前納に係る期間の各月の保険料の合計額から，その期間の各月の保険料の額を年4分の利率による複利現価法によって前納に係る期間の最初の月から当該各月までのそれぞれの期間に応じて割り引いた額の合計額を控除した額とされている（令49条）。

社会保険科目 124p

キリトリ線

R2-8	総合問題	重要度 A

健保法

問 63 健康保険法に関する次の記述のうち，誤っているものはどれか。

A 健康保険被保険者報酬月額算定基礎届の届出は，事業年度開始の時における資本金の額が1億円を超える法人の事業所の事業主にあっては，電子情報処理組織を使用して行うものとする。ただし，電気通信回線の故障，災害その他の理由により電子情報処理組織を使用することが困難であると認められる場合で，かつ，電子情報処理組織を使用しないで当該届出を行うことができると認められる場合は，この限りでない。

B 厚生労働大臣は，保険医療機関若しくは保険薬局又は指定訪問看護事業者の指定に関し必要があると認めるときは，当該指定に係る開設者若しくは管理者又は申請者の社会保険料の納付状況につき，当該社会保険料を徴収する者に対し，必要な書類の閲覧又は資料の提供を求めることができる。

キリトリ線

C 健康保険組合の組合会は，理事長が招集するが，組合会議員の定数の3分の2以上の者が会議に付議すべき事項及び招集の理由を記載した書面を理事長に提出して組合会の招集を請求したときは，理事長は，その請求のあった日から30日以内に組合会を招集しなければならない。

D 保険者は，震災，風水害，火災その他これらに類する災害により，住宅，家財又はその他の財産について著しい損害を受けた被保険者であって，保険医療機関又は保険薬局に一部負担金を支払うことが困難であると認められるものに対し，一部負担金の支払いを免除することができる。

E 被保険者が海外にいるときに発生した保険事故に係る療養費等に関する申請手続等に添付する証拠書類が外国語で記載されている場合は，日本語の翻訳文を添付することとされており，添付する翻訳文には翻訳者の氏名及び住所を記載させることとされている。

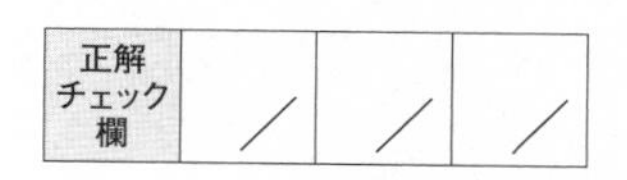

正解チェック欄	／	／	／

A　正　本肢のとおりである（則25条3項）。なお，本肢の場合において，協会が管掌する健康保険の被保険者が同時に厚生年金保険の被保険者であるときは，健康保険被保険者標準報酬月額算定基礎届に厚生年金保険の従前の標準報酬月額を併せて入力しなければならない（同条4項）。

B　正　本肢のとおりである（法199条2項）。

C　誤　健康保険組合の組合会は，理事長が招集するが，組合会議員の定数の「3分の1」以上の者が会議に付議すべき事項及び招集の理由を記載した書面を理事長に提出して組合会の招集を請求したときは，理事長は，その請求のあった日から「20日」以内に組合会を招集しなければならない（令7条1項）。

D　正　本肢のとおりである（法75条の2第1項，則56条の2）。なお，本肢の措置を受けた被保険者は，一部負担金を保険医療機関又は保険薬局に支払うことを要しない（法75条の2第2項）。

社会保険科目
61p

E　正　本肢のとおりである（則66条2項・3項ほか）。なお，海外療養について療養費の支給を受けようとするときは，療養費の支給申請書に次の①及び②に掲げる書類を添付しなければならない（同条4項）。

①旅券，航空券その他の海外に渡航した事実が確認できる書類の写し

②保険者が海外療養の内容について当該海外療養を担当した者に照会することに関する当該海外療養を受けた者の同意書

R2-9	総合問題	重要度 B

問 64 健康保険法に関する次の記述のうち，誤っているものはどれか。

A 被扶養者の認定において，被保険者が海外赴任することになり，被保険者の両親が同行する場合，「家族帯同ビザ」の確認により当該両親が被扶養者に該当するか判断することを基本とし，渡航先国で「家族帯同ビザ」の発行がない場合には，発行されたビザが就労目的でないか，渡航が海外赴任に付随するものであるかを踏まえ，個別に判断する。

B 給与の支払方法が月給制であり，毎月20日締め，同月末日払いの事業所において，被保険者の給与の締め日が4月より20日から25日に変更された場合，締め日が変更された4月のみ給与計算期間が3月21日から4月25日までとなるため，標準報酬月額の定時決定の際には，3月21日から3月25日までの給与を除外し，締め日変更後の給与制度で計算すべき期間（3月26日から4月25日まで）で算出された報酬を4月の報酬とする。

C 育児休業取得中の被保険者について，給与の支払いが一切ない育児休業取得中の期間において昇給があり，固定的賃金に変動があった場合，実際に報酬の支払いがないため，育児休業取得中や育児休業を終了した際に当該固定的賃金の変動を契機とした標準報酬月額の随時改定が行われることはない。

D 全国健康保険協会管掌健康保険の被保険者資格を取得した際の標準報酬月額の決定について，固定的賃金の算定誤りがあった場合には訂正することはできるが，残業代のような非固定的賃金について，その見込みが当初の算定額より増減した場合には訂正することができないとされている。

E 適用事業所に期間の定めなく採用された者は，採用当初の2か月が試用期間として定められていた場合であっても，当該試用期間を経過した日から被保険者となるのではなく，採用日に被保険者となる。

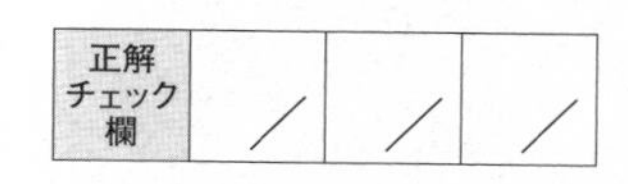

正解チェック欄	／	／	／

A　正　本肢のとおりである（法3条7項，令元.11.13保保発1113第1号）。なお，被保険者（任意継続被保険者を除く）は，適用事業所に使用されるに至った日若しくはその使用される事業所が適用事業所となった日又は適用除外の規定に該当しなくなった日から，被保険者の資格を取得する（法35条）。

B　正　本肢のとおりである（令5.6.27事務連絡）。

C　誤　育児休業取得中の無給期間において昇給等があり固定的賃金に変動があった場合には，その他の要件を満たす限り，「実際に変動後の報酬を受けた月を起算月として標準報酬月額の随時改定が行われる」（令5.6.27事務連絡）。なお，昇給等による固定的賃金の変動後に，給与計算期間の途中で休業に入ったこと，又は給与計算期間の途中で復帰したことにより，変動が反映された報酬が支払われているものの，継続した3月間のうちに報酬支払基礎日数が17日（短時間労働者である被保険者にあっては11日）未満となる月がある場合については，随時改定の対象とはならないが，これらは，育児休業等を終了した際の改定を妨げるものではないとされている。

D　正　本肢のとおりである（令5.6.27事務連絡）。

E　正　本肢のとおりである（昭13.10.22社庶229号）。

社会保険科目
22～23p

R2-10	総合問題	重要度 A

問 65　健康保険法に関する次の記述のうち，正しいものはどれか。

健保法

A　労災保険法に基づく休業補償給付を受給している健康保険の被保険者が，さらに業務外の事由による傷病によって労務不能の状態になった場合，休業補償給付が支給され，傷病手当金が支給されることはない。

B　適用事業所が日本年金機構に被保険者資格喪失届及び被保険者報酬月額変更届を届け出る際，届出の受付年月日より60日以上遡る場合又は既に届出済である標準報酬月額を大幅に引き下げる場合は，当該事実を確認できる書類を添付しなければならない。

C　任意適用事業所において被保険者の4分の3以上の申出があった場合，事業主は当該事業所を適用事業所でなくするための認可の申請をしなければならない。

D　健康保険法第159条1項の規定により育児休業等期間中の保険料の免除に係る申出をした事業主は，被保険者が育児休業等を終了する予定の日を変更したとき，又は育児休業等を終了する予定の日の前日までに育児休業等を終了したときは，速やかにこれを厚生労働大臣又は健康保険組合に届け出なければならないが，当該被保険者が育児休業等を終了する予定の日の前日までに産前産後休業期間中の保険料の免除の規定の適用を受ける産前産後休業を開始したことにより育児休業等を終了したときはこの限りでない。

E　被保険者（任意継続被保険者を除く。）が出産の日以前42日から出産の日後56日までの間において，通常の労務に服している期間があった場合は，その間に支給される賃金額が出産手当金の額に満たない場合に限り，その差額が出産手当金として支給される。

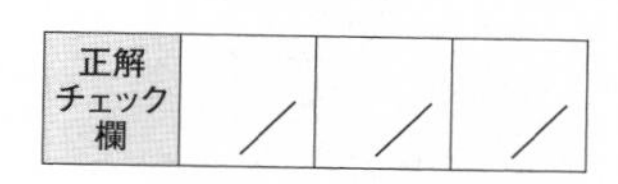

正解チェック欄	／	／	／

A 誤 労災保険法に基づく休業補償給付を受給している健康保険の被保険者が，さらに業務外の事由による傷病によって労務不能の状態になった場合には，「休業補償給付の額が傷病手当金の額に達しないときにおけるその部分にかかるものを除き」，傷病手当金は支給されない。したがって，「休業補償給付の額が傷病手当金の額未満であるときは，その差額に相当する額の傷病手当金は支給される」（昭33.7.8保険発95号の２ほか）。

社会保険科目 76p

B 誤 本肢の場合，「届出の事実関係を確認する書類を添付する必要はない」（厚生労働省「「行政手続コスト」削減のための基本計画」（平成29年６月厚生労働省）ほか）。

C 誤 任意適用事業所において被保険者の４分の３以上の申出があった場合であっても，事業主は，当該事業所を「適用事業所でなくするための認可の申請をする必要はない」（法33条）。

社会保険科目 21～22p

D 正 本肢のとおりである（則135条２項）。

E 誤 出産手当金の支給対象となる期間は，被保険者（任意継続被保険者を除く）の出産の日（出産の日が出産の予定日後であるときは，出産の予定日）以前42日（多胎妊娠の場合においては，98日）から出産の日後56日までの間において「労務に服さなかった期間」である。したがって，「通常の労務に服している期間については，出産手当金は支給されない」（法102条）。

社会保険科目 88p

キリトリ線

R3-1	総合問題	重要度 B

問 66 健康保険法に関する次の記述のうち，誤っているものはどれか。

健保法

A 一時帰休に伴い，就労していたならば受けられるであろう報酬よりも低額な休業手当が支払われることとなり，その状態が継続して3か月を超える場合には，固定的賃金の変動とみなされ，標準報酬月額の随時改定の対象となる。

B 賃金が月末締め月末払いの事業所において，2月19日から一時帰休で低額な休業手当等の支払いが行われ，5月1日に一時帰休の状況が解消した場合には，2月，3月，4月の報酬を平均して2等級以上の差が生じていれば，5月以降の標準報酬月額から随時改定を行う。

C その年の1月から6月までのいずれかの月に随時改定された標準報酬月額は，再度随時改定，育児休業等を終了した際の標準報酬月額の改定又は産前産後休業を終了した際の標準報酬月額の改定を受けない限り，その年の8月までの標準報酬月額となり，7月から12月までのいずれかの月に改定された標準報酬月額は，再度随時改定，育児休業等を終了した際の標準報酬月額の改定又は産前産後休業を終了した際の標準報酬月額の改定を受けない限り，翌年の8月までの標準報酬月額となる。

D 前月から引き続き被保険者であり，12月10日に賞与を50万円支給された者が，同月20日に退職した場合，事業主は当該賞与に係る保険料を納付する義務はないが，標準賞与額として決定され，その年度における標準賞与額の累計額に含まれる。

E 訪問看護事業とは，疾病又は負傷により，居宅において継続して療養を受ける状態にある者（主治の医師がその治療の必要の程度につき厚生労働省令で定める基準に適合していると認めたものに限る。）に対し，その者の居宅において看護師その他厚生労働省令で定める者が行う療養上の世話又は必要な診療の補助（保険医療機関等又は介護保険法第8条第28項に規定する介護老人保健施設若しくは同条第29項に規定する介護医療院によるものを除く。）を行う事業のことである。

正解チェック欄	／	／	／

キリトリ線

A　正　本肢のとおりである（昭50.3.29保険発25号・庁保険発8号）。なお，休業手当等をもって標準報酬の改定を行った後に一時帰休の状況が解消したときも，随時改定の対象とされる。

B　誤　一時帰休に伴う随時改定は，低額な休業手当等の支払いが継続して3か月を超える場合に行われるが，この「3か月」は暦日ではなく，月単位で計算することとされている。2月19日から一時帰休が開始されている場合は，5月1日をもって3か月を超えることとなるが，5月1日時点で一時帰休が解消している場合は3か月を超えないため，本肢の場合，「一時帰休に伴う随時改定の対象とならない」（令5.6.27事務連絡）。

C　正　本肢のとおりである（法43条2項）。なお，随時改定後，再び随時改定の要件に該当したときは，随時改定された標準報酬月額の有効期限内であっても，随時改定は行われる。

社会保険科目
40〜41p

D　正　本肢のとおりである（法45条1項，法156条3項，平19.5.1庁保険発0501001号）。保険料徴収の必要がない被保険者資格の喪失月であっても，被保険者期間中に支払われる賞与に基づき決定される標準賞与額は，標準賞与額の年度の累計額の上限である573万円に算入される。

社会保険科目
47p

E　正　本肢のとおりである（法88条1項）。なお，本肢の看護師その他厚生労働省令で定める者は，看護師，保健師，助産師，准看護師，理学療法士，作業療法士及び言語聴覚士とされている（則68条）。

社会保険科目
68p

キリトリ線

R3-2	総合問題	重要度 B

健保法

問 67 健康保険法に関する次の記述のうち，誤っているものはどれか。

A 保険医療機関又は保険薬局は，健康保険法の規定によるほか，船員保険法，国民健康保険法，国家公務員共済組合法（他の法律において準用し，又は例による場合を含む。）又は地方公務員等共済組合法による療養の給付並びに被保険者及び被扶養者の療養並びに高齢者医療確保法による療養の給付，入院時食事療養費に係る療養，入院時生活療養費に係る療養及び保険外併用療養費に係る療養を担当するものとされている。

B 健康保険組合がその設立事業所を増加させ，又は減少させようとするときは，その増加又は減少に係る適用事業所の事業主の全部及びその適用事業所に使用される被保険者の2分の1以上の同意を得なければならない。

C 全国健康保険協会管掌健康保険の事業の執行に要する費用のうち，出産育児一時金，家族出産育児一時金，埋葬料（埋葬費）及び家族埋葬料の支給に要する費用については，国庫補助は行われない。

D 全国健康保険協会は，（1）国債，地方債，政府保証債その他厚生労働大臣の指定する有価証券の取得，（2）銀行その他厚生労働大臣の指定する金融機関への預金，のいずれかの方法により，業務上の余裕金を運用することが認められているが，上記の2つ以外の方法で運用することは認められていない。

E 保険者は，社会保険診療報酬支払基金に対して，保険給付のうち，療養費，出産育児一時金，家族出産育児一時金並びに高額療養費及び高額介護合算療養費の支給に関する事務を委託することができる。

キリトリ線

正解チェック欄	／	／	／

A 正 本肢のとおりである（法70条2項）。なお，保険医療機関又は保険薬局は，当該保険医療機関において診療に従事する保険医又は当該保険薬局において調剤に従事する保険薬剤師に，法72条1項（保険医又は保険薬剤師の責務）の厚生労働省令で定めるところにより，診療又は調剤に当たらせるほか，厚生労働省令で定めるところにより，療養の給付を担当しなければならない（同項1項）。

社会保険科目 55p

B 正 本肢のとおりである（法25条1項）。なお，本肢の規定により健康保険組合が設立事業所を減少させるときは，健康保険組合の被保険者である組合員の数が設立事業所を減少させた後においても，700人（健康保険組合を共同して設立している場合にあっては，3,000人）以上でなければならない（同条3項ほか）。

社会保険科目 14p

C 正 本肢のとおりである（法153条，法154条1項）。なお，国庫は，法151条及び法153条及び法154条に規定する費用のほか，予算の範囲内において，健康保険事業の執行に要する費用のうち，特定健康診査等の実施に要する費用の一部を補助することができる（法154条の2）。

社会保険科目 115～116p

D 誤 全国健康保険協会による業務上の余裕金の運用は，次の「3つの方法」が認められている（令1条の2）。

①国債，地方債，政府保証債その他厚生労働大臣の指定する有価証券の取得
②銀行その他厚生労働大臣の指定する金融機関への預金
③「信託業務を営む金融機関への金銭信託」

E 正 本肢のとおりである（法205条の4第1項，則159条の7）。なお，本肢の事務は，国民健康保険団体連合会に委託することもできる。

社会保険科目 16p

R3-3	総合問題	重要度 B

問 68 健康保険法に関する次の記述のうち，正しいものはどれか。

A 保険者は，保険給付を行うにつき必要があると認めるときは，医師，歯科医師，薬剤師若しくは手当を行った者又はこれを使用する者に対し，その行った診療，薬剤の支給又は手当に関し，報告若しくは診療録，帳簿書類その他の物件の提示を命じ，又は当該職員に質問させることができる。

B 食事療養に要した費用は，保険外併用療養費の支給の対象とはならない。

C 健康保険組合は，適用事業所の事業主，その適用事業所に使用される被保険者及び特例退職被保険者をもって組織する。

D 全国健康保険協会（以下本問において「協会」という。）は，全国健康保険協会管掌健康保険の被保険者に対して資格確認書の交付，返付又は再交付が行われるまでの間，必ず被保険者資格証明書を有効期限を定めて交付しなければならない。また，被保険者資格証明書の交付を受けた被保険者に対して資格確認書が交付されたときは，当該被保険者は直ちに被保険者資格証明書を協会に返納しなければならない。

E 公害健康被害の補償等に関する法律（以下本問において「公害補償法」という。）による療養の給付，障害補償費等の補償給付の支給がされた場合において，同一の事由について当該補償給付に相当する給付を支給すべき健康保険の保険者は，公害補償法により支給された補償給付の価額の限度で，当該補償給付に相当する健康保険による保険給付は行わないとされている。

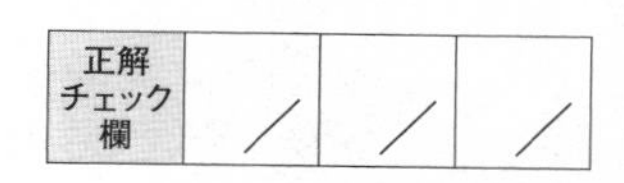

正解チェック欄	／	／	／

キリトリ線

A 誤 「厚生労働大臣」は，保険給付を行うにつき必要があると認めるときは，医師，歯科医師，薬剤師若しくは手当を行った者又はこれを使用する者に対し，その行った診療，薬剤の支給又は手当に関し，報告若しくは診療録，帳簿書類その他の物件の提示を命じ，又は当該職員に質問させることができる（法60条1項）。

B 誤 食事療養についても保険外併用療養費の支給対象となる（法86条1項・2項）。

社会保険科目 65～66p

C 誤 健康保険組合は，適用事業所の事業主，その適用事業所に使用される被保険者及び「任意継続被保険者」をもって組織する（法8条）。

社会保険科目 11p

D 誤 「厚生労働大臣」は，協会管掌健康保険の被保険者に対し，被保険者情報の登録又は資格確認書の交付等が行われるまでの間に「当該被保険者を使用する事業主又は当該被保険者から求めがあった場合において，当該被保険者又はその被扶養者が療養を受ける必要があると認めた時に限り」，被保険者資格証明書を有効期限を定めて交付する（則50条の2第1項・3項）。また，被保険者資格証明書の交付を受けた被保険者は，被保険者情報の登録が行われたことを確認したとき，資格確認書の交付等を受けたとき，又は被保険者資格証明書が有効期限に至ったときは，直ちに，被保険者資格証明書を事業主を経由して「厚生労働大臣」に返納しなければならない。

E 正 本肢のとおりである（法55条4項，公害補償法14条1項，公害補償法施行令7条1項，昭50.12.8保険発110号・庁保険発20号）。

社会保険科目 98p

R3-4	総合問題	重要度 B

問 69 健康保険法に関する次の記述のうち，誤っているものはいくつあるか。

ア　療養の給付を受ける権利は，これを行使することができる時から2年を経過したときは，時効によって消滅する。

イ　健康保険組合が解散する場合において，その財産をもって債務を完済することができないときは，当該健康保険組合は，設立事業所の事業主に対し，政令で定めるところにより，当該債務を完済するために要する費用の全部又は一部を負担することを求めることができる。

ウ　日雇特例被保険者の保険の保険者の事務のうち，厚生労働大臣が指定する地域に居住する日雇特例被保険者に係る日雇特例被保険者手帳の交付及びその収受その他日雇特例被保険者手帳に関する事務は，日本年金機構のみが行うこととされている。

エ　保険者は，指定訪問看護事業者が偽りその他不正の行為によって家族訪問看護療養費に関する費用の支払いを受けたときは，当該指定訪問看護事業者に対し，その支払った額につき返還させるほか，その返還させる額に100分の40を乗じて得た額を支払わせることができる。

オ　短時間労働者の被保険者資格の取得基準においては，卒業を予定されている者であって適用事業所に使用されることとなっているもの，休学中の者及び定時制の課程等に在学する者その他これらに準ずる者は，学生でないこととして取り扱うこととしているが，この場合の「その他これらに準ずる者」とは，事業主との雇用関係の有無にかかわらず，事業主の命により又は事業主の承認を受け，大学院に在学する者（いわゆる社会人大学院生等）としている。

A　一つ
B　二つ
C　三つ
D　四つ
E　五つ

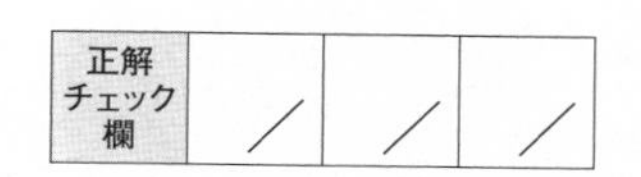

正解チェック欄	／	／	／

本問アからオまでのそれぞれの記述の正誤は以下のとおりである。したがって，誤っている記述はア，ウ及びオの3つであり，Cが解答となる。

ア　誤　現物給付である療養の給付については時効の問題は生じない（法193条1項）。

社会保険科目 132〜133p

イ　正　本肢のとおりである（法26条3項）。なお，全国健康保険協会は，解散により消滅した健康保険組合の権利義務を承継する（同条4項）。

ウ　誤　本肢の事務は，本肢の地域をその区域に含む「市町村（特別区を含むものとし，地方自治法の指定都市にあっては，区又は総合区とする）の長」が行う（法203条1項，令61条1項）。

社会保険科目 106p

エ　正　本肢のとおりである（法58条3項）。なお，被保険者の被扶養者が指定訪問看護事業者から指定訪問看護を受けたときは，被保険者に対し，その指定訪問看護に要した費用について，家族訪問看護療養費を支給する（法111条1項）。

社会保険科目 102p

オ　誤　本肢の「その他これらに準ずる者」とは，「事業主との雇用関係を存続した上で」，事業主の命により又は事業主の承認を受け，大学院等に在学する者（いわゆる社会人大学院生等）とされている。本肢前段の記述は正しい（則23条の6第1項，令4.3.18保保発0318第1号）。

キリトリ線

R3-5	総合問題	重要度 B

健保法

問 70 健康保険法に関する次の記述のうち，正しいものはどれか。

A 厚生労働大臣，保険者，保険医療機関等，指定訪問看護事業者その他の厚生労働省令で定める者は，健康保険事業又は当該事業に関連する事務の遂行のため必要がある場合を除き，何人に対しても，その者又はその者以外の者に係る保険者番号及び被保険者等記号・番号を告知することを求めてはならない。

B 被保険者が，その雇用又は使用されている事業所の労働組合（法人格を有しないものとする。）の専従者となっている場合は，当該専従者は，専従する労働組合が適用事業所とならなくとも，従前の事業主との関係においては被保険者の資格を継続しつつ，労働組合に雇用又は使用される者として被保険者となることができる。

C 毎年7月1日現に使用する被保険者の標準報酬月額の定時決定の届出は，同月末日までに，健康保険被保険者報酬月額算定基礎届を日本年金機構又は健康保険組合に提出することによって行う。

D 指定障害者支援施設に入所する被扶養者の認定に当たっては，当該施設への入所は一時的な別居とはみなされず，その他の要件に欠けるところがなくとも，被扶養者として認定されない。現に当該施設に入所している者の被扶養者の届出があった場合についても，これに準じて取り扱う。

E 任意継続被保険者の申出をした者が，初めて納付すべき保険料をその納付期日までに納付しなかったときは，いかなる理由があろうとも，その者は，任意継続被保険者とならなかったものとみなされる。

正解チェック欄	／	／	／

キリトリ線

A 正 本肢のとおりである（法194条の２第１項）。

B 誤 被保険者が労働組合の専従者となった場合，「従前の事業主との関係においては被保険者の資格は喪失する」。また，労働組合が適用事業所に該当しない場合は，労働組合との関係においても被保険者の資格は取得しない（昭24.7.7職発921号）。

社会保険科目 22p

C 誤 健康保険被保険者報酬月額算定基礎届の提出は「７月10日」までに行わなければならない。その他の記述は正しい（則25条１項）。

社会保険科目 50p

D 誤 本肢の入所は，一時的な別居であると考えられるから，他の要件を満たす限り，「被扶養者として認定される」（平11.3.19保険発24号・庁保険発４号）。

E 誤 任意継続被保険者の資格取得の申出をした者が，初めて納付すべき保険料をその納付期日までに納付しなかったときは，その者は，任意継続被保険者とならなかったものとみなされる。「ただし，その納付の遅延について正当な理由があると保険者が認めたときは，この限りでない」（法37条２項）。

社会保険科目 28p

R3-6	総合問題	重要度 B

問 71 健康保険法に関する次の記述のうち，正しいものはどれか。

A 事業主が，正当な理由がなくて被保険者の資格の取得及び喪失並びに報酬月額及び賞与額に関する事項を保険者等に届出をせず又は虚偽の届出をしたときは，1年以下の懲役又は100万円以下の過料に処せられる。

B 傷病手当金を受ける権利の消滅時効は，労務不能であった日ごとにその翌日から起算される。

C 被保険者又は被保険者であった者が，自己の故意の犯罪行為により，又は故意若しくは重過失により給付事由を生じさせたときは，当該給付事由に係る保険給付は行われない。

D 傷病手当金又は出産手当金の継続給付を受ける者が死亡したとき，当該継続給付を受けていた者がその給付を受けなくなった日後3か月以内に死亡したとき，又はその他の被保険者であった者が資格喪失後3か月以内に死亡したときは，埋葬を行う者は誰でもその被保険者の最後の保険者から埋葬料の支給を受けることができる。

E 被保険者が，健康保険組合である保険者が開設する病院若しくは診療所から食事療養を受けた場合，当該健康保険組合がその被保険者の支払うべき食事療養に要した費用のうち入院時食事療養費として被保険者に支給すべき額に相当する額の支払を免除したときは，入院時食事療養費の支給があったものと推定される。

正解チェック欄	／	／	／

A　誤　本肢の場合，「6月以下の懲役又は50万円以下の罰金」に処せられる（法208条1号）。

社会保険科目
134p

B　正　本肢のとおりである（昭30.9.7保険発199号の2）。したがって，傷病手当金を受ける権利は，労務不能であった日ごとにその翌日から起算して，2年を経過したときは，時効によって消滅する（法193条1項）。

社会保険科目
132〜133p

C　誤　被保険者又は被保険者であった者が，「自己の故意の犯罪行為により，又は故意に」給付事由を生じさせたときは，当該給付事由に係る保険給付は，行わない（法116条）。

社会保険科目
98p

D　誤　本肢の場合，「被保険者であった者により生計を維持していた者」であって，埋葬を行うものは，その被保険者の最後の保険者から埋葬料の支給を受けることができる（法105条1項）。

社会保険科目
93p

E　誤　本肢の場合，入院時食事療養費の支給があったものと「みなされる」（法85条7項）。

キリトリ線

R3-7	総合問題	重要度 B

問 72 健康保険法に関する次の記述のうち，誤っているものはどれか。

健保法

A 健康保険組合は，組合債を起こし，又は起債の方法，利率若しくは償還の方法を変更しようとするときは，厚生労働大臣の認可を受けなければならないが，組合債の金額の変更（減少に係る場合に限る。）又は組合債の利息の定率の変更（低減に係る場合に限る。）をしようとするときは，この限りではない。

B 出産育児一時金の受取代理制度は，被保険者が医療機関等を受取代理人として出産育児一時金を事前に申請し，医療機関等が被保険者に対して請求する出産費用の額（当該請求額が出産育児一時金として支給される額を上回るときは当該支給される額）を限度として，医療機関等が被保険者に代わって出産育児一時金を受け取るものである。

C 指定訪問看護事業者の指定を受けようとする者は，当該指定に係る訪問看護事業の開始の予定年月日等を記載した申請書及び書類を当該申請に係る訪問看護事業を行う事業所の所在地を管轄する地方厚生局長等に提出しなければならないが，開始の予定年月日とは，指定訪問看護の事業の業務開始予定年月日をいう。

キリトリ線

D 被保険者が分娩開始と同時に死亡したが，胎児は娩出された場合，被保険者が死亡したので出産育児一時金は支給されない。

E 保険者等（被保険者が全国健康保険協会が管掌する健康保険の任意継続被保険者である場合は全国健康保険協会，被保険者が健康保険組合が管掌する健康保険の被保険者である場合は当該健康保険組合，これら以外の場合は厚生労働大臣をいう。）は，被保険者に関する保険料の納入の告知をした後に告知をした保険料額が当該納付義務者の納付すべき保険料額を超えていることを知ったとき，又は納付した被保険者に関する保険料額が当該納付義務者の納付すべき保険料額を超えていることを知ったときは，その超えている部分に関する納入の告知又は納付を，その告知又は納付の日の翌日から6か月以内の期日に納付されるべき保険料について納期を繰り上げてしたものとみなすことができる。

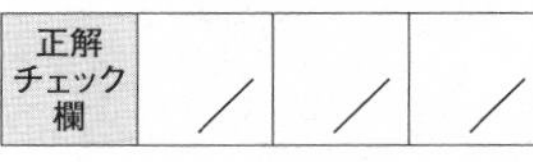

正解チェック欄	／	／	／

A　正　本肢のとおりである（令22条1項，則11条）。なお，健康保険組合は，本肢の組合債の金額の変更（減少に係る場合に限る。）又は組合債の利息の定率の変更（低減に係る場合に限る。）をしようとするときは，遅滞なく，その旨を厚生労働大臣に届け出なければならない（令22条2項）。

B　正　本肢のとおりである（平23.1.31受取代理制度実施要綱）。なお，出産育児一時金の受取代理制度を導入する医療機関等における出産であっても，受取代理制度を利用するかどうかは，被保険者等の選択によるものとされている。

社会保険科目
88p

C　正　本肢のとおりである（則74条1項，令2.3.5保発0305第5号）。なお，本肢の申請書及び書類の提出は，当該事業所の所在地を管轄する地方厚生局又は地方厚生支局の分室がある場合においては，当該分室を経由して行うものとされている（同条2項）。

D　誤　本肢の場合，分娩は生存中に開始され，たまたま分娩完了前に死亡が競合したに過ぎず，かつ，死亡後といえども，分娩は完了されていた。また，死亡した当日は依然被保険者としての資格を有している（死亡日の翌日に喪失）。そうすると，被保険者が生存中に分娩完了したときと同様であるといえるため，「出産育児一時金が支給される」（昭8.3.14保規61号）。

社会保険科目
88p

E　正　本肢のとおりである（法164条2項）。なお，本肢の規定（保険料の繰上充当）によって，納期を繰り上げて納入の告知又は納付をしたとみなしたときは，保険者等は，その旨を当該納付義務者に通知しなければならない（同条3項）。

社会保険科目
124p

R3-8	総合問題

問 73 健康保険法に関する次のアからオの記述のうち，誤っているものの組合せは，後記AからEまでのうちどれか。

ア　同一の事業所に使用される通常の労働者の1日の所定労働時間が8時間であり，1週間の所定労働日数が5日，及び1か月の所定労働日数が20日である特定適用事業所において，当該事業所における短時間労働者の1日の所定労働時間が6時間であり，1週間の所定労働日数が3日，及び1か月の所定労働日数が12日の場合，当該短時間労働者の1週間の所定労働時間は18時間となり，通常の労働者の1週間の所定労働時間と1か月の所定労働日数のそれぞれ4分の3未満ではあるものの，1日の所定労働時間は4分の3以上であるため，当該短時間労働者は被保険者として取り扱わなければならない。

※イ　特定適用事業所に使用される短時間労働者が，当初は継続して1年以上使用されることが見込まれなかった場合であっても，その後において，継続して1年以上使用されることが見込まれることとなったときは，その時点から継続して1年以上使用されることが見込まれることとして取り扱う。

ウ　特定適用事業所に使用される短時間労働者の被保険者の報酬支払の基礎となった日数が4月は11日，5月は15日，6月は16日であった場合，報酬支払の基礎となった日数が15日以上の月である5月及び6月の報酬月額の平均額をもとにその年の標準報酬月額の定時決定を行う。

エ　労働者派遣事業の事業所に雇用される登録型派遣労働者が，派遣就業に係る1つの雇用契約の終了後，1か月以内に同一の派遣元事業主のもとにおける派遣就業に係る次回の雇用契約（1か月以上のものとする。）が確実に見込まれたため被保険者資格を喪失しなかったが，その1か月以内に次回の雇用契約が締結されなかった場合には，その雇用契約が締結されないことが確実となった日又は当該1か月を経過した日のいずれか早い日をもって使用関係が終了したものとして，事業主に資格喪失届を提出する義務が生じるものであって，派遣就業に係る雇用契約の終了時に遡って被保険者資格を喪失させる必要はない。

キリトリ線

重要度 **B**

オ　被扶養者の収入の確認に当たり，被扶養者の年間収入は，被扶養者の過去の収入，現時点の収入又は将来の収入の見込みなどから，今後1年間の収入を見込むものとされている。

A　（アとウ）　**B**　（アとエ）　**C**　（イとエ）
D　（イとオ）　**E**　（ウとオ）

正解チェック欄	／	／	／

出題当時はア及びウを誤っている記述とするAが正解であったが，改正により，イが誤りの記述となったため，本設問は，「解答なし」となった。

ア　誤　通常の労働者の1週間の所定労働時間の4分の3未満である短時間労働者又は通常の労働者の1月間の所定労働日数の4分の3未満である短時間労働者であって，1週間の所定労働時間が20時間未満であるもの等は，適用除外に該当し，被保険者とならない。本肢の短時間労働者の1週間の所定労働時間は通常の労働者の1週間の所定労働時間の4分の3未満であり（18時間<30時間（＝8時間×5日×3/4）），また，本肢の短時間労働者の1月間の所定労働日数をみても通常の労働者の1月間の所定労働日数の4分の3未満（12日<15日（＝20日×3/4））である。さらに，1週間の所定労働時間は18時間と20時間未満となっているから，適用除外に該当するため，「本肢の短時間労働者は被保険者とならない」。なお，1日の所定労働時間が通常の労働者の1日の所定労働時間の4分の3以上であるか否かは適用除外の判定に当たって関係がない（法3条1項9号ほか）。

※イ　誤　出題当時は正しい肢であったが，改正により，令和4年10月1日からは，短時間労働者が被保険者となるための要件の1つであった「継続して1年以上使用されることが見込まれること」の要件は削除されたため，「本肢の取扱いは行われなくなった」。したがって，雇用契約期間が1年未満であっても，所定の要件に該当し，その他の適用除外事由（2月以内の期間を定めて使用され，当該定めた期間を超えて使用されることが見込まれないこと等）に該当しない場合には，短時間労働者であっても，被保険者となる（法3条1項，令4.3.18保保発0318第1号ほか）。

キリトリ線

ウ　誤　短時間労働者である被保険者に係る定時決定において，4月，5月及び6月のうち，報酬支払基礎日数が「11日未満」である月があるときは，その月を除いて報酬月額を算定する。本肢の場合，4月，5月及び6月のいずれの月においても報酬支払基礎日数が11日以上であるため，「4月」，5月及び6月に受けた報酬の総額をその期間の月数で除して得た額を報酬月額として，定時決定を行う（法41条1項，則24条の2）。

社会保険科目
39p

エ　正　本肢のとおりである（平14.4.24保保発0424001号ほか）。

オ　正　本肢のとおりである（令2.4.10事務連絡）。

キリトリ線

キリトリ線

R3-9	総合問題	重要度 A

健保法

問 74 健康保険法に関する次の記述のうち，正しいものはどれか。

A 家族出産育児一時金は，被保険者の被扶養者である配偶者が出産した場合にのみ支給され，被保険者の被扶養者である子が出産した場合には支給されない。

B 1年以上の継続した被保険者期間（任意継続被保険者であった期間，特例退職被保険者であった期間及び共済組合の組合員であった期間を除く。）を有する者であって，出産予定日から起算して40日前の日に退職した者が，退職日において通常勤務していた場合，退職日の翌日から被保険者として受けることができるはずであった期間，資格喪失後の出産手当金を受けることができる。

C 傷病手当金の額は，これまでの被保険者期間にかかわらず，1日につき，傷病手当金の支給を始める日の属する年度の前年度の9月30日における全被保険者の同月の標準報酬月額を平均した額を標準報酬月額の基礎となる報酬月額とみなしたときの標準報酬月額（被保険者が現に属する保険者等により定められたものに限る。）を平均した額の30分の1に相当する額の3分の2に相当する金額となる。

D 傷病手当金の支給要件に係る療養は，一般の被保険者の場合，保険医から療養の給付を受けることを要件としており，自費診療による療養は該当しない。

E 被保険者又はその被扶養者において，業務災害（労災保険法第7条第1項第1号に規定する，労働者の業務上の負傷，疾病等をいう。）と疑われる事例で健康保険の保険給付の申請等があった場合，保険者は，被保険者又はその被扶養者に対して，まずは労災保険法に基づく保険給付の請求を促し，健康保険法に基づく保険給付を留保することができる。

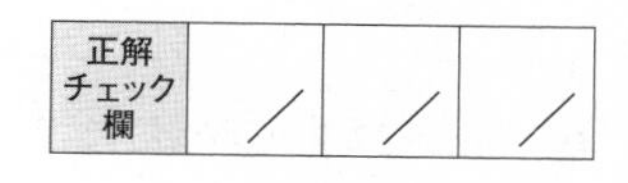

正解チェック欄	／	／	／

キリトリ線

A　誤　被扶養者である配偶者が出産した場合のみならず，被扶養者である子が出産した場合にも，家族出産育児一時金が支給される（法114条）。

社会保険科目
90p

B　誤　資格喪失後の出産手当金の継続給付は，「その資格を喪失した際に出産手当金の支給を受けている」場合に「継続して」同一の保険者から受けるものである。したがって，退職日に通常勤務した本肢の場合には，資格喪失後の出産手当金は「支給されない」（法104条）。

社会保険科目
91p

C　誤　傷病手当金の支給を始める日の属する月以前の直近の継続した期間において「標準報酬月額が定められている月が12月以上ある場合」の傷病手当金の額は，1日につき，傷病手当金の支給を始める日の属する月以前の直近の継続した12月間の各月の標準報酬月額（被保険者が現に属する保険者等により定められたものに限る。以下本問において同じ）を平均した額の30分の1に相当する額の3分の2に相当する金額である。また，当該期間において「標準報酬月額が定められている月が12月に満たない場合」にあっては，①傷病手当金の支給を始める日の属する月以前の直近の継続した各月の標準報酬月額を平均した額の30分の1に相当する額と②傷病手当金の支給を始める日の属する年度の前年度の9月30日における全被保険者の同月の標準報酬月額を平均した額を標準報酬月額の基礎となる報酬月額とみなしたときの標準報酬月額の30分の1に相当する額とのうちいずれか少ない額の3分の2に相当する金額が傷病手当金の額となる（法99条2項）。

社会保険科目
73p

D　誤　傷病手当金の支給に当たって，保険医から療養の給付を受けることは要件とされていない（法99条1項，昭2.2.26保発345号）。

社会保険科目
71p

E　正　本肢のとおりである（平25.8.14事務連絡）。

キリトリ線

R3-10	総合問題	重要度 A

問 75 健康保険法に関する次の記述のうち，誤っているものはどれか。

健保法

A 賃金が時間給で支給されている被保険者について，時間給の単価に変動はないが，労働契約上の1日の所定労働時間が8時間から6時間に変更になった場合，標準報酬月額の随時改定の要件の1つである固定的賃金の変動に該当する。

B 7月から9月までのいずれかの月から標準報酬月額が改定され，又は改定されるべき被保険者については，その年における標準報酬月額の定時決定を行わないが，7月から9月までのいずれかの月に育児休業等を終了した際の標準報酬月額の改定若しくは産前産後休業を終了した際の標準報酬月額の改定が行われた場合は，その年の標準報酬月額の定時決定を行わなければならない。

C 事業主は，被保険者に対して通貨をもって報酬を支払う場合においては，被保険者の負担すべき前月の標準報酬月額に係る保険料を報酬から控除することができる。ただし，被保険者がその事業所に使用されなくなった場合においては，前月及びその月の標準報酬月額に係る保険料を報酬から控除することができる。

D 倒産，解雇などにより離職した者及び雇止めなどにより離職された者が任意継続被保険者となり，保険料を前納したが，その後に国民健康保険法施行令第29条の7の2に規定する国民健康保険料（税）の軽減制度について知った場合，当該任意継続被保険者が保険者に申し出ることにより，当該前納を初めからなかったものとすることができる。

E 療養費の額は，当該療養（食事療養及び生活療養を除く。）について算定した費用の額から，その額に一部負担金の割合を乗じて得た額を控除した額及び当該食事療養又は生活療養について算定した費用の額から食事療養標準負担額又は生活療養標準負担額を控除した額を基準として，保険者が定める。

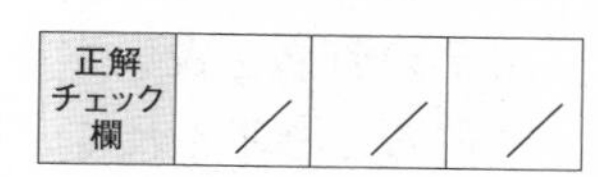

キリトリ線

A 正 本肢のとおりである（令5.6.27事務連絡）。なお，超過勤務手当の支給単価（支給割合）が変更となった場合にも，その他の要件を満たせば，随時改定の対象となる。

B 誤 育児休業等を終了した際の改定又は産前産後休業を終了した際の改定により，7月から9月までのいずれかの月から標準報酬月額を改定され，又は改定されるべき場合も，その年の定時決定は行わない。本肢前段の記述は正しい（法41条3項）。

社会保険科目
38p

C 正 本肢のとおりである（法167条1項）。なお，事業主は，被保険者に対して通貨をもって賞与を支払う場合においては，被保険者の負担すべき標準賞与額に係る保険料に相当する額を当該賞与から控除することができる（同条2項）。

社会保険科目
123～124p

D 正 本肢のとおりである（平22.3.24保保発0324第2号）。任意継続被保険者が保険料を前納した場合，当該前納に係る期間の経過前においては，その資格を喪失したとき（他の健康保険の被保険者となったとき，死亡したとき等）等以外は，前納された保険料を還付する取扱いとはされていないことから，雇用保険の特定受給資格者（倒産，解雇などにより離職した者）及び特定理由離職者（雇止めなどにより離職した者）である任意継続被保険者のうち保険料を前納した後になって本肢の軽減措置について知った者については，その申出により，当該前納を初めからなかったものとして取扱うこととされている。なお，本肢の取扱いによって任意継続被保険者の資格が直ちに喪失するものではなく，当該申出を行った任意継続被保険者が，当該申出の翌月の10日（保険料納付期日）までに保険料を納付しなかったことによって，はじめてその資格を喪失することとなり，国民健康保険の被保険者となり得ることとされている（令50条ほか）。

E　正　本肢のとおりである（法87条2項）。なお，本肢の費用の額の算定については，本来受けるべき保険給付（療養の給付や入院時食事（生活）療養費）の対象となる療養に要する費用の額の算定の例によるものとされているが，その額は，現に療養に要した費用の額を超えることができない（同条3項）。

社会保険科目
67〜68p

MEMO

キリトリ線

R4-1	総合問題	重要度 B

問 76 健康保険法に関する次の記述のうち，正しいものはどれか。

健保法

A 被保険者又は被扶養者の業務災害（労災保険法第７条第１項第１号に規定する，労働者の業務上の負傷，疾病等をいう。）については健康保険法に基づく保険給付の対象外であり，労災保険法に規定する業務災害に係る請求が行われている場合には，健康保険の保険給付の申請はできない。

B 健康保険組合の理事長は，規約の定めるところにより，毎年度2回通常組合会を招集しなければならない。また，理事長は，必要があるときは，いつでも臨時組合会を招集することができる。

C 事業主は，資格確認書の交付を受けている被保険者が資格を喪失したときは，遅滞なく資格確認書を回収して，これを保険者に返納しなければならないが，テレワークの普及等に対応した事務手続きの簡素化を図るため，被保険者は，資格確認書を事業主を経由せずに直接保険者に返納することが可能になった。

D 介護保険適用病床に入院している要介護被保険者である患者が，急性増悪等により密度の高い医療行為が必要となったが，当該医療機関において医療保険適用病床に空きがないため，患者を転床させずに，当該介護保険適用病床において療養の給付又は医療が行われた場合，当該緊急に行われた医療に係る給付については，医療保険から行うものとされている。

E 育児休業等を終了した際の標準報酬月額の改定の要件に該当する被保険者の報酬月額に関する届出は，当該育児休業等を終了した日から5日以内に，当該被保険者が所属する適用事業所の事業主を経由して，所定の事項を記載した届書を日本年金機構又は健康保険組合に提出することによって行う。

正解チェック欄	／	／	／

キリトリ線

A　誤　労災保険給付の請求が行われている場合であっても，結果として業務上の事由であると認められない事例があることから，労災保険法の業務災害に係る請求が行われている場合であっても，健康保険の保険給付の申請を「行うことはできる」（平24.6.20事務連絡）。

B　誤　健康保険組合の理事長は，規約で定めるところにより，毎年度「1回」通常組合会を招集しなければならない。本肢後段の記述は正しい（令7条2項・3項）。

C　誤　本肢の場合，「当該被保険者は，資格確認書を直接保険者に返納することはできず」，事業主に資格確認書を提出して，事業主が保険者に返納しなければならない（則51条1項・4項）。なお，本肢は，出題当時は「被保険者証」に関する問題であったが，改正により令和6年12月2日からは新たな被保険者証の交付は行われないこととなり，所定の場合に資格確認書が交付されることとなった（法51条の3ほか）。

D　正　本肢のとおりである（平12.3.31保険発55号）。

E　誤　本肢の届出は「速やかに」行わなければならない。その他の記述は正しい（法43条の2第1項，則26条の2）。

社会保険科目
50p

R4-3	総合問題	重要度 A

問 77 健康保険法に関する次のアからオの記述のうち，誤っているものの組合せは，後記AからEまでのうちどれか。

ア　健康保険法第100条では，「被保険者が死亡したときは，その者により生計を維持していた者であって，埋葬を行うものに対し，埋葬料として，政令で定める金額を支給する。」と規定している。

イ　被保険者が療養の給付（保険外併用療養費に係る療養を含む。）を受けるため，病院又は療養所に移送されたときは，保険者が必要であると認める場合に限り，移送費が支給される。移送費として支給される額は，最も経済的な通常の経路及び方法により移送された場合の費用により保険者が算定した額から3割の患者自己負担分を差し引いた金額とする。ただし，現に移送に要した金額を超えることができない。

ウ　全国健康保険協会（以下本問において「協会」という。）が都道府県単位保険料率を変更しようとするときは，あらかじめ，協会の理事長が当該変更に係る都道府県に所在する協会支部の支部長の意見を聴いたうえで，運営委員会の議を経なければならない。その議を経た後，協会の理事長は，その変更について厚生労働大臣の認可を受けなければならない。

エ　傷病手当金の支給を受けている期間に別の疾病又は負傷及びこれにより発した疾病につき傷病手当金の支給を受けることができるときは，後の傷病に係る待期期間の経過した日を後の傷病に係る傷病手当金の支給を始める日として傷病手当金の額を算定し，前の傷病に係る傷病手当金の額と比較し，いずれか多い額の傷病手当金を支給する。その後，前の傷病に係る傷病手当金の支給が終了又は停止した日において，後の傷病に係る傷病手当金について再度額を算定し，その額を支給する。

オ　指定訪問看護事業者は，指定訪問看護に要した費用につき，その支払を受ける際，当該支払をした被保険者に対し，基本利用料とその他の利用料を，その費用ごとに区分して記載した領収書を交付しなければならない。

A（アとイ）　**B**（アとウ）　**C**（イとエ）
D（イとオ）　**E**（エとオ）

正解チェック欄	／	／	／

本問アからオまでのそれぞれの記述の正誤は以下のとおりである。したがって，イとエを誤っている記述とするCが正解となる。

ア　正　本肢のとおりである（法100条1項）。

社会保険科目 87p

イ　誤　移送費に「一部負担金の負担はない」。本肢前段の記述は正しい（法97条，則80条）。

社会保険科目 71p

ウ　正　本肢のとおりである（法160条6項・8項）。

社会保険科目 118～119p

エ　誤　本肢の場合，後の傷病に係る待期期間の経過した日を後の傷病に係る傷病手当金の支給を始める日として傷病手当金の額を算定し，前の傷病に係る傷病手当金の額と比較し，いずれか多い額を支給する。この場合，この時点で後の傷病に係る傷病手当金の支給を始める日が確定するため，前の傷病に係る傷病手当金の支給が終了又は停止した日において，後の傷病に係る傷病手当金について「再度額を算定する必要はない」（平27.12.18事務連絡）。

オ　正　本肢のとおりである（法88条9項，則72条）。

社会保険科目 69p

キリトリ線

R4-4	総合問題	重要度 B

健保法

問 78 健康保険法に関する次の記述のうち，正しいものはどれか。

A 夫婦共同扶養の場合における被扶養者の認定については，夫婦とも被用者保険の被保険者である場合には，被扶養者とすべき者の員数にかかわらず，健康保険被扶養者（異動）届が出された日の属する年の前年分の年間収入の多い方の被扶養者とする。

B 被保険者の事実上の婚姻関係にある配偶者の養父母は，世帯は別にしていても主としてその被保険者によって生計が維持されていれば，被扶養者となる。

C 全国健康保険協会が管掌する健康保険の被保険者に係る介護保険料率は，各年度において保険者が納付すべき介護納付金（日雇特例被保険者に係るものを除く。）の額を，前年度における当該保険者が管掌する介護保険第2号被保険者である被保険者の標準報酬月額の総額及び標準賞与額の合算額で除して得た率を基準として，保険者が定める。

D 患者自己負担割合が3割である被保険者が保険医療機関で保険診療と選定療養を併せて受け，その療養に要した費用が，保険診療が30万円，選定療養が10万円であるときは，被保険者は保険診療の自己負担額と選定療養に要した費用を合わせて12万円を当該保険医療機関に支払う。

E 全国健康保険協会の役員若しくは役職員又はこれらの職にあった者は，健康保険事業に関して職務上知り得た秘密を正当な理由がなく漏らしてはならず，健康保険法の規定に違反して秘密を漏らした者は，1年以下の懲役又は100万円以下の罰金に処すると定められている。

キリトリ線

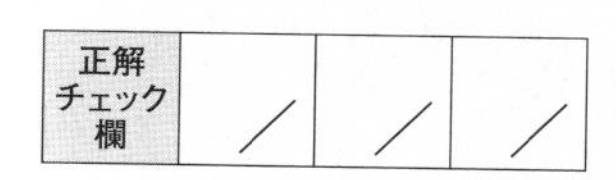

正解チェック欄	／	／	／

A　誤　本肢の場合，原則として，被保険者の「年間収入（過去の収入，現時点の収入，将来の収入等から今後1年間の収入を見込んだもの）」が多い方の被扶養者とする（令3.4.30保保発0430第2号）。

社会保険科目 33p

B　誤　被保険者の配偶者で届出をしていないが事実上婚姻関係と同様の事情にあるものの父母は，国内居住等要件のほか被保険者と「同一の世帯に属し」，主としてその被保険者により生計を維持されていれば，被扶養者となる（法3条7項）。

社会保険科目 31p

C　誤　介護保険料率は，各年度において保険者が納付すべき介護納付金（日雇特例被保険者に係るものを除く）の額を当該年度における当該保険者が管掌する介護保険第2号被保険者である被保険者の「総報酬額の総額の見込額」で除して得た率を基準として，保険者が定める（法160条16項）。

社会保険科目 120p

D　誤　本肢の被保険者は，保険診療に要した費用の額の3割と選定療養に要した費用の全額を保険医療機関に支払う。したがって，その支払額は，30万円×3／10＋10万円＝「19万円」である（法74条1項）。

社会保険科目 66～67p

E　正　本肢のとおりである（法7条の37，法207条の2）。

社会保険科目 134p

MEMO

R4-5	総合問題

問 79 健康保険法に関する次の記述のうち，誤っているものはどれか。

A 健康保険法第7条の14によると，厚生労働大臣又は全国健康保険協会理事長は，それぞれその任命に係る全国健康保険協会の役員が，心身の故障のため職務の遂行に堪えないと認められるとき，又は職務上の義務違反があるときのいずれかに該当するとき，その他役員たるに適しないと認めるときは，その役員を解任することができる。また，全国健康保険協会理事長は，当該規定により全国健康保険協会理事を解任したときは，遅滞なく，厚生労働大臣に届け出るとともに，これを公表しなければならない。

B 適用事業所の事業主は，健康保険組合を設立しようとするときは，健康保険組合を設立しようとする適用事業所に使用される被保険者の2分の1以上の同意を得て，規約を作り，厚生労働大臣の認可を受けなければならない。また，2以上の適用事業所について健康保険組合を設立しようとする場合においては，被保険者の同意は，各適用事業所について得なければならない。

C 健康保険組合の監事は，組合会において，健康保険組合が設立された適用事業所（設立事業所）の事業主の選定した組合会議員及び被保険者である組合員の互選した組合会議員のうちから，それぞれ1人を選挙で選出する。なお，監事は，健康保険組合の理事又は健康保険組合の職員と兼ねることができない。

D 被保険者の資格を喪失した日の前日まで引き続き1年以上被保険者（任意継続被保険者，特例退職被保険者又は共済組合の組合員である被保険者ではないものとする。）であった者が，被保険者の資格を喪失した日より6か月後に出産したときに，被保険者が当該出産に伴う出産手当金の支給の申請をした場合は，被保険者として受けることができるはずであった出産手当金の支給を最後の保険者から受けることができる。

キリトリ線

重要度 A

E　傷病手当金の支給を受けようとする者は，健康保険法施行規則第84条に掲げる事項を記載した申請書を保険者に提出しなければならないが，これらに加え，同一の疾病又は負傷及びこれにより発した疾病について，労災保険法（昭和22年法律第50号），国家公務員災害補償法（昭和26年法律第191号。他の法律において準用し，又は例による場合を含む。）又は地方公務員災害補償法（昭和42年法律第121号）若しくは同法に基づく条例の規定により，傷病手当金に相当する給付を受け，又は受けようとする場合は，その旨を記載した申請書を保険者に提出しなければならない。

正解 チェック 欄	／	／	／

キリトリ線

A 正 本肢のとおりである（法7条の14第2項・3項）。なお，厚生労働大臣又は協会の理事長は，それぞれの任命に係る役員が法7条の13の規定（役員の欠格条項）により役員となることができない者に該当するに至ったときは，その役員を解任しなければならない（同条1項）。

B 正 本肢のとおりである（法12条）。なお，本肢の認可に係る申請は，設立しようとする健康保険組合の主たる事務所を設置しようとする地を管轄する地方厚生局長等を経由して行うものとする（則3条2項）。

社会保険科目 12p

C 正 本肢のとおりである（法21条4項・5項）。なお，理事のうち1人を理事長とし，設立事業所の事業主の選定した組合会議員である理事のうちから，理事が選挙する（同条3項）。

社会保険科目 14p

D 誤 資格喪失後の出産手当金の継続給付は，「その資格を喪失した際に出産手当金の支給を受けていなければ，受けることができない」（法104条）。

社会保険科目 91p

E 正 本肢のとおりである（則84条1項10号）。

MEMO

健保法

R4-6	総合問題

問 80 健康保険法に関する次の記述のうち，誤っているものはどれか。

A 保険者は，健康保険において給付事由が第三者の行為によって生じた事故について保険給付を行ったときは，その給付の価額（当該保険給付が療養の給付であるときは，当該療養の給付に要する費用の額から当該療養の給付に関し被保険者が負担しなければならない一部負担金に相当する額を控除した額）の限度において，保険給付を受ける権利を有する者（当該給付事由が被保険者の被扶養者について生じた場合には，当該被扶養者を含む。）が第三者から同一の事由について損害賠償を受けたときは，保険者は，その価額の限度において，保険給付を行う責めを免れる。

B 日雇特例被保険者に係る傷病手当金の支給期間は，同一の疾病又は負傷及びこれにより発した疾病に関しては，その支給を始めた日から起算して6か月（厚生労働大臣が指定する疾病に関しては，1年6か月）を超えないものとする。

C 保険者は，特定健康診査等以外の事業であって，健康教育，健康相談及び健康診査並びに健康管理及び疾病の予防に係る被保険者及びその被扶養者（以下「被保険者等」という。）の健康の保持増進のために必要な事業を行うに当たって必要があると認めるときは，労働安全衛生法その他の法令に基づき保存している被保険者等に係る健康診断に関する記録の写しの提供を求められた事業者等（労働安全衛生法第2条第3号に規定する事業者その他の法令に基づき健康診断（特定健康診査に相当する項目を実施するものに限る。）を実施する責務を有する者その他厚生労働省令で定める者をいう。）は，厚生労働省令で定めるところにより，当該記録の写しを提供しなければならない。

D 健康保険の適用事業所と技能養成工との関係が技能の養成のみを目的とするものではなく，稼働日数，労務報酬等からみて，実体的に使用関係が認められる場合は，当該技能養成工は被保険者資格を取得する。

キリトリ線

キリトリ線

重要度 A

健保法

E　被保険者が闘争，泥酔又は著しい不行跡によって給付事由を生じさせたときは，当該給付事由に係る保険給付は，その全部又は一部を行わないことができるが，被保険者が数日前に闘争しその当時はなんらかの事故は生じなかったが，相手が恨みを晴らす目的で，数日後に不意に危害を加えられたような場合は，数日前の闘争に起因した闘争とみなして，当該給付事由に係る保険給付はその全部又は一部を行わないことができる。

キリトリ線

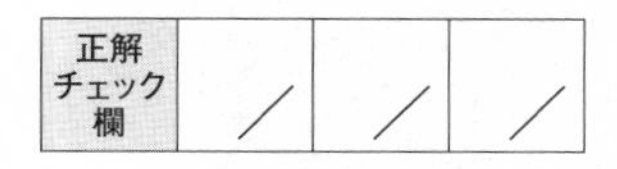

正解チェック欄	／	／	／

A　誤　法57条1項において損害賠償請求権の代位取得が規定されており,当該規定は,「保険者は,給付事由が第三者の行為によって生じた場合において,保険給付を行ったときは,その給付の価額（当該保険給付が療養の給付であるときは,当該療養の給付に要する費用の額から当該療養の給付に関し被保険者が負担しなければならない一部負担金に相当する額を控除した額）の限度において,保険給付を受ける権利を有する者（当該給付事由が被保険者の被扶養者について生じた場合には,当該被扶養者を含む）が第三者に対して有する損害賠償の請求権を取得する。」とされており,同条2項において損害賠償請求権に係る免責が規定されており,当該規定は,「給付事由が第三者の行為によって生じた場合において,保険給付を受ける権利を有する者が第三者から同一の事由について損害賠償を受けたときは,保険者は,その価額の限度において,保険給付を行う責めを免れる。」とされている（法57条）。

社会保険科目
100〜101p

B　正　本肢のとおりである（法135条3項）。

社会保険科目
109p

C　正　本肢のとおりである（法150条2項・3項）。

D　正　本肢のとおりである（昭26.11.2保文発4602号）。

E　誤　「闘争によって給付事由を生じさせたとき」とは，闘争により，その際生ぜしめた事故をいうのであって，数日前闘争し，その仕返しに数日後不意に危害を加えられたような場合は「含まれない」。したがって，本肢の場合は給付制限は行われない（法117条，昭2.4.27保理1956号）。

社会保険科目
99p

R4-7	総合問題	重要度 A

問 81 健康保険法に関する次の記述のうち，正しいものはどれか。

A 被保険者は，被保険者又はその被扶養者が65歳に達したことにより，介護保険第2号被保険者（介護保険法第9条第2号に該当する被保険者をいう。）に該当しなくなったときは，遅滞なく，事業所整理記号及び被保険者整理番号等を記載した届書を事業主を経由して厚生労働大臣又は健康保険組合に届け出なければならない。

B 健康保険法第3条第5項によると，健康保険法において「報酬」とは，賃金，給料，俸給，手当，賞与その他いかなる名称であるかを問わず，労働者が，労働の対償として受けるすべてのものをいう。したがって，名称は異なっても同一性質を有すると認められるものが，年間を通じ4回以上支給される場合において，当該報酬の支給が給与規定，賃金協約等によって客観的に定められており，また，当該報酬の支給が1年間以上にわたって行われている場合は，報酬に該当する。

C 被保険者の資格，標準報酬又は保険給付に関する処分に不服がある者は，社会保険審査官に対して審査請求をし，その決定に不服がある者は，社会保険審査会に対して再審査請求をすることができる。当該処分の取消しの訴えは，当該処分についての審査請求に対する社会保険審査官の決定前でも提起することができる。

D 自動車通勤者に対してガソリン単価を設定して通勤手当を算定している事業所において，ガソリン単価の見直しが月単位で行われ，その結果，毎月ガソリン単価を変更し通勤手当を支給している場合，固定的賃金の変動には該当せず，標準報酬月額の随時改定の対象とならない。

E 被保険者が故意に給付事由を生じさせたときは，当該給付事由についての保険給付は行われないため，自殺未遂による傷病に係る保険給付については，その傷病の発生が精神疾患に起因するものであっても保険給付の対象とならない。

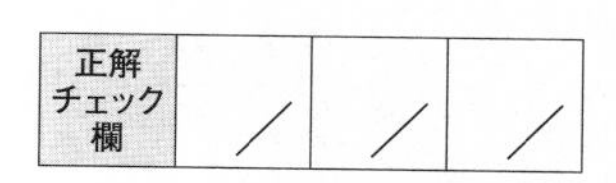

正解チェック欄	／	／	／

A 誤 65歳に達したことにより介護保険第2号被保険者でなくなった場合は，本肢の届出は「必要ない」（則40条1項）。

B 正 本肢のとおりである（昭36.1.26保発5号）。

社会保険科目 35p

C 誤 本肢の処分の取消しの訴えは，当該処分についての審査請求に対する社会保険審査官の決定を経た後でなければ，「提起することができない」。本肢前段の記述は正しい（法189条1項，法192条）。

社会保険科目 131~132p

D 誤 本肢のガソリン単価の変更は，「固定的賃金の変動に該当する」ため，所定の要件を満たせば「随時改定の対象となる」（令5.6.27事務連絡）。

E 誤 自殺未遂による傷病について，その傷病の発生が精神疾患等に起因するものと認められる場合は，「故意」に給付事由を生じさせたことに当たらず，「保険給付の対象となる」（平22.5.21保保発0521第1号）。

キリトリ線

R5-1	総合問題	重要度 B

健保法

問 82　健康保険法に関する次の記述のうち，正しいものはどれか。

A　適用業種である事業の事業所であって，常時5人以上の従業員を使用する事業所は適用事業所とされるが，事業所における従業員の員数の算定においては，適用除外の規定によって被保険者とすることができない者であっても，当該事業所に常時使用されている者は含まれる。

B　厚生労働大臣は，全国健康保険協会（以下本問において「協会」という。）の事業若しくは財産の管理若しくは執行が法令，定款若しくは厚生労働大臣の処分に違反していると認めるときは，期間を定めて，協会又はその役員に対し，その事業若しくは財産の管理若しくは執行について違反の是正又は改善のため必要な措置を採るべき旨を命ずることができる。協会又はその役員が上記の是正・改善命令に違反したときは，厚生労働大臣は協会に対し，期間を定めて，理事長及び当該違反に係る役員の解任を命ずることができる。

C　協会は，役員として，理事長1人，理事6人以内及び監事2人を置く。役員の任期は3年とする。理事長に事故があるとき，又は理事長が欠けたときは，理事の互選により選ばれた者がその職務を代理し，又はその職務を行う。

D　健康保険組合の役員若しくは職員又はこれらの職にあった者は，健康保険事業に関して職務上知り得た秘密をその理由の如何を問わず漏らしてはならない。

E　食事の提供である療養であって入院療養と併せて行うもの（療養病床への入院及びその療養に伴う世話その他の看護であって，当該療養を受ける際，65歳に達する日の属する月の翌月以後である被保険者に係るものを除く。）は，療養の給付に含まれる。

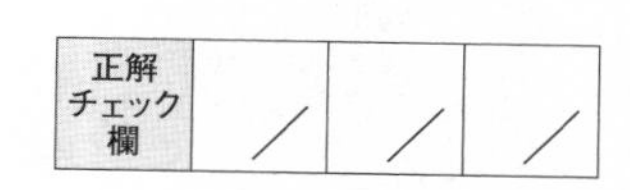

正解チェック欄	／	／	／

キリトリ線

A 正 本肢のとおりである（昭18.4.5保発905号）。

B 誤 全国健康保険協会又はその役員が本肢の命令に違反したときは，厚生労働大臣は，全国健康保険協会に対し，期間を定めて，「当該違反に係る役員の全部又は一部」の解任を命ずることができる。本肢前段の記述は正しい（法7条の39第1項・2項）。

C 誤 理事長に事故があるとき，又は理事長が欠けたときは，「理事のうちから，あらかじめ理事長が指定する者」がその職務を代理し，又はその職務を行う。その他の記述は正しい（法7条の9，法7条の10第2項，法7条の12第1項）。

社会保険科目 9p

D 誤 健康保険組合の役員若しくは職員又はこれらの職にあった者は，健康保険事業に関して職務上知り得た秘密を「正当な理由がなく」漏らしてはならない（法7条の37第1項，法22条の2）。

社会保険科目 14p

E 誤 本肢の療養（食事療養）は「療養の給付に含まれず，入院時食事療養費の支給対象となる」（法63条2項，法85条1項）。

社会保険科目 62p

キリトリ線

R5-2	総合問題	重要度 A

問 83 健康保険法に関する次の記述のうち，誤っているものはどれか。

健保法

A　夫婦共同扶養の場合における被扶養者の認定について，夫婦の一方が被用者保険の被保険者で，もう一方が国民健康保険の被保険者の場合には，被用者保険の被保険者については年間収入を，国民健康保険の被保険者については直近の年間所得で見込んだ年間収入を比較し，いずれか多い方を主として生計を維持する者とする。

B　高額療養費は公的医療保険による医療費だけを算定の対象にするのではなく，食事療養標準負担額，生活療養標準負担額又は保険外併用療養に係る自己負担分についても算定の対象とされている。

C　X事業所では，新たに在宅勤務手当を設けることとしたが，当該手当は実費弁償分であることが明確にされている部分とそれ以外の部分があるものとなった。この場合には，当該実費弁償分については「報酬等」に含める必要はなく，それ以外の部分は「報酬等」に含まれる。また，当該手当について，月々の実費弁償分の算定に伴い実費弁償分以外の部分の金額に変動があったとしても，固定的賃金の変動に該当しないことから，随時改定の対象にはならない。

D　日雇特例被保険者の被扶養者が出産したときは，日雇特例被保険者に対し，家族出産育児一時金が支給されるが，日雇特例被保険者が家族出産育児一時金の支給を受けるには，出産の日の属する月の前2か月間に通算して26日分以上又は当該月の前6か月間に通算して78日分以上の保険料が，その日雇特例被保険者について，納付されていなければならない。

E　特例退職被保険者が，特例退職被保険者でなくなることを希望する旨を，厚生労働省令で定めるところにより，特定健康保険組合に申し出た場合において，その申出が受理された日の属する月の末日が到来したときは，その日の翌日からその資格を喪失する。

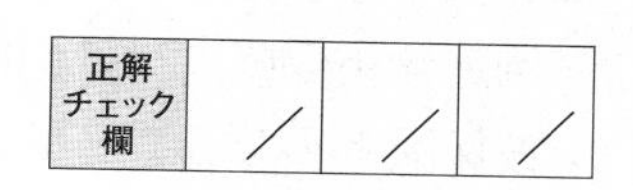

正解チェック欄	／	／	／

A　正　本肢のとおりである（令3.4.30保保発0430第2号）。なお，本肢の場合において，被扶養者として認定されないことにつき国民健康保険の保険者に疑義がある場合には，届出を受理した日より5日以内（書類不備の是正を求める期間及び土日祝日を除く）に，不認定に係る通知を発出した被用者保険の保険者等と協議するものとされている。

B　誤　高額療養費の支給対象となる一部負担金等には，食事療養標準負担額，生活療養標準負担額及び保険外併用療養費に係る自己負担分（評価療養等の自費負担分）は含まれず，「高額療養費の算定の対象とならない」（法115条1項，昭48.10.17保険発9541号，庁保険発19号ほか）。

社会保険科目
80p

C　正　本肢のとおりである（令4.9.5事務連絡）。なお，交通費の支給がなくなった月に新たに実費弁償に当たらない在宅勤務手当が支給される等，同時に複数の固定的賃金の増減要因が発生した場合，それらの影響によって固定的賃金の総額が増額するのか減額するのかを確認し，増額改定・減額改定のいずれの対象となるかを判断するものとされている。

D　正　本肢のとおりである（法144条1項・2項）。なお，家族出産育児一時金の額は，原則として，1児につき48万8千円（一定の場合には，48万8千円に3万円を超えない範囲内で保険者が定める金額（1万2千円）を加算した金額（50万円））とされている（令36条）。

社会保険科目
110p

E　正　本肢のとおりである（法38条，法附則3条6項）。なお，特例退職被保険者は，同時に2以上の保険者（共済組合を含む）の被保険者となることができない（法附則3条2項）。

社会保険科目
29p

R5-3	総合問題	重要度 B

問 84 健康保険法に関する次のアからオの記述のうち，正しいものはいくつあるか。

ア　産前産後休業終了時改定の規定によって改定された標準報酬月額は，産前産後休業終了日の翌日から起算して2か月を経過した日の属する月の翌月からその年の8月までの各月の標準報酬月額とされる。当該翌月が7月から12月までのいずれかの月である場合は，翌年8月までの各月の標準報酬月額とする。なお，当該期間中に，随時改定，育児休業等を終了した際の標準報酬月額の改定又は産前産後休業を終了した際の標準報酬月額の改定を受けないものとする。

イ　保険者は，保険医療機関又は保険薬局から療養の給付に関する費用の請求があったときは，その費用の請求に関する審査及び支払に関する事務を社会保険診療報酬支払基金又は健康保険組合連合会に委託することができる。

ウ　任意継続被保険者は，将来の一定期間の保険料を前納することができるが，前納された保険料については，前納に係る期間の各月の初日が到来したときに，それぞれその月の保険料が納付されたものとみなす。

エ　71歳で市町村民税非課税者である被保険者甲が，同一の月にA病院で受けた外来療養による一部負担金の額が8,000円を超える場合，その超える額が高額療養費として支給される。

オ　療養の給付又は入院時食事療養費，入院時生活療養費，保険外併用療養費，療養費，訪問看護療養費，家族療養費若しくは家族訪問看護療養費の支給を受けた被保険者又は被保険者であった者（日雇特例被保険者又は日雇特例被保険者であった者を含む。）が，厚生労働大臣に報告を命ぜられ，正当な理由がなくてこれに従わず，又は行政庁職員の質問に対して，正当な理由がなくて答弁せず，若しくは虚偽の答弁をしたときは，30万円以下の罰金に処せられる。

A　一つ　　**B**　二つ　　**C**　三つ
D　四つ　　**E**　五つ

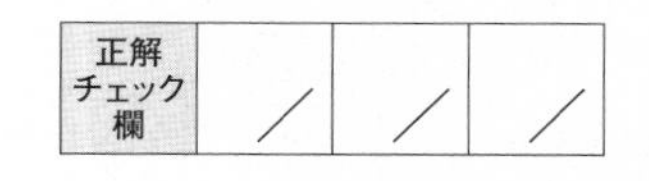

本問アからオまでのそれぞれの記述の正誤は以下のとおりである。したがって，正しい記述はア，ウ，エ及びオの4つであり，Dが解答となる。

ア　正　本肢のとおりである（法43条の3第2項）。なお，「産前産後休業」とは，出産日（出産日が出産予定日後であるときは出産予定日）以前42日（多胎妊娠の場合は98日）から出産日後56日までの間において，妊娠又は出産に関する事由を理由として労務に服さないことをいう（法43条の3第1項かっこ書）。

社会保険科目 43p

イ　誤　保険者は，保険医療機関又は保険薬局から療養の給付に関する費用の請求があったときは，その費用の請求に関する審査及び支払に関する事務を社会保険診療報酬支払基金又は「国民健康保険団体連合会」に委託することができる（法76条4項・5項）。

社会保険科目 62p

ウ　正　本肢のとおりである（法165条1項・3項）。

社会保険科目 124~125p

エ　正　本肢のとおりである（令42条5項）。市町村民税非課税者等（低所得者Ⅱ）である70歳以上の者の外来療養に係る高額療養費算定基準額は8,000円である。

社会保険科目 81p

オ　正　本肢のとおりである（法60条2項，法210条）。なお，厚生労働大臣は，保険給付を行うにつき必要があると認めるときは，医師，歯科医師，薬剤師若しくは手当を行った者又はこれを使用する者に対し，その行った診療，薬剤の支給又は手当に関し，報告若しくは診療録，帳簿書類その他の物件の提示を命じ，又は当該職員に質問させることができる（法60条1項）。

社会保険科目 134p

R5-4	総合問題	重要度 B

健保法

問 85 健康保険法に関する次の記述のうち，正しいものはどれか。

A 厚生労働大臣は，入院時生活療養費に係る生活療養の費用の額の算定に関する基準を定めようとするときは，社会保障審議会に諮問するものとする。

B 傷病手当金の継続給付を受けている者（傷病手当金を受けることができる日雇特例被保険者又は日雇特例被保険者であった者を含む。）に，老齢基礎年金や老齢厚生年金等が支給されるようになったときは，傷病手当金は打ち切られる。

C 健康保険組合は，毎事業年度末において，当該事業年度及びその直前の2事業年度内において行った保険給付に要した費用の額（被保険者又はその被扶養者が健康保険法第63条第3項第3号に掲げる健康保険組合が開設した病院若しくは診療所又は薬局から受けた療養に係る保険給付に要した費用の額を除く。）の1事業年度当たりの平均額の12分の3（当分の間12分の2）に相当する額と当該事業年度及びその直前の2事業年度内において行った前期高齢者納付金等，後期高齢者支援金等及び日雇拠出金並びに介護納付金の納付に要した費用の額（前期高齢者交付金がある場合には，これを控除した額）の1事業年度当たりの平均額の12分の2に相当する額とを合算した額に達するまでは，当該事業年度の剰余金の額を準備金として積み立てなければならない。

D 保険料の納付義務者が，国税，地方税その他の公課の滞納により，滞納処分を受けるときは，保険者は，保険料の納期が到来したときに初めて強制的に保険料を徴収することができる。

E 令和5年4月1日以降，被保険者の被扶養者が産科医療補償制度に加入する医療機関等で医学的管理の下，妊娠週数22週以降に双子を出産した場合，家族出産育児一時金として，被保険者に対し100万円が支給される。

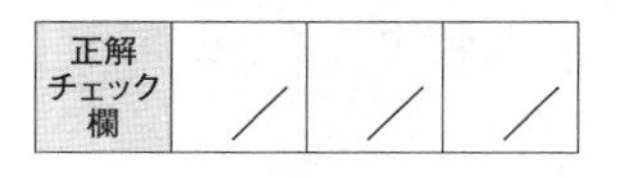

A 誤 厚生労働大臣は，入院時生活療養費に係る生活療養の費用の額の算定に関する基準を定めようとするときは，「中央社会保険医療協議会」に諮問するものとする（法85条の2第3項）。

社会保険科目 55p

B 誤 傷病手当金の継続給付を受るべき者であって，日雇特例被保険者に係る傷病手当金の支給を受けることができる日雇特例被保険者又は日雇特例被保険者であった者「でない者に限る」が，老齢退職年金給付の支給を受けることができるときは，原則として，傷病手当金は，支給しない（法108条5項，令37条，則89条2項）。

社会保険科目 92p

C 誤 健康保険組合は，毎事業年度末において，当該事業年度及びその直前の2事業年度内において行った保険給付に要した費用の額（被保険者又はその被扶養者が健康保険組合が開設した病院若しくは診療所又は薬局から受けた療養に係る保険給付に要した費用の額並びに出産育児交付金の額を除く）の1事業年度当たりの平均額の12分の3（当分の間，12分の2）に相当する額と当該事業年度及びその直前の2事業年度内において行った前期高齢者納付金等，後期高齢者支援金等及び日雇拠出金，介護納付金並びに流行初期医療確保拠出金等の納付に要した費用の額（前期高齢者交付金がある場合には，これを控除した額）の1事業年度当たりの平均額の「12分の1」に相当する額とを合算した額に達するまでは，当該事業年度の剰余金の額を準備金として積み立てなければならない（令46条2項，令附則5条）。

D 誤 納付義務者が国税，地方税その他の公課の滞納によって，滞納処分を受けるときは，「納期前であっても」，保険料をすべて徴収することができる（法172条）。

社会保険科目 125p

E　正　本肢のとおりである（法114条，令36条，昭16.7.23社発991号，令5.3.30保保発0330第13号）。令和5年4月1日以降の制度対象分娩については1児につき，50万円の出産育児一時金又は家族出産育児一時金が支給される。本肢の被扶養者は双子を出産しているため，50万円×2＝100万円の家族出産育児一時金が被保険者に対して支給される。

社会保険科目
90p

MEMO

R5-5	総合問題	重要度 C

問 86 健康保険法に関する次の記述のうち，誤っているものはどれか。

A 健康保険の被保険者が，労働協約又は就業規則により雇用関係は存続するが会社より賃金の支給を停止された場合，例えば病気休職であって実務に服する見込みがあるときは，賃金の支払停止は一時的なものであり使用関係は存続するものとみられるため，被保険者資格は喪失しない。

B 訪問看護療養費は，厚生労働省令で定めるところにより，保険者が必要と認める場合に限り，支給するものとされている。指定訪問看護を受けられる者の基準は，疾病又は負傷により，居宅において継続して療養を受ける状態にある者であって，主治医が訪問看護の必要性について，被保険者の病状が安定し，又はこれに準ずる状態にあり，かつ，居宅において看護師等が行う療養上の世話及び必要な診療の補助を要する状態に適合すると認めた者である。なお，看護師等とは，看護師，保健師，助産師，准看護師，理学療法士，作業療法士及び言語聴覚士をいう。

C 高額療養費の支給は，償還払いを原則としており，被保険者からの請求に基づき支給する。この場合において，保険者は，診療報酬請求明細書（家族療養費が療養費払いである場合は当該家族療養費の支給申請書に添付される証拠書類）に基づいて高額療養費を支給するものであり，法令上，請求書に証拠書類を添付することが義務づけられている。

D 任意継続被保険者が任意の資格喪失の申出をしたが，申出のあった日が保険料納付期日の10日より前であり，当該月の保険料をまだ納付していなかった場合，健康保険法第38条第3号の規定に基づき，当該月の保険料の納付期日の翌日から資格を喪失する。

E 健康保険法第172条によると，保険料は，納付義務者が破産手続開始の決定を受けたときは，納期前であっても，すべて徴収することができる。

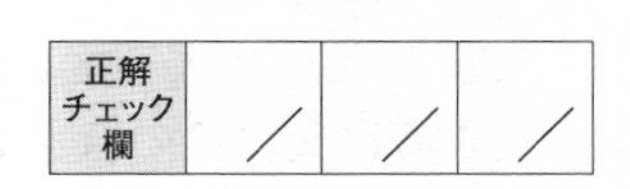

正解チェック欄	／	／	／

A　正　本肢のとおりである（昭26.3.9保文発619号）。なお，健康保険の被保険者が，労働協約又は就業規則により雇用関係は存続するが会社より賃金の支給を停止された場合であって，被保険者の長期にわたる休職状態が続き実務に服する見込がないとき又は公務に就任しこれに専従するとき等においては，被保険者資格を喪失せしめるのが妥当とされている。

B　正　本肢のとおりである（法88条2項，則67条，則68条）。なお，保険医療機関等，介護保険法に規定する介護老人保健施設，介護医療院等による訪問看護は，訪問看護療養費の支給対象から除かれる（法88条1項ほか）。

社会保険科目 69p

C　誤　法令上，原則として，高額療養費支給申請書に証拠書類を添付することは「義務づけられていない」。その他の記述は正しい（昭48.10.17保発39号・庁保発20号）。

D　正　本肢のとおりである（令3.12.27事務連絡）。なお，保険料納付期日（その月の10日）より前に資格喪失の申出をした場合であって，「保険料納付期日までに保険料を納付しなかったとき」は保険料納付期日の翌日に任意継続被保険者の資格を喪失することとされ，「保険料納付期日までに保険料を納付したとき」は当該申出が受理された日の属する月の翌月1日に任意継続被保険者の資格を喪失する。本肢においては，資格喪失の申出があった時点（保険料納付期日よりも前の時点）においてはまだ保険料を納付していなかったものの，保険料納付期日までに保険料を納付しなかったことまではうかがえないため，解答にやや疑義が残る。

社会保険科目 28p

E　正　本肢のとおりである（法172条）。なお，健康保険組合は，本肢の規定（保険料の繰上徴収）により納期の到らない保険料を徴収しようとするときは，則136条（保険料等の納入告知）に規定する書面にその旨を記載しなければならない（則137条1項）。

社会保険科目 125p

キリトリ線

R5-6	総合問題	重要度 A

健保法

問 87 健康保険法に関する次の記述のうち，正しいものはどれか。

A 別居している兄弟が共に被保険者であり，その父は弟と同居しているが，兄弟が共に父を等分の扶養により生計を維持している場合，父が死亡したときの家族埋葬料は，兄弟の両方に支給される。

B 療養の給付に係る事由又は入院時食事療養費，入院時生活療養費若しくは保険外併用療養費の支給に係る事由が第三者の行為によって生じたものであるときは，被保険者は，30日以内に，届出に係る事実並びに第三者の氏名及び住所又は居所（氏名又は住所若しくは居所が明らかでないときは，その旨）及び被害の状況を記載した届書を保険者に提出しなければならない。

C 被保険者に係る療養の給付又は入院時食事療養費，入院時生活療養費，保険外併用療養費，療養費，訪問看護療養費，移送費，家族療養費，家族訪問看護療養費若しくは家族移送費の支給は，同一の疾病又は負傷について，他の法令の規定により国又は地方公共団体の負担で療養又は療養費の支給を受けたときは，その限度において，行わない。

D 被保険者又は被保険者であった者が，少年院その他これに準ずる施設に収容されたとき又は刑事施設，労役場その他これらに準ずる施設に拘禁されたときのいずれかに該当する場合には，疾病，負傷又は出産につき，その期間に係る保険給付（傷病手当金及び出産手当金の支給にあっては，厚生労働省令で定める場合に限る。）は行わないが，その被扶養者に係る保険給付も同様に行わない。

E 厚生労働大臣は，指定訪問看護事業を行う者の指定の申請があった場合において，申請者が，社会保険料について，当該申請をした日の前日までに，社会保険各法又は地方税法の規定に基づく滞納処分を受け，かつ，当該処分を受けた日から正当な理由なく3か月以上の期間にわたり，当該処分を受けた日以降に納期限の到来した社会保険料又は地方税法に基づく税を一部でも引き続き滞納している者であるときは，その指定をしてはならない。

正解チェック欄	／	／	／

キリトリ線

A 誤 本肢の場合，父は弟の被扶養者として取り扱い，家族埋葬料は「弟に支給される」（昭23.4.28保発623号）。

社会保険科目 89p

B 誤 本肢の届書は，「遅滞なく」，保険者に提出しなければならない。その他の記述は正しい（則65条）。

社会保険科目 52p

C 正 本肢のとおりである（法55条4項）。

社会保険科目 98p

D 誤 本肢の場合には，疾病，負傷又は出産につき，その期間に係る保険給付（傷病手当金及び出産手当金の支給にあっては，厚生労働省令で定める場合に限る）は行われないが，保険者は，被保険者又は被保険者であった者が本肢の場合のいずれかに該当する場合であっても，「被扶養者に係る保険給付を行うことを妨げない」とされている（法118条）。

社会保険科目 99p

E 誤 厚生労働大臣は，指定訪問看護事業を行う者の指定の申請があった場合において，申請者が，社会保険料について，当該申請をした日の前日までに，社会保険各法又は地方税法の規定に基づく滞納処分を受け，かつ，当該処分を受けた日から正当な理由なく3か月以上の期間にわたり，当該処分を受けた日以降に納期限の到来した「社会保険料のすべて」を引き続き滞納している者であるときは，その指定をしてはならない（法89条4項7号）。

社会保険科目 56p

キリトリ線

R5-7	総合問題	重要度 A

問 88 健康保険法に関する次の記述のうち，誤っているものはどれか。

A 現に海外にいる被保険者からの療養費の支給申請は，原則として，事業主等を経由して行わせ，その受領は事業主等が代理して行うものとし，国外への送金は行わない。

B 健康保険組合は，毎年度終了後6か月以内に，厚生労働省令で定めるところにより，事業及び決算に関する報告書を作成し，厚生労働大臣に提出しなければならず，当該報告書は健康保険組合の主たる事務所に備え付けて置かなければならない。

C 単に保険医の診療が不評だからとの理由によって，保険診療を回避して保険医以外の医師の診療を受けた場合には，療養費の支給は認められない。

D 労働者派遣事業の事業所に雇用される登録型派遣労働者は，派遣就業に係る1つの雇用契約の終了後，1か月以内に同一の派遣元事業主のもとでの派遣就業に係る次回の雇用契約（1か月以上のものに限る。）が確実に見込まれる場合であっても，前回の雇用契約を終了した日の翌日に被保険者資格を喪失する。

E 適用事業所に臨時に使用される者で，当初の雇用期間が2か月以内の期間を定めて使用される者であっても，就業規則や雇用契約書その他の書面において，その雇用契約が更新される旨又は更新される場合がある旨が明示されていることなどから，2か月以内の雇用契約が更新されることが見込まれる場合には，最初の雇用契約期間の開始時から被保険者となる。

キリトリ線

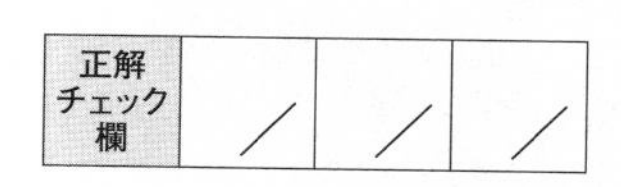

正解チェック欄	／	／	／

正解 D

必修基本書

A 正 本肢のとおりである（昭56.2.25保発10号・庁保険発２号）。

社会保険科目 68p

B 正 本肢のとおりである（令24条１項・２項）。なお，健康保険組合の組合員及び組合員であった者は，健康保険組合に対し，本肢の報告書の閲覧を請求することができる。この場合において，健康保険組合は，正当な理由がある場合を除き，これを拒んではならない（同条３項）。

社会保険科目 13p

C 正 本肢のとおりである（昭24.6.6保文発1017号）。なお，療養費は，①療養の給付等を行うことが困難であると保険者が認めるとき又は②被保険者が保険医療機関等以外の病院等から診療等を受けた場合において，保険者がやむを得ないものと認めるときに該当する場合に支給することができるとされており，本肢の場合はこれらに該当しない（法87条１項）。

社会保険科目 67p

D 誤 労働者派遣事業の事業所に雇用される登録型派遣労働者は，派遣就業に係る１つの雇用契約の終了後，最大１か月以内に，同一の派遣元事業主のもとでの派遣就業に係る次回の雇用契約（１か月以上のものに限る）が確実に見込まれるときは，「使用関係が継続しているものとして取り扱い，被保険者資格は喪失させないこととして差し支えない」とされている（平14.4.24保保発0424001号・庁保険発24号ほか）。

E 正 本肢のとおりである（法３条１項，令4.9.9保保0909第1号）。なお，2月以内の期間を定めて使用された者であって，2月以内の雇用契約が更新されることが見込まれなかったものについて，契約開始後に契約の更新が見込まれることになった場合，当該契約の更新が見込まれるに至った日に被保険者資格を取得する。当該契約の更新が見込まれるに至った日とは，労使双方の書面による合意があった日とされている（令4.9.9保保0909第1号）。

キリトリ線

R5-8	総合問題	重要度 A

問 89 健康保険法に関する次の記述のうち，正しいものはどれか。

健保法

A 令和4年10月1日より，弁護士，公認会計士その他政令で定める者が法令の規定に基づき行うこととされている法律又は会計に係る業務を行う事業に該当する個人事業所のうち，常時5人以上の従業員を雇用している事業所は，健康保険の適用事業所となったが，外国法事務弁護士はこの適用の対象となる事業に含まれない。

B 強制適用事業所が，健康保険法第3条第3項各号に定める強制適用事業所の要件に該当しなくなった場合において，当該事業所の被保険者の2分の1以上が任意適用事業所となることを希望したときは，当該事業所の事業主は改めて厚生労働大臣に任意適用の認可を申請しなければならない。

C 事業所の休業にかかわらず，事業主が休業手当を健康保険の被保険者に支給する場合，当該被保険者の健康保険の被保険者資格は喪失する。

D 被保険者等からの暴力等を受けた被扶養者の取扱いについて，当該被害者が被扶養者から外れるまでの間の受診については，加害者である被保険者を健康保険法第57条に規定する第三者と解することにより，当該被害者は保険診療による受診が可能であると取り扱う。

E 保険料の免除期間について，育児休業等の期間と産前産後休業の期間が重複する場合は，産前産後休業期間中の保険料免除が優先されることから，育児休業等から引き続いて産前産後休業を取得した場合は，産前産後休業を開始した日の前日が育児休業等の終了日となる。この場合において，育児休業等の終了時の届出が必要である。

キリトリ線

正解チェック欄	／	／	／

A　誤　令和4年10月1日より，弁護士，公認会計士その他政令で定める者が法令の規定に基づき行うこととされている法律又は会計に係る業務を行う事業に該当する個人経営の事業所のうち，常時5人以上の従業員を使用するものは，強制適用事業所となることとされたが，この「政令で定める者」には，「外国法事務弁護士が含まれている」（法3条3項，令1条）。

社会保険科目
20p

B　誤　本肢のような規定はない。強制適用事業所が，強制適用事業所としての要件に該当しなくなったときは，その事業所について，任意適用に係る厚生労働大臣の認可があったものとみなされる（擬制任意適用）ため，特段の手続をすることなく，当該事業所は引き続き強制適用事業所となる（法32条）。

社会保険科目
21p

C　誤　休業手当が支給されている場合，「被保険者の資格は存続する」（昭25.4.14保発20号）。

D　正　本肢のとおりである（令3.3.29保保発0329第１号）。被保険者の故意の犯罪行為等（被保険者による被扶養者への暴力）により被扶養者が療養を受けたときの当該療養に係る家族療養費は，当該被保険者に支給されるものであることから保険給付は制限されるのが原則である（自己の故意の犯罪行為による給付制限）が，当該被害者からの申出により被扶養者から外れるまでの間において，当該被害者が被扶養者の資格のまま緊急的に受診する場合があり，このような場合にまで法116条の給付制限の規定を適用することは，故意の犯罪行為等により給付事由を生じさせた被保険者への懲罰的意味において保険給付を行わないこととした給付制限の趣旨に沿わないものであるとともに，被害者たる被扶養者は，被扶養者から外れるまでの間，実質的に保険給付が受けられない結果となるものである。そこで，当該被害者が被扶養者から外れるまでの間の受診については，加害者である被保険者を法57条（第三者行為災害の場合の損害賠償請求権等）に規定する第三者と解することにより，当該被害者は，保険診療による受診が可能となっている。

E　誤　本肢の場合，育児休業等の終了時の届出は「不要」である。本肢前段の記述は正しい（則135条２項，令4.9.13保保発0913第２号）。

社会保険科目
122～123p

MEMO

キリトリ線

R5-9	総合問題	重要度 B

健保法

問 90 健康保険法に関する次のアからオの記述のうち，正しいものの組合せは，後記AからEまでのうちどれか。

ア　被保険者甲の産前産後休業開始日が令和4年12月10日で，産前産後休業終了日が令和5年3月8日の場合は，令和4年12月から令和5年2月までの期間中の当該被保険者に関する保険料は徴収されない。

イ　被保険者乙の育児休業等開始日が令和5年1月10日で，育児休業等終了日が令和5年3月31日の場合は，令和5年1月から令和5年3月までの期間中の当該被保険者に関する保険料は徴収されない。

ウ　被保険者丙の育児休業等開始日が令和5年1月4日で，育児休業等終了日が令和5年1月16日の場合は，令和5年1月の当該被保険者に関する保険料は徴収されない。

エ　入院時食事療養費の額は，当該食事療養につき食事療養に要する平均的な費用の額を勘案して厚生労働大臣が定める基準により算定した費用の額（その額が現に当該食事療養に要した費用の額を超えるときは，当該現に食事療養に要した費用の額）とする。

オ　特定長期入院被保険者（療養病床に入院する65歳以上の被保険者）が，厚生労働省令で定めるところにより，保険医療機関等である病院又は診療所のうち自己の選定するものから，電子資格確認等により，被保険者であることの確認を受け，療養の給付と併せて受けた生活療養に要した費用について，入院時食事療養費を支給する。

A　（アとイ）　**B**　（アとウ）　**C**　（イとウ）
D　（ウとオ）　**E**　（エとオ）

キリトリ線

正解チェック欄	／	／	／

本問アからオまでのそれぞれの記述の正誤は以下のとおりである。したがって，アとイを正しい記述とするAが解答となる。

ア　正　本肢のとおりである（法159条の3）。産前産後休業を開始した日の属する月（令和4年12月）からその産前産後休業が終了する日の翌日が属する月の前月（令和5年2月）までの期間の保険料が免除される。

社会保険科目 123p

イ　正　本肢のとおりである（法159条1項）。育児休業等を開始した日の属する月と育児休業等が終了する日の翌日が属する月とが異なる場合，育児休業等を開始した日の属する月（令和5年1月）から育児休業等が終了する日の翌日が属する月の前月（令和5年3月）までの期間の保険料が免除される。

社会保険科目 122~123p

ウ　誤　育児休業等を開始した日の属する月と育児休業等が終了する日の翌日が属する月とが同一であり，かつ，当該月における育児休業等の日数が14日以上である場合，その月の保険料が免除される。本肢の育児休業等の日数は13日であるため，「保険料は免除されず，徴収される」（法159条1項）。

社会保険科目 122~123p

エ　誤　入院時食事療養費の額は，当該食事療養につき食事療養に要する平均的な費用の額を勘案して厚生労働大臣が定める基準により算定した費用の額（その額が現に当該食事療養に要した費用の額を超えるときは，当該現に食事療養に要した費用の額）「から食事療養標準負担額を控除した額」とする（法85条2項）。

社会保険科目 62p

オ　誤　特定長期入院被保険者が，保険医療機関等である病院又は診療所のうち自己の選定するものから，電子資格確認等により，被保険者であることの確認を受け，療養の給付と併せて受けた生活療養に要した費用について，「入院時生活療養費」を支給する（法85条の2第1項）。

社会保険科目 64p

R6-1	総合問題	重要度 C

問 91 健康保険法に関する次の記述のうち，正しいものはどれか。

健保法

A 全国健康保険協会（以下「協会」という。）は，厚生労働大臣から事業年度ごとの業績について評価を受け，その評価の結果を公表しなければならない。

B 任意継続被保険者は，任意継続被保険者でなくなることを希望する旨を，厚生労働省令で定めるところにより，保険者に申し出た場合において，その申し出た日の属する月の末日が到来するに至ったときは，その翌日から任意継続被保険者の資格を喪失する。

C 一般労働者派遣事業の事業所に雇用される登録型派遣労働者が，派遣就業に係る雇用契約の終了後，1か月以内に同一の派遣元事業主のもとでの派遣就業に係る次回の雇用契約が締結されなかった場合には，その雇用契約が締結されないことが確実になった日又は当該1か月を経過した日のいずれか遅い日をもって使用関係が終了したものとし，その使用関係終了日から5日以内に事業主は被保険者資格喪失届を提出する義務が生じるものであって，派遣就業に係る雇用契約の終了時に遡って被保険者資格を喪失させるものではない。

D 保険医療機関の指定の取消処分を受けた医療機関に関して，健康保険法第65条第3項第1号において，当該医療機関がその取消しの日から5年を経過しないものであるときは，保険医療機関の指定をしないことができるとされているが，当該医療機関の機能，事案の内容等を総合的に勘案し，地域医療の確保を図るため特に必要があると認められる場合であって，診療内容又は診療報酬の請求に係る不正又は著しい不当に関わった診療科が，2年を経過した期間保険診療を行わない場合については，取消処分と同時に又は一定期間経過後に当該医療機関を保険医療機関として指定することができる。

E 健康保険組合において，任意継続被保険者が被保険者の資格を喪失したときの標準報酬月額が，当該被保険者の属する健康保険組合の全被保険者における前年度の9月30日の標準報酬月額を平均した額を標準報酬月額の基礎となる報酬月額とみなしたときの標準報酬月額を超える場合は，規約で定めるところにより，資格喪失時の標準報酬月額をその者の標準報酬月額とすることができる。

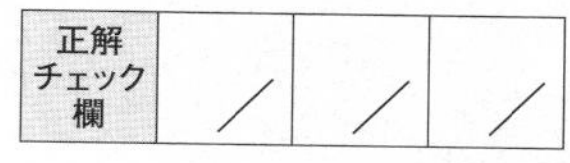

A 誤 「厚生労働大臣」は，協会の事業年度ごとの業績についての評価を行ったときは，「遅滞なく，協会に対し，当該評価の結果を通知する」とともに，これを公表しなければならない（法7条の30第2項）。

社会保険科目 11p

B 誤 任意継続被保険者でなくなることを希望する旨を保険者に申し出た場合の任意継続被保険者の資格喪失日は，「その申出が受理された日」の属する月の末日が到来するに至ったときの翌日である（法38条7号）。

社会保険科目 28p

C 誤 本肢の場合，その雇用契約が締結されないことが確実になった日又は当該1か月を経過した日の「いずれか早い日」をもって使用関係が終了したものとすることとされている。その他の記述は正しい（平14.4.24保保発0424001号・庁保険発24号）。

D 誤 保険医療機関の指定取消処分を受けた医療機関の機能，事案の内容等を総合的に勘案し，地域医療の確保を図るため特に必要があると認められる場合であって，診療内容又は診療報酬の請求に係る不正又は著しい不当に関わった診療科が，「相当の期間」保険診療を行わない場合については，取消処分と同時に又は一定期間経過後に当該医療機関を保険医療機関として指定することができる。本肢前段の記述は正しい（法65条3項1号，平7.12.22保発117号）。

E 正 本肢のとおりである（法47条2項）。任意継続被保険者の標準報酬月額は，①当該任意継続被保険者が被保険者の資格を喪失したときの標準報酬月額，②前年（1月から3月までの標準報酬月額については，前々年）の9月30日における当該任意継続被保険者の属する保険者が管掌する全被保険者の同月の標準報酬月額を平均した額（健康保険組合が当該平均した額の範囲内においてその規約で定めた額があるときは，当該規約で定めた額）を標準報酬月額の基礎となる報酬月額とみなしたときの標準報酬月額のうちいずれか少ない額とされるが，保険者が健康保険組合である場合，①に掲げる額が②に掲げる額を超える任意継続被保険者について，規約で定めるところにより①に掲げる額（当該組合が②に掲げる額を超え①に掲げる額未満の範囲内においてその規約で定めた額があるときは当該規約で定めた額を標準報酬月額の基礎となる報酬月額とみなしたときの標準報酬月額）をその者の標準報酬月額とすることができる。

社会保険科目
45p

MEMO

R6-2	総合問題	重要度 B

問 92 健康保険法に関する次の記述のうち，誤っているものはどれか。

A 被保険者の総数が常時100人以下の企業であっても，健康保険に加入することについての労使の合意（被用者の2分の1以上と事業主の合意）がなされた場合，1週間の所定労働時間が20時間以上であること，月額賃金が8.8万円以上であること，2か月を超える雇用の見込みがあること，学生でないことという要件をすべて満たす短時間労働者は，企業単位で健康保険の被保険者となる。

B 保険医療機関及び保険薬局は療養の給付に関し，保険医及び保険薬剤師は健康保険の診療又は調剤に関し，厚生労働大臣の指導を受けなければならない。厚生労働大臣は，この指導をする場合において，常に厚生労働大臣が指定する診療又は調剤に関する学識経験者を立ち会わせなければならない。

C 国庫は，毎年度，予算の範囲内において健康保険事業の事務の執行に要する費用を負担することになっており，健康保険組合に対して交付する国庫負担金は，各健康保険組合における被保険者数を基準として，厚生労働大臣が算定する。また，その国庫負担金は概算払いをすることができる。

D 協会は，財務諸表，事業報告書（会計に関する部分に限る。）及び決算報告書について，監事の監査のほか，厚生労働大臣が選任する会計監査人である公認会計士又は監査法人から監査を受けなければならない。

E 厚生労働大臣は，日雇特例被保険者に係る健康保険事業に要する費用（前期高齢者納付金等及び後期高齢者支援金等，介護納付金並びに流行初期医療確保拠出金等の納付に要する費用を含む。）に充てるため，健康保険法第155条の規定により保険料を徴収するほか，毎年度，日雇特例被保険者を使用する事業主の設立する健康保険組合から拠出金を徴収する。

正解チェック欄	／	／	／

A　正　本肢のとおりである（法3条1項ただし書，平24法附則46条5項・7項，令4.9.28事務連絡）。

B　誤　厚生労働大臣は，本肢の指導をする場合において，「必要があると認めるときは」，診療又は調剤に関する学識経験者を「その関係団体の指定により」指導に立ち会わせるものとする。「ただし，関係団体が指定を行わない場合又は指定された者が立ち会わない場合は，この限りでない」。（法73条）。

社会保険科目
114~115p

C　正　本肢のとおりである（法151条，法152条）。

D　正　本肢のとおりである（法7条29第1項～3項）。

E　正　本肢のとおりである（法173条1項）。

社会保険科目
130p

MEMO

健保法

R6-3	総合問題

問 93　健康保険法に関する次のアからオの記述のうち，誤っているものの組合せは，後記AからEまでのうちどれか。

ア　健康保険組合が解散したとき，協会が健康保険組合の権利義務を承継する。健康保険組合が解散したときに未払い傷病手当金及びその他，付加給付等があれば，健康保険組合解散後においても支給される。しかし，解散後に引き続き発生した事由による傷病手当金の分については，組合員として受け取ることができる傷病手当金の請求権とは認められないので，協会に移管の場合は，これを協会への請求分として支給し，付加給付は認められない。

イ　協会管掌健康保険の被保険者（被保険者であった者を含む。）で，家族出産育児一時金の支給を受けることが見込まれる場合，妊娠4か月以上の被扶養者を有する者が医療機関に一時的な支払いが必要になったときは，協会の出産費貸付制度を利用して出産費貸付金を受けることができる。

ウ　適用事業所の事業主は，廃止，休止その他の事情により適用事業所に該当しなくなったときは，健康保険法施行規則第22条の規定により申請する場合を除き，当該事実があった日から5日以内に，所定の事項（事業主の氏名又は名称及び住所，事業所の名称及び所在地，適用事業所に該当しなくなった年月日及びその理由）を記載した届書を厚生労働大臣又は健康保険組合に提出しなければならない。

エ　特例退職被保険者の標準報酬月額については，健康保険法第41条から同法第44条までの規定にかかわらず，当該特定健康保険組合が管掌する前年（1月から3月までの標準報酬月額については，前々年）の9月30日における特例退職被保険者を含む全被保険者の同月の標準報酬月額を平均した額の範囲内においてその規約で定めた額を標準報酬月額の基礎となる報酬月額とみなしたときの標準報酬月額となる。

重要度 **B**

オ　協会は，2年ごとに，翌事業年度以降の5年間についての協会が管掌する健康保険の被保険者数及び総報酬額の見通し並びに保険給付に要する費用の額，保険料の額（各事業年度において財政の均衡を保つことができる保険料率の水準を含む。）その他の健康保険事業の収支の見通しを作成し，厚生労働大臣に届け出るものとする。

A　（アとイ）　**B**　（アとウ）　**C**　（イとエ）
D　（ウとオ）　**E**　（エとオ）

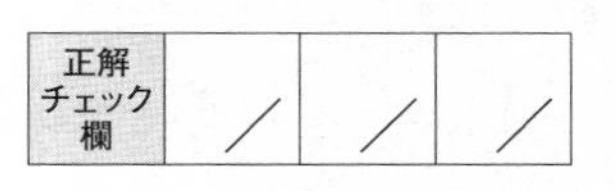

正解チェック欄	／	／	／

本問アからオまでのそれぞれの記述の正誤は以下のとおりである。したがって，エとオを誤りの記述とするEが解答となる。

ア　正　本肢のとおりである（法26条4項ほか）。

社会保険科目 14p

イ　正　本肢のとおりである（法150条5項ほか）。

ウ　正　本肢のとおりである（則20条1項）。

社会保険科目 50p

エ　誤　特例退職被保険者の標準報酬月額については，当該特定健康保険組合が管掌する前年（1月から3月までの標準報酬月額については，前々年）の9月30日における「特例退職被保険者以外」の全被保険者の同月の標準報酬月額を平均した額の範囲内においてその規約で定めた額を標準報酬月額の基礎となる報酬月額とみなしたときの標準報酬月額となる（法附則3条4項）。

社会保険科目 46p

オ　誤　協会は，本肢の健康保険事業の収支の見通しを作成し，「公表するもの」とされている。その他の記述は正しい（法160条5項）。

社会保険科目 118p

R6-4	総合問題	重要度 C

問 94 健康保険法に関する次の記述のうち，誤っているものはどれか。

A 入院時の食事の提供に係る費用，特定長期入院被保険者に係る生活療養に係る費用，評価療養・患者申出療養・選定療養に係る費用，正常分娩及び単に経済的理由による人工妊娠中絶に係る費用は，療養の給付の対象とはならない。

B 健康保険組合は，特定の保険医療機関と合意した場合には，自ら審査及び支払いに関する事務を行うことができ，また，この場合，健康保険組合は当該事務を社会保険診療報酬支払基金（以下本肢において「支払基金」という。）以外の事業者に委託することができるが，公費負担医療に係る診療報酬請求書の審査及び支払いに関する事務を行う場合には，その旨を支払基金に届け出なければならない。

C 健康保険法第28条第1項に規定する健康保険組合による健全化計画は，同項の規定による指定の日の属する年度の翌年度を初年度とする3か年間の計画となり，事業及び財産の現状，財政の健全化の目標，その目標を達成するために必要な具体的措置及びこれに伴う収入支出の増減の見込額に関して記載しなければならない。

D 健康保険組合は，毎年度終了後6か月以内に，厚生労働省令で定めるところにより，事業及び決算に関する報告書を作成し，厚生労働大臣に提出しなければならない。

E 被保険者（任意継続被保険者を除く。）の資格を喪失した日以後に傷病手当金の継続給付の規定により傷病手当金の支給を始める場合においては，その資格を喪失した日の前日において当該被保険者であった者が属していた保険者等により定められた直近の継続した12か月間の各月の標準報酬月額を傷病手当金の額の算定の基礎に用いる。

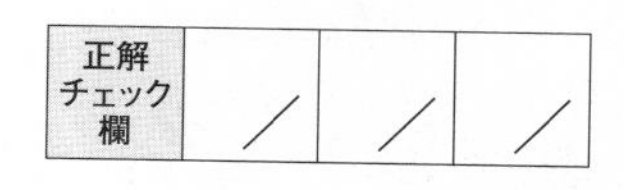

A 正 本肢のとおりである（法63条2項，昭17.1.28社発82号ほか）。

社会保険科目 60p

B 誤 公費負担医療に係る診療報酬請求書の審査及び支払に関する事務については，「社会保険診療報酬支払基金が取り扱う」こととされており，「健康保険組合が当該事務を取り扱うことはできない」（平14.12.25保発1225001号）。

C 正 本肢のとおりである（令30条）。

社会保険科目 15p

D 正 本肢のとおりである（令24条1項）。

社会保険科目 13p

E 正 本肢のとおりである（法99条2項，104条）。

R6-5	総合問題	重要度 C

問 95　健康保険法に関する次の記述のうち，誤っているものはどれか。

A　保険者は，偽りその他不正の行為により保険給付を受け，又は受けようとした者に対して，6か月以内の期間を定め，その者に支給すべき傷病手当金又は出産手当金の全部又は一部を支給しない旨の決定をすることができる。ただし，偽りその他不正の行為があった日から1年を経過したときは，この限りでない。

B　匿名診療等関連情報利用者は，実費を勘案して政令で定める額の手数料を納めなければならない。納付すべき手数料の額は，匿名診療等関連情報の提供に要する時間1時間までごとに4,350円である。

C　徴収権の消滅時効の起算日は，保険料についてはその保険料の納期限の翌日，保険料以外の徴収金については徴収金を徴収すべき原因である事実の終わった日の翌日である。

D　健康保険法第183条の規定によりその例によるものとされる国税徴収法第141条の規定による徴収職員の質問（協会又は健康保険組合の職員が行うものを除く。）に対して答弁をせず，又は偽りの陳述をしたとき，その違反行為をした者は，50万円以下の罰金に処せられる。

E　適用事業所の事業主は，厚生労働省令で定めるところにより，被保険者の資格の取得に関する事項を保険者等に届け出なければならない。この届出については，被保険者の住所等を記載した被保険者資格取得届を提出することによって行うこととされているが，当該被保険者が健康保険組合が管掌する健康保険の被保険者であって，当該健康保険組合が当該被保険者の住所に係る情報を求めないときは，被保険者の住所は記載が不要である。

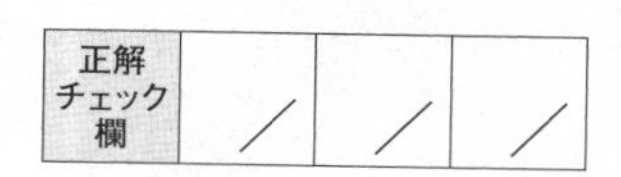

正解チェック欄	／	／	／

A 正 本肢のとおりである（法120条）。

社会保険科目 100p

B 正 本肢のとおりである（法150条の10第1項，令44条の2第1項）。

C 正 本肢のとおりである（昭3.7.6保発514号）。

社会保険科目 133p

D 正 本肢のとおりである（法213条の2第2号）。

社会保険科目 134p

E 誤 健康保険組合が管掌する健康保険の被保険者に係る被保険者資格取得届の場合，その記載事項である「被保険者の住所」については，「記載が必須」とされ，本肢のような「記載不要の例外は設けられていない」（法48条，則24条1項）。なお，協会管掌健康保険の被保険者に係る被保険者資格取得届の場合，その記載事項である「被保険者の住所」は，厚生労働大臣が当該被保険者に係る機構保存本人確認情報の提供を受けることができるときは，記載不要とされている。

社会保険科目 50p

キリトリ線

R6-6	総合問題	重要度 B

問 96 健康保険法に関する次の記述のうち，正しいものはどれか。

健保法

A 健康保険組合の設立，合併又は分割を伴う健康保険組合が管掌する一般保険料率の変更においては，厚生労働大臣の権限を地方厚生局長に委任することができる。

B 協会の定款記載事項である事務所の所在地を変更する場合，厚生労働大臣の認可を受けなければその効力を生じない。

C 被保険者（任意継続被保険者を除く。）は，適用事業所に使用されるに至った日若しくはその使用される事業所が適用事業所となった日又は適用除外の規定に該当しなくなった日から，被保険者の資格を取得する。この使用されるに至った日とは，事業主と被保険者との間において事実上の使用関係の発生した日ではない。

D 一時帰休に伴い，就労していたならば受けられるであろう報酬よりも低額な休業手当等が支払われることとなった場合の標準報酬月額の決定については，標準報酬月額の定時決定の対象月に一時帰休に伴う休業手当等が支払われた場合，その休業手当等をもって報酬月額を算定して標準報酬月額を決定する。ただし，標準報酬月額の決定の際，既に一時帰休の状況が解消している場合は，当該定時決定を行う年の9月以後において受けるべき報酬をもって報酬月額を算定し，標準報酬月額を決定する。

E 保険者は，偽りその他不正の行為によって保険給付を受けた者があるときは，その者からその給付の価額の全部又は一部を徴収することができる。全部又は一部という意味は，情状によって詐欺その他の不正行為により受けた分の一部であるという趣旨である。

正解チェック欄	／	／	／

キリトリ線

A 誤 健康保険組合が管掌する一般保険料率の変更に係る厚生労働大臣の認可の権限は，健康保険組合の設立，合併又は分割を伴う場合には，地方厚生局長に「委任することはできない」（法205条，則159条8号）。

社会保険科目 16p

B 誤 協会の定款記載事項である「事務所の所在地」を変更する場合，「厚生労働大臣の認可を受ける必要はなく」，当該事項を変更したときは，「遅滞なく，これを厚生労働大臣に届け出なければならない」（法7条の6第2項・3項，則2条の3）。

C 誤 本肢の「使用されるに至った日」とは，「事実上の使用関係の発生した日である」。本肢前段の記述は正しい（法35条，昭5.11.6保規522号ほか）。

社会保険科目 23p

D 正 本肢のとおりである（昭50.3.29保険発25号・庁保険発8号ほか）。

社会保険科目 38p

E 誤 本肢の「全部又は一部」という意味は，詐欺その他の不正の行為により受けた分が，その一部であることが考えられるので，全部又は一部としたものであって，「詐欺その他の不正行為によって受けた分はすべてという趣旨である」。本肢前段の記述は正しい（法58条1項，昭32.9.2.保発123号）。

社会保険科目 102p

キリトリ線

R6-7	総合問題	重要度 A

健保法

問 97 健康保険法に関する次の記述のうち，正しいものはどれか。

A 健康保険組合は，規約で定めるところにより，事業主の負担すべき一般保険料額又は介護保険料額の負担の割合を増減することができる。

B 健康保険組合である保険者の開設する病院若しくは診療所又は薬局は，保険医療機関としての指定を受けなくとも当該健康保険組合以外の保険者の被保険者の診療を行うことができる。

C 保険給付を受ける権利は，譲り渡し，担保に供し，又は差し押さえることができないので，被保険者の死亡後においてその被保険者が請求権を有する傷病手当金又は療養の給付に代えて支給される療養費等は公法上の債権であるから相続権者が請求することはできない。

D 療養の給付を受けようとする者は，厚生労働省令で定めるところにより，保険医療機関等のうち，自己の選定するものから，電子資格確認その他厚生労働省令で定める方法により，被保険者であることの確認を受けて療養の給付を受ける。被保険者資格の確認方法の1つに，保険医療機関等が，過去に取得した療養又は指定訪問看護を受けようとする者の被保険者の資格に係る情報を用いて，保険者に対して電子情報処理組織を使用する方法その他の情報通信の技術を利用する方法により，あらかじめ照会を行い，保険者から回答を受けて取得した直近の当該情報を確認する方法がある。

E 付加給付は，保険給付の一部であり，かつ法定給付に併せて行われるべきものであるから，法の目的に適いその趣旨に沿ったものでなければならない。法定給付期間を超えるもの，健康保険法の目的を逸脱するもの，又はこの制度で定める医療の内容又は医療の給付の範囲を超えるもの若しくは，保健施設的なものは廃止しなければならないが，家族療養費の付加給付は，特定の医療機関を受診した場合に限り認めることは差し支えない。

正解チェック欄	／	／	／

キリトリ線

A　誤　健康保険組合は，規約で定めるところにより，事業主の負担すべき一般保険料額又は介護保険料額の負担の割合を「増加」することができる（法162条）。

社会保険科目 121p

B　誤　健康保険組合たる保険者の開設する病院若しくは診療所又は薬局が，当該健康保険組合以外の保険者の被保険者の診療を行うためには，「保険医療機関としての指定を受けなければならない」（昭32.9.2保保発123号）。

C　誤　被保険者の死亡後においてその被保険者が請求権を有する傷病手当金又は療養の給付に代えて支給される療養費等は公法上の債権であるが金銭債権であることから「その相続権者（民法の規定による相続人）が当然請求権を有する」ものとされている。本肢前段の記述は正しい（法61条，昭2.2.18保理719号）。

社会保険科目 102p

D　正　本肢のとおりである（法63条３項，則53条１項３号）。なお，本肢の確認の方法については，療養又は指定訪問看護を受けようとする者が当該保険医療機関等若しくは保険薬局等から療養（居宅における療養上の管理及びその療養に伴う世話その他の看護又は居宅における薬学的管理及び指導に限る）を受けようとする場合又は当該指定訪問看護事業者から指定訪問看護を受けようとする場合であって，当該保険医療機関等，保険薬局等又は指定訪問看護事業者から電子資格確認による確認を受けてから継続的な療養又は指定訪問看護を受けている場合に限られている。

E　誤　付加給付については，「特定の医療機関を受診した場合に限り支給するものなど，受給機会の均等を損なうおそれがあるものは行わないこと」とされている。その他の記述は正しい（法53条，健康保険組合事業運営基準ほか）。

R6-8	総合問題	重要度 A

問 98 健康保険法に関する次の記述のうち，正しいものはどれか。

A 保険料及びその他健康保険法の規定による徴収金を滞納する者に対して督促をしたときは，保険者は徴収金額に督促状の到達の翌日から徴収金完納又は財産差押えの日の前日までの期間の日数に応じて，年14.6%（当該督促が保険料に係るものであるときは，当該納期限の翌日から3か月を経過する日までの期間については，年7.3%）の割合を乗じて計算した延滞金を徴収する。

B 被保険者が，妊娠6か月の身体をもって業務中に転倒強打して早産したときは，健康保険法に規定される保険事故として，出産育児一時金が支給される。

C 厚生労働大臣は，国民保健の向上に資するため，匿名診療等関連情報の利用又は提供に係る規定により匿名診療等関連情報を大学その他の研究機関に提供しようとする場合には，あらかじめ，社会保障審議会の議を経て，承認を得なければならない。

D 協会の役員に対する報酬及び退職手当は，その役員の業績が考慮されるものでなければならない。協会は，その役員に対する報酬及び退職手当の支給の基準を定め，これを厚生労働大臣に届け出て，その承認を得た後，それを公表しなければならない。これを変更したときも，同様とする。

E 義手義足は，療養の過程において，その傷病の治療のため必要と認められる場合に療養費として支給されているが，症状固定後に装着した義肢の単なる修理に要する費用も療養費として支給することは認められる。

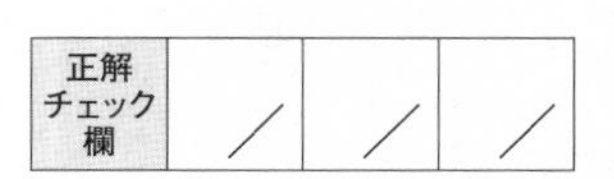

A　誤　保険料等滞納者に対して督促をしたときは，「保険者等」は，徴収金額に，「納期限の翌日」から徴収金完納又は財産差押えの日の前日までの期間の日数に応じた延滞金を徴収する。その他の記述は正しい（法181条1項）。

社会保険科目
127p

B　正　本肢のとおりである（法101条，昭24.3.26保文発523号ほか）。

C　誤　本肢の場合，厚生労働大臣は，あらかじめ，社会保障審議会の「意見を聴かなければならない」（法150条の2第3項）。

D　誤　協会は，その役員に対する報酬及び退職手当の支給の基準を定め，これを「厚生労働大臣に届け出るとともに，公表しなければならない」ものとされており，「厚生労働大臣の承認を得ることは規定されていない」。その他の記述は正しい（法7条の35）。

E　誤　症状固定後に装着した義肢の単なる修理に要する費用を療養費として支給することは「認められない」。本肢前段の記述は正しい（昭26.5.6保文発1443号）。

MEMO

R6-9	総合問題

問 99 健康保険法に関する次の記述のうち，正しいものはいくつあるか。

ア　厚生労働大臣により保険医療機関の指定を受けた病院及び病床を有する診療所は，指定の日から起算して6年を経過したときは，その効力を失うが，その指定の効力を失う日前6か月から同日前3か月までの間に，別段の申出がないときは，保険医療機関の申請があったものとみなす。

イ　厚生労働大臣による保険医療機関又は保険薬局の指定は，病院若しくは診療所又は薬局の開設者の申請により行う。当該申請に係る病院若しくは診療所又は薬局が，保険医療機関又は保険薬局の指定を取り消され，その取消しの日から5年を経過しないものであるときは，厚生労働大臣は保険医療機関又は保険薬局の指定をしないことができるが，厚生労働大臣は，指定をしないこととするときは，地方社会保険医療協議会の議を経なければならない。

ウ　保険医療機関において健康保険の診療に従事する医師若しくは歯科医師又は保険薬局において健康保険の調剤に従事する薬剤師は，厚生労働大臣の登録を受けた医師若しくは歯科医師又は薬剤師（以下本肢において「保険医等」という。）でなければならない。当該登録の日から起算して6年を経過したときは，その効力を失うが，その登録の効力を失う日前6か月から同日前3か月までの間に，別段の申出がないときは，保険医等の申請があったものとみなす。

エ　指定訪問看護事業者の指定は，厚生労働省令で定めるところにより，訪問看護事業を行う者の申請により，訪問看護事業を行う事業所ごとに行う。一方，指定訪問看護事業者以外の訪問看護事業を行う者について，介護保険法の規定による指定居宅サービス事業者の指定，指定地域密着型サービス事業者の指定又は指定介護予防サービス事業者の指定があったときは，その指定の際，当該訪問看護事業を行う者について，指定訪問看護事業者の指定があったものとみなす。

キリトリ線

重要度 B

オ　厚生労働大臣は，健康保険法第92条第2項に規定する指定訪問看護の事業の運営に関する基準（指定訪問看護の取扱いに関する部分に限る。）を定めようとするときは，中央社会保険医療協議会に諮問するものとする。

A　一つ
B　二つ
C　三つ
D　四つ
E　五つ

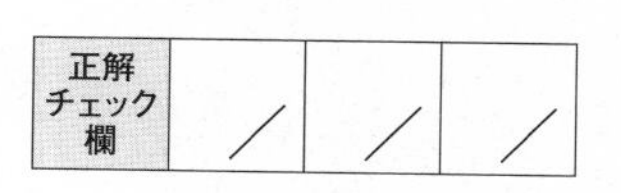

本問アからオまでのそれぞれの記述の正誤は以下のとおりである。したがって，正しい記述はイ，エ及びオの3つであり，Cが解答となる。

ア 誤 本肢後段の保険医療機関等の指定の自動更新の対象からは，「病院及び病床を有する診療所は除かれている」。本肢前段の記述は正しい（法68条）。

社会保険科目 54p

イ 正 本肢のとおりである（法65条1項・3項，法67条）。

社会保険科目 54p

ウ 誤 保険医又は保険薬剤師の登録については，「有効期間の定めはない」。本肢前段の記述は正しい（法64条ほか）。

社会保険科目 53p

エ 正 本肢のとおりである（法89条1項・2項）。なお，本肢の訪問看護事業を行う者が，厚生労働省令で定めるところにより，別段の申出をしたときは，本肢後段のみなし指定（介護保険法の所定の指定があったときは指定訪問看護事業者の指定があったものとみなす）は行われない。

社会保険科目 56p

オ 正 本肢のとおりである（法92条3項）。

社会保険科目 56p

R6-10

総合問題

重要度 A

問 100　健康保険法に関する次の記述のうち，正しいものはどれか。

A　被保険者甲（令和5年1月1日資格取得）は，出産予定日が令和6年1月10日であったが，実際の出産日は令和5年12月25日であったことから，出産日の前日まで引き続き1年以上の被保険者期間がなかった。これにより，被保険者の資格を取得してから1年を経過した日から出産の日後56日までの間において労務に服さなかった期間，出産手当金が支給される。

B　独立して生計を営む子が，健康保険法の適用を受けない事業所に勤務していた間に，疾病のため失業し被保険者である父に扶養されるに至った場合，扶養の事実は保険事故発生当時の状況によって被扶養者となるかを決定すべきであるから，被扶養者となることはできない。

C　被保険者乙の配偶者が令和5年8月8日に双生児を出産したことから，被保険者乙は令和5年10月1日から令和5年12月31日まで育児休業を取得した。この場合，令和6年1月分の当該被保険者に関する保険料は徴収されない。

D　被保険者丙は令和6年1月1日に週3日午前9時から午後1時まで勤務のパートタイムスタッフとして社員数30名の会社（正社員は週5日午前9時始業，午後6時終業，途中で1時間の昼休憩あり）に入社した。その後，雇用契約の見直しが行われ，令和6年4月15日付けで週4日午前9時から午後6時まで（途中で1時間の昼休憩あり）の勤務形態に変更となったため，被保険者資格取得届の提出が行われ，令和6年4月15日から健康保険の被保険者となった。

E　健康保険法に定める特定適用事業所以外の適用事業所の事業主は，労働組合がない場合であっても，当該事業主の1又は2以上の適用事業所に使用される2分の1以上同意対象者の過半数を代表する者の同意又は2分の1以上同意対象者の2分の1以上の同意を得ることによって，保険者等に当該事業主の1又は2以上の適用事業所に使用される特定4分の3未満短時間労働者について一般の被保険者とは異なる短時間被保険者の資格取得の申出をすることができる。

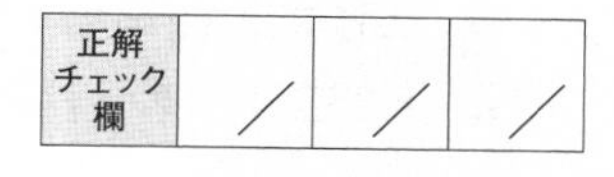

A 誤 本肢の場合，出産手当金が支給されるのは，「出産の日以前42日（多胎妊娠の場合においては98日）」から出産の日後56日までの間において労務に服さなかった期間である（法102条1項）。

社会保険科目
88p

B 誤 被扶養者の収入確認に係る被扶養者の収入については，被扶養者の過去の収入，現時点の収入又は将来の収入の見込みなどから，「今後1年間の収入を見込む」ものとされており，本肢の子は，被保険者である父の「被扶養者となる可能性がある」（令2.4.10事務連絡）。

C 誤 本肢の場合，育児休業等期間中の保険料免除が行われるのは，育児休業等開始日の属する月である令和5年10月から育児休業等終了日の翌日が属する月の前月である同年12月までであり，「令和6年1月分の当該被保険者に関する保険料は徴収される」（法159条1項）。

社会保険科目
123p

D 正 本肢のとおりである（法3条1項ただし書，法35条，令4.3.18保保発0318第1号ほか）。本肢の者は，当初は，特定適用事業所以外の事業所に使用されるいわゆる4分の3基準を満たさない短時間労働者として適用除外者であったが，令和6年4月15日に勤務形態の変更により，いわゆる4分の3基準を満たすこととなったため，他の適用除外事由に該当しない限り，当該適用除外者でなくなった日から被保険者資格を取得する。

社会保険科目
23p

E 誤 本肢の場合，「一般被保険者と異なる短時間被保険者の資格取得の申出ではなく，任意特定適用事業所の申出」をすることができ，当該特定4分の3未満短時間労働者は，当該申出が受理された日に被保険者の資格を取得する（平24法附則46条5項・7項，則23条の3の3ほか）。

第 2 編

国民年金法

過去10年間の出題傾向

国民年金法

□…選択式　○…択一式

出題項目＼年度	平成27年	平成28年	平成29年	平成30年	令和元年	令和２年	令和３年	令和４年	令和５年	令和６年
総則		□		○		□○	□		□○	○
被保険者の資格	○		○			○	○		□○	○
被保険者資格の取得・喪失	○	○	○			○	○	○	○	○
被保険者期間		○		○	○		○		○	
届出等	□○	○	○	□	○	○	○	□○		
給付の通則	○	○	○	○	○	○	□○		○	○
老齢基礎年金	○	○	○	□○	○	○	○	○	○	○
障害基礎年金	○	○	○	○	○	○	○	□○	○	○
遺族基礎年金	○	○	○	○	○	□○	○	○	○	□○
付加年金	○		○	○				○	○	
寡婦年金	○	○	□○	○	○	○		□○	○	○
死亡一時金		○	○	○	○	○	○	○		□○
その他の給付		○	○	○		○		○		
給付制限								○	○	
費用の負担	○	□○	□○	□○	□○	□○	○	○	○	□○
国民年金事業の円滑な実施を図るための措置					○				□	
不服申立て・雑則		○	□○	○	○	○	○	○	○	○
時効						○				
国民年金基金	○		○	○	○	○	○	□○	○	○

H28-選択

総則・保険料免除・滞納処分

問 1 次の文中の□の部分を選択肢の中の最も適切な語句で埋め，完全な文章とせよ。

1 国民年金法は，「国民年金制度は，日本国憲法第25条第2項に規定する理念に基き，老齢，障害又は死亡によつて国民生活の[A]がそこなわれることを国民の[B]によつて防止し，もつて健全な国民生活の維持及び向上に寄与することを目的とする。」と規定している。

2 国民年金法第90条の3第1項に規定する学生の保険料納付特例につき，保険料を納付することを要しないものとされる厚生労働大臣が指定する期間は，申請のあった日の属する月の[C]（同法第91条に規定する保険料の納期限に係る月であって，当該納期限から2年を経過したものを除く。）前の月から当該申請のあった日の属する年の翌年3月（当該申請のあった日の属する月が1月から3月までである場合にあっては，当該申請のあった日の属する年の3月）までの期間のうち必要と認める期間とする。

3 国民年金法に規定する厚生労働大臣から財務大臣への滞納処分等に係る権限の委任に関する事情として，

⑴ 納付義務者が厚生労働省令で定める月数である[D]か月分以上の保険料を滞納していること，

⑵ 納付義務者の前年の所得（1月から6月までにおいては前々年の所得）が[E]以上であること，

等が掲げられている。

キリトリ線

重要度 A

国年法

選択肢

① 6	② 12	③ 13
④ 24	⑤ 1年2か月	⑥ 1年6か月
⑦ 2年2か月	⑧ 2年6か月	⑨ 360万円
⑩ 462万円	⑪ 850万円	⑫ 1,000万円
⑬ 安　全	⑭ 安　定	⑮ 共同連帯
⑯ 自助努力	⑰ 自立援助	⑱ 相互扶助
⑲ 福　祉	⑳ 平　穏	

キリトリ線

正解チェック欄	／	／	／

【解　答】

A　⑭ 安定

B　⑮ 共同連帯

C　⑦ 2年2か月

D　③ 13

E　⑫ 1,000万円

【解　説】

本問1は，国民年金制度の目的に関する問題であり，国民年金法1条からの出題である。

国民年金法は，「国民年金制度は，日本国憲法第25条第2項に規定する理念に基き，老齢，障害又は死亡によつて国民生活の安定がそこなわれることを国民の共同連帯によつて防止し，もつて健全な国民生活の維持及び向上に寄与することを目的とする。」と規定している。

社会保険科目
145p

本問2は，学生納付特例に関する問題であり，平21.12.28厚労告529号からの出題である。

国民年金法第90条の3第1項に規定する学生の保険料納付特例につき，保険料を納付することを要しないものとされる厚生労働大臣が指定する期間は，申請のあった日の属する月の2年2か月（同法第91条に規定する保険料の納期限に係る月であって，当該納期限から2年を経過したものを除く）前の月から当該申請のあった日の属する年の翌年3月（当該申請のあった日の属する月が1月から3月までである場合にあっては，当該申請のあった日の属する年の3月）までの期間のうち必要と認める期間とする。

本問3は，財務大臣への滞納処分等権限の委任の要件に関する問題であり，国民年金法施行令11条の10第1号・3号，国民年金法施行規則105条，同施行規則106条からの出題である。

国民年金法に規定する厚生労働大臣から財務大臣への滞納処分等

に係る権限の委任に関する事情として，

⑴　納付義務者が厚生労働省令で定める月数である13か月分以上の保険料を滞納していること，

⑵　納付義務者の前年の所得（1月から6月までにおいては前々年の所得）が1,000万円以上であること，

等が掲げられている。

MEMO

R5-選択	国民年金の給付・被保険者等	重要度 A

問 2 次の文中の［　　］の部分を選択肢の中の最も適切な語句で埋め，完全な文章とせよ。

1 国民年金法第74条第1項の規定によると，政府は，国民年金事業の円滑な実施を図るため，国民年金に関し，次に掲げる事業を行うことができるとされている。

(1) ［ A ］を行うこと。

(2) 被保険者，受給権者その他の関係者（以下本問において「被保険者等」という。）に対し，［ B ］を行うこと。

(3) 被保険者等に対し，被保険者等が行う手続に関する情報その他の被保険者等の［ C ］に資する情報を提供すること。

2 国民年金法第2条では，「国民年金は，前条の目的を達成するため，国民の老齢，障害又は死亡に関して［ D ］を行うものとする。」と規定されている。

3 国民年金法第7条第1項の規定によると，第1号被保険者，第2号被保険者及び第3号被保険者の被保険者としての要件については，いずれも［ E ］要件が不要である。

選択肢

① 教育及び広報	② 国籍
③ 国内居住	④ 助言及び支援
⑤ 生活水準の向上	⑥ 生計維持
⑦ 相談その他の援助	⑧ 積立金の運用
⑨ 年金額の通知	⑩ 年金記録の整備
⑪ 年金記録の通知	⑫ 年金財政の開示
⑬ 年金支給	⑭ 年金制度の信頼増進
⑮ 年金の給付	⑯ 年齢
⑰ 必要な給付	⑱ 福祉の増進
⑲ 保険給付	⑳ 利便の向上

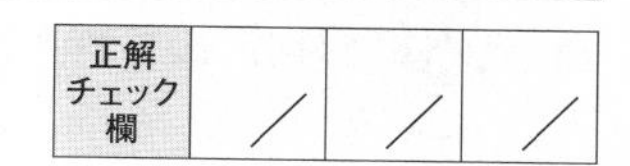

【解　答】

A　① 教育及び広報

B　⑦ 相談その他の援助

C　⑳ 利便の向上

D　⑰ 必要な給付

E　② 国籍

【解　説】

本問1は，国民年金事業の円滑な実施を図るための措置に関する問題であり，国民年金法74条1項からの出題である。

国民年金法74条1項の規定によると，政府は，国民年金事業の円滑な実施を図るため，国民年金に関し，次に掲げる事業を行うことができるとされている。

社会保険科目 258p

(1)　教育及び広報を行うこと。

(2)　被保険者，受給権者その他の関係者（以下本問において「被保険者等」という）に対し，相談その他の援助を行うこと。

(3)　被保険者等に対し，被保険者等が行う手続に関する情報その他の被保険者等の利便の向上に資する情報を提供すること。

本問2は，国民年金の給付に関する問題であり，国民年金法2条からの出題である。

社会保険科目 145p

国民年金法2条では，「国民年金は，前条の目的を達成するため，国民の老齢，障害又は死亡に関して必要な給付を行うものとする。」と規定されている。

本問3は，被保険者に関する問題であり，国民年金法7条1項からの出題である。

社会保険科目 153p

国民年金法7条1項の規定によると，第1号被保険者，第2号被保険者及び第3号被保険者の被保険者としての要件については，いずれも国籍要件が不要である。

R3-選択	調整期間・公課の禁止	重要度 A

問 3 次の文中の［　　］の部分を選択肢の中の最も適切な語句で埋め，完全な文章とせよ。

1 国民年金法第16条の2第1項の規定によると，政府は，国民年金法第4条の3第1項の規定により財政の現況及び見通しを作成するに当たり，国民年金事業の財政が，財政均衡期間の終了時に［A］ようにするために必要な年金特別会計の国民年金勘定の積立金を保有しつつ当該財政均衡期間にわたってその均衡を保つことができないと見込まれる場合には，年金たる給付（付加年金を除く。）の額（以下本問において「給付額」という。）を［B］するものとし，政令で，給付額を［B］する期間の［C］を定めるものとされている。

2 国民年金法第25条では，「租税その他の公課は，［D］として，課することができない。ただし，［E］については，この限りでない。」と規定している。

選択肢

① 遺族基礎年金及び寡婦年金
② 遺族基礎年金及び付加年金
③ 開始年度
④ 開始年度及び終了年度
⑤ 改　定
⑥ 給付額に不足が生じない
⑦ 給付として支給を受けた金銭を基準
⑧ 給付として支給を受けた金銭を標準
⑨ 給付として支給を受けた年金額を基準
⑩ 給付として支給を受けた年金額を標準
⑪ 給付の支給に支障が生じない
⑫ 減　額
⑬ 財政窮迫化をもたらさない
⑭ 財政収支が保たれる
⑮ 終了年度
⑯ 調　整
⑰ 年　限
⑱ 変　更
⑲ 老齢基礎年金及び寡婦年金
⑳ 老齢基礎年金及び付加年金

正解チェック欄	／	／	／

国年法

キリトリ線

【解　答】

A　⑪ 給付の支給に支障が生じない

B　⑯ 調整

C　③ 開始年度

D　⑧ 給付として支給を受けた金銭を標準

E　⑳ 老齢基礎年金及び付加年金

【解　説】

本問１は，調整期間に関する問題であり，国民年金法（以下本問において「法」とする）16条の２第１項からの出題である。

法16条の２第１項の規定によると，政府は，法４条の３第１項の規定により財政の現況及び見通しを作成するに当たり，国民年金事業の財政が，財政均衡期間の終了時に給付の支給に支障が生じないようにするために必要な年金特別会計の国民年金勘定の積立金を保有しつつ当該財政均衡期間にわたってその均衡を保つことができないと見込まれる場合には，年金たる給付（付加年金を除く。）の額(以下本問において「給付額」という。）を調整するものとし，政令で，給付額を調整する期間の開始年度を定めるものとされている。

社会保険科目
147p

本問２は，公課の禁止に関する問題であり，法25条からの出題である。

法25条では，「租税その他の公課は，給付として支給を受けた金銭を標準として，課することができない。ただし，老齢基礎年金及び付加年金については，この限りでない。」と規定している。

社会保険科目
185p

キリトリ線

R2-選択	年金額の改定・遺族基礎年金・基礎年金拠出金	重要度	A

問 4

次の文中の［　　］の部分を選択肢の中の最も適切な語句で埋め，完全な文章とせよ。

1　国民年金法第4条では，「この法律による年金の額は，［ A ］その他の諸事情に著しい変動が生じた場合には，変動後の諸事情に応ずるため，速やかに［ B ］の措置が講ぜられなければならない。」と規定している。

2　国民年金法第37条の規定によると，遺族基礎年金は，被保険者であった者であって，日本国内に住所を有し，かつ，［ C ］であるものが死亡したとき，その者の配偶者又は子に支給するとされている。ただし，死亡した者につき，死亡日の前日において，死亡日の属する月の前々月までに被保険者期間があり，かつ，当該被保険者期間に係る保険料納付済期間と保険料免除期間とを合算した期間が［ D ］に満たないときは，この限りでないとされている。

3　国民年金法第94条の2第1項では，「厚生年金保険の実施者たる政府は，毎年度，基礎年金の給付に要する費用に充てるため，基礎年金拠出金を負担する。」と規定しており，同条第2項では，「［ E ］は，毎年度，基礎年金の給付に要する費用に充てるため，基礎年金拠出金を納付する。」と規定している。

選択肢

① 10　年	② 25　年
③ 20歳以上60歳未満	④ 20歳以上65歳未満
⑤ 60歳以上65歳未満	⑥ 65歳以上70歳未満
⑦ 改　定	⑧ 国民生活の安定
⑨ 国民生活の現況	⑩ 国民生活の状況
⑪ 国民の生活水準	⑫ 所　要
⑬ 実施機関たる共済組合等	⑭ 実施機関たる市町村
⑮ 実施機関たる政府	⑯ 実施機関たる日本年金機構
⑰ 是　正	⑱ 訂　正
⑲ 当該被保険者期間の3分の1	⑳ 当該被保険者期間の3分の2

正解チェック欄	／	／	／

国年法

キリトリ線

【解　答】

A　⑪ 国民の生活水準

B　⑦ 改定

C　⑤ 60歳以上65歳未満

D　⑳ 当該被保険者期間の３分の２

E　⑬ 実施機関たる共済組合等

【解　説】

本問１は，年金額の改定に関する問題であり，国民年金法（以下本問において「法」とする）４条からの出題である。

法４条では，「この法律による年金の額は，国民の生活水準その他の諸事情に著しい変動が生じた場合には，変動後の諸事情に応ずるため，速やかに改定の措置が講ぜられなければならない。」と規定している。

社会保険科目 146p

本問２は，遺族基礎年金に関する問題であり，法37条からの出題である。

法37条の規定によると，遺族基礎年金は，被保険者であった者であって，日本国内に住所を有し，かつ，60歳以上65歳未満であるものが死亡したとき，その者の配偶者又は子に支給するとされている。ただし，死亡した者につき，死亡日の前日において，死亡日の属する月の前々月までに被保険者期間があり，かつ，当該被保険者期間に係る保険料納付済期間と保険料免除期間とを合算した期間が当該被保険者期間の３分の２に満たないときは，この限りでないとされている。

社会保険科目 220p

本問３は，基礎年金拠出金に関する問題であり，法94条の２第１項からの出題である。

法94条の２第１項では，「厚生年金保険の実施者たる政府は，毎年度，基礎年金の給付に要する費用に充てるため，基礎年金拠出金を負担する。」と規定しており，同条第２項では，「実施機関たる共済組合等は，毎年度，基礎年金の給付に要する費用に充てるため，基礎年金拠出金を納付する。」と規定している。

社会保険科目 240p

MEMO

H30-選択　老齢基礎年金の受給権者の確認等・指定全額免除申請事務取扱者等

問5　次の文中の［　　］の部分を選択肢の中の最も適切な語句で埋め，完全な文章とせよ。

1　国民年金法施行規則第18条の規定によると，厚生労働大臣は，［ A ］，住民基本台帳法の規定による老齢基礎年金の受給権者に係る機構保存本人確認情報の提供を受け，必要な事項について確認を行うものとされ，機構保存本人確認情報の提供を受けるために必要と認める場合は，［ B ］を求めることができるとされている。

2　国民年金法第109条の2第1項に規定する指定全額免除申請事務取扱者は，同項に規定する全額免除申請に係る事務のほか，［ C ］要件該当被保険者等の委託を受けて，［ C ］申請を行うことができる。

3　昭和16年4月2日以後生まれの者が，老齢基礎年金の支給繰下げの申出をした場合，老齢基礎年金の額に増額率を乗じて得た額が加算されるが，その増額率は［ D ］に当該年金の受給権を［ E ］を乗じて得た率をいう。

キリトリ線

重要度 B

国年法

選択肢

① 4分の3免除，半額免除及び4分の1免除
② 100分の11
③ 100分の12
④ 1000分の5
⑤ 1000分の7
⑥ 各支払期月の前月に
⑦ 各支払期月の前々月に
⑧ 学生納付特例
⑨ 市町村長（特別区にあっては，区長とする。）に対し，当該受給権者に係る個人番号の報告
⑩ 市町村長（特別区にあっては，区長とする。）の同意
⑪ 取得した日から起算して当該年金の支給の繰下げの申出をした日の前日までの年数（1未満の端数が生じたときは切り捨て，当該年数が10を超えるときは10とする。）
⑫ 取得した日から起算して当該年金の支給の繰下げの申出をした日までの年数（1未満の端数が生じたときは切り捨て，当該年数が10を超えるときは10とする。）
⑬ 取得した日の属する月から当該年金の支給の繰下げの申出をした日の属する月の前月までの月数（当該月数が120を超えるときは，120）
⑭ 取得した日の属する月から当該年金の支給の繰下げの申出をした日の属する月までの月数（当該月数が120を超えるときは，120）
⑮ 追　納
⑯ 納付猶予
⑰ 毎　月
⑱ 毎　年
⑲ 老齢基礎年金の受給権者に対し，当該受給権者に係る個人番号の報告
⑳ 老齢基礎年金の受給権者の同意

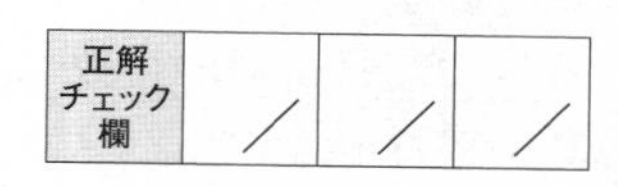

【解　答】

A　⑰ 毎月

B　⑲ 老齢基礎年金の受給権者に対し，当該受給権者に係る個人番号の報告

C　⑯ 納付猶予

D　⑤ 1000分の7

E　⑬ 取得した日の属する月から当該年金の支給の繰下げの申出をした日の属する月の前月までの月数（当該月数が120を超えるときは，120）

【解　説】

本問1は，老齢基礎年金の受給権者の確認等に関する問題であり，則18条からの出題である。

国民年金法施行規則18条の規定によると，厚生労働大臣は，毎月，住民基本台帳法の規定による老齢基礎年金の受給権者に係る機構保存本人確認情報の提供を受け，必要な事項について確認を行うものとされ，機構保存本人確認情報の提供を受けるために必要と認める場合は，老齢基礎年金の受給権者に対し，当該受給権者に係る個人番号の報告を求めることができるとされている。

本問2は，指定全額免除申請事務取扱者に関する問題であり，法109条の2第1項からの出題である。

国民年金法109条の2第1項に規定する指定全額免除申請事務取扱者は，同項に規定する全額免除申請に係る事務のほか，納付猶予要件該当被保険者等の委託を受けて，納付猶予申請を行うことができる。

社会保険科目 251p

本問3は，老齢基礎年金の支給繰下げに関する問題であり，令4条の5からの出題である。

昭和16年4月2日以後生まれの者が，老齢基礎年金の支給繰下げの申出をした場合，老齢基礎年金の額に増額率を乗じて得た額が加算されるが，その増額率は1000分の7に当該年金の受給権を取得した日の属する月から当該年金の支給の繰下げの申出をした日の属する月の前月までの月数（当該月数が120を超えるときは，120）を乗じて得た率をいう。

社会保険科目 204p

MEMO

国年法

H27-選択　国民年金原簿・特定受給者の老齢基礎年金等の特例等

問 6　次の文中の［　　］の部分を選択肢の中の最も適切な語句で埋め，完全な文章とせよ。

1　被保険者又は被保険者であった者は，国民年金原簿に記録された自己に係る特定国民年金原簿記録（被保険者の資格の取得及び喪失，種別の変更，保険料の納付状況その他厚生労働省令で定める事項の内容をいう。）が事実でない，又は国民年金原簿に自己に係る特定国民年金原簿記録が記録されていないと思料するときは，厚生労働省令で定めるところにより，厚生労働大臣に対し，国民年金原簿の訂正の請求をすることができる。厚生労働大臣は，訂正請求に理由があると認めるときは，当該訂正請求に係る国民年金原簿の訂正をする旨を決定しなければならず，これ以外の場合は訂正をしない旨を決定しなければならない。

　これらの決定に関する厚生労働大臣の権限は［ A ］に委任されており，［ A ］が決定をしようとするときは，あらかじめ，［ B ］に諮問しなければならない。

2　国民年金法第30条の4に規定する20歳前傷病による障害基礎年金の受給権者は，原則として毎年，指定日である［ C ］までに，指定日前［ D ］に作成された障害基礎年金所得状況届及びその添付書類を日本年金機構に提出しなければならない。

3　平成25年7月1日において時効消滅不整合期間となった期間が保険料納付済期間であるものとして老齢基礎年金又は厚生年金保険法に基づく老齢給付等を受けている特定受給者が有する当該時効消滅不整合期間については，［ E ］までの間，当該期間を保険料納付済期間とみなす。

キリトリ線

重要度 B

選択肢

① 1か月以内　② 3か月以内　③ 3月31日　④ 6月30日
⑤ 9月30日　⑥ 10日以内　⑦ 14日以内
⑧ 後納保険料納付期限日である平成27年9月30日
⑨ 後納保険料納付期限日である令和7年6月30日
⑩ 社会保障審議会年金記録訂正分科会
⑪ 受給権者の誕生日の属する月の末日
⑫ 総務大臣
⑬ 地方厚生局長又は地方厚生支局長
⑭ 地方年金記録訂正審議会
⑮ 特定保険料納付期限日である平成30年3月31日
⑯ 特定保険料納付期限日である令和8年3月31日
⑰ 日本年金機構
⑱ 年金記録回復委員会
⑲ 年金記録確認地方第三者委員会
⑳ 年金事務所長

国年法

キリトリ線

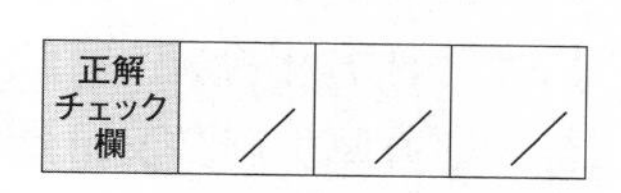

正解チェック欄	／	／	／

解答・解説

【解　答】

A　⑬ 地方厚生局長又は地方厚生支局長

B　⑭ 地方年金記録訂正審議会

C　⑤ 9月30日

D　① 1か月以内

E　⑮ 特定保険料納付期限日である平成30年3月31日

【解　説】

本問1は，特定国民年金原簿記録に係る国民年金原簿の訂正の請求等に関する問題であり，国民年金法（以下本問において「法」とする）14条の2第1項，法14条の4，法109条の9第3項，令11条の12の2及び厚生労働省組織令153条の2ほかからの出題である。

被保険者又は被保険者であった者は，国民年金原簿に記録された自己に係る特定国民年金原簿記録（被保険者の資格の取得及び喪失，種別の変更，保険料の納付状況その他厚生労働省令で定める事項の内容をいう。）が事実でない，又は国民年金原簿に自己に係る特定国民年金原簿記録が記録されていないと思料するときは，厚生労働省令で定めるところにより，厚生労働大臣に対し，国民年金原簿の訂正の請求をすることができる。厚生労働大臣は，訂正請求に理由があると認めるときは，当該訂正請求に係る国民年金原簿の訂正をする旨を決定しなければならず，これ以外の場合は訂正をしない旨を決定しなければならない。

厚生労働大臣は，これらの決定をしようとするときは，あらかじめ，「社会保障審議会」に諮問しなければならないとされているが，これらの決定に関する厚生労働大臣の権限は地方厚生局長又は地方厚生支局長に委任されており，この場合の諮問機関は，「地方厚生局に置かれる政令で定める審議会」とされている。これは，具体的には「地方年金記録訂正審議会」であり，したがって，本問の場合，地方厚生局長又は地方厚生支局長がこれらの決定をしようとす

社会保険科目
171~172p

るときは，あらかじめ，地方年金記録訂正審議会に諮問しなければならない。

本問2は，20歳前の傷病による障害に基づく障害基礎年金の受給権者に係る所得状況の届出に関する問題であり，則36条の5及び平30.12.28厚労告426号からの出題である。

国民年金法第30条の4に規定する20歳前傷病による障害基礎年金の受給権者は，原則として毎年，指定日である9月30日までに，指定日前1か月以内に作成された障害基礎年金所得状況届及びその添付書類を日本年金機構に提出しなければならない。

社会保険科目
170p

本問3は，特定受給者の老齢基礎年金等の特例に関する問題であり，法附則9条の4の4ほかからの出題である。

平成25年7月1日において時効消滅不整合期間となった期間が保険料納付済期間であるものとして老齢基礎年金又は厚生年金保険法に基づく老齢給付等を受けている特定受給者が有する当該時効消滅不整合期間については，特定保険料納付期限日である平成30年3月31日までの間，当該期間を保険料納付済期間とみなされる。

R4-選択	障害基礎年金・寡婦年金等

問 7

次の文中の［　　］の部分を選択肢の中の最も適切な語句で埋め，完全な文章とせよ。

1　国民年金法第36条第2項によると，障害基礎年金は，受給権者が障害等級に該当する程度の障害の状態に該当しなくなったときは，［ A ］，その支給を停止するとされている。

2　寡婦年金の額は，死亡日の属する月の前月までの第１号被保険者としての被保険者期間に係る死亡日の前日における保険料納付済期間及び保険料免除期間につき，国民年金法第27条の老齢基礎年金の額の規定の例によって計算した額の［ B ］に相当する額とする。

3　国民年金法第128条第2項によると，国民年金基金は，加入員及び加入員であった者の［ C ］ため，必要な施設をすることができる。

4　国民年金法第14条の5では，「厚生労働大臣は，国民年金制度に対する国民の［ D ］ため，厚生労働省令で定めるところにより，被保険者に対し，当該被保険者の保険料納付の実績及び将来の給付に関する必要な情報を［ E ］するものとする。」と規定している。

キリトリ線

重要度 A

選択肢

①	2分の1	②	3分の2
③	4分の1	④	4分の3
⑤	厚生労働大臣が指定する期間	⑥	受給権者が65歳に達するまでの間
⑦	速やかに通知	⑧	正確に通知
⑨	生活の維持及び向上に寄与する	⑩	生活を安定させる
⑪	その障害の状態に該当しない間		
⑫	その障害の状態に該当しなくなった日から3年間		
⑬	知識を普及させ，及び信頼を向上させる		
⑭	遅滞なく通知		
⑮	福祉を増進する	⑯	福利向上を図る
⑰	理解を増進させ，及びその信頼を向上させる		
⑱	理解を増進させ，及びその知識を普及させる		
⑲	利便の向上に資する	⑳	分かりやすい形で通知

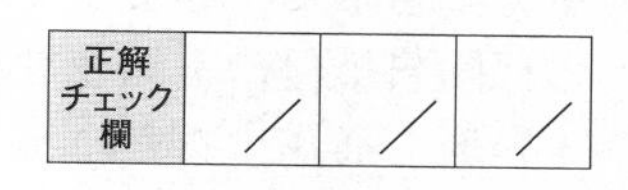

【解　答】

A　⑪ その障害の状態に該当しない間

B　④ 4分の3

C　⑮ 福祉を増進する

D　⑰ 理解を増進させ，及びその信頼を向上させる

E　⑳ 分かりやすい形で通知

【解　説】

本問1は，障害基礎年金の支給停止に関する問題であり，国民年金法36条2項からの出題である。

社会保険科目 217p

国民年金法第36条第2項によると，障害基礎年金は，受給権者が障害等級に該当する程度の障害の状態に該当しなくなったときは，その障害の状態に該当しない間，その支給を停止するとされている。

本問2は，寡婦年金の額に関する問題であり，国民年金法50条からの出題である。

社会保険科目 229~230p

寡婦年金の額は，死亡日の属する月の前月までの第1号被保険者としての被保険者期間に係る死亡日の前日における保険料納付済期間及び保険料免除期間につき，国民年金法第27条の老齢基礎年金の額の規定の例によって計算した額の4分の3に相当する額とする。

本問3は，国民年金基金の業務に関する問題であり，国民年金法128条2項からの出題である。

社会保険科目 269p

国民年金法第128条第2項によると，国民年金基金は，加入員及び加入員であった者の福祉を増進するため，必要な施設をすることができる。

本問4は，被保険者に対する情報の提供に関する問題であり，国民年金法14条の5からの出題である。

社会保険科目 172p

国民年金法第14条の5では，「厚生労働大臣は，国民年金制度に対する国民の理解を増進させ，及びその信頼を向上させるため，厚生労働省令で定めるところにより，被保険者に対し，当該被保険者の保険料納付の実績及び将来の給付に関する必要な情報を分かりやすい形で通知するものとする。」と規定している。

MEMO

国年法

R元-選択　積立金の運用の目的・指定代理納付者による納付・延滞金

問 8　次の文中の［　　］の部分を選択肢の中の最も適切な語句で埋め，完全な文章とせよ。

1　国民年金法第75条では，「積立金の運用は，積立金が国民年金の被保険者から徴収された保険料の一部であり，かつ，［ A ］となるものであることに特に留意し，専ら国民年金の被保険者の利益のために，長期的な観点から，安全かつ効率的に行うことにより，将来にわたって，［ B ］に資することを目的として行うものとする。」と規定している。

2　国民年金法第92条の2の2の規定によると，厚生労働大臣は，被保険者から指定代理納付者をして当該被保険者の保険料を立て替えて納付させることを希望する旨の申出を受けたときは，その納付が確実と認められ，かつ，その申出を承認することが［ C ］と認められるときに限り，その申出を承認することができるとされている。

3　国民年金法第97条第1項では，「前条第1項の規定によって督促をしたときは，厚生労働大臣は，徴収金額に，［ D ］までの期間の日数に応じ，年14.6パーセント（当該督促が保険料に係るものであるときは，当該［ E ］を経過する日までの期間については，年7.3パーセント）の割合を乗じて計算した延滞金を徴収する。ただし，徴収金額が500円未満であるとき，又は滞納につきやむを得ない事情があると認められるときは，この限りでない。」と規定している。

キリトリ線

キリトリ線

重要度 A

国年法

選択肢

① 国民年金事業の運営の安定　② 国民年金事業の円滑な実施
③ 国民年金制度の維持　④ 国民年金法の趣旨に合致する
⑤ 財政基盤の強化　⑥ 財政融資資金に預託する財源
⑦ 支払準備金　⑧ 将来の給付の貴重な財源
⑨ 責任準備金
⑩ 督促状に指定した期限の日から３月
⑪ 督促状に指定した期限の日から徴収金完納又は財産差押の日
⑫ 督促状に指定した期限の翌日から６月
⑬ 督促状に指定した期限の翌日から徴収金完納又は財産差押の日
⑭ 納期限の日から６月
⑮ 納期限の日から徴収金完納又は財産差押の日の前日
⑯ 納期限の翌日から３月
⑰ 納期限の翌日から徴収金完納又は財産差押の日の前日
⑱ 被保険者にとって納付上便利　⑲ 保険料納付率の向上に寄与する
⑳ 保険料の徴収上有利

キリトリ線

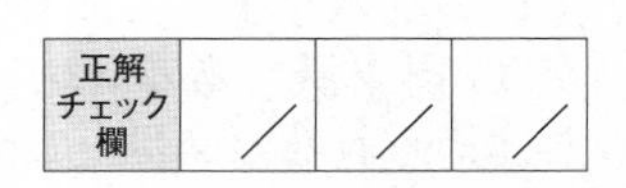

正解チェック欄	／	／	／

【解　答】

A　⑧ 将来の給付の貴重な財源
B　① 国民年金事業の運営の安定
C　⑳ 保険料の徴収上有利
D　⑰ 納期限の翌日から徴収金完納又は財産差押の日の前日
E　⑯ 納期限の翌日から3月

【解　説】

本問1は，積立金の運用の目的に関する問題であり，国民年金法（以下本問において「法」とする）75条からの出題である。

国民年金法第75条では，「積立金の運用は，積立金が国民年金の被保険者から徴収された保険料の一部であり，かつ，将来の給付の貴重な財源となるものであることに特に留意し，専ら国民年金の被保険者の利益のために，長期的な観点から，安全かつ効率的に行うことにより，将来にわたって，国民年金事業の運営の安定に資することを目的として行うものとする。」と規定している。

社会保険科目
238p

本問2は，指定代理納付者による納付に関する問題であり，法92条の2の2からの出題である。

国民年金法第92条の2の2の規定によると，厚生労働大臣は，被保険者から指定代理納付者をして当該被保険者の保険料を立て替えて納付させることを希望する旨の申出を受けたときは，その納付が確実と認められ，かつ，その申出を承認することが保険料の徴収上有利と認められるときに限り，その申出を承認することができるとされている。

社会保険科目
243p

本問3は，延滞金に関する問題であり，法97条1項からの出題である。

国民年金法第97条第1項では，「前条第1項の規定によって督促をしたときは，厚生労働大臣は，徴収金額に，納期限の翌日から徴収金完納又は財産差押の日の前日までの期間の日数に応じ，年14.6パーセント（当該督促が保険料に係るものであるときは，当該納期限の翌日から3月を経過する日までの期間については，年7.3パーセント）の割合を乗じて計算した延滞金を徴収する。ただし，徴収金額が500円未満であるとき，又は滞納につきやむを得ない事情があると認められるときは，この限りでない。」と規定している。

社会保険科目
256p

R6-選択

保険料の納付委託・遺族基礎年金・死亡一時金

問 9 次の文中の[　　]の部分を選択肢の中の最も適切な語句で埋め，完全な文章とせよ。

1 国民年金法において，被保険者の委託を受けて，保険料の納付に関する事務（以下本肢において「納付事務」という。）を行うことができる者として，国民年金基金又は国民年金基金連合会，厚生労働大臣に対し，納付事務を行う旨の申し出をした[A]，納付事務を[B]ことができると認められ，かつ，政令で定める要件に該当する者として厚生労働大臣が指定するものに該当するコンビニエンスストア等があり，これらを[C]という。

2 遺族基礎年金が支給される子については，国民年金法第37条の2第1項第2号によると，「十八歳に達する日以後の最初の三月三十一日までの間にあるか又は二十歳未満であって障害等級に該当する障害の状態にあり，かつ，現に[D]こと」と規定されている。

3 遺族基礎年金を受給できる者がいない時には，被保険者又は被保険者であった者が国民年金法第52条の2に規定された支給要件を満たせば，死亡した者と死亡の当時生計を同じくする遺族に死亡一時金が支給されるが，この場合の遺族とは，死亡した者の[E]であり，死亡一時金を受けるべき者の順位は，この順序による。

キリトリ線

重要度 B

選択肢

① 完全かつ効率的に行う　② 婚姻をしていない
③ 市町村（特別区を含む。）　④ 実施機関
⑤ 指定代理納付者　⑥ 指定納付受託者
⑦ 申請に基づき実施する　⑧ 適正かつ円滑に行う
⑨ 適正かつ確実に実施する　⑩ 都道府県
⑪ 日本国内に住所を有している　⑫ 納付受託者
⑬ 配偶者又は子　⑭ 配偶者，子又は父母
⑮ 配偶者，子，父母又は孫
⑯ 配偶者，子，父母，孫，祖父母又は兄弟姉妹
⑰ 保険者　⑱ 保険料納付確認団体
⑲ 離縁によって，死亡した被保険者又は被保険者であった者の子でなくなっていない
⑳ 養子縁組をしていない

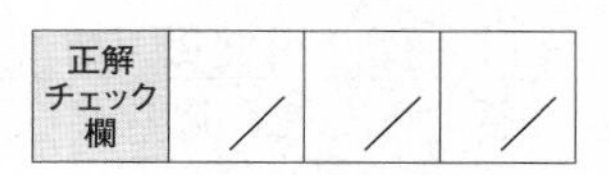

キリトリ線

【解　答】
A　③ 市町村（特別区を含む。）
B　⑨ 適正かつ確実に実施する
C　⑫ 納付受託者
D　② 婚姻をしていない
E　⑯ 配偶者，子，父母，孫，祖父母又は兄弟姉妹

【解　説】
本問1は，保険料の納付委託に関する問題であり，国民年金法92条の3第1項及び同法92条の4第1項からの出題である。

国民年金法において，被保険者の委託を受けて，保険料の納付に関する事務（以下本肢において「納付事務」という。）を行うことができる者として，国民年金基金又は国民年金基金連合会，厚生労働大臣に対し，納付事務を行う旨の申し出をした市町村（特別区を含む。），納付事務を適正かつ確実に実施することができると認められ，かつ，政令で定める要件に該当する者として厚生労働大臣が指定するものに該当するコンビニエンスストア等があり，これらを納付受託者という。

社会保険科目 243p

本問2は，遺族補償年金に係る遺族の範囲に関する問題であり，国民年金法37条の2第1項2号からの出題である。

遺族基礎年金が支給される子については，国民年金法37条の2第1項2号によると，「十八歳に達する日以後の最初の三月三十一日までの間にあるか又は二十歳未満であって障害等級に該当する障害の状態にあり，かつ，現に婚姻をしていないこと」と規定されている。

社会保険科目 222p

本問3は，死亡一時金に係る遺族の範囲及び順位に関する問題であり，国民年金法52条の3第1項・2項からの出題である。

遺族基礎年金を受給できる者がいない時には，被保険者又は被保険者であった者が国民年金法52条の2に規定された支給要件を満たせば，死亡した者と死亡の当時生計を同じくする遺族に死亡一時金が支給されるが，この場合の遺族とは，死亡した者の配偶者，子，父母，孫，祖父母又は兄弟姉妹であり，死亡一時金を受けるべき者の順位は，この順序による。

社会保険科目 231p

MEMO

国年法

H29-選択	保険料免除・寡婦年金等

問 10

次の文中の［　　］の部分を選択肢の中の最も適切な語句で埋め，完全な文章とせよ。

1　国民年金法第90条の2第2項第1号及び国民年金法施行令第6条の9の規定によると，申請により保険料の半額を納付することを要しないこととできる所得の基準は，被保険者，配偶者及び世帯主について，当該保険料を納付することを要しないものとすべき月の属する年の前年の所得（1月から6月までの月分の保険料については，前々年の所得とする。）が［ A ］に扶養親族等（特定年齢扶養親族にあっては，控除対象扶養親族に限る。）1人につき［ B ］を加算した額以下のときとされている。

なお，本問における扶養親族等は，所得税法に規定する老人控除対象配偶者若しくは老人扶養親族又は特定扶養親族等ではないものとする。

2　国民年金法第49条では，寡婦年金は，一定の保険料の納付の要件を満たした夫が死亡した場合において，夫の死亡の当時夫によって生計を維持し，かつ，夫との婚姻関係が10年以上継続した一定の妻があるときに支給されるが，［ C ］が死亡したときは支給されないことが規定されている。

夫が死亡した当時53歳であった妻に支給する寡婦年金は，［ D ］から，その支給を始める。

3　国民年金法第107条第1項では，厚生労働大臣は，必要があると認めるときは，受給権者に対して，その者の［ E ］その他受給権の消滅，年金額の改定若しくは支給の停止に係る事項に関する書類その他の物件を提出すべきことを命じ，又は当該職員をしてこれらの事項に関し受給権者に質問させることができると規定している。

キリトリ線

重要度 A

選択肢

① 22万円	② 35万円
③ 38万円	④ 48万円
⑤ 78万円	⑥ 128万円
⑦ 125万円	⑧ 158万円

⑨ 老齢基礎年金，障害基礎年金又は遺族基礎年金の支給を受けたことがある夫
⑩ 夫が死亡した日の属する月の翌月
⑪ 資産若しくは収入の状態
⑫ 老齢基礎年金又は障害基礎年金の支給を受けたことがある夫
⑬ 老齢基礎年金又は障害基礎年金の受給権者であったことがある夫
⑭ 老齢基礎年金，障害基礎年金又は遺族基礎年金の受給権者であったことがある夫
⑮ 妻が55歳に達した日の属する月の翌月
⑯ 妻が60歳に達した日の属する月の翌月
⑰ 妻が65歳に達した日の属する月の翌月
⑱ 届出事項の変更若しくは受給資格の変更
⑲ 被扶養者の状況，生計維持関係　⑳ 身分関係，障害の状態

国年法

キリトリ線

正解チェック欄	／	／	／

【解　答】

A　⑥ 128万円

B　③ 38万円

C　⑫ 老齢基礎年金又は障害基礎年金の支給を受けたことがある夫

D　⑯ 妻が60歳に達した日の属する月の翌月

E　⑳ 身分関係，障害の状態

【解　説】

本問1は，保険料半額免除に関する問題であり，国民年金法（以下本問において「法」とする）90条の2第2項第1号及び法施行令6条の9からの出題である。

国民年金法第90条の2第2項第1号及び国民年金法施行令第6条の9の規定によると，申請により保険料の半額を納付することを要しないこととできる所得の基準は，被保険者，配偶者及び世帯主について，当該保険料を納付することを要しないものとすべき月の属する年の前年の所得（1月から6月までの月分の保険料については，前々年の所得とする。）が128万円に扶養親族等1人につき38万円を加算した額以下のときとされている。

社会保険科目 248p

なお，本問における扶養親族等は，所得税法に規定する老人控除対象配偶者若しくは老人扶養親族又は特定扶養親族等ではないものとする。

本問2は，寡婦年金に関する問題であり，法49条からの出題である。

国民年金法第49条では，寡婦年金は，一定の保険料の納付の要件を満たした夫が死亡した場合において，夫の死亡の当時夫によって生計を維持し，かつ，夫との婚姻関係が10年以上継続した一定の妻があるときに支給されるが，老齢基礎年金又は障害基礎年金の支給を受けたことがある夫が死亡したときは支給されないことが規定さ

社会保険科目 229p

れている。

夫が死亡した当時53歳であった妻に支給する寡婦年金は，妻が60歳に達した日の属する月の翌月から，その支給を始める。

本問3は，受給権者に関する調査問題であり，法107条1項からの出題である。

国民年金法第107条第1項では，厚生労働大臣は，必要があると認めるときは，受給権者に対して，その者の身分関係，障害の状態その他受給権の消滅，年金額の改定若しくは支給の停止に係る事項に関する書類その他の物件を提出すべきことを命じ，又は当該職員をしてこれらの事項に関し受給権者に質問させることができると規定している。

社会保険科目
262p

キリトリ線

MEMO

キリトリ線

H27-1	被保険者	重要度 A

問 1 被保険者に関する次の記述のうち，正しいものはどれか。

A　日本国籍を有し日本国内に住所を有しない65歳以上70歳未満の者が，老齢基礎年金，老齢厚生年金その他の老齢又は退職を支給事由とする年金給付の受給権を有しないときは，昭和30年4月1日以前生まれの場合に限り，厚生労働大臣に申し出て特例による任意加入被保険者となることができる。

B　特例による任意加入被保険者が，70歳に達する前に厚生年金保険法の被保険者の資格を取得したとき，又は老齢若しくは退職を支給事由とする年金給付の受給権を取得したときは，それぞれその日に被保険者の資格を喪失する。

C　海外に居住する20歳以上65歳未満の日本国籍を有する任意加入被保険者は，保険料を滞納し，その後，保険料を納付することなく1年間が経過した日の翌日に，被保険者資格を喪失する。

※D　日本国内に住所を有せず，かつ，日本国内に生活の基礎があるとは認められない20歳以上60歳未満の外国籍の者は，第2号被保険者の配偶者となって，主として第2号被保険者の収入により生計を維持している場合でも，第3号被保険者とならない。

E　厚生年金保険の在職老齢年金を受給する65歳以上70歳未満の被保険者の収入によって生計を維持する20歳以上60歳未満の配偶者は，第3号被保険者とはならない。

キリトリ線

正解チェック欄	／	／	／

A 誤 日本国籍を有し日本国内に住所を有しない65歳以上70歳未満の者が，老齢基礎年金，老齢厚生年金その他老齢又は退職を支給事由とする年金給付の受給権を有しないときは，「昭和40年4月1日」以前生まれの場合に限り，厚生労働大臣に申し出て特例による任意加入被保険者となることができる（平16法附則23条1項ほか）。

社会保険科目 154～155p

B 誤 特例による任意加入被保険者が，70歳に達する前に，厚生年金保険法の被保険者の資格を取得したときはその日に，老齢又は退職を支給事由とする年金給付の受給権を取得したときはその日の「翌日」に，被保険者の資格を喪失する（平6法附則11条6項，平16法附則23条6項）。

社会保険科目 159p

C 誤 本肢の者は，保険料を滞納し，その後，納付することなく「2年」を経過した日の翌日に，被保険者の資格を喪失する（法附則5条8項）。

社会保険科目 158p

※**D 正** 本肢のとおりである（法7条1項3号）。第3号被保険者については，国籍要件は問われないが，「国内居住要件」が問われるため，本肢の者は，第3号被保険者とならない。

社会保険科目 152～153p

E 正 本肢のとおりである（法7条1項3号，法附則3条）。厚生年金保険の被保険者であっても，65歳以上で老齢厚生年金の受給権を有している場合には第2号被保険者とはならないため，その者の配偶者は第3号被保険者とはならない。

社会保険科目 152～153p

H29-3	被保険者	重要度 A

問 2 任意加入被保険者及び特例による任意加入被保険者の資格の取得及び喪失に関する次の記述のうち，誤っているものはどれか。

A 日本国籍を有する者で，日本国内に住所を有しない65歳以上70歳未満の特例による任意加入被保険者は，日本国籍を有しなくなった日の翌日（その事実があった日に更に国民年金の被保険者資格を取得したときを除く。）に任意加入被保険者の資格を喪失する。

B 日本国内に住所を有する65歳以上70歳未満の特例による任意加入被保険者は，日本国内に住所を有しなくなった日の翌日（その事実があった日に更に国民年金の被保険者資格を取得したときを除く。）に任意加入被保険者の資格を喪失する。

C 日本国籍を有する者で，日本国内に住所を有しない20歳以上65歳未満の任意加入被保険者が，厚生年金保険の被保険者資格を取得したときは，当該取得日に任意加入被保険者の資格を喪失する。

D 日本国内に住所を有する65歳以上70歳未満の特例による任意加入被保険者が保険料を滞納し，その後，保険料を納付することなく2年間が経過したときは，その翌日に任意加入被保険者の資格を喪失する。

E 日本国籍を有する者で，日本国内に住所を有しない20歳以上65歳未満の者（第2号被保険者及び第3号被保険者を除く。）が任意加入被保険者の資格の取得の申出をしたときは，申出をした日に任意加入被保険者の資格を取得する。

正解チェック欄	／	／	／

A 正 本肢のとおりである（平6法附則11条8項，平16法附則23条8項）。

社会保険科目 159p

B 正 本肢のとおりである（平6法附則11条7項，平16法附則23条7項）。

社会保険科目 159p

C 正 本肢のとおりである（法附則5条8項）。なお，本肢の者が日本国内に住所を有するに至った場合は，原則として，その日の翌日に任意加入被保険者の失格を喪失する。

社会保険科目 158p

D 誤 日本国内に住所を有する65歳以上70歳未満の特例による任意加入被保険者が保険料を滞納し，「督促状の指定の期限までに，その保険料を納付しないとき」は，その翌日に任意加入被保険者の資格を喪失する（平6法附則11条7項，平16法附則23条7項）。

社会保険科目 159p

E 正 本肢のとおりである（法附則5条3項）。なお，特例による任意加入被保険者についても，その被保険者の資格取得に係る申出をした日に当該被保険者の資格を取得する。

社会保険科目 156p

H29-10	被保険者	重要度 A

問 3 被保険者等に関する次の記述のうち，誤っているものはどれか。

A 60歳で被保険者資格を喪失し日本に居住している特別支給の老齢厚生年金の受給権者（30歳から60歳まで第2号被保険者であり，その他の被保険者期間はなく，国民年金法の適用を除外すべき特別の理由がある者として，厚生労働省令で定めるものには該当しない。）であって，老齢基礎年金の支給繰上げの請求を行っていない者は，国民年金の任意加入被保険者になることができる。

B 第1号被保険者として継続して保険料を納付してきた者が令和3年3月31日に死亡した場合，第1号被保険者としての被保険者期間は同年2月までとなり，保険料を納付することを要しないとされている場合を除き，保険料も2月分まで納付しなければならない。

C 20歳未満の厚生年金保険の被保険者は，国民年金の第2号被保険者となる。

D 令和3年3月2日に20歳となり国民年金の第1号被保険者になった者が，同月27日に海外へ転居し，被保険者資格を喪失した。この場合，同年3月は，第1号被保険者としての被保険者期間に算入される。なお，同月中に再度被保険者資格を取得しないものとする。

E 日本国籍を有し，日本国内に住所を有しない国民年金の任意加入被保険者に係る諸手続の事務は，国内に居住する親族等の協力者がいる場合は，協力者が本人に代わって行うこととされており，その手続きは，本人の日本国内における最後の住所地を管轄する年金事務所又は市町村長（特別区の区長を含む。）に対して行うこととされている。なお，本人は日本国内に住所を有したことがあるものとする。

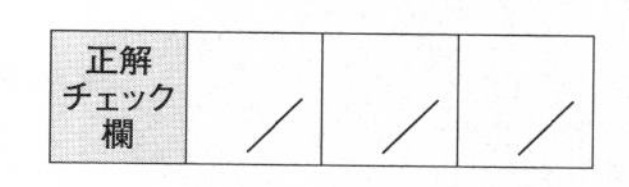

A　正　本肢のとおりである（法附則5条1項・5項)。本肢の者の保険料納付済期間の月数は360月（30年）であり，480月に達していない。さらに，本肢の者は，日本国内に住所を有する60歳以上65歳未満の者（国民年金法の適用を除外すべき特別の理由がある者として，厚生労働省令で定めるものを除く）であるため，他の要件を満たす限り，厚生労働大臣に申し出て任意加入被保険者となることができる。

社会保険科目
153～154p

B　誤　被保険者が令和3年3月31日に死亡した場合，被保険者の資格喪失日はその翌日の同年4月1日となる。さらに，被保険者期間は，被保険者資格を喪失した日の属する月の前月までが算入されるため，本肢の場合，第1号被保険者としての被保険者期間は「同年3月」までとなり，保険料を納付することを要しないとされている場合を除き，保険料も「3月分」まで納付しなければならない（法9条，法11条1項)。

社会保険科目
157, 160p

C　正　本肢のとおりである（法7条1項2号)。

社会保険科目
152～153p

D　正　本肢のとおりである（法11条2項)。本肢の被保険者資格の取得及び喪失は同一月内に行われ，同月得喪となっているため，令和3年3月は，第1号被保険者としての被保険者期間に算入される。

社会保険科目
160p

E　正　本肢のとおりである（昭61.4.1庁保険発19号)。

R3-3	被保険者	重要度 A

問 4 国民年金法の被保険者に関する次の記述のうち，誤っているものはどれか。

A 第3号被保険者が，外国に赴任する第2号被保険者に同行するため日本国内に住所を有しなくなったときは，第3号被保険者の資格を喪失する。

B 老齢厚生年金を受給する66歳の厚生年金保険の被保険者の収入によって生計を維持する55歳の配偶者は，第3号被保険者とはならない。

C 日本の国籍を有しない者であって，出入国管理及び難民認定法の規定に基づく活動として法務大臣が定める活動のうち，本邦において1年を超えない期間滞在し，観光，保養その他これらに類似する活動を行うものは，日本国内に住所を有する20歳以上60歳未満の者であっても第1号被保険者とならない。

D 第2号被保険者の被扶養配偶者であって，観光，保養又はボランティア活動その他就労以外の目的で一時的に海外に渡航する日本国内に住所を有しない20歳以上60歳未満の者は，第3号被保険者となることができる。

E 昭和31年4月1日生まれの者であって，日本国内に住所を有する65歳の者（第2号被保険者を除く。）は，障害基礎年金の受給権を有する場合であっても，特例による任意加入被保険者となることができる。なお，この者は老齢基礎年金，老齢厚生年金その他の老齢又は退職を支給事由とする年金たる給付の受給権を有していないものとする。

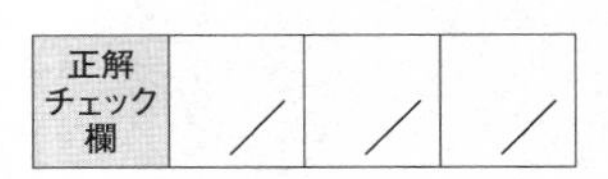

正解チェック欄	／	／	／

A　誤　外国に赴任する第2号被保険者に同行する者は，「日本国内に住所を有しないが渡航目的その他の事情を考慮して日本国内に生活の基礎があると認められる者として厚生労働省令で定める者」に該当するため，本肢の者は，第3号被保険者の資格を「喪失しない」(法7条1項3号，則1条の3)。

社会保険科目
152p

B　正　本肢のとおりである（法7条1項2号・3号，法附則3条)。老齢又は退職を支給事由とする年金たる給付の受給権を有する65歳以上の者は，厚生年金保険の被保険者であっても第2号被保険者とならないことから，本肢の配偶者は，第2号被保険者の収入により生計を維持するものに該当しないため，第3号被保険者とならない。

社会保険科目
152p

C　正　本肢のとおりである（法7条1項1号，則1条の2)。本肢の者は，「国民年金法の適用を除外すべき特別の理由がある者として厚生労働省令で定める者」に該当するため，第1号被保険者とならない。

D　正　本肢のとおりである（法7条1項3号，則1条の3)。本肢の者は，「日本国内に住所を有しないが渡航目的その他の事情を考慮して日本国内に生活の基礎があると認められる者として厚生労働省令で定める者」に該当するため，第3号被保険者となる。

E　正　本肢のとおりである（平16法附則23条1項)。

社会保険科目
154p

MEMO

国年法

R2-9	被保険者

問 5 **任意加入被保険者及び特例による任意加入被保険者に関する次の記述のうち，正しいものはどれか。**

A 68歳の夫（昭和27年4月2日生まれ）は，65歳以上の特例による任意加入被保険者として保険料を納付し，令和2年4月に老齢基礎年金の受給資格を満たしたが，裁定請求の手続きをする前に死亡した。死亡の当時，当該夫により生計を維持し，当該夫との婚姻関係が10年以上継続した62歳の妻がいる場合，この妻が繰上げ支給の老齢基礎年金を受給していなければ，妻には65歳まで寡婦年金が支給される。なお，死亡した当該夫は，障害基礎年金の受給権者にはなったことがなく，学生納付特例の期間，納付猶予の期間，第2号被保険者期間及び第3号被保険者期間を有していないものとする。

B 60歳で第2号被保険者資格を喪失した64歳の者（昭和31年4月2日生まれ）は，特別支給の老齢厚生年金の報酬比例部分を受給中であり，あと1年間，国民年金の保険料を納付すれば満額の老齢基礎年金を受給することができる。この者は，日本国籍を有していても，日本国内に住所を有していなければ，任意加入被保険者の申出をすることができない。

C 20歳から60歳までの40年間第1号被保険者であった60歳の者（昭和35年4月2日生まれ）は，保険料納付済期間を30年間，保険料半額免除期間を10年間有しており，これらの期間以外に被保険者期間を有していない。この者は，任意加入の申出をすることにより任意加入被保険者となることができる。なお，この者は，日本国籍を有し，日本国内に住所を有しているものとする。

D 昭和60年4月から平成6年3月までの9年間（108か月間）厚生年金保険の第3種被保険者としての期間を有しており，この期間以外に被保険者期間を有していない65歳の者（昭和30年4月2日生まれ）は，老齢基礎年金の受給資格を満たしていないため，任意加入の申出をすることにより，65歳以上の特例による任意加入被保険者になることができる。なお，この者は，日本国籍を有し，日本国内に住所を有しているものとする。

キリトリ線

キリトリ線

重要度 **B**

E　60歳から任意加入被保険者として保険料を口座振替で納付してきた65歳の者（昭和30年4月2日生まれ）は，65歳に達した日において，老齢基礎年金の受給資格要件を満たしていない場合，65歳に達した日に特例による任意加入被保険者の加入申出があったものとみなされ，引き続き保険料を口座振替で納付することができ，付加保険料についても申出をし，口座振替で納付することができる。

国年法

キリトリ線

正解チェック欄	／	／	／

A 誤 特例による任意加入被保険者として保険料を納付して老齢基礎年金の受給資格を満たしたということは，特例による任意加入被保険者として保険料を納付した保険料納付済期間がなければ受給資格期間が10年に達しないということである。しかし，寡婦年金の支給の規定の適用に当たって，「特例による任意加入被保険者としての被保険者期間は第1号被保険者としての被保険者期間とみなされない」。したがって，本肢の夫の第1号被保険者としての保険料納付済期間及び保険料免除期間の月数は10年に満たないことから，「妻に寡婦年金は支給されない」（法49条1項，平6法附則11条10項ほか）。

社会保険科目 154～155，229p

B 誤 本肢の者は，「日本国籍を有する者その他政令で定める者であって，日本国内に住所を有しない20歳以上65歳未満のもの」に該当するため，任意加入被保険者の申出をすることができる（法附則5条1項）。

社会保険科目 153～154p

C 正 本肢のとおりである（法附則5条1項）。保険料半額免除期間は，原則として，その月数の4分の3に相当する月数が老齢基礎年金の額の計算の基礎となる。したがって，本肢の者は「国民年金法27条各号に掲げる月数を合算した月数が480に達したとき」にいまだ該当していない（保険料納付済期間360月＋保険料半額免除期間120月×3/4＝450月）ため，任意加入被保険者となることができる。

社会保険科目 154～155，190～192p

D　誤　昭和36年4月1日から昭和61年3月31日までの期間のうち第3種被保険者であった期間は，本来の期間を3分の4倍した期間を，昭和61年4月1日から平成3年3月31日までの期間のうち第3種被保険者であった期間は，本来の期間を5分の6倍した期間を，それぞれ被保険者期間（保険料納付済期間）として老齢基礎年金の受給資格期間を満たしているか否かを判断する。したがって，本肢の者の場合，12月×4/3＋60月×6/5＋36月＝124月となり，10年の受給資格期間を満たし，老齢基礎年金の受給権を取得しているため，特例による任意加入被保険者となることはできない（昭60法附則8条2項・8項ほか）。

社会保険科目
154～155，
190～192p

E　誤　特例による任意加入被保険者は付加保険料を納付する者となることはできない。その他の記述は正しい（平6法附則11条3項・9項ほか）。

社会保険科目
241p

キリトリ線

R6-4	被保険者	重要度 B

国年法

問 6 国民年金の適用に関する次の記述のうち，正しいものはどれか。

A 技能実習の在留資格で日本に在留する外国人は，実習実施者が厚生年金保険の適用事業所の場合，講習期間及び実習期間は厚生年金保険の対象となるため，国民年金には加入する必要がない。

B 日本から外国に留学する20歳以上65歳未満の日本国籍を有する留学生は，留学前に居住していた市町村（特別区を含む。）の窓口に，海外への転出届を提出して住民票を消除している場合であっても，国民年金の被保険者になることができる。

C 留学の在留資格で中長期在留者として日本に在留する20歳以上60歳未満の留学生は，住民基本台帳法第30条の46の規定による届出をした年月日に第1号被保険者の資格を取得する。

D 第3号被保険者が配偶者を伴わずに単身で日本から外国に留学すると，日本国内居住要件を満たさなくなるため，第3号被保険者の資格を喪失する。

E 第2号被保険者は，原則として70歳に到達して厚生年金保険の被保険者の資格を喪失した時に第2号被保険者の資格を喪失するため，当該第2号被保険者の配偶者である第3号被保険者は，それに連動してその資格を喪失することになる。

キリトリ線

正解チェック欄	／	／	／

A 誤 講習期間は厚生年金保険の対象とならない。また，所定の要件を満たす限り，実習期間は厚生年金保険の対象となるが，その場合，原則として，第2号被保険者となるため，国民年金に加入している（法7条1項ほか）。

B 正 本肢のとおりである（法附則5条1項）。

C 誤 本肢の者は，「日本国内に住所を有した日」に第1号被保険者の資格を取得する（法7条1項）。

D 誤 外国において留学をする学生は，国内居住要件を満たすものとされているため，「第3号被保険者の資格を喪失せず」，引き続き第3号被保険者となる（法7条1項，則とする）1条の3）。

社会保険科目 152, 157p

E 誤 第3号被保険者は，原則として，日本国内に住所を有する20歳以上60歳未満の者であるため，その配偶者である第2号被保険者が厚生年金保険の被保険者の資格を喪失した場合，「第1号被保険者へとその種別が変更される」のであって，被保険者の資格を喪失するわけではない（法7条1項）。

社会保険科目 152, 157p

キリトリ線

H27-8	届出等	重要度 A

問 7 被保険者及び受給権者の届出等に関する次の記述のうち，正しいものはどれか。

A 第2号被保険者の夫とその被扶養配偶者となっている第3号被保険者の妻が離婚したことにより生計維持関係がなくなった場合，妻は，第3号被保険者に該当しなくなるため，市町村長（特別区の区長を含む。以下本問において同じ。）へ第1号被保険者の種別の変更の届出を行うとともに，離婚した夫が勤務する事業所の事業主を経由して日本年金機構へ「被扶養配偶者非該当届」を提出しなければならない。なお，夫が使用される事業所は健康保険組合管掌健康保険の適用事業所であり，当該届出の経由に係る事業主の事務は健康保険組合に委託されていないものとする。

B 施設入居等により住民票の住所と異なる居所に現に居住しており，その居所に年金の支払いに関する通知書等が送付されている老齢基礎年金の受給権者が，居所を変更した場合でも，日本年金機構に当該受給権者の住民票コードが収録されているときは，「年金受給権者住所変更届」の提出は不要である。

C 第1号被保険者であった者が就職により厚生年金保険の被保険者の資格を取得したため第2号被保険者となった場合，国民年金の種別変更に該当するため10日以内に市町村長へ種別変更の届出をしなければならない。

D 老齢基礎年金を受給していた夫が死亡した場合，その死亡当時，生計を同じくしていた妻が，未支給年金を受給するためには，「年金受給権者死亡届」と「未支給年金請求書」を日本年金機構に提出しなければならないが，厚生労働大臣が住民基本台帳法の規定により夫，妻双方に係る機構保存本人確認情報の提供を受けることができる場合には，これらの提出は不要となる。

E 加算対象者がいる障害基礎年金の受給権者は，生計維持関係を確認する必要があるため，原則として毎年，指定日までに「生計維持確認届」を提出しなければならないが，厚生労働大臣が住民基本台帳法の規定により当該受給権者に係る機構保存本人確認情報の提供を受けることができる場合は，提出する必要はない。

正解チェック欄	／	／	／

国年法

キリトリ線

A 正 本肢のとおりである（法12条の2，令4条の2，則6条の2，則6条の2の2）。

B 誤 本肢の場合，「年金受給権者住所変更届」の提出が「必要」である（則20条，平23.6.17年管管発0617第2号ほか）。

C 誤 第2号被保険者については，国民年金法の届出の規定は適用されないため，第1号被保険者から第2号被保険者に種別が変更になった場合には，種別変更届の提出は「不要」である（法附則7条の4）。

社会保険科目 163p

D 誤 厚生労働大臣が住民基本台帳法の規定により機構保存本人確認情報の提供を受けることができる受給権者の死亡について，「当該受給権者の死亡の日から7日以内に当該受給権者に係る戸籍法の規定による死亡の届出をした」場合には，「年金受給権者死亡届」の提出は不要であるが，未支給年金の請求権者である妻について厚生労働大臣が住民基本台帳法の規定により機構保存本人確認情報の提供を受けることができる場合であっても，「未支給年金請求書」の提出は「省略できない」（法105条4項，則24条，則25条）。

社会保険科目 170p

E 誤 加算額対象者がいる障害基礎年金の受給権者について，厚生労働大臣が住民基本台帳法の規定により機構保存本人確認情報の提供を受けることができる場合であっても，当該受給権者は，原則として毎年，指定日までに「生計維持確認届」を提出することが「必要」である（則36条の3）。

社会保険科目 169～170p

H29-1	届出等	重要度 A

問 8　被保険者の届出等に関する次の記述のうち，誤っているものはどれか。

A　第1号厚生年金被保険者である第2号被保険者の被扶養配偶者が20歳に達し，第3号被保険者となるときは，14日以内に資格取得の届出を日本年金機構に提出しなければならない。

B　第1号厚生年金被保険者である第2号被保険者を使用する事業主は，当該第2号被保険者の被扶養配偶者である第3号被保険者に係る資格の取得及び喪失並びに種別の変更等に関する事項の届出に係る事務の一部を全国健康保険協会に委託することができるが，当該事業主が設立する健康保険組合に委託することはできない。

C　第3号被保険者は，その配偶者が第2号厚生年金被保険者の資格を喪失した後引き続き第3号厚生年金被保険者の資格を取得したときは，14日以内に種別確認の届出を日本年金機構に提出しなければならない。

D　第1号被保険者の属する世帯の世帯主は，当該被保険者に代わって被保険者資格の取得及び喪失並びに種別の変更に関する事項について，市町村長へ届出をすることができる。

E　平成30年4月1日を資格取得日とし，引き続き第3号被保険者である者の資格取得の届出が令和3年4月13日に行われた。この場合，平成31年3月以降の各月が保険料納付済期間に算入されるが，平成30年4月から平成31年2月までの期間に係る届出の遅滞についてやむを得ない事由があると認められるときは，厚生労働大臣にその旨を届け出ることによって，届出日以後，当該期間の各月についても保険料納付済期間に算入される。

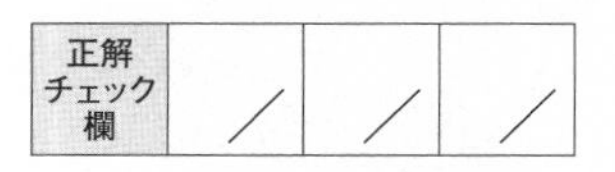

社会保険科目
166p

A 正 本肢のとおりである（則1条の4第2項）。

B 誤 第1号厚生年金被保険者である第2号被保険者を使用する事業主は，当該第2号被保険者の被扶養配偶者である第3号被保険者に係る資格の取得及び喪失並びに種別の変更等に関する事項の届出に係る事務の一部を当該事業主が設立する「健康保険組合」に委託することができるが，全国健康保険協会に委託することはできない（法12条8項）。

社会保険科目
164p

C 正 本肢のとおりである（則6条の3第1項）。

社会保険科目
165p

D 正 本肢のとおりである（法12条2項）。

社会保険科目
163p

E 正 本肢のとおりである（法附則7条の3第1項・2項）。第3号被保険者の届出が遅滞して行われた場合，届出が行われた日の属する月の前々月までの2年間のうちにあるもの以外のもの（本肢の場合，平成30年4月から平成31年2月までの各月）については，原則として，保険料納付済期間に算入されないが，当該届出を遅滞したことについてやむを得ない事由があると認められるときは，その旨の届出をすることにより，届出が行われた日の属する月の前々月までの2年間のうちにあるもの以外のものについても，保険料納付済期間に算入される。

社会保険科目
166～167p

キリトリ線

H28-10	老齢基礎年金	重要度 A

問 9 昭和26年4月8日生まれの男性の年金加入履歴が以下の通りである。この男性が65歳で老齢基礎年金を請求した場合に受給することができる年金額及びその計算式の組合せとして正しいものはどれか。なお，本問において振替加算を考慮する必要はない。また年金額は，平成28年度価額で計算すること。

国年法

第1号被保険者期間　180月（全て保険料納付済期間）

第3号被保険者期間　240月

付加保険料納付済期間　36月

	計算式	年金額
A	780,100円×420月/480月＋8,500円	691,100円
B	780,100円×420月/480月＋8,500円	691,088円
C	780,100円×420月/480月＋200円×36月	689,800円
D	780,100円×420月/480月＋200円×36月	689,788円
E	780,100円×420月/480月＋400円×36月	697,000円

キリトリ線

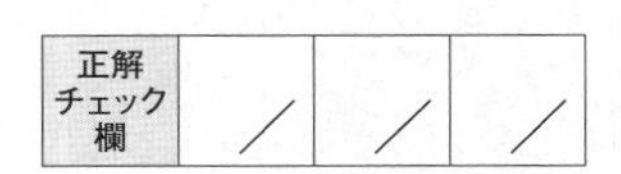

本問の場合，保険料納付済期間が420月（＝180月＋240月）となるため，老齢基礎年金の額の計算式は「780,100円×420月/480月」となる。

次に，付加年金の額の計算式は，「200円×36月」となる。

最後に，年金額の合計は次のように計算される。

①老齢基礎年金…780,100円　×420月/480月　＝682,587.5円
→682,588円（1円未満四捨五入）

②付加年金…200円×36月＝7,200円

③合計額…①＋②＝689,788円

よって，Dが正しい計算式と年金額の組合せとなる（法17条1項，法27条）。

社会保険科目
190～192,
228p

H30-9	老齢基礎年金	重要度 B

問 10 老齢基礎年金等に関する次の記述のうち，誤っているものはどれか。

A 63歳のときに障害状態が厚生年金保険法に規定する障害等級3級に該当する程度に軽減し，障害基礎年金の支給が停止された者が，3級に該当する程度の状態のまま5年経過後に，再び障害状態が悪化し，障害の程度が障害等級2級に該当したとしても，支給停止が解除されることはない。

B 45歳から64歳まで第1号厚生年金被保険者としての被保険者期間を19年有し，このほかには被保険者期間を有しない老齢厚生年金の受給権者である68歳の夫（昭和25年4月2日生まれ）と，当該夫に生計を維持されている妻（昭和28年4月2日生まれ）がいる。当該妻が65歳に達し，老齢基礎年金の受給権を取得した場合，それまで当該夫の老齢厚生年金に加給年金額が加算されていれば，当該妻の老齢基礎年金に振替加算が加算される。

C 60歳から64歳まで任意加入被保険者として保険料を納付していた期間は，老齢基礎年金の年金額を算定する際に保険料納付済期間として反映されるが，60歳から64歳まで第1号厚生年金被保険者であった期間は，老齢基礎年金の年金額を算定する際に保険料納付済期間として反映されない。

D 繰上げ支給の老齢基礎年金の受給権者に遺族厚生年金の受給権が発生した場合，65歳に達するまでは，繰上げ支給の老齢基礎年金と遺族厚生年金について併給することができないが，65歳以降は併給することができる。

E 平成30年度の老齢基礎年金の額は，年金額改定に用いる名目手取り賃金変動率がマイナスで物価変動率がプラスとなったことから，スライドなしとなり，マクロ経済スライドによる調整も行われず，平成29年度と同額である。

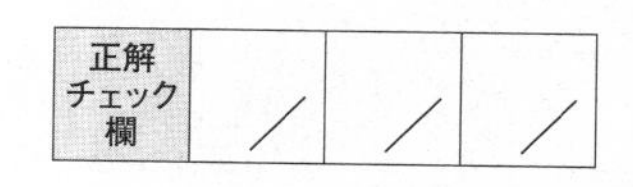

A　誤　本肢の場合，再び障害の程度が障害等級２級に該当したときは，「支給停止が解除される」（法36条２項）。

社会保険科目
216~217p

B　正　本肢のとおりである（昭60法附則14条１項）。なお，本肢の夫は，第１号厚生年金被保険者としての被保険者期間が20年以上ないが，短縮特例の適用により，被保険者期間が240月以上あるものとみなされる者であるため，夫の老齢厚生年金に加給年金額が加算され得る。

社会保険科目
197~198p

C　正　本肢のとおりである（昭60法附則８条４項）。60歳以後の第１号厚生年金被保険者であった期間（第２号被保険者としての被保険者期間）は，合算対象期間となる。

社会保険科目
186~188p

D　正　本肢のとおりである（法20条，法附則９条の２の４）。

社会保険科目
179~181p

E　正　本肢のとおりである（改定率令１条）。マクロ経済スライド調整は，年金額の伸びを抑制する仕組みであるため，年金額が増額改定されない場面（横ばい改定又は減額改定）においては，行われない。

キリトリ線

H27-10	老齢基礎年金	重要度 C

問 11

国民年金の被保険者期間に係る保険料納付状況が以下のとおりである者（昭和25年4月2日生まれ）が，65歳から老齢基礎年金を受給する場合の年金額の計算式として，正しいものはどれか。

【国民年金の被保険者期間に係る保険料納付状況】

・昭和45年4月～平成12年3月（360月）……保険料納付済期間

・平成12年4月～平成22年3月（120月）……保険料全額免除期間（追納していない）

A　780,900円×改定率×（360月＋120月×1/2）÷480月

B　780,900円×改定率×（360月＋120月×1/3）÷480月

C　780,900円×改定率×（360月＋108月×1/2＋12月×1/3）÷480月

D　780,900円×改定率×（360月＋108月×1/3＋12月×2/3）÷480月

E　780,900円×改定率×（360月＋108月×1/3＋12月×1/2）÷480月

キリトリ線

正解チェック欄	／	／	／

A 誤 本問の老齢基礎年金の額の計算式は，(780,900円×改定率)×(保険料納付済期間360月＋平成21年３月までの保険料全額免除期間108月×３分の１＋平成21年４月以降の保険料全額免除期間12月×２分の１)÷480月であり，本肢の計算式は誤りである(法27条，平16法附則10条)。なお，基礎年金（事務の執行に要する費用を除く）の給付に要する費用に係る国庫負担割合が，従来の３分の１から２分の１に実際に引き上げられたのが平成21年４月からであり，老齢基礎年金の額の計算における全額免除期間の月数（老齢基礎年金の額に反映されるものに限る）は，①平成21年３月までの全額免除期間についてはその月数の３分の１に相当する月数，②平成21年４月以降の全額免除期間についてはその月数の２分の１に相当する月数とされる。

社会保険科目 190〜192p

B 誤 本問の老齢基礎年金の額の計算式はＡ肢のとおりであり，本肢の計算式は誤りである（法27条，平16法附則10条)。

社会保険科目 190〜192p

C 誤 本問の老齢基礎年金の額の計算式はＡ肢のとおりであり，本肢の計算式は誤りである（法27条，平16法附則10条)。

社会保険科目 190〜192p

D 誤 本問の老齢基礎年金の額の計算式はＡ肢のとおりであり，本肢の計算式は誤りである（法27条，平16法附則10条)。

社会保険科目 190〜192p

E 正 本肢のとおりである（法27条，平16法附則10条)。

社会保険科目 190〜192p

MEMO

国年法

H27-9	振替加算

問 12

振替加算に関する次の記述のうち，誤っているものはどれか。

A 在職老齢年金を受給していた67歳の夫（昭和23年４月２日生まれ）が，厚生年金保険法第43条第３項に規定する退職時の年金額の改定により初めて老齢厚生年金の加給年金額が加算される被保険者期間の要件を満たした場合，夫により生計を維持されている老齢基礎年金のみを受給している66歳の妻（昭和24年４月２日生まれ）は，「老齢基礎年金額加算開始事由該当届」を提出することにより，妻の老齢基礎年金に振替加算が加算される。

B 67歳の夫（昭和23年４月２日生まれ）と66歳の妻（昭和24年４月２日生まれ）が離婚をし，妻が，厚生年金保険法第78条の２の規定によるいわゆる合意分割の請求を行ったことにより，離婚時みなし被保険者期間を含む厚生年金保険の被保険者期間の月数が240か月以上となった場合，妻の老齢基礎年金に加算されていた振替加算は行われなくなる。

C 20歳から60歳まで国民年金のみに加入していた妻（昭和25年４月２日生まれ）は，60歳で老齢基礎年金の支給繰上げの請求をした。当該夫婦は妻が30歳のときに婚姻し，婚姻以後は継続して，厚生年金保険の被保険者である夫（昭和22年４月２日生まれ）に生計を維持されている。妻が65歳に達した時点で，夫は厚生年金保険の被保険者期間の月数を240か月以上有するものの，在職老齢年金の仕組みにより老齢厚生年金が配偶者加給年金額を含め全額支給停止されていた場合であっても，妻が65歳に達した日の属する月の翌月分から老齢基礎年金に振替加算が加算される。

D 特例による任意加入被保険者である妻（昭和23年４月２日生まれ）は，厚生年金保険の被保険者期間の月数が240か月以上ある老齢厚生年金の受給権者である夫（昭和22年４月２日生まれ）に継続して生計を維持されている。夫の老齢厚生年金には，妻が65歳に達するまで加給年金額が加算されていた。妻は，67歳の時に受給資格期間を満たし，老齢基礎年金の受給権を取得した場合，妻の老齢基礎年金に振替加算は加算されない。

キリトリ線

重要度 A

E 日本国籍を有する甲（昭和27年4月2日生まれの女性）は，20歳から60歳まで海外に居住し，その期間はすべて合算対象期間であった。また，60歳以降も国民年金に任意加入していなかった。その後，甲が61歳の時に，厚生年金保険の被保険者期間の月数を240か月以上有する乙（昭和24年4月2日生まれの男性）と婚姻し，65歳まで継続して乙に生計を維持され，乙の老齢厚生年金の加給年金額の対象者となっていた場合，甲が65歳になると老齢基礎年金の受給要件に該当するものとみなされ，振替加算額に相当する額の老齢基礎年金が支給される。

キリトリ線

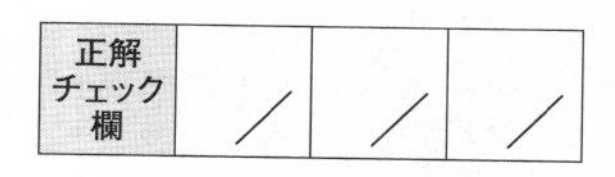

正解チェック欄	／	／	／

A 正 本肢のとおりである（昭60法附則14条2項・4項，則17条の3ほか）。大正15年4月2日から昭和41年4月1日までの間に生まれた者が65歳に達した日以後にその配偶者が加給年金の加算要件である老齢厚生年金についての被保険者期間（240月以上）を満たした場合において，その当時その者がその者の配偶者によって生計を維持していたときは，その月の翌月から，その者に対する老齢基礎年金の額に振替加算が加算されることとなるが，この場合，速やかに，「老齢基礎年金額加算開始事由該当届」を提出しなければならない。

社会保険科目
197～199p

B 正 本肢のとおりである（昭60法附則14条1項ただし書，経過措置令25条ほか）。老齢基礎年金の受給権者が，厚生年金保険の被保険者期間（離婚時みなし被保険者期間を含む）の月数が240以上である場合の老齢厚生年金を受けることができるときは，振替加算は加算されないこととされているため，本肢の場合，妻の老齢基礎年金の額に加算されていた振替加算は行われなくなる。

C 正 本肢のとおりである（昭60法附則14条）。夫の老齢厚生年金が在職老齢年金の仕組みにより全額支給停止されていた場合であっても，振替加算の要件を満たせば，その妻の老齢基礎年金の額に振替加算が加算される。なお，老齢基礎年金の支給を繰り上げた場合に当該老齢基礎年金の額に振替加算が加算されるのは，受給権者（本肢の場合妻）が65歳に達した日の属する月の翌月からである。

社会保険科目
197～199p

D　誤　本肢の場合，妻の老齢基礎年金の額に振替加算が「加算される」(昭60法附則14条)。老齢基礎年金の受給権者が，①大正15年4月2日から昭和41年4月1日までの間に生まれた者であり，②65歳に達した日において加給年金額の要件を満たしたその者の配偶者によって生計を維持していたときであって，③当該65歳に達した日の前日において当該配偶者がその受給権を有する一定の年金給付の加給年金額の計算の基礎となっていた場合には，当該老齢基礎年金の額に振替加算が加算される。

社会保険科目
197~199p

E　正　本肢のとおりである（昭60法附則15条)。大正15年4月2日から昭和41年4月1日までの間に生まれた者であって，65歳に達した日において，保険料納付済期間及び保険料免除期間（学生の保険料納付特例によるものを除く）を有さず，かつ，合算対象期間及び学生の保険料納付特例による保険料免除期間が原則として10年以上ある者が，振替加算の要件に該当するときは，老齢基礎年金の支給要件に該当するものとみなされ，その者に振替加算額に相当する額の老齢基礎年金が支給される。

社会保険科目
197~199p

H30-10	障害基礎年金	重要度 A

問 13 障害基礎年金等に関する次の記述のうち，正しいものはどれか。

A 傷病の初診日において19歳であった者が，20歳で第1号被保険者の資格を取得したものの当該被保険者の期間が全て未納期間であった場合，初診日から1年6か月経過後の障害認定日において障害等級1級又は2級に該当していたとしても，障害基礎年金の受給権は発生しない。

B 障害基礎年金の受給権者であっても，当該障害基礎年金の支給を停止されている場合は，脱退一時金の支給を請求することができる。

C 平成30年度の障害等級1級の障害基礎年金の額は，780,900円に改定率を乗じて得た額を100円未満で端数処理した779,300円の100分の150に相当する額である。なお，子の加算額はないものとする。

D 障害等級3級の障害厚生年金の受給権者が，その後障害状態が悪化し障害等級2級に該当したことから65歳に達する日の前日までに障害厚生年金の額改定請求を行い，その額が改定された場合でも，当該受給権者は当該障害厚生年金と同一の支給事由である障害基礎年金の支給を請求しない限り，障害基礎年金の受給権は発生しない。

E 20歳前傷病による障害基礎年金は，受給権者が少年法第24条の規定による保護処分として少年院に送致され，収容されている場合は，その該当する期間，その支給を停止する。

正解チェック欄	／	／	／

キリトリ線

A 誤 本肢の者については，20歳前の傷病による障害に基づく障害基礎年金の受給権が，障害認定日において発生する（法30条の4第1項）。なお，20歳前の傷病による障害に基づく障害基礎年金の支給に当たっては，保険料納付要件は問われない。

社会保険科目 210p

B 誤 障害基礎年金の受給権を有したことがある者は，脱退一時金の支給を請求することはできない（法附則9条の3の2第1項）。

社会保険科目 233p

C 誤 平成30年度の障害等級1級の障害基礎年金の額は，779,300円の「100分の125」に相当する額である（法33条）。

社会保険科目 212p

D 誤 本肢の障害厚生年金の額の改定請求を行い，当該額が改定された場合，そのときに事後重症による障害基礎年金の支給の請求があったものとみなされるため，「別途障害基礎年金の支給を請求しなくとも，障害基礎年金の受給権が発生する」（法30条の2第4項）。

社会保険科目 208p

E 正 本肢のとおりである（法36条の2第1項，則34条の4）。

社会保険科目 217~218p

H30-8	遺族基礎年金	重要度 A

問 14 遺族基礎年金等に関する次の記述のうち，正しいものはどれか。なお，本問における子は18歳に達した日以後の最初の3月31日に達していないものとする。

A 第1号被保険者としての保険料納付済期間を15年有し，当該期間以外に保険料納付済期間，保険料免除期間及び合算対象期間を有しない老齢基礎年金を受給中の66歳の者が死亡した。死亡の当時，その者に生計を維持されていた子がいる場合は，当該子に遺族基礎年金が支給される。

B 夫の死亡により妻と子に遺族基礎年金の受給権が発生し，子の遺族基礎年金は支給停止となっている。当該妻が再婚した場合，当該妻の遺族基礎年金の受給権は消滅し，当該子の遺族基礎年金は，当該妻と引き続き生計を同じくしていたとしても，支給停止が解除される。

C 夫が死亡し，その死亡の当時胎児であった子が生まれ，妻に遺族基礎年金の受給権が発生した場合，当該受給権の発生日は当該夫の死亡当時に遡ることとなり，当該遺族基礎年金は当該子が出生するまでの期間，支給停止され，当該子の出生により将来に向かって支給停止が解除される。なお，当該子以外に子はいないものとする。

D 夫の死亡により，夫と前妻との間に生まれた子（以下「夫の子」という。）及び妻（当該夫の子と生計を同じくしていたものとする。）に遺族基礎年金の受給権が発生した。当該夫の子がその実母と同居し，当該妻と生計を同じくしなくなった場合，当該妻の遺族基礎年金の受給権は消滅するが，当該夫の子の遺族基礎年金の受給権は消滅しない。なお，当該夫の子以外に子はいないものとする。

E 第2号被保険者である40歳の妻が死亡したことにより，当該妻の死亡当時，当該妻に生計を維持されていた40歳の夫に遺族基礎年金の受給権が発生し，子に遺族基礎年金と遺族厚生年金の受給権が発生した。この場合，夫の遺族基礎年金は支給停止となり，子の遺族基礎年金と遺族厚生年金が優先的に支給される。

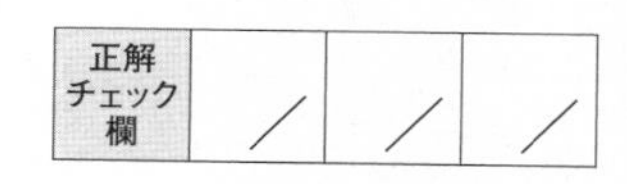

正解チェック欄	／	／	／

正解 D

A 誤 本肢の死亡した者は，保険料納付済期間，保険料免除期間及び合算対象期間を合算した期間が25年以上ないため，死亡した者の子に遺族基礎年金は「支給されない」（法37条３号，法附則９条１項）。

社会保険科目 220p

B 誤 子に対する遺族基礎年金は，生計を同じくするその子の父又は母があるときは，その間，その支給が停止される。本肢の子は，母（問題文中の「妻」）と生計を同じくしているため，その支給は引き続き停止される（法41条２項）。

社会保険科目 225p

C 誤 死亡の当時胎児であった子が生まれたときは，「将来に向かって」，その子は，その死亡の当時被保険者等によって生計を維持していたものとみなされる。したがって，遺族基礎年金の受給権は，子の出生時に発生する（法37条の２第２項）。

社会保険科目 222p

D 正 本肢のとおりである（法39条３項５号，法40条１項・２項）。子が妻と生計を同じくしなくなったため，妻の遺族基礎年金は消滅する。一方，子について失権事由は発生していないため，子の遺族基礎年金は消滅しない。

社会保険科目 226p

E 誤 本肢の場合，「夫に遺族基礎年金が支給」され，「子の遺族基礎年金は支給停止される（父が遺族基礎年金を有することによる支給停止）」（法41条２項，法41条の２）。

社会保険科目 225p

キリトリ線

H27-2	給　付	重要度 A

問 15　**国民年金の給付に関する次のアからオの記述のうち，誤っているものの組合せは，後記AからEまでのうちどれか。**

ア　死亡一時金の支給要件を満たして死亡した者とその前妻との間の子が遺族基礎年金の受給権を取得したが，当該子は前妻（子の母）と生計を同じくするため，その支給が停止されたとき，死亡した者と生計を同じくしていた子のない後妻は死亡一時金を受けることができる。

イ　20歳前傷病による障害基礎年金は，前年の所得がその者の扶養親族等の有無及び数に応じて，政令で定める額を超えるときは，その年の10月から翌年の9月まで，その全部又は2分の1に相当する部分の支給が停止されるが，受給権者に扶養親族がいる場合，この所得は受給権者及び当該扶養親族の所得を合算して算出する。

ウ　付加保険料に係る保険料納付済期間を300か月有する者が，65歳で老齢基礎年金の受給権を取得したときには，年額60,000円の付加年金が支給される。

エ　65歳以上の特例による任意加入被保険者が死亡した場合であっても，死亡一時金の支給要件を満たしていれば，一定の遺族に死亡一時金が支給される。

オ　60歳未満の妻が受給権を有する寡婦年金は，妻が60歳に達した日の属する月の翌月から支給されるが，そのときに妻が障害基礎年金の受給権を有している場合には，寡婦年金の受給権は消滅する。

A　（アとウ）　**B**　（アとエ）　**C**　（イとエ）
D　（イとオ）　**E**　（ウとオ）

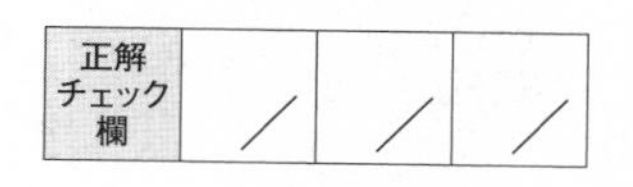

国年法

キリトリ線

本問のアからオまでのそれぞれの記述の正誤は以下のとおりであり，したがって，イとオを誤りとするDが解答となる。

ア　正　本肢のとおりである（法52条の2第1項・3項，法52条の3第1項・2項）。

社会保険科目 230~231p

イ　誤　20歳前の傷病による障害に基づく障害基礎年金の所得による支給停止は，「受給権者本人のみの前年の所得」が政令で定める額を超える場合に行われる（法36条の3第1項）。

社会保険科目 218p

ウ　正　本肢のとおりである（法44条）。本肢の付加年金の額は，200円×付加保険料納付済期間の月数（300月）＝年額60,000円となる。

社会保険科目 228p

エ　正　本肢のとおりである（法52条の2，平6法附則11条10項，平16法附則23条10項）。65歳以上の特例による任意加入被保険者期間は，死亡一時金及び脱退一時金の規定の適用については，第1号被保険者としての被保険者期間とみなされる。

社会保険科目 230~231p

オ　誤　寡婦年金の失権要件に「寡婦年金の支給の際に受給権者が障害基礎年金の受給権を有しているとき」というものはない。したがって，本肢の場合，寡婦年金の受給権は「消滅しない」。その他の記述については正しい（法49条3項，法51条）。なお，寡婦年金の受給権は，受給権者が，①65歳に達したとき，②死亡したとき，③婚姻をしたとき，④養子となったとき（直系血族又は直系姻族の養子となったときを除く）は，消滅する。

社会保険科目 229~230p

キリトリ線

H28-3	給　付	重要度 A

問 16 国民年金の給付に関する次の記述のうち，誤っているものはどれか。

A 被保険者である妻が死亡した場合について，死亡した日が平成26年4月1日以後であれば，一定の要件を満たす子のある夫にも遺族基礎年金が支給される。なお，妻は遺族基礎年金の保険料納付要件を満たしているものとする。

B 被保険者，配偶者及び当該夫婦の実子が1人いる世帯で，被保険者が死亡し配偶者及び子に遺族基礎年金の受給権が発生した場合，その子が直系血族又は直系姻族の養子となったときには，子の有する遺族基礎年金の受給権は消滅しないが，配偶者の有する遺族基礎年金の受給権は消滅する。

C 子に対する遺族基礎年金は，原則として，配偶者が遺族基礎年金の受給権を有するときは，その間，その支給が停止されるが，配偶者に対する遺族基礎年金が国民年金法第20条の2第1項の規定に基づき受給権者の申出により支給停止されたときは，子に対する遺族基礎年金は支給停止されない。

D 20歳前傷病による障害基礎年金は，その受給権者が刑事施設等に拘禁されている場合であっても，未決勾留中の者については，その支給は停止されない。

E 受給権者が子3人であるときの子に支給する遺族基礎年金の額は，780,900円に改定率を乗じて得た額に，224,700円に改定率を乗じて得た額の2倍の額を加算し，その合計額を3で除した額を3人の子それぞれに支給する。

国年法

キリトリ線

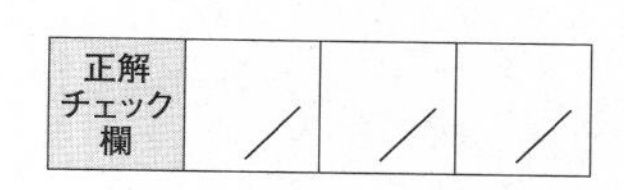

A 正 本肢のとおりである（法37条の2第1項）。

社会保険科目 222p

B 正 本肢のとおりである（法40条）。子の有する遺族基礎年金の受給権については，子は直系血族又は直系姻族の養子となっているため，消滅しない。しかし，配偶者の有する遺族基礎年金の受給権については，子が配偶者以外の者の養子となった（減額改定事由）ため，消滅する。

社会保険科目 226p

C 正 本肢のとおりである（法41条2項）。

社会保険科目 225p

D 正 本肢のとおりである（法36条の2第1項2号，則34条の4第1号）。懲役，禁錮若しくは拘留の刑の執行のため当該施設に拘置等されている場合などに限り，20歳前の傷病による障害に基づく障害基礎年金の支給が停止される。

社会保険科目 217～218p

E 誤 受給権者が子3人であるときのそれぞれの子に支給する遺族基礎年金の額は，780,900円に改定率を乗じて得た額に224,700円に改定率を乗じて得た額と「74,900円に改定率を乗じて得た額」を加算して得た額を3で除して得た額である（法39条の2第1項）。

社会保険科目 224p

MEMO

H28-8	給　付

問 17　障害基礎年金及び遺族基礎年金の保険料納付要件に関する次の記述のうち，誤っているものはどれか。

A　20歳に到達した日から第1号被保険者である者が，資格取得時より保険料を滞納していたが，22歳の誕生月に国民年金保険料の全額免除の申請を行い，その承認を受け，第1号被保険者の資格取得月から当該申請日の属する年の翌年6月までの期間が保険料全額免除期間となった。当該被保険者は21歳6か月のときが初診日となるけがをし，その後障害認定日において当該けがが障害等級2級に該当していた場合，障害基礎年金の受給権が発生する。

B　厚生年金保険の被保険者期間中にけがをし，障害等級3級の障害厚生年金の受給権者（障害等級1級又は2級に該当したことはない。）となった者が，その後退職し，その時点から継続して第3号被保険者となっている。その者が，退職から2年後が初診となる別の傷病にかかり，当該別の傷病に係る障害認定日において，当該障害等級3級の障害と当該別の傷病に係る障害を併合し障害等級2級に該当した。この場合，障害等級2級の障害基礎年金の受給権が発生する。なお，当該別の傷病に係る障害認定日で当該者は50歳であったものとする。

C　平成2年4月8日生まれの者が，20歳に達した平成22年4月から大学を卒業する平成25年3月まで学生納付特例の適用を受けていた。その者は，卒業後就職せず第1号被保険者のままでいたが，国民年金の保険料を滞納していた。その後この者が24歳の誕生日を初診日とする疾病にかかり，その障害認定日において障害等級2級の状態となった場合，障害基礎年金の受給権が発生する。

重要度 A

D　20歳から60歳まで継続して国民年金に加入していた昭和25年４月生まれの者が，65歳の時点で老齢基礎年金の受給資格期間を満たさなかったため，特例による任意加入をし，当該特例による任意加入被保険者の期間中である平成28年４月に死亡した場合，その者の死亡当時，その者に生計を維持されていた16歳の子が一人いる場合，死亡した者が，死亡日の属する月の前々月までの１年間に保険料が未納である月がなくても，当該子には遺族基礎年金の受給権が発生しない。

E　平成26年４月から障害等級２級の障害基礎年金を継続して受給している第１号被保険者が，平成28年４月に死亡した場合，その者の死亡当時，その者に生計を維持されていた16歳の子がいた場合，死亡した者に係る保険料納付要件は満たされていることから，子に遺族基礎年金の受給権が発生する。なお，死亡した者は国民年金法第89条第２項の規定による保険料を納付する旨の申出をしていないものとする。

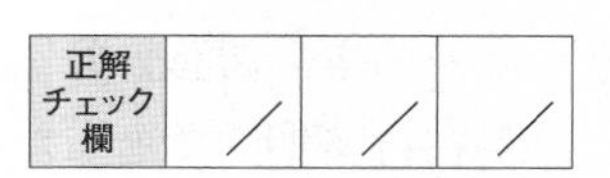

A　誤　本肢の場合，初診日の前日における保険料納付要件を満たしていないため，障害基礎年金の受給権は「発生しない」（法30条1項）。申請による保険料免除の規定は，「申請のあった日以後」，厚生労働大臣の指定する期間について保険料免除期間に算入するものであり，申請のあった日前にさかのぼって保険料免除期間に算入されるものではない。したがって，本肢の者の場合，初診日（21歳6か月のとき）の前日時点では，すべての保険料が滞納されていたため，保険料納付要件を満たさない。

社会保険科目
206〜207p

B　正　本肢のとおりである（法30条の3第1項・2項，昭60法附則20条1項）。本肢の場合，基準障害による障害基礎年金の受給権が発生する。基準障害による障害基礎年金の支給要件は，①基準傷病（後発傷病）に係る初診日において，被保険者であること又は被保険者であった者であって，日本国内に住所を有し，かつ，60歳以上65歳未満であること，②基準傷病に係る障害認定日以後65歳に達する日の前日までの間において，初めて，基準障害と他の障害とを併合して障害等級1級又は2級に該当する程度の障害の状態に該当するに至ったこと及び③基準傷病に係る初診日の前日における保険料納付要件を満たしていることである。これらの要件を満たしていることについて確認をする。基準傷病に係る初診日（退職から2年後）においては，第3号被保険者であるため，上記①の要件を満たす。基準傷病に係る障害認定日において50歳であり，同日において，初めて，先発傷病と基準傷病とを併合して障害等級2級に該当しているため，上記②の要件を満たす。退職後は継続して第3号被保険者であり，初診日の前日以前2年間は保険料納付済期間であったこととなる。そして，本肢の者は，初診日において65歳未満であるから，保険料納付要件の特例が適用できる。その結果，初診日の属する月の前々月までの1年間は，すべて保険料納付済期間であったことから，上記③の要件を満たす。

以上より，基準障害による障害基礎年金の支給要件を満たしていることから，本肢の者に対して，障害等級２級の障害基礎年金の受給権が発生する。

社会保険科目
206〜207,
209p

C　正　本肢のとおりである（法30条１項）。障害基礎年金の支給要件は，①初診日において被保険者であること又は被保険者であった者であって，日本国内に住所を有し，かつ，60歳以上65歳未満であること，②障害認定日に障害等級１級又は２級に該当する程度の障害の状態にあること及び③初診日の前日における保険料納付要件を満たしていることである。これらの要件を満たしていることを確認する。初診日（平成26年４月８日（24歳の誕生日））においては，第１号被保険者であったため，上記①の要件を満たす。障害認定日において，障害等級２級に該当する程度の障害の状態にあるため，上記②の要件を満たす。本肢の者は，初診日において65歳未満であるため，保険料納付要件の特例の適用を受けることができる。しかし，初診日の属する月の前々月までの１年間のうちに保険料を滞納している期間が存在するため，保険料納付要件の特例の適用によっては保険料納付要件を満たさない。次に原則の保険料納付要件を確認する。被保険者期間の月数等は下図のとおりであり，対象となる被保険者期間の月数が47月，保険料免除期間が36月となり，「36/47（≒0.76）＞2/3（≒0.67）」となるため，原則の保険料納付要件を満たすから，上記③の要件を満たす。

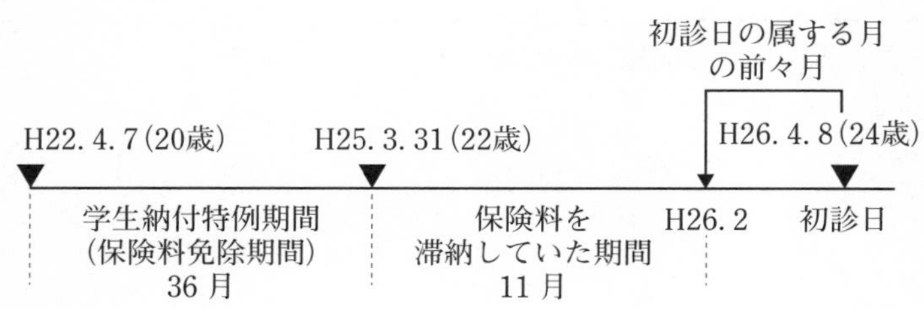

キリトリ線

以上より，障害基礎年金の支給要件を満たすため，本肢の者について，障害基礎年金の受給権が発生する。

社会保険科目
206～207p

D　正　本肢のとおりである（法37条1項，昭60法附則20条2項）。本肢の死亡者は，死亡日において65歳以上であるため，保険料納付要件の特例は適用できない。そのため，原則の保険料納付要件を満たしているかを確認する。65歳時点で老齢基礎年金の受給資格期間を満たしていなかったことから20歳から65歳到達までの間に25年の保険料納付済期間等がなかったこととなる。ここで，本肢の死亡者があと1月の保険料納付済期間等があれば受給資格期間を満たす状態であったと仮定する。その場合の被保険者期間等の月数は下図のとおりとなる。そうすると，194月の滞納期間があったこととなる（保険料納付要件を満たしやすくするため，60歳から65歳までの間は任意加入被保険者となっていないものとする）。この状態で保険料納付要件を満たせるかどうかを確認した場合，「299/491（≒0.60）＜2/3（≒0.66）」となり，最大限に保険料納付要件を満たしやすい状況を仮定したとしても，原則の保険料納付要件を満たしていないため，本肢の子には遺族基礎年金の受給権は発生しない。

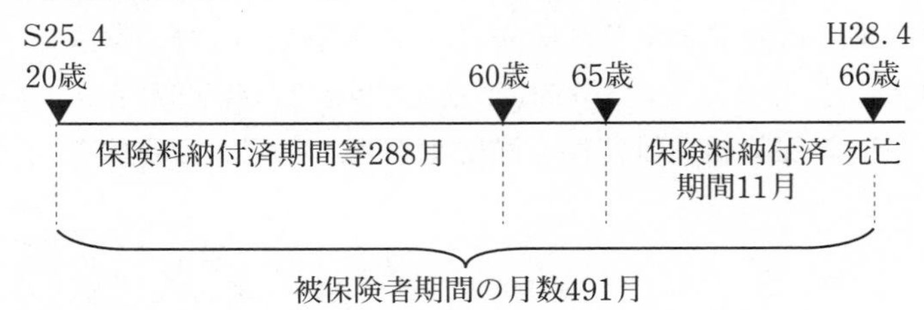

社会保険科目
220～222p

E 正 本肢のとおりである（法37条1項，昭60法附則20条2項）。本肢の死亡した者は，第1号被保険者であるから，死亡日要件を満たす。この場合，保険料納付要件を満たしていることが必要とされる。本肢の死亡した者は死亡日（平成28年4月）において第1号被保険者であるから，65歳未満であることが分かるため，保険料納付要件の特例を適用できる。そして，死亡日の属する月の前々月までの1年間は，障害基礎年金を受給していたことから，法定免除の適用を受けていたこととなるため，すべて保険料免除期間となり，保険料納付要件を満たす。以上に加え，本肢の子は死亡した者によって生計を維持されていた16歳の者であるため，遺族の要件も満たすことから，本肢の子に，遺族基礎年金の受給権が発生する。

社会保険科目
220〜222p

MEMO

H29-9	給　付	重要度 A

問 18　国民年金の給付に関する次の記述のうち，正しいものはどれか。

A　老齢基礎年金の支給を受けている者が令和3年2月27日に死亡した場合，未支給年金請求者は，死亡した者に支給すべき年金でまだその者に支給されていない同年1月分と2月分の年金を未支給年金として請求することができる。なお，死亡日前の直近の年金支払日において，当該受給権者に支払うべき年金で支払われていないものはないものとする。

B　障害等級3級の障害厚生年金の受給権者が65歳となり老齢基礎年金及び老齢厚生年金の受給権を取得した場合，この者は，障害等級3級の障害厚生年金と老齢基礎年金を併給して受けることを選択することができる。

C　夫婦ともに老齢基礎年金のみを受給していた世帯において，夫が死亡しその受給権が消滅したにもかかわらず，死亡した月の翌月以降の分として老齢基礎年金の過誤払が行われた場合，国民年金法第21条の2の規定により，死亡した夫と生計を同じくしていた妻に支払う老齢基礎年金の金額を当該過誤払による返還金債権の金額に充当することができる。

D　遺族である子が2人で受給している遺族基礎年金において，1人が婚姻したことにより受給権が消滅したにもかかわらず，引き続き婚姻前と同額の遺族基礎年金が支払われた場合，国民年金法第21条の2の規定により，過誤払として，もう1人の遺族である子が受給する遺族基礎年金の支払金の金額を返還すべき年金額に充当することができる。

E　65歳に達したときに老齢基礎年金の受給資格を満たしていたが，裁定を受けていなかった68歳の夫が死亡した場合，生計を同じくしていた65歳の妻は，夫が受け取るはずであった老齢基礎年金を未支給年金として受給することができる。この場合，夫が受け取るはずであった老齢基礎年金は，妻自身の名で請求し，夫が65歳に達した日の属する月の翌月分から死亡月の分までの受け取るはずであった年金を受け取ることになる。

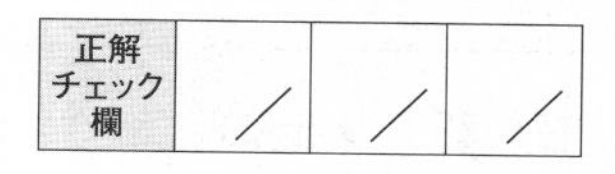

キリトリ線

国年法

A 誤 本肢の場合，未支給年金請求者は，死亡した者に支給すべき年金でまだその者に支給されていない「同年2月分」の年金を未支給年金として請求することができる（法18条1項・3項，法19条1項ほか）。年金給付は，毎年2月，4月，6月，8月，10月及び12月の6期に，それぞれの前月までの分が支払われる。本肢の場合，直近の年金支払日に令和2年12月分及び令和3年1月分の年金がすでに支払われているため，死亡時点において未支給となっているのは，同年2月分の年金である。

社会保険科目 176, 178p

B 誤 老齢基礎年金と障害厚生年金は，受給権者の年齢にかかわらず，併給することができない（法20条1項，法附則9条の2の4）。

社会保険科目 179～181p

C 誤 本肢の場合，充当は行われない（則86条の2第1号）。充当は，年金たる給付の受給権者の死亡を支給事由とする「遺族基礎年金の受給権者」が，当該年金たる給付の受給権者の死亡に伴う当該年金たる給付の支払金の金額の過誤払による返還金債権に係る債務の弁済をすべき者であるときに行われるものである。

社会保険科目 183p

D 誤 本肢の場合，充当は行われない（則86条の2第2号）。充当は，遺族基礎年金の受給権者が同一の支給事由に基づく他の遺族基礎年金の受給権者の「死亡」に伴う当該遺族基礎年金の支払金の金額の過誤払による返還金債権に係る債務の弁済をすべき者であるときに行われるものである。本肢の場合，遺族基礎年金を減額して改定すべき事由が生じたにもかかわらず，その事由が生じた日の属する月の翌月以降の分として減額しない額の遺族基礎年金が支払われた場合に該当するため，内払調整が行われる。

社会保険科目 183p

E 正 本肢のとおりである（法19条1項）。

社会保険科目 178p

R2-1	給　付	重要度 A

問 19

遺族基礎年金，障害基礎年金に関する次のアからオの記述のうち，正しいものの組合せは，後記AからEまでのうちどれか。

ア　遺族基礎年金を減額して改定すべき事由が生じたにもかかわらず，その事由が生じた日の属する月の翌月以降の分として減額しない額の遺族基礎年金が支払われた場合における当該遺族基礎年金の当該減額すべきであった部分は，その後に支払うべき遺族基礎年金の内払とみなすことができる。

イ　初診日において被保険者であり，障害認定日において障害等級に該当する程度の障害の状態にあるものであっても，当該傷病に係る初診日の前日において，当該初診日の属する月の前々月までに被保険者期間がない者については，障害基礎年金は支給されない。

ウ　遺族基礎年金の支給に係る生計維持の認定に関し，認定対象者の収入については，前年の収入が年額850万円以上であるときは，定年退職等の事情により近い将来の収入が年額850万円未満となると認められても，収入に関する認定要件に該当しないものとされる。

エ　障害等級2級の障害基礎年金の受給権を取得した日から起算して6か月を経過した日に人工心臓（補助人工心臓を含む。）を装着した場合には，障害の程度が増進したことが明らかな場合として年金額の改定の請求をすることができる。

オ　死亡した者の死亡日においてその者の死亡により遺族基礎年金を受けることができる者があるときは，当該死亡日の属する月に当該遺族基礎年金の受給権が消滅した場合であっても，死亡一時金は支給されない。

A　（アとウ）　　**B**　（アとエ）　　**C**　（イとエ）
D　（イとオ）　　**E**　（ウとオ）

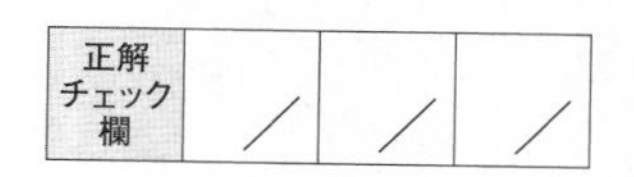

正解チェック欄	／	／	／

国年法

本問アからオまでのそれぞれの記述の正誤は以下のとおりであり，したがって，アとエを正しいとするBが解答となる。

ア　正　本肢のとおりである（法21条2項）。

社会保険科目 182p

イ　誤　初診日の前日において，当該初診日の属する月の前々月までに被保険者期間がない場合には，「保険料納付要件が問われずに障害基礎年金が支給される」のであって，障害基礎年金が支給されないわけではない（法30条1項）。

社会保険科目 206p

ウ　誤　認定対象者の前年の収入が年額850万円以上であっても，「定年退職等の事情により近い将来（おおむね5年以内）収入が年額850万円未満となると認められる場合は，生計維持関係の認定に係る収入に関する認定要件を満たす」ものとされている（平23.3.23年発0323第1号）。

社会保険科目 222p

エ　正　本肢のとおりである（則33条の2の2第1項）。

オ　誤　死亡した者の死亡日においてその者の死亡により遺族基礎年金を受けることができる者があるときは，原則として，死亡一時金は支給されないが，当該「死亡日の属する月に当該遺族基礎年金の受給権が消滅した場合には，他の要件を満たす限り，死亡一時金が支給される」（法52条の2第2項）。

社会保険科目 230～231p

キリトリ線

R3-10	給　付	重要度 B

問 20　年金たる給付に関する次の記述のうち，正しいものはどれか。

A　41歳から60歳までの19年間，第1号厚生年金被保険者としての被保険者期間を有している70歳の妻（昭和26年3月2日生まれ）は，老齢厚生年金と老齢基礎年金を受給中である。妻には，22歳から65歳まで第1号厚生年金被保険者としての被保険者期間を有している夫（昭和31年4月2日生まれ）がいる。当該夫が65歳になり，老齢厚生年金の受給権が発生した時点において，妻の年間収入が850万円未満であり，かつ，夫と生計を同じくしていた場合は，当該妻に振替加算が行われる。

B　併給の調整に関し，国民年金法第20条第1項の規定により支給を停止されている年金給付の同条第2項による支給停止の解除の申請は，いつでも，将来に向かって撤回することができ，また，支給停止の解除の申請の回数について，制限は設けられていない。

C　22歳から30歳まで第2号被保険者，30歳から60歳まで第3号被保険者であった女性（昭和33年4月2日生まれ）は，59歳の時に初診日がある傷病により，障害等級3級に該当する程度の障害の状態となった。この者が，当該障害の状態のまま，61歳から障害者の特例が適用され定額部分と報酬比例部分の特別支給の老齢厚生年金を受給していたが，その後当該障害の状態が悪化し，障害等級2級に該当する程度の障害の状態になったため，63歳の時に国民年金法第30条の2第1項（いわゆる事後重症）の規定による請求を行ったとしても障害基礎年金の受給権は発生しない。

D　障害基礎年金の受給権者が，厚生年金保険法第47条第2項に規定する障害等級に該当する程度の障害の状態に該当しなくなった日から起算して同項に規定する障害等級に該当する程度の障害の状態に該当することなく3年を経過した日において，65歳に達していないときでも，当該障害基礎年金の受給権は消滅する。

E　第1号被保険者である夫の甲は，前妻との間の実子の乙，再婚した妻の丙，丙の連れ子の丁と4人で暮らしていたところ甲が死亡した。丙が，子のある妻として遺族基礎年金を受給していたが，その後，丙も死亡した。丙が受け取るはずであった当該遺族基礎年金が未支給年金となっている場合，丁は当該未支給年金を受給することができるが，乙は当該未支給年金を受給することができない。なお，丁は甲と養子縁組をしておらず，乙は丙と養子縁組をしていないものとする。

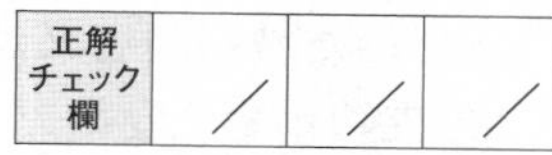

正解チェック欄	／	／	／

国年法

キリトリ線

A　誤　振替加算の対象者である配偶者がその計算の基礎となる被保険者期間の月数が240以上である老齢厚生年金を受けることができる場合には振替加算が加算されないが，当該月数が240未満であっても，中高齢者特例により老齢厚生年金を受ける者については，振替加算は加算されない。老齢厚生年金の受給権者のうち，昭和25年4月2日～昭和26年4月1日生まれの女子については，35歳以後の第1号厚生年金被保険者期間が19年以上ある場合に中高齢者特例に該当する。本肢の妻は中高齢者特例に該当するため，妻に「振替加算は行われない」（昭60法附則12条1項，昭60法附則14条1項，昭60経過措置令25条）。

社会保険科目 197～198, 221p

B　正　本肢のとおりである（法20条2項）。

社会保険科目 179～181p

C　誤　本肢の女性は，初診日において被保険者であり，65歳に達する日の前日までに障害等級2級に該当し，かつ，初診日の前日における保険料納付要件を満たしているため，請求によって事後重症による障害基礎年金の受給権が発生する（法30条の2第1項）。

社会保険科目 208p

D　誤　障害基礎年金の受給権は，受給権者の障害の程度が軽減し，障害等級3級にも該当しなくなった場合であって，そのまま障害等級に該当することなく65歳に達したとき又は3年を経過したときのいずれか遅い方に達したときに消滅する。本肢の者は65歳に達していないため，「障害基礎年金の受給権は消滅しない」（法35条）。

社会保険科目 218～219p

E　誤　年金給付の受給権者の死亡の当時当該遺族基礎年金の支給の要件となり，又はその額の加算の対象となっていた被保険者又は被保険者であった者の子は，所定の要件を満たす限り，未支給年金の支給を請求することができる。乙は丙の遺族基礎年金の支給要件となる子に該当するため，乙は「その者の死亡の当時当該遺族基礎年金の支給の要件となり，又はその額の加算の対象となっていた被保険者又は被保険者であった者の子」に該当するため「未支給年金を受給できる」（法19条1項・2項）。

社会保険科目 178p

R3-8	給　付	重要度 C

問 21 令和3年度の給付額に関する次の記述のうち，正しいものはどれか。

A　20歳から30歳までの10年間第1号被保険者としての保険料全額免除期間及び30歳から60歳までの30年間第1号被保険者としての保険料納付済期間を有し，60歳から65歳までの5年間任意加入被保険者としての保険料納付済期間を有する者（昭和31年4月2日生まれ）が65歳から受給できる老齢基礎年金の額は，満額（780,900円）となる。

B　障害等級1級の障害基礎年金の額（子の加算はないものとする。）は，障害等級2級の障害基礎年金の額を1.25倍した976,125円に端数処理を行った，976,100円となる。

C　遺族基礎年金の受給権者が4人の子のみである場合，遺族基礎年金の受給権者の子それぞれが受給する遺族基礎年金の額は，780,900円に子の加算として224,700円，224,700円，74,900円を合計した金額を子の数で除した金額となる。

D　国民年金の給付は，名目手取り賃金変動率（-0.1％）によって改定されるため，3年間第1号被保険者としての保険料納付済期間を有する者が死亡し，一定範囲の遺族に死亡一時金が支給される場合は，12万円に（1－0.001）を乗じて得た額が支給される。なお，当該期間のほかに保険料納付済期間及び保険料免除期間は有していないものとする。

E　第1号被保険者として令和3年6月まで50か月保険料を納付した外国籍の者が，令和3年8月に脱退一時金を請求した場合，受給できる脱退一時金の額は，16,610円に2分の1を乗じて得た額に48を乗じて得た額となる。なお，当該期間のほかに保険料納付済期間及び保険料免除期間は有していないものとする。

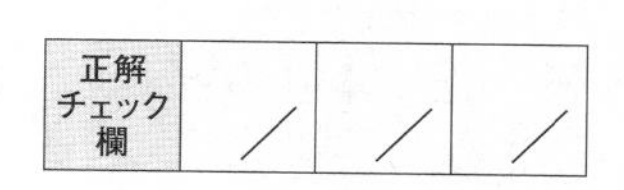

国年法

キリトリ線

A　誤　保険料全額免除期間がある場合の老齢基礎年金の額は，480から保険料納付済期間の月数及び申請一部免除期間の月数を控除して得た月数を限度として，保険料全額免除期間の月数の2分の1（平成21年4月前の期間は3分の1）に相当する月数をその額の計算の基礎に算入し，この限度を超えた保険料全額免除期間の月数は老齢基礎年金の額の計算の基礎に算入されない。本肢の場合，30歳から65歳に到達するまでの35年間（420月）が保険料納付済期間であるため，老齢基礎年金の額の計算の基礎に算入される保険料全額免除期間の月数は（480月－420月）×1/3＝20月である。よって，本肢の場合の老齢基礎年金の額は，780,900円×1.000（令和3年度改定率）×（420＋20）/480≒715,825円となり，「満額とはならない」（法27条ほか）。

社会保険科目 190～192p

B　誤　障害等級1級の障害基礎年金の額を計算する場合，「780,900円×改定率」の段階で100円未満四捨五入を行い，「×125/100」の段階で1円未満四捨五入を行う。令和3年度においてはいずれの段階においても端数が生じないため，780,900円×1.000（令和3年度改定率）×125/100＝「976,125円が障害等級1級の障害基礎年金の額となる」（法17条1項，法33条）。

社会保険科目 212p

C　誤　遺族基礎年金の受給権者が子のみである場合の遺族基礎年金の額の加算は，2人目の子につき「224,700円×改定率（令和3年度は1.000）」が加算され，3人目の以降の子1人につき「74,900円×改定率」が加算される。したがって，本肢の子それぞれが受ける遺族基礎年金の額は，780,900円に，子の加算として「224,700円＋74,900円＋74,900円」を合計した金額を子の数で除して得た額となる（法38条，法39条の2第1項）。

社会保険科目 224p

D　誤　死亡一時金は定額であり改定率による改定は行われない。したがって，本肢の死亡一時金の額は「12万円」である（法52条の4）。

社会保険科目 232p

E　正　本肢のとおりである（法附則9条の3の2第3項，令14条の3の2）。

社会保険科目 234p

キリトリ線

R3-9	給　付	重要度 B

国年法

問 22 併給調整に関する次の記述のうち，誤っているものはどれか。

A 障害等級２級の障害基礎年金の受給権者が，その障害の状態が軽減し障害等級に該当しなくなったことにより障害基礎年金が支給停止となっている期間中に，更に別の傷病により障害基礎年金を支給すべき事由が生じたときは，前後の障害を併合した障害の程度による障害基礎年金を支給し，従前の障害基礎年金の受給権は消滅する。

B 旧国民年金法による障害年金の受給権者には，第２号被保険者の配偶者がいたが，当該受給権者が66歳の時に当該配偶者が死亡したことにより，当該受給権者に遺族厚生年金の受給権が発生した。この場合，当該受給権者は旧国民年金法による障害年金と遺族厚生年金の両方を受給できる。

C 老齢厚生年金と老齢基礎年金を受給中の67歳の厚生年金保険の被保険者が，障害等級２級の障害厚生年金の受給権者（障害基礎年金の受給権は発生しない。）となった。老齢厚生年金の額より障害厚生年金の額の方が高い場合，この者は，障害厚生年金と老齢基礎年金の両方を受給できる。

D 父が死亡したことにより遺族基礎年金を受給中である10歳の子は，同居中の厚生年金保険の被保険者である66歳の祖父が死亡したことにより遺族厚生年金の受給権を取得した。この場合，遺族基礎年金と遺族厚生年金のどちらかを選択することとなる。

E 第１号被保険者として30年間保険料を納付していた者が，就職し厚生年金保険の被保険者期間中に死亡したため，遺族である妻は，遺族厚生年金，寡婦年金，死亡一時金の受給権を有することになった。この場合，当該妻は，遺族厚生年金と寡婦年金のどちらかを選択することとなり，寡婦年金を選択した場合は，死亡一時金は支給されないが，遺族厚生年金を選択した場合は，死亡一時金は支給される。

キリトリ線

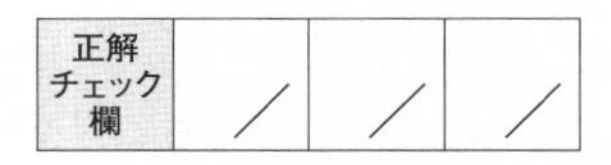

A 正 本肢のとおりである（法31条1項）。障害基礎年金の受給権は，同一人について，異なる支給事由により複数発生する可能性があるため，「1人1年金」の原則に基づき規定されている法20条（併給の調整）の国民年金の年金給付の併給調整とは別に，本肢の規定が設けられている。

社会保険科目 214p

B 正 本肢のとおりである（昭60法附則11条3項）。

C 誤 本肢のような規定はない。金額にかかわらず，障害厚生年金と老齢基礎年金は併給できない（法20条1項，法附則9条の2の4）。

社会保険科目 179〜181p

D 正 本肢のとおりである（法20条1項，法附則9条の2の4）。本肢の遺族基礎年金と遺族厚生年金は同一の支給事由でないため併給できず，選択受給となる。

社会保険科目 179〜181p

E 正 本肢のとおりである（法20条1項，法52条の6，法附則9条の2の4）。遺族厚生年金と寡婦年金は併給されないため，いずれかを選択受給することとなる。この場合に寡婦年金を選択すると，寡婦年金と死亡一時金は併給されないため，死亡一時金は支給されない一方，遺族厚生年金を選択すると，遺族厚生年金と死亡一時金は併給できるため，遺族厚生年金を選択した場合は死亡一時金が受給できる。

社会保険科目 232p

R6-6	給　付	重要度 A

問 23 国民年金法に関する次の記述のうち，正しいものはどれか。

A 障害基礎年金を受給している者に，更に障害基礎年金を支給すべき事由が生じた時は，前後の障害を併合した障害の程度による障害基礎年金の受給権を取得するが，後発の障害に基づく障害基礎年金が，労働基準法の規定による障害補償を受けることができるために支給停止される場合は，当該期間は先発の障害に基づく障害基礎年金も併合認定された障害基礎年金も支給停止される。

B 障害基礎年金の受給権者は，障害の程度が増進した場合に障害基礎年金の額の改定を請求することができるが，それは，当該障害基礎年金の受給権を取得した日から起算して1年6か月を経過した日より後でなければ行うことができない。

C 障害基礎年金の受給権者であった者が死亡した時には，その者の保険料納付済期間，保険料免除期間及び合算対象期間を合算した期間が25年未満である場合でも，その者の18歳に達する日以後の最初の3月31日までの間にある子のいない配偶者に対して遺族基礎年金が支給される。

D 老齢基礎年金の受給権者であった者が死亡した時には，その者の保険料納付済期間と保険料免除期間を合算した期間が10年以上ある場合（保険料納付済期間，保険料免除期間及び合算対象期間を合算して10年以上ある場合を含む。）は，死亡した者の配偶者又は子に遺族基礎年金が支給される。

E 国民年金の被保険者である者が死亡した時には，死亡日の前日において，死亡日の属する月の前々月までの被保険者期間があり，かつ，当該被保険者期間に係る保険料納付済期間と保険料免除期間を合算した期間が，当該被保険者期間の3分の2以上ある場合は，死亡した者の配偶者又は子に遺族基礎年金が支給される。

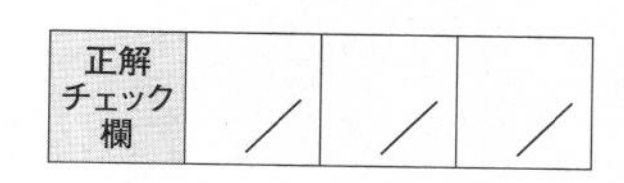

A 誤 障害基礎年金の受給権者が更に障害基礎年金の受給権を取得した場合において，新たに取得した障害基礎年金が労働基準法の障害補償を受けることができることによりその支給を停止すべきものであるときは，その停止すべき期間，その者に対して「従前の障害基礎年金が支給される」（法32条2項）。したがって，併合認定された障害基礎年金の支給は停止されるが，先発の障害に基づく障害基礎年金の支給は停止されない。

社会保険科目 214p

B 誤 障害の程度が増進したことによる障害基礎年金の額の改定請求は，障害基礎年金の受給権者の障害の程度が増進したことが明らかである場合として厚生労働省令で定める場合を除き，当該障害基礎年金の受給権を取得した日又は厚生労働大臣の診査を受けた日から起算して「1年」を経過した日後でなければ行うことができない（法34条3項）。

社会保険科目 216p

C 誤 本肢のような規定はない。配偶者は，被保険者等の死亡の当時，所定の要件を満たす子と生計を同じくしていなければ遺族基礎年金の支給を受けることができる「遺族に該当しない」（法37条）。障害基礎年金の受給権者が死亡した場合であっても，子のない配偶者に対しては遺族基礎年金は支給されない。

社会保険科目 222p

D 誤 老齢基礎年金の受給権者（保険料納付済期間，保険料免除期間及び合算対象期間を合算した期間が「25年以上」である者に限る）が，死亡したときは，所定の配偶者又は子に遺族基礎年金が支給される（法37条，法附則9条1項）。

社会保険科目 220p

E 正 本肢のとおりである（法37条）。

社会保険科目 221p

キリトリ線

R6-7	給　付	重要度 A

国年法

問 24

国民年金法に関する次のアからオの記述のうち，誤っているものの組合せは，後記AからEまでのうちどれか。

ア　65歳に達するまでの間は，遺族厚生年金を受給している者が老齢基礎年金を繰り上げて受給することを選択した場合，遺族厚生年金の支給は停止される。

イ　繰り上げた老齢基礎年金を受給している者が，20歳に達する日より前に初診日がある傷病（障害認定日に政令で定める障害の状態に該当しないものとする。）が悪化したことにより，繰り上げた老齢基礎年金の受給開始後，65歳に達する日より前に障害等級に該当する程度の障害の状態になった場合であっても，障害基礎年金を請求することはできない。

ウ　繰り上げた老齢基礎年金を受給している者が，20歳に達した日より後に初診日がある傷病（障害認定日に政令で定める障害の状態に該当しないものとする。）が悪化したことにより，繰り上げた老齢基礎年金の受給開始後，65歳に達する日より前に障害等級に該当する程度の障害の状態になった場合には，障害基礎年金を請求することができる。

エ　昭和27年4月2日以後生まれの者が，70歳に達した日より後に老齢基礎年金を請求し，かつ請求時点における繰下げ受給を選択しない時は，請求の5年前に繰下げの申出があったものとみなして算定された老齢基礎年金を支給する。

オ　老齢基礎年金の受給権を有する者が65歳以後の繰下げ待機期間中に死亡した時に支給される未支給年金は，その者の配偶者，子，父母，孫，祖父母又は兄弟姉妹以外は請求できない。

A（アとイ）　**B**（アとウ）　**C**（イとエ）
D（ウとオ）　**E**（エとオ）

正解チェック欄	／	／	／

キリトリ線

本問アからオまでのそれぞれの記述の正誤は以下のとおりである。したがって，ウとオを誤っている記述とするDが解答となる。

ア　正　本肢のとおりである（法20条1項，法附則9条の2の4）。

イ　正　本肢のとおりである（法附則9条の2の3）。

社会保険科目
201p

ウ　誤　本肢の障害基礎年金は事後重症による障害基礎年金であるが，繰上げ支給の老齢基礎年金の受給権者は，「事後重症による障害基礎年金の支給を請求することはできない」（法附則9条の2の3）。

社会保険科目
201p

エ　正　本肢のとおりである（法28条5項）。

社会保険科目
204p

オ　誤　繰下げ待機中の老齢基礎年金の受給権者が死亡した場合の未支給年金の請求者は，他の場合と変わらない。すなわち，死亡した者の配偶者，子，父母，孫，祖父母，兄弟姉妹又は「これらの者以外の3親等内の親族」であって，その者の死亡の当時その者と生計を同じくしていたもののうちの最先順位者が，未支給年金を請求することができる（法19条1項）。

社会保険科目
178p

H28-1	保険料	重要度 A

問 25 **保険料の納付と免除に関する次のアからオの記述のうち，誤っているものの組合せは後記AからEまでのうちどれか。**

ア　国民年金法第90条第1項に規定する申請による保険料の全額免除の規定について，学生である期間及び学生であった期間は，その適用を受けることができない。

イ　第1号被保険者が令和2年3月分の保険料の全額免除を受け，これを令和5年4月に追納するときには，追納すべき額に国民年金法第94条第3項の規定による加算は行われない。

ウ　国民年金法では，滞納処分によって受け入れた金額を保険料に充当する場合においては，1か月の保険料の額に満たない端数を除き，さきに経過した月の保険料から順次これに充当するものと規定されている。

エ　前年の所得（1月から3月までの月分の保険料については，前々年の所得。以下本問において同じ。）がその者の扶養親族等の有無及び数に応じ一定額以下の学生である第1号被保険者については，その者の世帯主又は配偶者の前年の所得にかかわらず，国民年金法第90条の3の規定による学生納付特例の適用を受けることができる。

オ　国民年金法第5条第3項に規定される保険料全額免除期間には，学生納付特例の規定により保険料を納付することを要しないとされた期間（追納された保険料に係る期間を除く。）は含まれない。

A　（アとウ）　**B**　（アとエ）　**C**　（イとエ）
D　（イとオ）　**E**　（ウとオ）

正解チェック欄	／	／	／

本問のアからオまでのそれぞれの記述の正誤は以下のとおりであり，したがって，イとオを誤りとするDが解答となる。

ア　正　本肢のとおりである（法90条1項）。

イ　誤　保険料免除を受けた月が3月である場合，当該免除を受けた月の属する年の翌々年の4月までに追納するときは，法94条3項の加算は行われない。本肢の場合，令和2年3月分の保険料について免除を受け，その免除を受けた月の属する年（令和2年）の翌々年の4月（令和4年4月）よりも後に追納をしているため，法94条3項の「加算が行われる」（法94条3項，令10条）。

社会保険科目 253p

ウ　正　本肢のとおりである（法96条6項）。

社会保険科目 255～256p

エ　正　本肢のとおりである（法90条の3第1項）。学生納付特例における所得要件は，学生本人についてのみ課される。

社会保険科目 249～250p

オ　誤　保険料全額免除期間には，学生納付特例の規定により保険料を納付することを要しないとされた期間（追納された保険料に係る期間を除く）が，「含まれる」（法5条4項）。

社会保険科目 148～149p

キリトリ線

H29-4	保険料	重要度 A

問 26 国民年金法に関する次の記述のうち，誤っているものはどれか。

A 第1号被保険者が保険料を前納した後，前納に係る期間の経過前に第2号被保険者となった場合は，その者の請求に基づいて，前納した保険料のうち未経過期間に係る保険料が還付される。

B 国民年金法第89条第2項に規定する，法定免除の期間の各月につき保険料を納付する旨の申出は，障害基礎年金の受給権者であることにより法定免除とされている者又は生活保護法による生活扶助を受けていることにより法定免除とされている者のいずれであっても行うことができる。

C 保険料の半額を納付することを要しないとされた者は，当該納付することを要しないとされた期間について，厚生労働大臣に申し出て付加保険料を納付する者となることができる。

D 全額免除要件該当被保険者等が，指定全額免除申請事務取扱者に全額免除申請の委託をしたときは，当該委託をした日に，全額免除申請があったものとみなされる。

E 一部の額につき納付することを要しないものとされた保険料については，その残余の額につき納付されていないときは，保険料の追納を行うことができない。

国年法

キリトリ線

正解チェック欄	／	／	／

A 正 本肢のとおりである（令９条１項）。なお，前納された保険料について保険料納付済期間又は保険料４分の３免除期間，保険料半額免除期間若しくは保険料４分の１免除期間を計算する場合においては，前納に係る期間の各月が経過した際に，それぞれの月の保険料が納付されたものとみなされる（法93条３項）。

B 正 本肢のとおりである（法89条２項）。いずれの法定免除事由に該当する場合であっても，本肢の納付の申出をすることができる。

社会保険科目 246p

C 誤 保険料免除の規定の適用を受けている者は，付加保険料を納付する者となることができない（法87条の２第１項）。

社会保険科目 247p

D 正 本肢のとおりである（法109条の２第２項）。

E 正 本肢のとおりである（法94条１項）。例えば，保険料４分の３免除を受けた場合において，残余の４分の１の納付がされていない月については，追納をすることができない。

社会保険科目 252p

キリトリ線

R元-10	保険料	重要度 C

問 27 保険料に関する次の記述のうち，正しいものはどれか。

A 令和元年8月に保険料の免除（災害や失業等を理由とした免除を除く。）を申請する場合は，平成29年7月分から令和2年6月分まで申請可能であるが，この場合，所定の所得基準額以下に該当しているかについては，平成29年7月から平成30年6月までの期間は，平成28年の所得により，平成30年7月から令和元年6月までの期間は，平成29年の所得により，令和元年7月から令和2年6月までの期間は，平成30年の所得により判断する。

B 国民年金の保険料の前納は，厚生労働大臣が定める期間につき，6月又は年を単位として行うものとされていることから，例えば，昭和34年8月2日生まれの第1号被保険者が，平成31年4月分から令和元年7月分までの4か月分をまとめて前納することは，厚生労働大臣が定める期間として認められることはない。

C 平成31年4月分から令和2年3月分まで付加保険料を前納していた者が，令和元年8月に国民年金基金の加入員となった場合は，その加入員となった日に付加保険料を納付する者でなくなる申出をしたとみなされるため，令和元年7月分以後の各月に係る付加保険料を納付する者でなくなり，請求により同年7月分以後の前納した付加保険料が還付される。

D 令和元年10月31日に出産予定である第1号被保険者（多胎妊娠ではないものとする。）は，令和元年6月1日に産前産後期間の保険料免除の届出をしたが，実際の出産日は令和元年11月10日であった。この場合，産前産後期間として保険料が免除される期間は，令和元年10月分から令和2年1月分までとなる。

E 平成27年6月分から平成28年3月分まで保険料全額免除期間（学生納付特例の期間及び納付猶予の期間を除く。）を有し，平成28年4月分から平成29年3月分まで学生納付特例の期間を有し，平成29年4月分から令和元年6月分まで保険料全額免除期間（学生納付特例の期間及び納付猶予の期間を除く。）を有する者が，令和元年8月に厚生労働大臣の承認を受け，その一部につき追納する場合は，学生納付特例の期間の保険料から優先的に行わなければならない。

正解チェック欄	／	／	／

国年法

キリトリ線

A 正 本肢のとおりである（則77条の2，平26.3.31厚労告191号）。申請による保険料免除の対象となる期間は，「申請があった日の属する月の2年2月（保険料の納期限に係る月であって，当該納期限から2年を経過したものを除く）前の月から当該申請のあった日の属する年の翌年6月（当該申請のあった日の属する月が1月から6月までである場合にあっては，当該申請のあった日の属する年の6月）までの期間」である。本肢の場合，申請があった日の属する月の2年2月前の月である平成29年6月の保険料の納期限である同年7月31日は，令和元年8月の時点では2年を経過しているため，免除の始期は平成29年7月となり，免除の終期は翌年の6月である令和2年6月となる。また，所得要件は，保険料を納付することを要しないものとすべき月の属する年の前年の所得（1月から6月までの月分の保険料については，前々年の所得）によって判断するため，本肢のとおりとなる。

B 誤 保険料の前納は，厚生労働大臣が定める期間につき，6月又は年を単位として行うのが原則であるが，厚生労働大臣が定める期間のすべての保険料をまとめて前納する場合においては，6月又は年を単位として行うことを要しないこととされている。本肢の場合，保険料を前納しようとする日の属する月である平成31年4月から，第1号被保険者の資格喪失事由である60歳に達する日の属する月の前月である令和元年7月までの期間は，「厚生労働大臣が定める期間」に該当し，当該期間を単位とする「前納が認められる」（令7条，平31.2.28厚労告47号1条9号）。

社会保険科目
251~252p

C　誤　付加保険料を納付する者となったものは，いつでも，厚生労働大臣に申し出て，その申出をした日の属する月の前月以後の各月に係る保険料（既に納付されたもの及び前納されたもの（「国民年金基金の加入員となった日の属する月以後の各月に係るものを除く」）を除く）につき付加保険料を納付する者でなくなることができ，付加保険料を納付する者となったものが，国民年金基金の加入員となったときは，その加入員となった日に，当該申出をしたものとみなされる。したがって，本肢の場合，国民年金基金の加入員となった「令和元年8月分以後」の各月に係る付加保険料を納付する者でなくなる（法87条の2第4項，令9条）。

社会保険科目
241p

D　誤　本肢の場合，産前産後期間の保険料免除に関する届出をした後に単胎妊娠による出産しているため，出産の予定日の属する月の前月から出産の予定日の属する月の翌々月までの期間の保険料が免除される。したがって，出産の予定日の属する月の前月である「令和元年9月から」出産の予定日の属する月の翌々月である「令和元年12月まで」の期間の保険料が免除される（法88条の2，則73条の6）。

社会保険科目
244～245p

E　誤　免除された保険料の一部の追納は，学生納付特例又は納付猶予に係る保険料のうち，先に経過した月の分から順次に行い，次いで法定免除，申請全額免除，申請4分の3免除，申請半額免除又は申請4分の1免除に係る保険料のうち先に経過した月の分から順次に行うものとされている。ただし，学生納付特例又は納付猶予に係る保険料より前に納付義務が生じた法定免除，申請全額免除，申請4分の3免除，申請半額免除又は申請4分の1免除に係る保険料があるときは，それらのうち先に経過した月の分から追納することができるものとされている。したがって，本肢の場合，必ずしも学生納付特例の期間の保険料から優先的に追納を行う必要はなく，「平成27年6月から平成28年3月までの保険料全額免除期間の保険料を優先して追納することもできる」（法94条2項）。

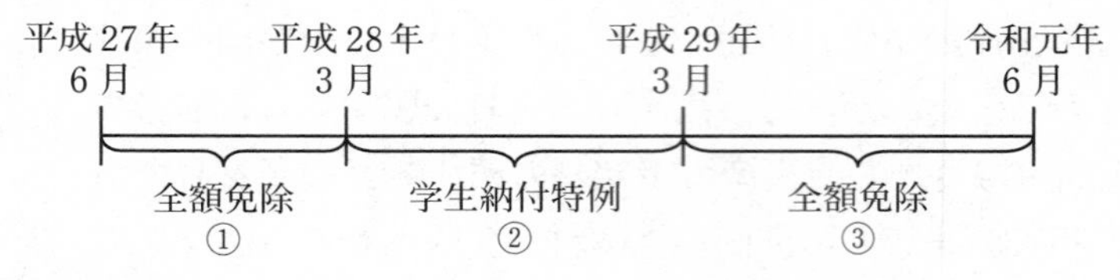

原則順序：②→①→③
例外順序：①→②→③

社会保険科目
252～253p

キリトリ線

R4-2	罰　　則	重要度 C

問 28 国民年金法に関する次のアからオの記述のうち，誤っているものの組合せは，後記AからEまでのうちどれか。

ア　第1号被保険者及び第3号被保険者による資格の取得及び喪失，種別の変更，氏名及び住所の変更以外の届出の規定に違反して虚偽の届出をした被保険者は，10万円以下の過料に処せられる。

イ　日本年金機構の役員は，日本年金機構が滞納処分等を行うに当たり厚生労働大臣の認可を受けなければならない場合においてその認可を受けなかったときは，20万円以下の過料に処せられる。

ウ　世帯主が第1号被保険者に代わって第1号被保険者に係る資格の取得及び喪失，種別の変更，氏名及び住所の変更の届出の規定により届出をする場合において，虚偽の届出をした世帯主は，30万円以下の罰金に処せられる。

エ　保険料その他の徴収金があった場合に国税徴収法第141条の規定による徴収職員の検査を拒み，妨げ，若しくは忌避し，又は当該検査に関し偽りの記載若しくは記録をした帳簿書類を提示した者は，30万円以下の罰金に処せられる。

オ　基礎年金番号の利用制限等の違反者に対して行われた当該行為等の中止勧告に従うべきことの命令に違反した場合には，当該違反行為をした者は，50万円以下の罰金に処せられる。

A（アとイ）　**B**（アとエ）　**C**（イとウ）
D（ウとオ）　**E**（エとオ）

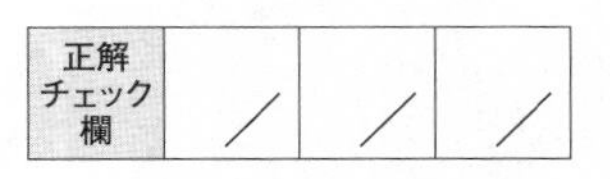

国年法

キリトリ線

本問アからオまでのそれぞれの記述の正誤は以下のとおりである。したがって，ウとオを誤っている記述とするDが正解となる。

ア　正　本肢のとおりである（法114条1号）。なお，第1号被保険者及び第3号被保険者による資格の取得及び喪失，種別の変更，氏名及び住所の変更の届出の規定に違反して虚偽の届出をした被保険者は，6月以下の懲役又は30万円以下の罰金に処せられる（法112条1号）。

イ　正　本肢のとおりである（法113条の4）。なお，日本年金機構は，滞納処分等実施規程を定め，厚生労働大臣の認可を受けなければならず，これに違反したときは，本肢と同様に20万円以下の過料に処せられる。

ウ　誤　本肢の場合，「6月以下の懲役」又は30万円以下の罰金に処せられる（法112条2号）。

社会保険科目
262p

エ　正　本肢のとおりである（法113条の2）。なお，保険料その他の徴収金があった場合に国税徴収法第141条の規定による徴収職員の質問に対して答弁をせず，又は偽りの陳述をした者にあっても，本肢と同様に30万円以下の罰金に処せられる。

社会保険科目
262p

オ　誤　本肢の場合，「1年以下の懲役」又は50万円以下の罰金に処せられる（法111条の2）。

H27-4	国民年金基金	重要度 A

問 29

国民年金法に関する次の記述のうち，誤っているものはどれか。

A 国民年金基金の加入員が，保険料免除の規定により国民年金保険料の全部又は一部の額について保険料を納付することを要しないものとされたときは，その月の初日に加入員の資格を喪失する。

B 付加保険料を納付する第1号被保険者が国民年金基金の加入員となったときは，加入員となった日に付加保険料の納付の辞退の申出をしたものとみなされる。

C 国民年金基金が支給する一時金は，少なくとも，当該基金の加入員又は加入員であった者が死亡した場合において，その遺族が国民年金法第52条の2第1項の規定による死亡一時金を受けたときには，その遺族に支給されるものでなければならない。

D 国民年金基金は，基金の事業の継続が不能となって解散しようとするときは，厚生労働大臣の認可を受けなければならない。

E 国民年金基金が支給する一時金については，給付として支給を受けた金銭を標準として，租税その他の公課を課することができる。

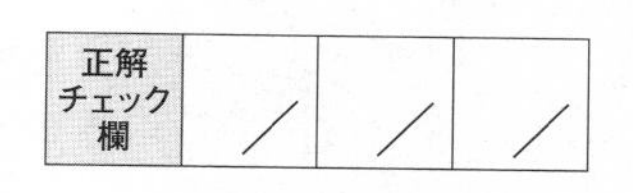

正解チェック欄	／	／	／

正解 E

A 正 本肢のとおりである（法127条3項）。

社会保険科目
268〜269p

B 正 本肢のとおりである（法87条の2第4項）。国民年金基金の加入員は，付加保険料を納付できない（法87条の2第1項かっこ書）。

社会保険科目
241〜242p

C 正 本肢のとおりである（法129条3項）。基金は，次の①〜③に掲げる理由により解散する（①又は②の理由により解散しようとするときは，厚生労働大臣の認可を受けなければならない）。
①代議員の定数の4分の3以上の多数による代議員会の議決
②基金の事業の継続の不能
③厚生労働大臣の解散の命令

社会保険科目
270〜271p

D 正 本肢のとおりである（法135条）。

社会保険科目
271〜272p

E 誤 法25条（公課の禁止）の規定は，国民年金基金が支給する一時金について準用されている。したがって，国民年金基金が支給する一時金の給付として支給を受けた金銭を標準として，租税その他の公課を課することは「できない」（法133条，法25条）。

キリトリ線

H29-5	国民年金基金	重要度 A

問 30 国民年金基金に関する次の記述のうち，誤っているものはどれか。

A 日本国籍を有し，日本国内に住所を有しない20歳以上65歳未満の任意加入被保険者は，地域型国民年金基金の加入員となることができない。

B 国民年金基金が徴収する掛金の額は，額の上限の特例に該当する場合を除き，1か月につき68,000円を超えることはできない。

C 国民年金基金が支給する年金を受ける権利は，その権利を有する者の請求に基づいて，国民年金基金が裁定する。

D 国民年金基金の加入員が第2号被保険者となったときは，その日に，加入員の資格を喪失する。

E 国民年金基金の加入員が農業者年金の被保険者となったときは，その日に，加入員の資格を喪失する。

国年法

キリトリ線

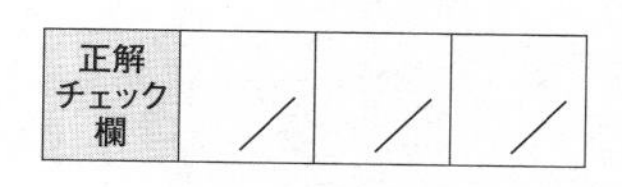

A 誤 本肢の任意加入被保険者は，他の要件を満たす限り，国民年金基金の加入員となることができる（法附則5条12項）。国民年金基金の加入員となることができない任意加入被保険者は，日本国内に住所を有する20歳以上60歳未満の者であって，厚生年金保険法に基づく老齢給付等を受けることができるものである。

社会保険科目 268p

B 正 本肢のとおりである（基金令34条）。

社会保険科目 271p

C 正 本肢のとおりである（法133条，法16条）。

社会保険科目 271p

D 正 本肢のとおりである（法127条3項）。なお，国民年金基金は，厚生労働省令の定めるところにより，その加入員の資格の取得及び喪失に関する事項を厚生労働大臣に届け出なければならない（法139条）。

社会保険科目 268p

E 正 本肢のとおりである（法127条3項）。なお，農業者年金の被保険者のうち，付加保険料を納付することができる者は，すべて，付加保険料を納付する者となる（農業者年金基金法17条1項）。

社会保険科目 268p

H27-3	総合問題	重要度 A

問 31 国民年金法等に関する次の記述のうち，正しいものはどれか。

A 子の有する遺族基礎年金の受給権は，当該子が18歳に達した日以後の最初の3月31日が終了したときに障害等級に該当する障害の状態にあった場合は，その後，当該障害の状態に該当しなくなっても，20歳に達するまで消滅しない。

B 学生等被保険者が学生納付特例事務法人に学生納付特例申請の委託をしたときは，障害基礎年金の保険料納付要件に関しては，当該委託をした日に，学生納付特例申請があったものとみなされる。

C 65歳で老齢基礎年金の受給権を取得した者が72歳のときに繰下げ支給の申出をした場合は，当該申出のあった日の属する月の翌月分から老齢基礎年金の支給が開始され，増額率は42％となる。

D 保険料の督促をしようとするときは，厚生労働大臣は，納付義務者に対して，督促状を発する。督促状により指定する期限は，督促状を発する日から起算して5日以上を経過した日でなければならない。

E 保険料その他国民年金法の規定による徴収金に関する処分についての審査請求に対する社会保険審査官の決定に不服がある者は，社会保険審査会に対して再審査請求をすることができるが，当該再審査請求は，社会保険審査官の決定書の謄本が送付された日の翌日から起算して30日以内にしなければならない。ただし，正当な事由によりこの期間内に再審査請求をすることができなかったことを疎明したときは，この限りでない。

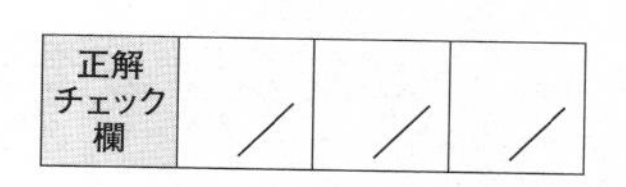

A 誤 子の有する遺族基礎年金の受給権は，当該子が18歳に達した日以後の最初の3月31日が終了したときに障害等級に該当する障害の状態にあった場合には，その時点では消滅しないが，当該子が20歳に達する前に障害等級に該当する程度の障害の状態に該当しなくなったときは，その該当しなくなった時点で消滅する（法40条3項）。

社会保険科目 227p

B 正 本肢のとおりである（法109条の2の2第2項）。

社会保険科目 250p

C 誤 仮に72歳に達する日の属する月に支給繰下げの申出をしたとしても，老齢基礎年金の受給権を取得した日の属する月から支給繰下げの申出をした日の属する月の前月までの月数は84であり，繰下げ増額率は少なくとも58.8％（＝84×7/1,000）となるため誤りである（法28条2項・3項，令4条の5）。

社会保険科目 203~204p

D 誤 督促状により指定する期限は，督促状を発する日から起算して「10日」以上を経過した日でなければならない。その他の記述は正しい（法96条2項・3項）。

社会保険科目 255p

E 誤 本肢の再審査請求は，社会保険審査官の決定書の謄本が送付された日の翌日から起算して「2月を経過したときは，することができない」こととされる（法101条1項，社会保険審査官及び社会保険審査会法32条1項・3項）。

H27-5	総合問題	重要度 A

問 32 国民年金法に関する次の記述のうち，正しいものはどれか。

A 最高裁判所の判例によると，国民年金法第19条第1項に規定する未支給年金を受給できる遺族は，厚生労働大臣による未支給年金の支給決定を受けることなく，未支給年金に係る請求権を確定的に有しており，厚生労働大臣に対する支給請求とこれに対する処分を経ないで訴訟上，未支給年金を請求できる，と解するのが相当であるとされている。

B 障害基礎年金の障害認定日について，当該傷病に係る初診日から起算して1年6か月を経過した日前に，その傷病が治った場合はその治った日が障害認定日となるが，その症状が固定し治療の効果が期待できない状態に至った日も傷病が治った日として取り扱われる。

C 20歳前傷病による障害基礎年金の受給権者の障害が第三者の行為によって生じた場合に，受給権者が第三者から同一の事由について損害賠償を受けたとき，当該障害基礎年金との調整は行われない。

D 遺族基礎年金を受給している子が，婚姻したときは遺族基礎年金は失権し，婚姻した日の属する月の前月分までの遺族基礎年金が支給される。

E 年金給付を受ける権利は，その支給すべき事由が生じた日から5年を経過したとき，死亡一時金を受ける権利は，これを行使することができる時から5年を経過したときは，それぞれ時効によって消滅する。

正解チェック欄	／	／	／

A 誤 最高裁判所の判例によると，未支給年金を受給できる遺族は，厚生労働大臣による未支給年金の支給決定を「受けるまでは」，死亡した受給権者が有していた未支給年金に係る請求権を確定的に「取得したということはできず」，厚生労働大臣に対する支給請求とこれに対する処分を経ないで訴訟上未支給年金を請求することは「できない」ものといわなければならない，とされている（最高裁第三小法廷判決 平7.11.7）。

B 正 本肢のとおりである（法30条1項）。

C 誤 20歳前の傷病による障害に基づく障害基礎年金についても，本肢の第三者行為災害による損害賠償との調整は「行われる」（法22条）。

D 誤 年金の支給は，これを支給すべき事由が生じた日の属する月の翌月から始め，権利が消滅した日の属する月で終わるものとされている。本肢の場合，遺族基礎年金を受給している子が婚姻したときに，当該子の有する遺族基礎年金の受給権が消滅することから，当該子には，「婚姻した日の属する月分まで」の遺族基礎年金が支給される（法18条1項，法40条1項）。

社会保険科目
176, 226p

E 誤 年金給付を受ける権利は，その支給すべき事由が生じた日から5年を経過したとき，死亡一時金を受ける権利は，これを行使することができる時から「2年」を経過したときは，それぞれ時効によって消滅する（法102条1項・4項）。

社会保険科目
260～261p

キリトリ線

H27-6	総合問題	重要度 A

問 33 **国民年金法に関する次のアからオの記述のうち，正しいものの組合せは，後記AからEまでのうちどれか。**

ア　日本国内に住所を有する60歳以上65歳未満の任意加入被保険者が法定免除の要件を満たすときには，その保険料が免除される。

イ　18歳から60歳まで継続して厚生年金保険の被保険者であった昭和30年4月2日生まれの者は，60歳に達した時点で保険料納付済期間の月数が480か月となるため，国民年金の任意加入被保険者となることはできない。

ウ　第1号被保険者が保険料を口座振替で納付する場合には，最大で2年間の保険料を前納することができる。

エ　第1号被保険者が生活保護法の保護のうち，医療扶助のみを受けた場合，保険料の法定免除の対象とされる。

オ　20歳前傷病による障害基礎年金については，受給権者に一定の要件に該当する子がいても，子の加算額が加算されることはない。

キリトリ線

A　（アとウ）　**B**　（アとオ）　**C**　（イとウ）
D　（イとエ）　**E**　（エとオ）

正解チェック欄	／	／	／

本問のアからオまでのそれぞれの記述の正誤は以下のとおりであり，したがって，イとウを正しいとするCが解答となる。

ア　誤　任意加入被保険者については，保険料免除の規定は適用されない（法附則5条11項）。なお，65歳以上70歳未満の特例による任意加入被保険者についても，保険料免除の規定は適用されない（平6法附則11条11項，平16法附則23条11項）。

社会保険科目 245p

イ　正　本肢のとおりである（法附則5条1項・5項）。65歳未満の任意加入被保険者は，法27条各号に掲げる月数（老齢基礎年金の額に反映される月数）を合算した月数が480に達したときはその日に，被保険者の資格を喪失することとされており，本肢の者は60歳に達した時点で老齢基礎年金の額に反映される保険料納付済期間の月数が480か月となるため，国民年金の任意加入被保険者となることはできない。

ウ　正　本肢のとおりである（法93条，令7条，平21.12.28厚労告530号ほか）。

エ　誤　第1号被保険者が生活保護法による「生活扶助」を受けた場合は，保険料の法定免除の対象とされるが，同法による「生活扶助以外の扶助」のみを受けた場合には，保険料の法定免除の対象とはされない。なお，「被保険者又は被保険者の属する世帯の他の世帯員が生活保護法による生活扶助以外の扶助を受けるとき」は，申請免除の免除事由に該当する（法89条，法90条，則74条，則76条の2ほか）。

社会保険科目 246p

オ　誤　20歳前の傷病による障害に基づく障害基礎年金についても，受給権者に一定の要件に該当する子がいる場合には，当該障害基礎年金の額に子の加算額が「加算される」（法30条の4，法33条の2）。

H27-7	**総合問題**	重要度 **A**

問 34 国民年金法に関する次の記述のうち，誤っているものはどれか。

A 第3号被保険者の要件である「主として第2号被保険者の収入により生計を維持する」ことの認定は，健康保険法，国家公務員共済組合法，地方公務員等共済組合法及び私立学校教職員共済法における被扶養者の認定の取扱いを勘案して，日本年金機構が行う。

B 18歳の厚生年金保険の被保険者に19歳の被扶養配偶者がいる場合，当該被扶養配偶者が20歳に達した日に第3号被保険者の資格を取得する。

C 繰上げ支給の老齢基礎年金を受けている62歳の者（昭和28年4月2日生まれ）が厚生年金保険の被保険者となったときは，当該老齢基礎年金は全額が支給停止される。

D 被保険者が保険料を前納した後，前納に係る期間の経過前に保険料額の引上げが行われることとなった場合に，前納された保険料のうち当該保険料額の引上げが行われることとなった後の期間に係るものは，当該期間の各月につき納付すべきこととなる保険料に，先に到来する月の分から順次充当される。

E 財政の現況及び見通しが作成されるときは，厚生労働大臣は，厚生年金保険の実施者たる政府が負担し，又は実施機関たる共済組合等が納付すべき基礎年金拠出金について，その将来にわたる予想額を算定するものとする。

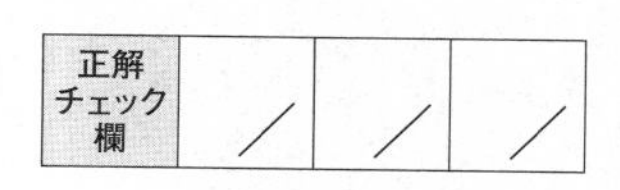

A 正 本肢のとおりである（令4条）。

B 正 本肢のとおりである（法7条3号，法8条）。第3号被保険者については，年齢要件が問われる。

社会保険科目
152~153p

C 誤 繰上げ支給の老齢基礎年金を受けている本肢の者が厚生年金保険の被保険者となった場合であっても，当該老齢基礎年金は，支給停止「されない」（法附則9条の2，法附則9条の2の3ほか）。

D 正 本肢のとおりである（令8条の2）。

E 正 本肢のとおりである（法94条の2第3項）。なお，本肢の「基礎年金拠出金」は，第2号被保険者及び第3号被保険者に係る基礎年金の給付に要する費用として被用者年金保険者が負担すべきものであり，厚生年金保険の管掌者たる政府及び実施機関たる共済組合等は，毎年度，第2号被保険者及び第3号被保険者に係る基礎年金の給付に要する費用に充てるため，基礎年金拠出金を負担・納付する。

H28-2	総合問題	重要度 A

問 35 国民年金法に関する次の記述のうち，正しいものはどれか。

A 死亡一時金は，遺族基礎年金の支給を受けたことがある者が死亡したときは，その遺族に支給されない。なお，本問において死亡した者は，遺族基礎年金以外の年金の支給を受けたことはないものとする。

B 納付された保険料に係る直近の月が平成18年度以降の年度に属する月である場合の脱退一時金は，対象月数に応じて金額が定められており，その金額は，国民年金法附則第9条の3の2の規定により，毎年度，前年度の額に当該年度に属する月分の保険料の額の前年度に属する月分の保険料の額に対する比率を乗じて得た額を基準として，政令で定めるものとされている。

C 厚生労働大臣は，国民年金原簿を備え，これに被保険者の氏名，資格の取得及び喪失，種別の変更，保険料の納付状況，基礎年金番号その他厚生労働省令で定める事項を記録することとされているが，当分の間，第2号被保険者について記録する対象となる被保険者は，厚生年金保険法に規定する第1号厚生年金被保険者に限られている。

D 寡婦年金の額は，死亡日の属する月の前月までの第1号被保険者としての被保険者期間に係る死亡日の前日における保険料納付済期間及び保険料免除期間につき，国民年金法第27条の老齢基礎年金の額の規定の例によって計算した額とされている。

E 毎支払期月ごとの年金額の支払において，その額に1円未満の端数が生じたときはこれを切り捨てるものとされているが，毎年4月から翌年3月までの間において切り捨てた金額の合計額（1円未満の端数が生じたときは，これを切り捨てた額）については次年度の4月の支払期月の年金額に加算して支払うものとされている。

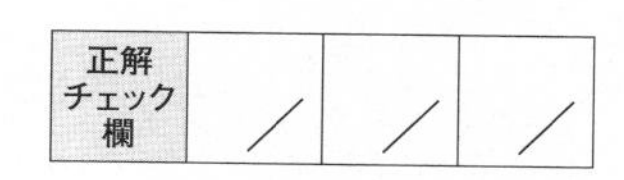

国年法

A　誤　死亡一時金は，「老齢基礎年金又は障害基礎年金」の支給を受けたことがある者が死亡したときは，支給されない（法52条の2第1項）。

社会保険科目
230~232p

B　誤　脱退一時金の額は，基準月の属する年度における保険料の額に2分の1を乗じて得た額に保険料納付済期間等の月数に応じて政令で定める数を乗じて得た額である（法附則9条の3の2第3項）。

社会保険科目
234p

C　正　本肢のとおりである（法14条，法附則7条の5第1項）。

社会保険科目
172~173p

D　誤　寡婦年金の額は，死亡日の属する月の前月までの第1号被保険者としての被保険者期間に係る死亡日の前日における保険料納付済期間及び保険料免除期間につき，老齢基礎年金の額の規定の例によって計算した額の「4分の3」に相当する額とされている（法50条）。

社会保険科目
229p

E　誤　毎支払期月ごとの年金額の支払において，その額に1円未満の端数が生じたときは，これを切り捨てるものとされているが，「毎年3月から翌年2月まで」の間において切り捨てた金額の合計額（1円未満の端数が生じたときは，これを切り捨てた額）については，これを「当該2月の支払期月の年金額」に加算するものとされている（法18条の2）。

社会保険科目
177p

キリトリ線

H28-4	総合問題	重要度	A

問 36　次の記述のうち，誤っているものはいくつあるか。

ア　振替加算の額は，その受給権者の老齢基礎年金の額に受給権者の生年月日に応じて政令で定める率を乗じて得た額として算出される。

イ　日本国内に住所を有する者が任意加入の申出を行おうとする場合は，原則として，保険料は口座振替納付により納付しなければならないが，任意加入被保険者の資格を喪失するまでの期間の保険料を前納する場合には，口座振替納付によらないことができる。

ウ　国民年金法に基づく給付に関する処分に係る社会保険審査官の決定に不服がある者は，社会保険審査会に対し，文書又は口頭によって再審査請求をすることができるが，再審査請求の取下げは文書でしなければならない。

エ　厚生労働大臣は，国民年金原簿の訂正の請求について，当該訂正請求に係る国民年金原簿の訂正をする旨又は訂正をしない旨を決定しなければならないが，その決定を受けた者が，その決定に不服があるときは，社会保険審査官に対して審査請求をすることができる。

オ　任意加入の申出の受理に関する厚生労働大臣の権限に係る事務は，日本年金機構に委任されており，当該申出の受理及び申出に係る事実についての審査に関する事務は，日本年金機構が行うものとされていて，市町村長がこれを行うことはできない。

A　一つ
B　二つ
C　三つ
D　四つ
E　五つ

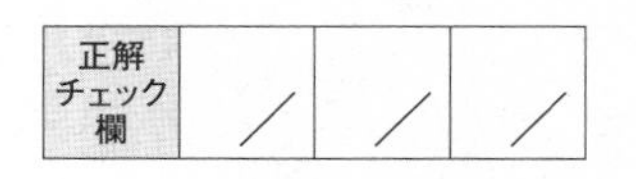

国年法

キリトリ線

本問のアからオまでのそれぞれの記述の正誤は以下のとおりである。したがって，誤りの記述はア，エ及びオの3つであり，Cが解答となる。

ア　誤　振替加算の額は，「224,700円に改定率を乗じて得た額に老齢基礎年金の受給権者の生年月日に応じて政令で定める率を乗じて得た額」として算出される（昭60法附則14条1項，経過措置令24条）。

社会保険科目 199p

イ　正　本肢のとおりである（法附則5条2項，則2条の2第2号）。

ウ　正　本肢のとおりである（社会保険審査官及び社会保険審査会法5条1項，同法12条の2，同法44条）。

社会保険科目 508p

エ　誤　国民年金原簿の訂正をする旨又は訂正をしない旨の決定について不服がある場合であっても，社会保険審査官に対して審査請求を「することはできない」。本肢前段の記述は正しい（法101条1項）。

社会保険科目 259p

オ　誤　任意加入の申出の受理に関する厚生労働大臣の権限に係る事務は，日本年金機構には「委任されておらず」，任意加入の申出の受理及び申出に係る事実についての審査に関する事務は，「市町村長（特別区の区長を含む）」が行う（令1条の2第2号）。

キリトリ線

H28-5	総合問題	重要度 A

国年法

問 37 国民年金法に関する次の記述のうち，正しいものはどれか。

A 給付を受ける権利は，原則として譲り渡し，担保に供し，又は差し押さえることができないが，脱退一時金を受ける権利については国税滞納処分の例により差し押さえることができる。

B 死亡一時金を受けることができる遺族は，死亡した者の配偶者，子，父母，孫，祖父母，兄弟姉妹又はこれらの者以外の三親等内の親族であって，その者の死亡の当時その者と生計を同じくしていたものである。

C 年金給付の受給権者が死亡した場合において，その死亡した者に支給すべき年金給付でまだその者に支給しなかったものがあるときは，その未支給の年金については相続人に相続される。

D 任意加入被保険者は，いつでも厚生労働大臣に申し出て，被保険者の資格を喪失することができるが，その資格喪失の時期は当該申出が受理された日の翌日である。

E 20歳前傷病による障害基礎年金は，その受給権者が日本国籍を有しなくなったときは，その支給が停止される。

キリトリ線

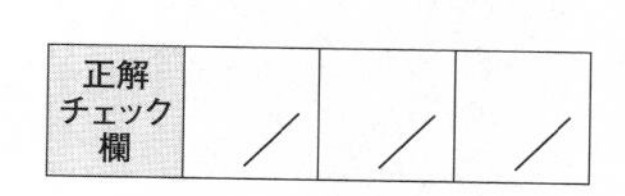

正解チェック欄	／	／	／

A　正　本肢のとおりである（法24条，法附則9条の3の2第7項）。

社会保険科目 185p

B　誤　死亡一時金を受けることができる遺族は，死亡した者の「配偶者，子，父母，孫，祖父母又は兄弟姉妹」であって，その者の死亡の当時その者と生計を同じくしていたものである。「これらの者以外の3親等内の親族は，死亡一時金を受けることができる遺族に含まれない」（法52条の3第1項）。

社会保険科目 231p

C　誤　年金給付の受給権者が死亡した場合において，その死亡した者に支給すべき年金給付でまだその者に支給しなかったものがあるときは，「その者の配偶者，子，父母，孫，祖父母，兄弟姉妹又はこれらの者以外の3親等内の親族であって，その者の死亡の当時その者と生計を同じくしていたものは，自己の名で，その未支給の年金の支給を請求することができる」（法19条1項）。

社会保険科目 178p

D　誤　任意加入被保険者は，いつでも，厚生労働大臣に申し出て，被保険者の資格を喪失することができるが，その資格喪失の時期は，「当該申出が受理された日」である（法附則5条5項）。

社会保険科目 158p

E　誤　20歳前傷病による障害基礎年金は，その受給権者が「日本国内に住所を有しないとき」は，その間，その支給が停止される（法36条の2第1項）。

社会保険科目 217p

H28-6	総合問題	重要度 A

問 38 国民年金法に関する次の記述のうち，正しいものはどれか。

A 第3号被保険者が主として第2号被保険者の収入により生計を維持することの認定は，厚生労働大臣の権限とされており，当該権限に係る事務は日本年金機構に委任されていない。

B 国民年金保険料の追納の申込みは，国民年金法施行令の規定により，口頭でもできるとされている。

C 第1号被保険者に対しては，市町村長から，毎年度，各年度の各月に係る保険料について，保険料の額，納期限等の通知が行われる。

D 被保険者又は被保険者であった者が，保険料の全額免除の規定により納付することを要しないものとされた保険料（追納の承認を受けようとする日の属する月前10年以内の期間に係るものに限る。）について厚生労働大臣の承認を受けて追納しようとするとき，その者が障害基礎年金の受給権者となった場合には追納することができない。

E 被保険者又は被保険者であった者の死亡の原因が業務上の事由によるものである遺族基礎年金の裁定の請求をする者は，その旨を裁定の請求書に記載しなければならない。

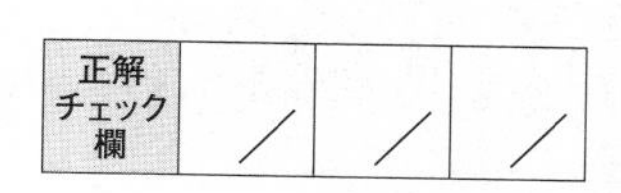

A 誤 第3号被保険者が主として第2号被保険者の収入により生計を維持することの認定は，健康保険法，国家公務員共済組合法，地方公務員等共済組合法及び私立学校教職員共済法における被扶養者の認定の取扱いを勘案して「日本年金機構」が行う（令4条）。

社会保険科目 153p

B 誤 保険料の追納の承認を受けようとする第1号被保険者又は第1号被保険者であった者は，「国民年金保険料追納申込書を日本年金機構に提出しなければならない」（令11条1項ほか）。

C 誤 第1号被保険者に対しては，「厚生労働大臣」は，毎年度，各年度の各月に係る保険料について，保険料の額，納期限その他厚生労働省令で定める事項を通知するものとされている（法92条1項）。

D 誤 保険料の追納は，「老齢基礎年金の受給権者はすることができない」が，障害基礎年金の受給権者は，他の要件を満たす限り，することができる。その他の記述については正しい（法94条1項）。

社会保険科目 252p

E 正 本肢のとおりである（則39条1項6号）。

H28-7	総合問題	重要度 A

問 39 国民年金法に関する次の記述のうち，誤っているものはどれか。

A 任意加入被保険者（特例による任意加入被保険者を除く。以下本問において同じ。）は，付加保険料の納付に係る規定の適用については第1号被保険者とみなされ，任意加入被保険者としての被保険者期間は，寡婦年金，死亡一時金及び脱退一時金に係る規定の適用については，第1号被保険者としての被保険者期間とみなされる。

B 実施機関たる共済組合等は，毎年度当該年度における保険料・拠出金算定対象額の見込額に当該年度における当該実施機関たる共済組合等に係る拠出金按分率の見込値を乗じて得た額の基礎年金拠出金を，厚生労働省令の定めるところにより，日本年金機構に納付しなければならない。

C 第2号被保険者としての被保険者期間のうち，20歳に達した日の属する月前の期間及び60歳に達した日の属する月以後の期間は，合算対象期間とされ，この期間は老齢基礎年金の年金額の計算に関しては保険料納付済期間に算入されない。

D 保険料を納付することが著しく困難である場合として天災その他の厚生労働省令で定める事由がある被保険者からの申請に基づいて，厚生労働大臣は，その指定する期間に係る保険料につき，すでに納付されたものを除き，その一部の額を納付することを要しないものとすることができるが，当該保険料につきその残余の額が納付されたものに係る被保険者期間（追納はされていないものとする。）は，保険料納付済期間とされない。

E 第1号被保険者が保険料を滞納し，滞納処分により徴収された金額が保険料に充当された場合，当該充当された期間は，保険料納付済期間とされる。なお，充当された期間は，保険料の一部の額を納付することを要しないものとされた期間ではないものとする。

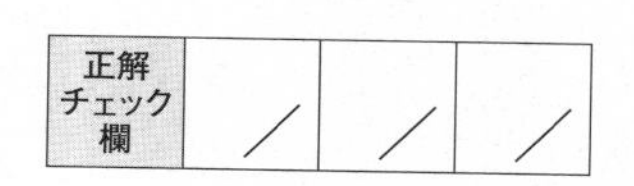

正解チェック欄	／	／	／

正解 B

A 正 本肢のとおりである（法附則5条9項）。

社会保険科目 154p

B 誤 実施機関たる共済組合等は，毎年度当該年度における保険料・拠出金算定対象額の見込額に当該年度における当該実施機関たる共済組合等に係る拠出金按分率の見込値を乗じて得た額の基礎年金拠出金を，厚生労働省令の定めるところにより，「国民年金の管掌者たる政府」に納付しなければならない（令11条の4第1項）。

C 正 本肢のとおりである（法附則9条1項，昭60法附則8条2項）。

社会保険科目 188〜189p

D 正 本肢のとおりである（法5条2項）。本肢の被保険者期間は，保険料4分の3免除期間，保険料半額免除期間又は保険料4分の1免除期間のいずれかに該当する。

社会保険科目 187p

E 正 本肢のとおりである（法5条1項）。なお，国民年金法において，「保険料納付済期間」とは，第1号被保険者としての被保険者期間のうち納付された保険料（督促及び滞納処分の規定により徴収された保険料を含み，申請4分の3免除，申請半額免除又は申請4分の1免除の規定によりその一部の額につき納付することを要しないものとされた保険料につきその残余の額が納付又は徴収されたものを除く）に係るもの及び産前産後期間の保険料免除の規定により納付することを要しないものとされた保険料に係るもの，第2号被保険者としての被保険者期間及び第3号被保険者としての被保険者期間を合算した期間をいう。

社会保険科目 186〜187p

キリトリ線

H29-2	総合問題	重要度 A

問 40 国民年金法に関する次のアからオの記述のうち，正しいものの組合せは，後記AからEまでのうちどれか。

ア　配偶者に支給する遺族基礎年金は，当該配偶者が，死亡した被保険者によって生計を維持されていなかった10歳の子と養子縁組をしたときは，当該子を養子とした日の属する月の翌月から年金額が改定される。

イ　冬山の登山中に行方不明になり，その者の生死が3か月間分からない場合には，死亡を支給事由とする給付の支給に関する規定の適用について，行方不明となった日にその者は死亡したものと推定される。

ウ　死亡した被保険者について，死亡日の前日において，死亡日の属する月の前々月までの1年間のうちに保険料が未納である月があったとしても，保険料納付済期間を25年以上有していたときには，遺族基礎年金を受けることができる配偶者又は子に遺族基礎年金の受給権が発生する。

エ　厚生労働大臣が，障害基礎年金の受給権者について，その障害の程度を診査し，その程度が従前の障害等級以外の障害等級に該当すると認めるときに，障害基礎年金の額を改定することができるのは，当該受給権者が65歳未満の場合に限られる。

オ　被保険者であった者が60歳以上65歳未満の間に傷病に係る初診日がある場合であって，当該初診日において，日本国内に住所を有しないときには，当該傷病についての障害基礎年金が支給されることはない。なお，当該傷病以外に傷病は有しないものとする。

A　(アとウ)　**B**　(アとエ)　**C**　(イとエ)
D　(イとオ)　**E**　(ウとオ)

国年法

キリトリ線

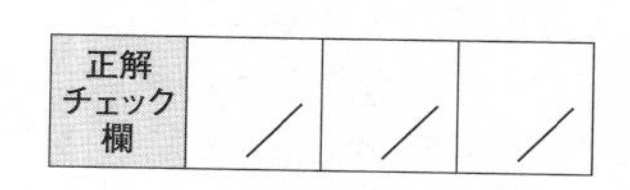

本問のアからオまでのそれぞれの記述の正誤は以下のとおりである。したがって，ウとオを正しいとするEが解答となる。

ア　誤　本肢の場合，配偶者に支給される遺族基礎年金の額は改定されない（法39条2項）。本肢は，新たに養子縁組をした場合（養子縁組により子を迎えた場合）であるが，これは減額改定事由のいずれにも該当しない。また，増額改定事由である遺族基礎年金の受給権を取得した当時胎児であった子が生まれた場合にも該当しないため，遺族基礎年金の額は改定されない。

社会保険科目 223p

イ　誤　死亡推定の規定は，船舶又は航空機の行方不明等の場合に適用される規定であり，「陸上での行方不明については適用されない」ため，本肢の場合，死亡推定は行われない（法18条の3）。

社会保険科目 177p

ウ　正　本肢のとおりである（法37条）。保険料納付済期間が25年以上ある場合，保険料納付要件は問われない。

社会保険科目 220, 222p

エ　誤　本肢のような制限はない（法34条1項）。受給権者が65歳以上の場合であっても，本肢の改定は行われる。

社会保険科目 215p

オ　正　本肢のとおりである（法30条1項）。被保険者であった者が障害基礎年金の支給を受けるためには，初診日において日本国内に住所を有し，かつ，60歳以上65歳未満でなければならない。

社会保険科目 206p

キリトリ線

H29-6	総合問題	重要度 A

問 41　国民年金法に関する次の記述のうち，正しいものはどれか。

A　精神の障害は，障害基礎年金の対象となる障害に該当しない。

B　厚生労働大臣が行った年金給付に関する処分の取消しの訴えは，当該処分についての再審査請求に対する社会保険審査会の裁決を経た後でなければ，提起することができない。

C　繰上げ支給の老齢基礎年金は，60歳以上65歳未満の者が65歳に達する前に，厚生労働大臣に老齢基礎年金の支給繰上げの請求をしたときに，その請求があった日の属する月の分から支給される。

D　付加保険料に係る保険料納付済期間を有する者が老齢基礎年金の支給繰下げの申出を行ったときは，付加年金についても支給が繰り下げられ，この場合の付加年金の額は，老齢基礎年金と同じ率で増額される。なお，本問において振替加算を考慮する必要はない。

E　64歳に達した日の属する月に老齢基礎年金の支給繰上げの請求をすると，繰上げ請求月から65歳到達月の前月までの月数が12となるので，当該老齢基礎年金の額は，65歳から受給する場合に比べて8.4％減額されることになる。

国年法

キリトリ線

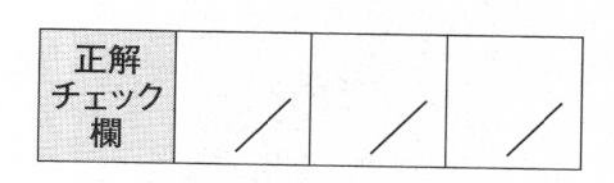

A 誤 精神の障害であって一定のものは，障害基礎年金の対象となる障害に「該当する」（令別表）。

B 誤 厚生労働大臣が行った年金給付に関する処分の取消しの訴えは，当該処分についての「審査請求」に対する「社会保険審査官の決定」を経た後でなければ，提起することができない（法101条の2）。

社会保険科目 259p

C 誤 繰上げ支給の老齢基礎年金は，その請求があった日の属する月の「翌月」の分から支給される（法18条1項，法附則9条の2第3項）。

社会保険科目 201p

D 正 本肢のとおりである（法46条，令12条2項）。

社会保険科目 204, 228p

E 誤 64歳に達した日の属する月に老齢基礎年金の支給繰上げの請求をすると，繰上げ請求月から65歳到達月の前月までの月数が12となり，1月当たりの繰上げ減額率は1,000分の4であるから，当該老齢基礎年金の額は，65歳から受給する場合に比べて「4.8％」（＝12×4/1,000）減額されることになる（令12条1項）。

社会保険科目 201p

H29-7	総合問題	重要度 A

問 42 国民年金法に関する次の記述のうち，誤っているものはどれか。

A 死亡日の前日における付加保険料に係る保険料納付済期間が3年以上である者の遺族に支給される死亡一時金の額には，8,500円が加算される。

B 学生納付特例の期間及び納付猶予の期間については，保険料が追納されていなければ，老齢基礎年金の額には反映されない。

C 老齢基礎年金の受給権者が，厚生労働大臣に対し，国民年金法の規定に基づいて行われるべき事務の処理が行われなかったことにより全額免除の申請ができなかった旨の申出をした場合において，その申出が承認され，かつ，当該申出に係る期間が特定全額免除期間（学生納付特例の期間及び納付猶予の期間を除く。）とみなされたときは，申出のあった日の属する月の翌月から年金額が改定される。

D 国民年金法第30条の3に規定するいわゆる基準障害による障害基礎年金は，65歳に達する日の前日までに基準障害と他の障害を併合して障害等級に該当する程度の障害の状態に該当したとしても，その請求を65歳に達した日以後に行うことはできない。

E 障害基礎年金の受給権者が65歳に達し，その時点で老齢基礎年金と老齢厚生年金の受給権を有する場合，障害基礎年金と老齢厚生年金の併給か老齢基礎年金と老齢厚生年金の併給かを選択することができる。

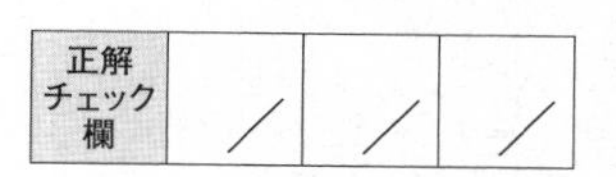

必修基本書

A　正　本肢のとおりである（法52条の４第２項）。

社会保険科目 232p

B　正　本肢のとおりである（法27条ほか）。

社会保険科目 190～191p

C　正　本肢のとおりである（法附則９条の４の７第７項）。

D　誤　基準障害による障害基礎年金は，65歳に達する日の前日までに基準障害と他の障害を併合して障害等級に該当する程度の障害の状態に該当する必要があるが，その請求は65歳以後であっても行うことができる（法30条の３第１項）。

社会保険科目 209p

E　正　本肢のとおりである（法20条１項，法附則９条の２の４）。受給権者が65歳以上である場合，障害基礎年金と老齢厚生年金は併給されるが，障害基礎年金と老齢基礎年金は併給されないため，本肢のとおり，障害基礎年金と老齢厚生年金の受給か老齢基礎年金と老齢厚生年金の受給かのいずれかを選択することとなる。

社会保険科目 179～181p

キリトリ線

H29-8	総合問題	重要度 A

問 43 国民年金法に関する次の記述のうち，正しいものはどれか。

A 第1号被保険者としての被保険者期間に係る保険料納付済期間を3年以上有し，老齢基礎年金の受給権取得当時から申出により当該老齢基礎年金の支給が停止されている者が死亡した場合には，一定の遺族に死亡一時金が支給される。

B 妻が繰上げ支給の老齢基礎年金を受給中に，一定要件を満たした第1号被保険者の夫が死亡した場合，妻には寡婦年金を受給する権利が発生し，繰上げ支給の老齢基礎年金か寡婦年金かのどちらかを受給することができる。

C 脱退一時金の請求について，日本国籍を有しない者が，請求の日の前日において請求の日の属する月の前月までの第1号被保険者としての被保険者期間に係る保険料納付済期間の月数を3か月及び保険料半額免除期間の月数を6か月有する場合，この者は，当該請求に必要な保険料の納付の要件を満たしている。

D 一定要件を満たした第1号被保険者の夫が死亡し，妻が遺族基礎年金の受給権者となった場合には，妻に寡婦年金が支給されることはない

E 寡婦年金及び付加年金の額は，毎年度，老齢基礎年金と同様の改定率によって改定される。

国年法

キリトリ線

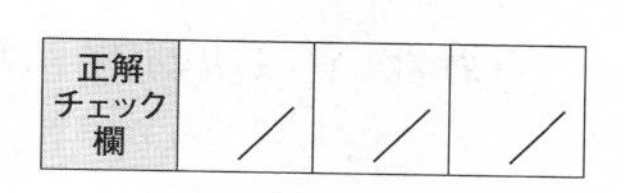

A 誤 死亡一時金は，老齢基礎年金の支給を受けたことがある者の死亡については支給されない。そして，受給権者の申出による年金給付の支給停止の規定の適用を受けている場合，「死亡一時金の規定の適用にあたっては，その支給が停止されていないものとみなされる」ため，本肢の場合，死亡した者は，老齢基礎年金の支給を受けたことがある者に該当することから，死亡一時金は支給されない（法20条の２第４項，法52条の２第１項ただし書，令４条の４の２第１項）。

社会保険科目
230～231p

B 誤 繰上げ支給の老齢基礎年金の受給権者は，寡婦年金の支給を受けることができない（法附則９条の２の３）。

社会保険科目
229～230p

C 正 本肢のとおりである（法附則９条の３の２第１項）。本肢の者の保険料納付済期間等の月数は３＋６×1/2＝６となるため，脱退一時金の請求に必要な保険料の納付の要件を満たしている。

社会保険科目
233～234p

D 誤 夫の死亡について妻が遺族基礎年金の受給権を取得した場合であっても，寡婦年金の支給要件を満たしたときは，妻は寡婦年金の受給権も取得するため，「妻に寡婦年金が支給されることはある」（ただし，遺族基礎年金と寡婦年金は併給されない）（法49条１項）。

E 誤 寡婦年金の額は，老齢基礎年金の額の計算の例によって計算した額の４分の３に相当する額であり，その計算において改定率が用いられるため，老齢基礎年金と同様の改定率で改定されるが，「付加年金の額は，200円に付加保険料に係る保険料納付済期間の月数を乗じて得た額であり，その計算において改定率は用いられない」（法44条，法50条）。

社会保険科目
228～229p

H30-1	総合問題	重要度 A

問 44 国民年金法に関する次の記述のうち，正しいものはどれか。

A 厚生労働大臣及び日本年金機構は，国民年金法第14条に規定する政府管掌年金事業の運営に関する事務又は当該事業に関連する事務の遂行のため必要がある場合を除き，何人に対しても，その者又はその者以外の者に係る基礎年金番号を告知することを求めてはならない。

B 国民年金基金（以下「基金」という。）における「中途脱退者」とは，当該基金の加入員期間の年数にかかわらず，当該基金の加入員の資格を喪失した者（当該加入員の資格を喪失した日において当該基金が支給する年金の受給権を有する者を除く。）をいう。

C 厚生労働大臣は，保険料納付確認団体の求めに応じ，保険料納付確認団体が行うことができるとされている業務を適正に行うために必要な限度において，保険料納付猶予及び保険料滞納事実に関する情報を提供しなければならない。

D 基礎年金拠出金の額の算定基礎となる第1号被保険者数は，保険料納付済期間，保険料免除期間及び保険料未納期間を有する者の総数である。

E 保険料の納付受託者は，国民年金保険料納付受託記録簿を備え付け，これに納付事務に関する事項を記載し，当該記録簿をその完結の日から5年間保存しなければならない。

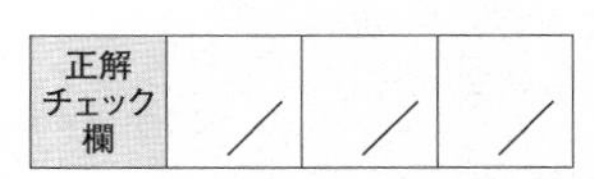

A 正 本肢のとおりである（法108条の4，住民基本台帳法30条の37第2項，令11条の6の2）。

B 誤 「中途脱退者」とは，当該国民年金基金の加入員の資格を喪失した者（当該加入員の資格を喪失した日において当該国民年金基金が支給する年金の受給権を有する者を除く）であって，その者の当該国民年金基金の「加入員期間が15年に満たないもの」をいう（法137条の17第1項，国民年金基金令45条1項）。

社会保険科目 274p

C 誤 厚生労働大臣は，保険料納付確認団体の求めに応じ，保険料納付確認団体が保険料納付確認団体としての業務を適正に行うために必要な限度において，「保険料滞納事実に関する情報」を提供することが「できる」。したがって，「保険料納付猶予に関する情報を提供することはできない」（法109条の3第3項）。

D 誤 基礎年金拠出金の額の算定基礎となる第1号被保険者数は，保険料納付済期間，「保険料4分の1免除期間，保険料半額免除期間又は保険料4分の3免除期間」を有する者の総数である（令11条の3）。

E 誤 国民年金保険料納付受託記録簿は，その完結の日から「3年間」保存しなければならない。その他の記述は正しい（法92条の5第1項，則72条の7）。

社会保険科目 244p

H30-2	総合問題	重要度 A

問 45 国民年金法に関する次の記述のうち，誤っているものはどれか。

A 失踪宣告を受けた者の死亡一時金の請求期間の取扱いについて，死亡とみなされた日の翌日から2年を経過した後に請求がなされたものであっても，失踪宣告の審判の確定日の翌日から2年以内に請求があった場合には，給付を受ける権利について時効を援用せず，死亡一時金を支給することとされている。

B 老齢基礎年金の受給権は，受給権者が死亡したときは消滅するが，受給権者が日本国内に住所を有しなくなったとしてもこれを理由に消滅しない。

C 離縁によって，死亡した被保険者又は被保険者であった者の子でなくなったときは，当該子の有する遺族基礎年金の受給権は消滅する。

D 昭和61年4月1日前に国民年金に加入して付加保険料を納付していた者について，その者が老齢基礎年金の受給権を取得したときは，当該付加保険料の納付済期間に応じた付加年金も支給される。

E 死亡一時金の額は，死亡日の属する月の前月までの第1号被保険者としての被保険者期間に係る死亡日の前日における保険料納付済期間の月数，保険料4分の1免除期間の月数，保険料半額免除期間の月数及び保険料4分の3免除期間の月数を合算した月数に応じて，49,020円から294,120円の範囲で定められた額である。

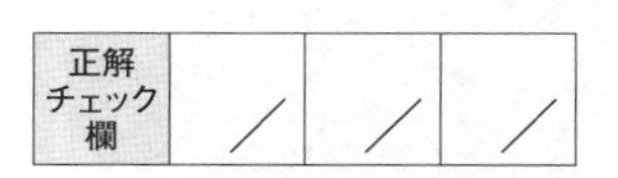

A 正 本肢のとおりである（平26.3.27年管管発0327第２号）。

B 正 本肢のとおりである（法29条）。なお，老齢基礎年金の受給権は，受給権者が死亡したときは消滅することとされており，受給権者の死亡以外に消滅事由はない。

社会保険科目 205p

社会保険科目 227p

C 正 本肢のとおりである（法40条３項）。

D 正 本肢のとおりである（昭60法附則８条１項）。昭和61年４月１日前の期間に係る付加保険料納付済期間は，第１号被保険者としての付加保険料納付済期間とみなされる。

E 誤 死亡一時金の額は，死亡日の属する月の前月までの第１号被保険者としての被保険者期間に係る死亡日の前日における保険料納付済期間の月数，保険料４分の１免除期間の月数の「４分の３に相当する月数」，保険料半額免除期間の月数の「２分の１に相当する月数」及び保険料４分の３免除期間の月数の「４分の１に相当する月数」を合算した月数に応じて，「120,000円から320,000円」の範囲で定められた額である（法52条の４第１項）。

社会保険科目 231～232p

キリトリ線

H30-3	総合問題	重要度	A

問 46　国民年金法に関する次の記述のうち，誤っているものはどれか。

A　平成30年4月2日に第1号被保険者が死亡した場合，死亡した者につき，平成30年4月1日において，平成29年3月から平成30年2月までの期間に保険料納付済期間及び保険料免除期間以外の被保険者期間がないときは，遺族基礎年金の保険料納付要件を満たす。

B　被保険者又は被保険者であった者（老齢基礎年金の受給権者を除く。）は，厚生労働大臣の承認を受け，学生納付特例の規定により納付することを要しないものとされた保険料につき，厚生労働大臣の承認の日の属する月前10年以内の期間に係るものに限り，追納することができる。

C　令和5年度の国民年金保険料の月額は，17,000円に保険料改定率を乗じて得た額を10円未満で端数処理した16,520円である。

D　前納された保険料について，保険料納付済期間又は保険料4分の3免除期間，保険料半額免除期間若しくは保険料4分の1免除期間を計算する場合においては，前納に係る期間の各月の初日が到来したときに，それぞれその月の保険料が納付されたものとみなされる。

E　国民年金事業の事務の一部は，政令の定めるところにより，法律によって組織された共済組合，国家公務員共済組合連合会，全国市町村職員共済組合連合会，地方公務員共済組合連合会又は私立学校教職員共済法の規定により私立学校教職員共済制度を管掌することとされた日本私立学校振興・共済事業団に行わせることができる。

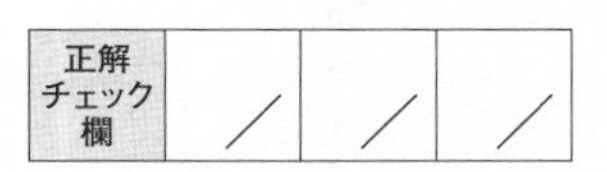

国年法

キリトリ線

A 正 本肢のとおりである（昭60法附則20条2項）。本肢の死亡した者は第1号被保険者であったことから，死亡日において65歳未満であるため，保険料納付要件の特例が適用できる。したがって，死亡日の前日（平成30年4月1日）において，死亡日の属する月の前々月までの1年間（平成29年3月から平成30年2月まで）のうちに保険料納付済期間及び保険料免除期間以外の被保険者期間がなければ，遺族基礎年金の保険料納付要件を満たす。

社会保険科目 220～222p

B 正 本肢のとおりである（法94条1項）。

社会保険科目 252p

C 正 本肢のとおりである（法87条3項，改定率令2条1項）。

社会保険科目 240～241p

D 誤 前納された保険料について保険料納付済期間又は保険料4分の3免除期間，保険料半額免除期間若しくは保険料4分の1免除期間を計算する場合においては，前納に係る期間の「各月が経過した際」に，それぞれその月の保険料が納付されたものとみなされる（法93条3項）。

社会保険科目 252p

E 正 本肢のとおりである（法3条2項）。

社会保険科目 145p

H30-4	総合問題	重要度 A

問 47 国民年金法に関する次の記述のうち，誤っているものはどれか。

A 給付に関する処分（共済組合等が行った障害基礎年金に係る障害の程度の診査に関する処分を除く。）について，社会保険審査官に対して審査請求をした場合において，審査請求をした日から2か月以内に決定がないときは，審査請求人は，社会保険審査官が審査請求を棄却したものとみなすことができる。

B 日本年金機構が滞納処分等を行う場合は，あらかじめ，厚生労働大臣の認可を受けるとともに，日本年金機構が定め，厚生労働大臣の認可を受けた滞納処分等実施規程に従って，徴収職員に行わせなければならない。

C 65歳に達した日後に老齢基礎年金の受給権を取得した場合には，その受給権を取得した日から起算して1年を経過した日前に当該老齢基礎年金を請求していなかったもの（当該老齢基礎年金の受給権を取得したときに，他の年金たる給付の受給権者でなく，かつ当該老齢基礎年金の受給権を取得した日から1年を経過した日までの間において他の年金たる給付の受給権者となっていないものとする。）であっても，厚生労働大臣に当該老齢基礎年金の支給繰下げの申出をすることができない。

D 老齢基礎年金の受給権者が，老齢厚生年金（その額の計算の基礎となる厚生年金保険の被保険者期間の月数が240以上であるものとする。）を受けることができるときは，当該老齢基礎年金に振替加算は加算されない。

E 20歳前傷病による障害基礎年金は，受給権者に子はおらず，扶養親族等もいない場合，前年の所得が370万4千円を超え472万1千円以下であるときは2分の1相当額が，前年の所得が472万1千円を超えるときは全額が，その年の10月から翌年の9月まで支給停止される。なお，被災により支給停止とならない場合を考慮する必要はない。

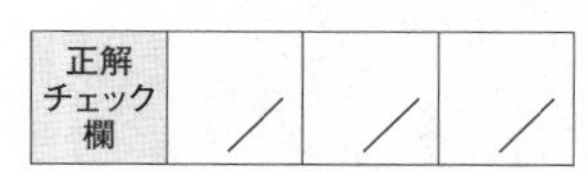

正解チェック欄	／	／	／

国年法

キリトリ線

正解 C

A 正 本肢のとおりである（法101条1項・2項）。

社会保険科目
258～259p

B 正 本肢のとおりである（法109条の6第1項，法109条の7第1項）。

社会保険科目
256p

C 誤 本肢の者は，厚生労働大臣に老齢基礎年金の支給繰下げの申出をすることができる（昭60法附則18条5項）。

社会保険科目
202～203p

D 正 本肢のとおりである（昭60法附則14条1項，経過措置令25条）。なお，振替加算の要件に該当したときは，その老齢基礎年金の受給権者が65歳に達した月の翌月から，その者に対する老齢基礎年金の額は，振替加算を加算した額とされる（昭60法附則14条4項）。

社会保険科目
199p

E 正 本肢のとおりである（法36条の3，令5条の4）。なお，20歳前傷病による障害基礎年金は，原則として，扶養親族等がある場合，前年の所得が370万4千円に当該扶養親族等1人につき原則38万円を加算した額を超え472万1千円に当該扶養親族等1人につき原則38万円を加算した額以下であるときは2分の1相当額が，前年の所得が472万1千円に当該扶養親族等1人につき原則38万円を加算した額を超えるときは全額が，その年の10月から翌年の9月まで支給停止される。

社会保険科目
217p

H30-5	総合問題	重要度 A

問 48 国民年金法に関する次の記述のうち，正しいものはいくつあるか。

ア　遺族基礎年金の受給権を有する子が2人ある場合において，そのうちの1人の子の所在が1年以上明らかでないとき，その子に対する遺族基礎年金は，他の子の申請によって，その申請のあった日の属する月の翌月から，その支給を停止する。

イ　振替加算の規定によりその額が加算された老齢基礎年金の受給権者が，障害厚生年金（当該障害厚生年金は支給停止されていないものとする。）の支給を受けることができるときは，その間，振替加算の規定により加算する額に相当する部分の支給を停止する。

ウ　政府は，障害の直接の原因となった事故が第三者の行為によって生じた場合において，障害基礎年金の給付をしたときは，その給付の価額の限度で，受給権者が第三者に対して有する損害賠償の請求権を取得する。

エ　遺族基礎年金の受給権は，受給権者が婚姻をしたときは消滅するが，老齢基礎年金の支給繰上げの請求をしても消滅しない。

オ　振替加算は，老齢基礎年金の支給繰上げの請求をした場合は，請求のあった日の属する月の翌月から加算され，老齢基礎年金の支給繰下げの申出をした場合は，申出のあった日の属する月の翌月から加算される。

A　一つ
B　二つ
C　三つ
D　四つ
E　五つ

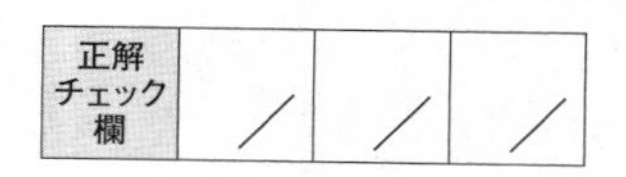

本問のアからオまでのそれぞれの記述の正誤は以下のとおりであり，イ，ウ及びエの3つが正しい記述となる。したがって，Cが解答となる。

ア　誤　本肢の場合，「その所在が明らかでなくなった時にさかのぼって」，遺族基礎年金の支給が停止される（法42条1項）。

社会保険科目 226p

イ　正　本肢のとおりである（昭60法附則16条1項，経過措置令28条）。

社会保険科目 200p

ウ　正　本肢のとおりである（法22条1項）。

社会保険科目 184p

エ　正　本肢のとおりである（法40条1項）。遺族基礎年金の受給権者が老齢基礎年金の支給繰上げの請求をした場合であっても，遺族基礎年金の受給権は消滅しないが，遺族基礎年金と繰上げ支給の老齢基礎年金は併給できないので，いずれかを選択受給することとなる。

社会保険科目 226p

オ　誤　老齢基礎年金の支給繰上げの請求をした場合の振替加算の加算時期は，「65歳に達した日の属する月の翌月」である。本肢後段の記述は正しい（昭60法附則14条4項）。

社会保険科目 198p

H30-6	総合問題	重要度 A

問 49 国民年金法に関する次の記述のうち，正しいものはどれか。

A 被保険者期間の計算において，第1号被保険者から第2号被保険者に種別の変更があった月と同一月に更に第3号被保険者への種別の変更があった場合，当該月は第2号被保険者であった月とみなす。なお，当該第3号被保険者への種別の変更が当該月における最後の種別の変更であるものとする。

B 寡婦年金は，夫の死亡について労働基準法の規定による遺族補償が行われるべきものであるときは，死亡日から6年間，その支給が停止される。

C ともに第1号被保険者である夫婦（夫45歳，妻40歳）と3人の子（15歳，12歳，5歳）の5人世帯で，夫のみに所得があり，その前年の所得（1月から6月までの月分の保険料については前々年の所得とする。）が210万円の場合，申請により，その指定する期間に係る当該夫婦の保険料は全額免除となる。なお，法定免除の事由に該当せず，妻と3人の子は夫の扶養親族等であるものとする。

D 65歳に達したときに，保険料納付済期間と保険料免除期間（学生納付特例期間及び納付猶予期間を除く。）とを合算した期間を7年有している者は，合算対象期間を5年有している場合でも，老齢基礎年金の受給権は発生しない。

E 付加保険料を納付する者となったものは，いつでも，厚生労働大臣に申し出て，その申出をした日の属する月以後の各月に係る保険料に限り，付加保険料を納付する者でなくなることができる。

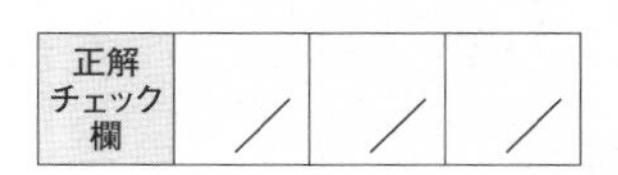

正解チェック欄	／	／	／

キリトリ線

A 誤 同一の月において，2回以上にわたり被保険者の種別に変更があったときは，その月は最後の種別の被保険者であった月とみなされるため，本肢の月においては「第3号被保険者」であった月とみなされる（法11条の2）。

社会保険科目 161p

B 正 本肢のとおりである（法52条）。

社会保険科目 229p

C 誤 申請による保険料全額免除の所得要件は，所得が「（扶養親族等の数＋1）×35万円＋32万円」以下であることである。本肢の場合，扶養親族等の数は4人（妻と3人の子）であるため，所得は，（4＋1）×35万円＋32万円＝「207万円以下でなければならない」。したがって，本肢の夫婦の保険料について，保険料全額免除の適用を受けることはできない（法90条1項，令6条の7）。

社会保険科目 246~247p

D 誤 本肢の者は，保険料納付済期間及び保険料免除期間（学生納付特例及び納付猶予期間を除く）を有し，かつ，保険料納付済期間と保険料免除期間と合算対象期間を合算した期間が10年以上ある（12年ある）ため，65歳に達したときに，老齢基礎年金の受給権が発生する（法26条，法附則9条）。

社会保険科目 185~187p

E 誤 付加保険料を納付する者となったものは，いつでも，厚生労働大臣に申し出て，その申出をした日の属する月の「前月」以後の各月に係る保険料につき，付加保険料を納付する者でなくなることができる（法87条の2第3項）。

社会保険科目 241p

H30-7	総合問題	重要度 A

問 50 国民年金法に関する次の記述のうち，誤っているものはどれか。

A 国民年金基金（以下本問において「基金」という。）は，厚生労働大臣の認可を受けて，他の基金と吸収合併をすることができる。ただし，地域型国民年金基金と職能型国民年金基金との吸収合併については，その地区が全国である地域型国民年金基金が国民年金法第137条の3の2に規定する吸収合併存続基金となる場合を除き，これをすることができない。

B 基金が解散したときに，政府は，その解散した日において当該基金が年金の支給に関する義務を負っている者に係る政令の定めるところにより算出した責任準備金に相当する額を当該解散した基金から徴収する。ただし，国民年金法の規定により国民年金基金連合会が当該解散した基金から徴収すべきときは，この限りでない。

C 被保険者は，第1号被保険者としての被保険者期間及び第2号被保険者としての被保険者期間については国民年金保険料を納付しなければならないが，第3号被保険者としての被保険者期間については国民年金保険料を納付することを要しない。

D 第1号被保険者又は第3号被保険者が60歳に達したとき（第2号被保険者に該当するときを除く。）は，60歳に達したときに該当するに至った日に被保険者の資格を喪失する。

E 寡婦年金を受けることができる妻は，国民年金原簿に記録された死亡した夫に係る特定国民年金原簿記録が事実でない，又は国民年金原簿に死亡した夫に係る特定国民年金原簿記録が記録されていないと思料するときは，厚生労働省令で定めるところにより，厚生労働大臣に対し，国民年金原簿の訂正の請求をすることができる。

正解チェック欄	／	／	／

A 正 本肢のとおりである（法137条の3第1項）。

社会保険科目 272p

B 正 本肢のとおりである（法95条の2）。

C 誤 被保険者は，第1号被保険者としての被保険者期間については，保険料を納付しなければならないが，「第2号被保険者」及び第3号被保険者としての被保険者期間については，保険料を納付することを要しない（法88条1項，法94条の6）。

社会保険科目 242p

D 正 本肢のとおりである（法9条3号）。なお，第1号被保険者においては，本肢の場合のほか，厚生年金保険法に基づく老齢給付等を受けることができる者となったとき及び日本国内に住所を有しなくなった日に更に第2号被保険者又は第3号被保険者の資格を取得したときにおいても，その日に被保険者の資格を喪失する（同条2号・4号）。

社会保険科目 157p

E 正 本肢のとおりである（法14条の2）。なお，厚生労働大臣は，本肢の訂正の請求に係る国民年金原簿の訂正に関する方針を定めなければならない（法14条の3）。

社会保険科目 171p

R元-1	総合問題	重要度 B

問 51

国民年金法に関する次のアからオの記述のうち，正しいものの組合せは，後記AからEまでのうちどれか。

ア　政府は，政令の定めるところにより，市町村（特別区を含む。）に対し，市町村長（特別区の区長を含む。）が国民年金法又は同法に基づく政令の規定によって行う事務の処理に必要な費用の２分の１に相当する額を交付する。

イ　国民年金法第10章「国民年金基金及び国民年金基金連合会」に規定する厚生労働大臣の権限のうち国民年金基金に係るものは，厚生労働省令の定めるところにより，その一部を地方厚生局長に委任することができ，当該地方厚生局長に委任された権限は，厚生労働省令で定めるところにより，地方厚生支局長に委任することができる。

ウ　保険料納付確認団体は，当該団体の構成員その他これに類する者である被保険者からの委託により，当該被保険者の保険料納付の実績及び将来の給付に関する必要な情報を当該被保険者に通知する義務を負う。

エ　国民年金原簿には，所定の事項を記録するものとされており，その中には，保険料４分の３免除，保険料半額免除又は保険料４分の１免除の規定によりその一部につき納付することを要しないものとされた保険料に関する事項が含まれる。

オ　国民年金基金は，被保険者の委託を受けて，保険料の納付に関する事務を行うことができるとされており，国民年金基金に未加入の者の保険料の納付に関する事務であっても行うことができる。

A　（アとウ）　**B**　（アとオ）　**C**　（イとエ）
D　（イとオ）　**E**　（ウとエ）

正解チェック欄	／	／	／

本問のアからオまでのそれぞれの記述の正誤は以下のとおりであり，したがって，イとエを正しいとするCが解答となる。

ア　誤　政府は，政令の定めるところにより，市町村（特別区を含む）に対し，市町村長（特別区の区長を含む）が国民年金法又は同法に基づく政令の規定によって行う事務の処理に必要な費用を交付するとされており，「2分の1」とは規定されていない（法86条）。

社会保険科目 240p

イ　正　本肢のとおりである（法142条の2）。

社会保険科目 271p

ウ　誤　保険料納付確認団体は，当該団体の構成員その他これに類する者である被保険者からの委託により，「当該被保険者に係る保険料が納期限までに納付されていない事実（保険料滞納事実）の有無について確認し，その結果」を当該被保険者に通知する業務を行うものとする（法109条の3第2項）。

社会保険科目 244p

エ　正　本肢のとおりである（則15条）。

オ　誤　国民年金基金が被保険者の委託を受けて，保険料の納付に関する事務を行うことができるのは，当該被保険者が「国民年金基金の加入員である場合に限られる」（法92条の3第1項）。

社会保険科目 243p

キリトリ線

R元-2	総合問題	重要度 A

問 52　国民年金法に関する次の記述のうち，正しいものはどれか。

A　傷病について初めて医師の診療を受けた日において，保険料の納付猶予の適用を受けている被保険者は，障害認定日において当該傷病により障害等級の1級又は2級に該当する程度の障害の状態にあり，保険料納付要件を満たしている場合でも，障害基礎年金が支給されることはない。

B　遺族基礎年金の受給権者である子が，死亡した被保険者の兄の養子となったとしても，当該子の遺族基礎年金の受給権は消滅しない。

C　被保険者又は被保険者であった者の死亡の当時その者によって生計を維持していた配偶者は，その当時日本国内に住所を有していなかった場合でも，遺族基礎年金を受けることができる子と生計を同じくしていれば遺族基礎年金を受けることができる遺族となる。なお，死亡した被保険者又は被保険者であった者は遺族基礎年金の保険料納付要件を満たしているものとする。

D　老齢基礎年金の支給を停止すべき事由が生じた日の属する月の翌月にその事由が消滅した場合は，当該老齢基礎年金の支給を停止しない。

E　老齢基礎年金の受給権者に対して支給する国民年金基金の年金は，当該老齢基礎年金がその全額につき支給を停止されていなくても，400円に当該国民年金基金に係る加入員期間の月数を乗じて得た額を超える部分に限り，支給を停止することができる。

国年法

キリトリ線

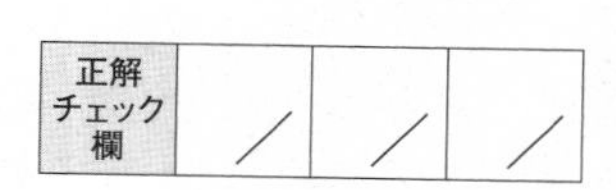

A 誤 本肢の者は，初診日において被保険者であり，障害認定日において障害等級1級又は2級に該当し，かつ，保険料納付要件を満たしているため，本肢の者に対して障害基礎年金が支給される（法30条）。

社会保険科目 206p

B 誤 死亡した被保険者の兄（伯父）は，傍系血族であるため，本肢の子は「直系血族又は直系姻族の養子となったとき」に該当しないため，遺族基礎年金の受給権は「消滅する」（法40条1項）。

社会保険科目 226p

C 正 本肢のとおりである（法37条の2第1項）。遺族基礎年金の遺族となる要件として国内居住要件は課されていない。

社会保険科目 222p

D 誤 年金給付は，その支給を停止すべき事由が生じたときは，「その事由が生じた日の属する月の翌月からその事由が消滅した日の属する月まで」の分の支給を停止することとされている。したがって，本肢の老齢基礎年金については，支給停止事由発生月の翌月分の支給が停止される（法18条2項）。

社会保険科目 176p

E 誤 老齢基礎年金の受給権者に対して支給する国民年金基金の年金は，当該老齢基礎年金がその全額につき支給を停止されていなくても，「200円」に当該国民年金基金に係る加入員期間の月数を乗じて得た額を超える部分に限り，支給を停止することができる（法131条）。

社会保険科目 270p

R元-3	総合問題	重要度 A

問 53 国民年金法に関する次の記述のうち，正しいものはどれか。

A 国民年金基金は，厚生労働大臣の認可を受けて，他の国民年金基金と吸収合併するためには，吸収合併契約を締結しなければならない。当該吸収合併契約については，代議員会において代議員の定数の4分の3以上の多数により議決しなければならない。

B 死亡日の前日において死亡日の属する月の前月までの第1号被保険者としての被保険者期間に係る保険料4分の1免除期間を48月有している者であって，所定の要件を満たす被保険者が死亡した場合に，当該被保険者の死亡により遺族基礎年金又は寡婦年金を受けることができる者がなく，当該被保険者に死亡一時金の支給対象となる遺族があるときは，その遺族に死亡一時金が支給される。

C 学生納付特例による保険料免除の対象となる期間は，被保険者が30歳に達する日の属する月の前月までの期間に限られる。

D 付加保険料の納付は，産前産後期間の保険料免除の規定により納付することを要しないものとされた保険料に係る期間の各月について行うことができない。

E 平成11年4月1日生まれの者が20歳に達したことにより第1号被保険者の資格を取得したときは，平成31年4月から被保険者期間に算入される。

正解チェック欄	／	／	／

A　誤　吸収合併契約については，代議員会において代議員の定数の「3分の2以上」の多数により議決しなければならない。本肢前段の記述は正しい（法137条の3第2項，法137条の3の3）。

社会保険科目
273p

B　正　本肢のとおりである（法52条の2第1項）。本肢においては，死亡日の前日において死亡日の属する月の前月までの第1号被保険者としての被保険者期間に係る保険料4分の1免除期間の月数の4分の3に相当する月数（48月×3/4＝36月）が36月以上である者が死亡しているため，所定の遺族に死亡一時金が支給される。

社会保険科目
230～231p

C　誤　学生納付特例による保険料免除の対象となる期間について，特段の「年齢制限は設けられていない」（法90条の3第1項）。

社会保険科目
249～250p

D　誤　付加保険料の納付は，産前産後期間の保険料免除の規定により納付することを要しないものとされた保険料に係る期間の各月についても「行うことができる」（法87条の2第2項）。

社会保険科目
242p

E　誤　平成11年4月1日生まれの者が第1号被保険者の資格を取得する20歳に達する日は，平成31年3月31日であるため，「平成31年3月」から被保険者期間に算入される（法8条，法11条1項，年齢計算に関する法律2項）。

社会保険科目
160p

R元-4	総合問題	重要度 B

問 54 国民年金法に関する次の記述のうち，誤っているものはどれか。

A 被保険者（産前産後期間の保険料免除及び保険料の一部免除を受ける者を除く。）が保険料の法定免除の要件に該当するに至ったときは，当該被保険者の世帯主又は配偶者の所得にかかわらず，その該当するに至った日の属する月の前月からこれに該当しなくなる日の属する月までの期間に係る保険料は，既に納付されたものを除き，納付することを要しない。

B 死亡一時金を受けることができる遺族が，死亡した者の祖父母と孫のみであったときは，当該死亡一時金を受ける順位は孫が優先する。なお，当該祖父母及び孫は当該死亡した者との生計同一要件を満たしているものとする。

C 65歳に達し老齢基礎年金の受給権を取得した者であって，66歳に達する前に当該老齢基礎年金を請求しなかった者が，65歳に達した日から66歳に達した日までの間において障害基礎年金の受給権者となったときは，当該老齢基礎年金の支給繰下げの申出をすることができない。

D 昭和31年4月20日生まれの者が，平成31年4月25日に老齢基礎年金の支給繰上げの請求をした場合において，当該支給繰上げによる老齢基礎年金の額の計算に係る減額率は，12％である。

E 死亡日の前日において死亡日の属する月の前月までの第1号被保険者としての被保険者期間に係る保険料納付済期間を5年と合算対象期間を5年有する夫が死亡した場合，所定の要件を満たす妻に寡婦年金が支給される。なお，当該夫は上記期間以外に第1号被保険者としての被保険者期間を有しないものとする。

正解チェック欄	／	／	／

A 正 本肢のとおりである（法89条1項）。法定免除の適用に当たっては，国民年金法上，世帯主又は配偶者の所得は問われない。

社会保険科目 245～246p

B 正 本肢のとおりである（法52条の3第2項）。死亡一時金を受ける順位は，死亡した者の配偶者，子，父母，孫，祖父母又は兄弟姉妹の順序による。

社会保険科目 231～232p

C 正 本肢のとおりである（法28条1項）。65歳に達した日から66歳に達した日までの間において他の年金給付（付加年金を除く）又は厚生年金保険法による年金たる保険給付（老齢を支給事由とするものを除く）の受給権者となったときは，老齢基礎年金の支給繰下げの申出をすることができない。

社会保険科目 202p

D 正 本肢のとおりである（令12条1項）。本肢の支給繰上げに伴う減額率は，改正前の「1,000分の5」に当該年金の支給の繰上げを請求した日の属する月から65歳に達する日の属する月の前月までの月数を乗じて得た率とされる（機能強化経過措置令附則2条2項）。本肢の者が65歳に達する日は，令和3年4月19日であるため，支給繰上げの請求をした日の属する月である平成31年4月から65歳に達する日の属する月の前月である令和3年3月までの期間の月数である24月に1,000分の5を乗じた12％が減額率となる。なお，令和4年3月31日時点に60歳に達していない者に係る老齢基礎年金の支給繰上げに伴う減額率は，「1,000分の4」に当該年金の支給の繰上げを請求した日の属する月から65歳に達する日の属する月の前月までの月数を乗じて得た率とされる。

社会保険科目 201p

E 誤 寡婦年金は，死亡日の前日において死亡日の属する月の前月までの第1号被保険者としての被保険者期間に係る保険料納付済期間と保険料免除期間とを合算した期間が10年以上なければならず，この「合算した期間」には，「合算対象期間は含まれない」。したがって，本肢の死亡した者の保険料納付済期間と保険料免除期間とを合算した期間は5年しかないため，妻に「寡婦年金は支給されない」（法49条1項）。

キリトリ線

R元-5	総合問題	重要度 B

問 55 国民年金法に関する次の記述のうち，正しいものはどれか。

A 被保険者の資格として，第1号被保険者は国籍要件，国内居住要件及び年齢要件のすべてを満たす必要があるのに対し，第2号被保険者及び第3号被保険者は国内居住要件及び年齢要件を満たす必要があるが，国籍要件を満たす必要はない。

B 老齢基礎年金の支給の繰上げについては国民年金法第28条において規定されているが，老齢基礎年金の支給の繰下げについては，国民年金法附則において当分の間の措置として規定されている。

C 合算対象期間及び学生納付特例の期間を合算した期間のみ10年以上有する者であって，所定の要件を満たしている者に支給する振替加算相当額の老齢基礎年金については，支給の繰下げはできない。

D 基礎年金拠出金の額の算定基礎となる被保険者は，第1号被保険者にあっては保険料納付済期間，保険料4分の1免除期間，保険料半額免除期間又は保険料4分の3免除期間を有する者であり，第2号被保険者及び第3号被保険者にあってはすべての者である。

E 受給権者が，正当な理由がなくて，国民年金法第107条第1項に規定する受給権者に関する調査における命令に従わず，又は当該調査における職員の質問に応じなかったときは，年金給付の額の全部又は一部につき，その支給を一時差し止めることができる。

国年法

キリトリ線

正解チェック欄	／	／	／

A 誤 第1号被保険者は国内居住要件及び年齢要件を満たす必要があるが，「国籍要件を満たす必要はなく」，第2号被保険者は一定の場合を除き，「年齢要件を満たす必要はなく，国籍要件及び国内居住要件についても満たす必要はない」。また，第3号被保険者は国籍要件は満たす必要はないものの，国内居住要件及び年齢要件を満たす必要がある（法7条1項）。

社会保険科目
152〜153p

B 誤 老齢基礎年金の支給の繰上げについては「国民年金法附則」9条の2等において「当分の間」の措置として規定されているが，老齢基礎年金の支給繰下げについては，「国民年金法」28条に規定されている（支給繰下げについては当分の間の措置ではない）（法28条，法附則9条の2ほか）。

社会保険科目
200, 202p

C 正 本肢のとおりである（昭60法附則15条4項）。

社会保険科目
199〜201p

D 誤 基礎年金拠出金の額の算定基礎となる「第2号被保険者は，20歳以上60歳未満の者」である。その他の記述は正しい（令11条の3）。

E 誤 本肢の場合，年金給付の額の全部又は一部につき，その支給を「停止する」ことができる（法72条）。

社会保険科目
235〜236p

R元-6	総合問題	重要度 A

問 56 国民年金法に関する次の記述のうち，誤っているものはどれか。

A 脱退一時金に関する処分に不服がある者は，社会保険審査官に対して審査請求することができるが，当該審査請求は時効の完成猶予及び更新に関しては裁判上の請求とみなされる。

B 障害基礎年金の受給権者に対して更に障害基礎年金を支給すべき事由が生じたときは，前後の障害を併合した障害の程度による障害基礎年金が支給されるが，当該前後の障害を併合した障害の程度による障害基礎年金の受給権を取得したときは，従前の障害基礎年金の受給権は消滅する。

C 被保険者又は被保険者であった者の死亡前に，その者の死亡によって遺族基礎年金又は死亡一時金の受給権者となるべき者を故意に死亡させた者には，遺族基礎年金又は死亡一時金は支給しない。

D 遺族基礎年金の受給権は，受給権者が他の受給権者を故意に死亡させたときは，消滅する。

E 国民年金法第30条第1項の規定により，障害認定日において障害等級に該当した場合に支給する障害基礎年金の受給権の発生日は障害認定日であるが，同法第30条の2第1項の規定によるいわゆる事後重症による障害基礎年金の受給権の発生日はその支給の請求日である。

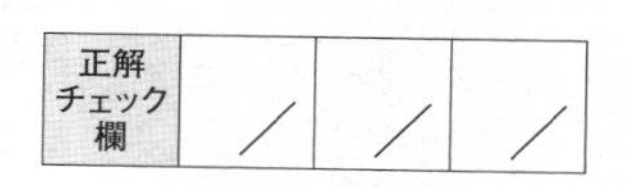

正解 A

A　誤　脱退一時金に関する処分に不服がある者は,「社会保険審査会」に対して審査請求をすることができる。本肢後段の記述は正しい（法附則9条の3の2第5項・6項)。

社会保険科目 259~260p

B　正　本肢のとおりである（法31条)。

社会保険科目 214p

C　正　本肢のとおりである（法71条1項)。なお,本肢の「故意」とは,自分の行為が必然的に障害又は死亡等の一定の結果を生ずべきことを知りながらあえてすることをいう（昭34.8.21年福発30号)。

社会保険科目 234p

D　正　本肢のとおりである（法71条2項)。なお,受給権者が,正当な理由なくて,法105条3項に規定する受給権者等に係る届出をせず,又は書類その他の物件を提出しないときは,年金給付の支払を一時差し止めることができる（法73条)。

社会保険科目 234p

E　正　本肢のとおりである（法30条1項,法30条の2第3項)。なお,基準障害による障害基礎年金の受給権の発生日は,その要件を満たしたときに発生する（法30条の3第1項)。

R元-7	**総合問題**	**重要度 B**

問 57 国民年金法に関する次の記述のうち，誤っているものはどれか。

A 政府は，国民年金事業の実施に必要な事務を円滑に処理し，被保険者，受給権者その他の関係者の利便の向上に資するため，電子情報処理組織の運用を行うものとし，当該運用の全部又は一部を日本年金機構に行わせることができる。

B 被保険者又は被保険者であった者の死亡の当時胎児であった子が出生したことにより，被保険者又は被保険者であった者の妻及び子が遺族基礎年金の受給権を取得した場合においては，当該遺族基礎年金の裁定の請求書には連名しなければならない。

C 未支給の年金を受けるべき者の順位は，死亡した者の配偶者，子，父母，孫，祖父母，兄弟姉妹及びこれらの者以外の3親等内の親族の順位とされている。

D いわゆる事後重症による障害基礎年金は，同一の傷病による障害について，旧国民年金法による障害年金，旧厚生年金保険法による障害年金又は共済組合若しくは日本私立学校振興・共済事業団が支給する障害年金の受給権を有していたことがある者についても，支給される。

E 第3号被保険者の資格取得の届出が，第2号被保険者を使用する事業主又は国家公務員共済組合，地方公務員共済組合若しくは日本私立学校振興・共済事業団に受理されたときは，その受理されたときに厚生労働大臣に届出があったものとみなされる。

正解チェック欄	／	／	／

社会保険科目
258p

A 正 本肢のとおりである（法74条2項・3項）。

B 正 本肢のとおりである（則40条2項）。なお，遺族基礎年金の裁定の請求は，遺族基礎年金の受給権者が同時に当該遺族基礎年金と同一の支給事由に基づく遺族厚生年金の受給権を有する場合においては，当該遺族厚生年金の裁定の請求に併せて行わなければならない（同条5項）。

社会保険科目
178p

C 正 本肢のとおりである（令4の3の2）。

D 誤 事後重症による障害基礎年金は，同一の傷病による障害について旧国民年金法による障害年金，旧厚生年金保険法による障害年金又は共済組合若しくは日本私立学校振興・共済事業団が支給する障害年金の受給権を有していたことがある者に対しては，「支給されない」（昭60法附則22条）。

E 正 本肢のとおりである（法12条9項）。なお，本肢の第2号被保険者を使用する事業主とは，第1号厚生年金被保険者である第2号被保険者を使用する事業所（厚生年金保険法における事業所）の事業主をいう（同条7項）。

社会保険科目
164~165p

キリトリ線

R元-8	総合問題	重要度 B

国年法

問 58 国民年金法に関する次の記述のうち，誤っているものはどれか。

A 学生納付特例の期間及び納付猶予の期間を合算した期間を10年以上有し，当該期間以外に被保険者期間を有していない者には，老齢基礎年金は支給されない。なお，この者は婚姻（婚姻の届出をしていないが，事実上婚姻関係と同様の事情にある場合も含む。）したことがないものとする。

B 日本国籍を有している者が，18歳から19歳まで厚生年金保険に加入し，20歳から60歳まで国民年金には加入せず，国外に居住していた。この者が，60歳で帰国し，再び厚生年金保険に65歳まで加入した場合，65歳から老齢基礎年金が支給されることはない。なお，この者は婚姻（婚姻の届出をしていないが，事実上婚姻関係と同様の事情にある場合も含む。）したことがなく，上記期間以外に被保険者期間を有していないものとする。

C 老齢厚生年金を受給中である67歳の者が，20歳から60歳までの40年間において保険料納付済期間を有しているが，老齢基礎年金の請求手続きをしていない場合は，老齢基礎年金の支給の繰下げの申出をすることで増額された年金を受給することができる。なお，この者は老齢基礎年金及び老齢厚生年金以外の年金の受給権を有していたことがないものとする。

D 67歳の男性（昭和27年4月2日生まれ）が有している保険料納付済期間は，第2号被保険者期間としての8年間のみであり，それ以外に保険料免除期間及び合算対象期間を有していないため，老齢基礎年金の受給資格期間を満たしていない。この男性は，67歳から70歳に達するまでの3年間についてすべての期間，国民年金に任意加入し，保険料を納付することができる。

E 障害基礎年金を受給中である66歳の女性（昭和28年4月2日生まれで，第2号被保険者の期間は有していないものとする。）は，67歳の配偶者（昭和27年4月2日生まれ）により生計を維持されており，女性が65歳に達するまで当該配偶者の老齢厚生年金には配偶者加給年金額が加算されていた。この女性について，障害等級が3級程度に軽減したため，受給する年金を障害基礎年金から老齢基礎年金に変更した場合，老齢基礎年金と振替加算が支給される。

正解チェック欄	／	／	／

キリトリ線

A　正　本肢のとおりである（法26条，法附則９条１項）。老齢基礎年金は，保険料納付済期間又は保険料免除期間（学生納付特例の期間及び保険料納付猶予の期間を除く）を１月でも有していなければ，支給されない。

社会保険科目
185p

B　正　本肢のとおりである（法26条，法附則９条１項）。本肢の者の18歳から19歳までの厚生年金保険の被保険者であった期間は，「20歳未満の第２号被保険者であった期間」として合算対象期間となる。また，20歳から60歳までの海外在住期間も「任意加入できるのにしなかった期間」として合算対象期間となる。さらに，60歳から65歳までの厚生年金保険の被保険者であった期間も「60歳以上の第２号被保険者であった期間」として合算対象期間となる。したがって，本肢の者は，保険料納付済期間又は保険料免除期間（学生納付特例の期間及び保険料納付猶予の期間を除く）を１月も有していないため，老齢基礎年金は支給されない。

C　正　本肢のとおりである（法28条１項）。本肢の者は，66歳に達する前に老齢基礎年金を請求しておらず，かつ，他の年金たる給付の受給権も有していないため，老齢基礎年金の支給の繰下げの申出をすることができる。

社会保険科目
202p

D　誤　老齢又は退職を支給事由とする年金たる給付の受給権を有している者は，特例による任意加入被保険者となることができない。本肢の場合，すでに保険料納付済期間を８年有しているため，あと２年の保険料納付済期間を有すると老齢基礎年金及び老齢厚生年金の受給権を取得し，特例による任意加入被保険者となることができなくなる。したがって，本肢の男性は，67歳から「69歳」に達するまでの「２年間」，国民年金に任意加入することができる（平６法附則11条１項，平16法附則23条１項）。

E　正　本肢のとおりである（昭60法附則14条1項，昭60法附則16条1項）。障害基礎年金の支給を受けることができる場合，振替加算相当額の支給は停止される。本肢の女性は，障害の程度が3級に軽減し，障害基礎年金の支給を受けることができなくなったため，老齢基礎年金に振替加算が加算される。

社会保険科目
197～198p

キリトリ線

R元-9	総合問題	重要度 A

問 59 国民年金法に関する次の記述のうち，正しいものはどれか。

A 厚生年金保険法に規定する障害等級に該当する程度の障害の状態に該当しなくなった日から起算して当該障害等級に該当する程度の障害の状態に該当することなく3年が経過したことにより，平成6年10月に障害基礎年金を失権した者が，平成31年4月において，同一傷病によって再び国民年金法に規定する障害等級に該当する程度の障害の状態に該当した場合は，いつでも障害基礎年金の支給を請求することができ，請求があった月の翌月から当該障害基礎年金が支給される。

B 合算対象期間を25年以上有し，このほかには被保険者期間を有しない61歳の者が死亡し，死亡時に国民年金には加入していなかった。当該死亡した者に生計を維持されていた遺族が14歳の子のみである場合，当該子は遺族基礎年金を受給することができる。

C 昭和61年2月，25歳の時に旧国民年金法による障害年金（障害福祉年金を除く。以下同じ。）の受給権を取得した者が，平成31年2月，58歳の時に事故により別の傷病による障害基礎年金の受給権が発生した場合，前後の障害の併合は行われず，25歳の時に受給権を取得した旧国民年金法による障害年金（受給権発生時から引き続き1級又は2級に該当する障害の状態にあるものとする。）と58歳で受給権を取得した障害基礎年金のどちらかを選択することになる。

D 平成31年4月に死亡した第1号被保険者の女性には，15年間婚姻の届出をしていないが，事実上婚姻関係と同様の事情にある第1号被保険者の男性との間に14歳の子がいた。当該女性が死亡時に当該子及び当該男性を生計維持し，かつ，所定の要件が満たされている場合であっても，遺族基礎年金の受給権者は当該子のみであり，当該男性は，当該子と生計を同じくしていたとしても遺族基礎年金の受給権者になることはない。

E 20歳前傷病による障害基礎年金を受給中である者が，労災保険法の規定による年金たる給付を受給できる（その全額につき支給を停止されていないものとする。）場合，その該当する期間，当該20歳前傷病による障害基礎年金は支給を停止する。

正解チェック欄	／	／	／

国年法

キリトリ線

A　誤　平成6年11月9日前に障害等級3級に該当することなく3年を経過したため，障害基礎年金の受給権が消滅した者について，平成6年11月10日から65歳に達する日の前日までの間において，障害等級に該当する程度の障害の状態に該当するに至ったときは，その者は，障害等級に該当する程度の障害の状態に該当するに至ったときから「65歳に達する日の前日までの間」に，障害基礎年金の支給を請求することができ，請求があった月の翌月から当該障害基礎年金が支給される（平6法附則4条1項）。

社会保険科目
219p

B　誤　本肢の者は，死亡時には国民年金に加入していなかったため，遺族基礎年金の死亡日要件のうち，「被保険者が，死亡したとき」に該当しない。また，「被保険者であった者であって，日本国内に住所を有し，かつ，60歳以上65歳未満であるものが，死亡したとき」に該当するか否かは問題文中から確定はできないが，これに該当した場合であっても，合算対象期間以外の被保険者期間を有していないことから保険料納付要件を満たすことはできない。また，保険料納付済期間又は保険料免除期間（学生納付特例の期間及び保険料納付猶予の期間を除く）を25年以上有していないため，「老齢基礎年金の受給権者（保険料納付済期間と保険料免除期間とを合算した期間が25年以上である者に限る）が，死亡したとき」及び「保険料納付済期間と保険料免除期間とを合算した期間が25年以上である者が，死亡したとき」に該当しないため，遺族に遺族基礎年金は支給されない（法37条，法附則9条1項）。

社会保険科目
220, 222p

C　誤　旧法の障害年金の受給権者について，障害基礎年金の受給権が発生した場合，「併合認定は行われる」。そしてこの場合，併合しない旧法の障害年金と併合した障害基礎年金のいずれかの選択受給となる（昭60法附則26条）。

社会保険科目
215p

D　誤　国民年金法上の「配偶者」には，婚姻の届出をしていないが，事実上婚姻関係と同様の事情にある者が含まれるため，本肢の男性は配偶者に該当し，死亡した女性の子と生計を同じくしていれば，遺族基礎年金の受給権者となる（法5条7項，法37条の2第1項）。

社会保険科目
222p

E　正　本肢のとおりである（法36条の2第1項・2項）。

社会保険科目
217p

MEMO

R2-2	総合問題	重要度 A

問 60 国民年金法に関する次の記述のうち，誤っているものはどれか。

A 死亡日の属する月の前月までの第1号被保険者としての被保険者期間に係る死亡日の前日における保険料納付済期間が36か月であり，同期間について併せて付加保険料を納付している者の遺族に支給する死亡一時金の額は，120,000円に8,500円を加算した128,500円である。なお，当該死亡した者は上記期間以外に被保険者期間を有していないものとする。

B 平成12年1月1日生まれの者が20歳に達し第1号被保険者となった場合，令和元年12月から被保険者期間に算入され，同月分の保険料から納付する義務を負う。

C 日本国籍を有する者であって，日本国内に住所を有しない20歳以上65歳未満の任意加入被保険者は，その者が住所を有していた地区に係る地域型国民年金基金又はその者が加入していた職能型国民年金基金に申し出て，地域型国民年金基金又は職能型国民年金基金の加入者となることができる。

D 保険料の一部の額につき納付することを要しないものとされた被保険者には，保険料の前納に関する規定は適用されない。

E 被保険者である夫が死亡し，その妻に遺族基礎年金が支給される場合，遺族基礎年金には，子の加算額が加算される。

正解チェック欄	／	／	／

A 正 本肢のとおりである（法52条の4）。なお，死亡一時金の支給要件をみる場合において，保険料全額免除期間は，第1号被保険者としての被保険者期間の月数の計算の基礎とされない。

社会保険科目 231~232p

B 正 本肢のとおりである（法8条，法11条1項，法87条2項，年齢計算に関する法律2項）。年齢は誕生日の前日に加算されるため，本肢の者の場合，令和元年12月31日に20歳に達して第1号被保険者の資格を取得し，同月分から保険料の納付義務が発生する。

社会保険科目 156p

C 正 本肢のとおりである（法附則5条13項）。

社会保険科目 268p

D 誤 保険料の一部免除の適用を受ける月についても，「前納をすることができる」（法93条1項）。

社会保険科目 251~252p

E 正 本肢のとおりである（法39条1項）。なお，配偶者は，所定の要件を満たした子と生計を同じくしていなければ遺族基礎年金の受給権を取得できないため，配偶者に対する遺族基礎年金には子の加算額が加算される（法37条2第1項）。

社会保険科目 223p

R2-3	総合問題	重要度 A

問 61 国民年金法に関する次の記述のうち，正しいものはどれか。

A 国民年金法第30条の3に規定するいわゆる基準傷病による障害基礎年金は，基準傷病以外の傷病の初診日において被保険者でなかった場合においては，基準傷病に係る初診日において被保険者であっても，支給されない。

B 20歳に達したことにより，第3号被保険者の資格を取得する場合であって，厚生労働大臣が住民基本台帳法第30条の9の規定により当該第3号被保険者に係る機構保存本人確認情報の提供を受けることにより20歳に達した事実を確認できるときは，資格取得の届出を要しないものとされている。

C 厚生労働大臣は，保険料納付確認団体がその行うべき業務の処理を怠り，又はその処理が著しく不当であると認めるときは，当該団体に対し，その改善に必要な措置を採るべきことを命ずることができるが，当該団体がこの命令に違反したときでも，当該団体の指定を取り消すことはできない。

D 死亡日の前日において，死亡日の属する月の前月までの第1号被保険者としての被保険者期間に係る保険料納付済期間の月数が18か月，保険料全額免除期間の月数が6か月，保険料半額免除期間の月数が24か月ある者が死亡した場合において，その者の遺族に死亡一時金が支給される。

E 日本国籍を有する者その他政令で定める者であって，日本国内に住所を有しない20歳以上65歳未満の任意加入被保険者は，厚生労働大臣に申し出て，付加保険料を納付する者となることができる。

正解チェック欄	／	／	／

A　誤　基準障害による障害基礎年金の支給に当たって，「基準傷病以外の傷病（先発傷病）の初診日において被保険者であることは求められていない」ため，基準傷病（後発傷病）にかかる初診日において被保険者であることその他所定の要件を満たせば，基準傷病以外の傷病の初診日において被保険者でないものも，基準障害による障害基礎年金の支給を受けることができる（法30条の3第1項）。

社会保険科目 209p

B　誤　20歳に達したことにより「第1号被保険者」の資格を取得する場合であって，厚生労働大臣が住民基本台帳法の規定により当該「第1号被保険者」に係る機構保存本人確認情報の提供を受けることにより20歳に達した事実を確認できるときは，資格取得の届出を要しないものとされている（則1条の4第1項）。20歳に達したことにより第3号被保険者の資格を取得する場合は，厚生労働大臣が20歳に達した事実を確認できるときであっても，厚生労働大臣に対する資格取得の届出が必要となる。

社会保険科目 163p

C　誤　保険料納付確認団体が，本肢の命令に違反したときは，保険料納付確認団体の指定を「取り消すことができる」。本肢前段の記述は正しい（法109条の3第4項・5項）。

D　誤　本肢の場合，保険料納付済期間18か月＋保険料半額免除期間24か月×1/2＝30月となり，36月に満たないため，死亡一時金は支給されない（法52条の2第1項）。

社会保険科目 230p

E　正　本肢のとおりである（法附則5条10項）。

社会保険科目 241p

キリトリ線

R2-4	総合問題	重要度 A

問 62 国民年金法に関する次の記述のうち，正しいものはどれか。

A 被保険者又は受給権者が死亡したにもかかわらず，当該死亡についての届出をしなかった戸籍法の規定による死亡の届出義務者は，30万円以下の過料に処せられる。

B 第1号被保険者としての被保険者期間に係る保険料納付済期間を6か月以上有する日本国籍を有しない者（被保険者でない者に限る。）が，日本国内に住所を有する場合，脱退一時金の支給を受けることはできない。

C 障害基礎年金の受給権者が死亡し，その者に支給すべき障害基礎年金でまだその者に支給しなかったものがあり，その者の死亡の当時その者と生計を同じくしていた遺族がその者の従姉弟しかいなかった場合，当該従姉弟は，自己の名で，その未支給の障害基礎年金を請求することができる。

D 死亡した被保険者の子が遺族基礎年金の受給権を取得した場合において，当該被保険者が月額400円の付加保険料を納付していた場合，当該子には，遺族基礎年金と併せて付加年金が支給される。

E 夫が老齢基礎年金の受給権を取得した月に死亡した場合には，他の要件を満たしていても，その者の妻に寡婦年金は支給されない。

キリトリ線

国年法

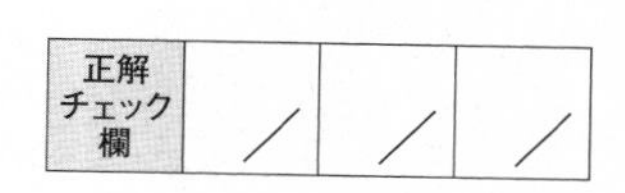

A 誤 被保険者又は受給権者に係る死亡の届出をしなかった戸籍法の規定による死亡の届出義務者は，「10万円以下」の過料に処せられる（法114条）。

社会保険科目 263p

B 正 本肢のとおりである（法附則9条の3の2第1項）。日本国内に住所を有するときは，脱退一時金の支給を請求することはできない。

社会保険科目 233～234p

C 誤 未支給年金は，死亡した者の配偶者，子，父母，孫，祖父母，兄弟姉妹又はこれらの者以外の「3親等内の親族」であって，その者の死亡の当時その者と生計を同じくしていたものが請求できるものであるが，死亡した者の従姉弟は4親等の親族であるため，未支給年金の支給を請求することはできない（法19条1項）。

社会保険科目 178p

D 誤 付加年金は「老齢基礎年金の受給権」を取得したときに支給されるものである（法43条）。

社会保険科目 227p

E 誤 寡婦年金は，死亡した夫が「老齢基礎年金の支給を受けていた」ときは支給されない。本肢の場合，老齢基礎年金の受給権を取得したものの，他の要件は満たしている（老齢基礎年金の支給を受けていない）ため，妻に寡婦年金が支給される（法49条1項）。

社会保険科目 228～229p

R2-5	総合問題	重要度 B

問 63　国民年金法に関する次の記述のうち，正しいものはどれか。

A　60歳以上65歳未満の期間に国民年金に任意加入していた者は，老齢基礎年金の支給繰下げの申出をすることは一切できない。

B　保険料全額免除期間とは，第1号被保険者としての被保険者期間であって，法定免除，申請全額免除，産前産後期間の保険料免除，学生納付特例又は納付猶予の規定による保険料を免除された期間（追納した期間を除く。）を合算した期間である。

C　失踪の宣告を受けたことにより死亡したとみなされた者に係る遺族基礎年金の支給に関し，死亡とみなされた者についての保険料納付要件は，行方不明となった日において判断する。

D　老齢基礎年金の受給権者であって，66歳に達した日後75歳に達する日前に遺族厚生年金の受給権を取得した者が，75歳に達した日に老齢基礎年金の支給繰下げの申出（国民年金法第28条第5項の規定により支給繰下げの申出があったものとみなされた場合における当該申出を除く。）をした場合には，遺族厚生年金を支給すべき事由が生じた日に，支給繰下げの申出があったものとみなされる。

E　第3号被保険者であった者が，その配偶者である第2号被保険者が退職し第2号被保険者でなくなったことにより第3号被保険者でなくなったときは，その事実があった日から14日以内に，当該被扶養配偶者でなくなった旨の届書を，提出しなければならない。

正解チェック欄	／	／	／

国年法

キリトリ線

A 誤 本肢のような規定はない。60歳以上65歳未満の期間に任意加入被保険者であった者であっても，所定の要件を満たす限り，老齢基礎年金の支給繰下げの申出をすることができる（法28条1項）。

社会保険科目 202p

B 誤 保険料全額免除期間とは，第1号被保険者としての被保険者期間であって，「法定免除，申請全額免除，学生納付特例又は保険料納付猶予」の規定により保険料を免除された期間のうち，追納の規定により納付されたものとみなされる保険料に係る被保険者期間を除いたものを合算した期間をいう。「産前産後期間の保険料免除の規定により保険料を免除された期間は保険料納付済期間に該当する」（法5条3項，平26法附則14条1項ほか）。

社会保険科目 148p

C 誤 失踪の宣告を受けたことにより死亡したとみなされた者に係る遺族基礎年金の支給における保険料納付要件は，行方不明となった日の「前日」において判断する（法18条の4，法37条）。

社会保険科目 178p

D 正 本肢のとおりである（法28条2項）。

社会保険科目 202p

E 誤 第3号被保険者の配偶者である第2号被保険者が第2号被保険者でなくなったことにより，被扶養配偶者でなくなった場合は，「被扶養配偶者でなくなったことの届出を行う必要はない」（則6条の2の2）。

社会保険科目 165p

R2-6	総合問題	重要度 A

問 64

国民年金法に関する次の記述のうち，正しいものはどれか。

A 年金額の改定は，受給権者が68歳に到達する年度よりも前の年度では，物価変動率を基準として，また68歳に到達した年度以後は名目手取り賃金変動率を基準として行われる。

B 第3号被保険者の資格の取得の届出は市町村長に提出することによって行わなければならない。

C 障害の程度の審査が必要であると認めて厚生労働大臣により指定された障害基礎年金の受給権者は，当該障害基礎年金の額の全部につき支給停止されていない限り，厚生労働大臣が指定した年において，指定日までに，指定日前1か月以内に作成されたその障害の現状に関する医師又は歯科医師の診断書を日本年金機構に提出しなければならない。

D 国家公務員共済組合の組合員，地方公務員共済組合の組合員又は私立学校教職員共済制度の加入者に係る被保険者としての氏名，資格の取得及び喪失，種別の変更，保険料の納付状況，基礎年金番号その他厚生労働省令で定める事項については国民年金原簿に記録するものとされていない。

E 国民年金法によれば，給付の種類として，被保険者の種別のいかんを問わず，加入実績に基づき支給される老齢基礎年金，障害基礎年金及び遺族基礎年金と，第1号被保険者としての加入期間に基づき支給される付加年金，寡婦年金及び脱退一時金があり，そのほかに国民年金法附則上の給付として特別一時金及び死亡一時金がある。

正解チェック欄	／	／	／

キリトリ線

A 誤 年金額の改定は，受給権者が68歳に到達する年度よりも前の年度では「名目手取り賃金変動率」を基準として，68歳に到達した年度以後は「物価変動率」を基準として行われる（法27条の2第2項，法27条の3第1項）。

社会保険科目
193, 195p

B 誤 第3号被保険者の資格の取得の届出は，「厚生労働大臣（日本年金機構）」に提出することによって行わなければならない（法12条5項）。

社会保険科目
163p

C 誤 本肢の場合，厚生労働大臣が指定した年において，指定日までに，指定日前「3月以内」に作成されたその障害の現状に関する医師又は歯科医師の診断書を日本年金機構に提出しなければならない（則36条の4第1項）。

社会保険科目
169p

D 正 本肢のとおりである（法附則7条の5第1項）。当分の間，第2号被保険者のうち第2号厚生年金被保険者（国家公務員共済組合の組合員），第3号厚生年金被保険者（地方公務員共済組合の組合員）又は第4号厚生年金被保険者（私立学校教職員共済制度の加入者）であるものについては，国民年金原簿への記録は不要とされている。

社会保険科目
171p

E 誤 死亡一時金は，国民年金法附則ではなく「本則」において規定されている給付である。また，20歳前の傷病による障害に基づく障害基礎年金は，加入実績に基づき支給されるものとはいえないという点なども誤りである（法15条ほか）。

社会保険科目
174p

R2-7	総合問題	重要度 A

問 65 国民年金法に関する次の記述のうち，誤っているものはどれか。

A 日本年金機構は，あらかじめ厚生労働大臣の認可を受けなければ，保険料の納付受託者に対する報告徴収及び立入検査の権限に係る事務を行うことができない。

B 老齢基礎年金のいわゆる振替加算の対象となる者に係る生計維持関係の認定は，老齢基礎年金に係る振替加算の加算開始事由に該当した日を確認した上で，その日における生計維持関係により行うこととなる。

C 遺族基礎年金の受給権者である配偶者が，正当な理由がなくて，指定日までに提出しなければならない加算額対象者と引き続き生計を同じくしている旨等を記載した届書を提出しないときは，当該遺族基礎年金は支給を停止するとされている。

D 年金給付を受ける権利に基づき支払期月ごとに支払うものとされる年金給付の支給を受ける権利については「支払期月の翌月の初日」がいわゆる時効の起算点とされ，各起算点となる日から5年を経過したときに時効によって消滅する。

E 国民年金基金が厚生労働大臣の認可を受けて，信託会社，信託業務を営む金融機関，生命保険会社，農業協同組合連合会，共済水産業協同組合連合会，国民年金基金連合会に委託することができる業務には，加入員又は加入員であった者に年金又は一時金の支給を行うために必要となるその者に関する情報の収集，整理又は分析が含まれる。

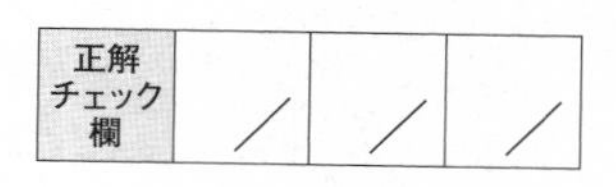

正解チェック欄	／	／	／

A 正 本肢のとおりである（法109条の8第1項）。なお，日本年金機構は，あらかじめ厚生労働大臣の認可を受けなければ，法106条に規定する被保険者に関する調査の権限に係る事務を行うことができない。

B 正 本肢のとおりである（平23.3.23年発0323第1号）。なお，老齢基礎年金に係る振替加算の加算開始事由に該当した日の確認については，受給権者からの申出により行うものとする。

C 誤 本肢の場合，遺族基礎年金の支払を「一時差し止める」ことができるとされている（法73条）。

社会保険科目 236p

D 正 本肢のとおりである（法102条1項）。なお，本肢の時効は，年金給付がその全額につき支給を停止されている間は，進行しない（同条2項）。

社会保険科目 260〜261p

E 正 本肢のとおりである（法128条5項）。

社会保険科目 269p

キリトリ線

R2-8	総合問題	重要度	B

問 66 **国民年金法に基づく厚生労働大臣の権限等に関する次のアからオの記述のうち，誤っているものの組合せは，後記AからEまでのうちどれか。**

ア　被保険者から，預金又は貯金の払出しとその払い出した金銭による保険料の納付をその預金口座又は貯金口座のある金融機関に委託して行うことを希望する旨の申出があった場合におけるその申出の受理及びその申出の承認の権限に係る事務は，日本年金機構に委任されており，厚生労働大臣が自ら行うことはできない。

イ　被保険者の資格又は保険料に関する処分に関し，被保険者に対し，出産予定日に関する書類，被保険者若しくは被保険者の配偶者若しくは世帯主若しくはこれらの者であった者の資産若しくは収入の状況に関する書類その他の物件の提出を命じ，又は職員をして被保険者に質問させることができる権限に係る事務は，日本年金機構に委任されているが，厚生労働大臣が自ら行うこともできる。

ウ　受給権者に対して，その者の身分関係，障害の状態その他受給権の消滅，年金額の改定若しくは支給の停止に係る事項に関する書類その他の物件を提出すべきことを命じ，又は職員をしてこれらの事項に関し受給権者に質問させることができる権限に係る事務は，日本年金機構に委任されており，厚生労働大臣が自ら行うことはできない。

エ　国民年金法第1条の目的を達成するため，被保険者若しくは被保険者であった者又は受給権者に係る保険料の納付に関する実態その他の厚生労働省令で定める事項に関する統計調査に関し必要があると認めるときは，厚生労働大臣は，官公署に対し，必要な情報の提供を求めることができる。

オ　国民年金原簿の訂正請求に係る国民年金原簿の訂正に関する方針を定め，又は変更しようとするときは，厚生労働大臣は，あらかじめ，社会保険審査会に諮問しなければならない。

A（アとイ）　**B**（アとウ）　**C**（イとエ）
D（ウとオ）　**E**（エとオ）

正解チェック欄	／	／	／

国年法

キリトリ線

本問アからオまでのそれぞれの記述の正誤は以下のとおりであり，したがって，ウとオを誤りとするDが解答となる。

ア　正　本肢のとおりである（法109条の4第1項17号）。

イ　正　本肢のとおりである（法109条の4第1項28号）。

ウ　誤　本肢の権限に係る事務は日本年金機構に委任されているが，本肢の権限を「厚生労働大臣が自ら行うこともできる」（法109条の4第1項29号）。

エ　正　本肢のとおりである（法108条の3第2項）。なお，本肢の情報の提供を求めるに当たっては，被調査者を識別することができない方法による情報の提供を求めるものとする（同条3項）。

オ　誤　本肢の場合，厚生労働大臣は「社会保障審議会」に諮問しなければならない（法14条の3第2項）。

社会保険科目
171p

MEMO

R2-10	総合問題

問 67 国民年金法に関する次のアからオの記述のうち，誤っているものの組合せは，後記AからEまでのうちどれか。

ア　第1号被保険者期間中に15年間付加保険料を納付していた68歳の者（昭和27年4月2日生まれ）が，令和2年4月に老齢基礎年金の支給繰下げの申出をした場合は，付加年金額に25.9％を乗じた額が付加年金額に加算され，申出をした月の翌月から同様に増額された老齢基礎年金とともに支給される。

イ　障害基礎年金の受給権者であることにより法定免除の要件に該当する第1号被保険者は，既に保険料が納付されたものを除き，法定免除事由に該当した日の属する月の前月から保険料が免除となるが，当該被保険者からこの免除となった保険料について保険料を納付する旨の申出があった場合，申出のあった期間に係る保険料を納付することができる。

ウ　日本国籍を有しない60歳の者（昭和35年4月2日生まれ）は，平成7年4月から平成9年3月までの2年間，国民年金第1号被保険者として保険料を納付していたが，当該期間に対する脱退一時金を受給して母国へ帰国した。この者が，再び平成23年4月から日本に居住することになり，60歳までの8年間，第1号被保険者として保険料を納付した。この者は，老齢基礎年金の受給資格期間を満たしている。なお，この者は，上記期間以外に被保険者期間を有していないものとする。

エ　令和2年4月2日に64歳に達した者が，平成18年7月から平成28年3月までの期間を保険料全額免除期間として有しており，64歳に達した日に追納の申込みをしたところ，令和2年4月に承認を受けることができた。この場合の追納が可能である期間は，追納の承認を受けた日の属する月前10年以内の期間に限られるので，平成22年4月から平成28年3月までとなる。

キリトリ線

キリトリ線

重要度 A

オ　第1号被保険者が，生活保護法による生活扶助を受けるようになると，保険料の法定免除事由に該当し，既に保険料が納付されたものを除き，法定免除事由に該当した日の属する月の前月から保険料が免除になり，当該被保険者は，法定免除事由に該当した日から14日以内に所定の事項を記載した届書を市町村に提出しなければならない。ただし，厚生労働大臣が法定免除事由に該当するに至ったことを確認したときは，この限りでない。

国年法

A　（アとウ）　**B**　（アとオ）　**C**　（イとエ）
D　（イとオ）　**E**　（ウとエ）

キリトリ線

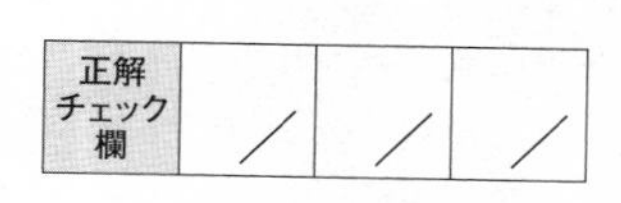

本問アからオまでのそれぞれの記述の正誤は以下のとおりであり，したがって，アとウを誤りとするAが解答となる。

ア 誤 老齢基礎年金の受給権を取得した平成29年4月から支給繰下げの申出をした日の属する月の前月である令和2年3月までの月数が36であるため，36×7/1,000＝「25.2％」の増額率となる（令4条の5第1項）。

社会保険科目 204p

イ 正 本肢のとおりである（法89条）。

社会保険科目 246p

ウ 誤 脱退一時金の支給を受けたときは，支給を受けた者は，その額の計算の基礎となった第1号被保険者としての被保険者であった期間は，被保険者でなかったものとみなされるため，本肢の者の保険料納付済期間は8年しかなく，「受給資格期間は満たされていない」（法附則9条の3の2第4項）。

社会保険科目 185, 234p

エ 正 本肢のとおりである（法94条1項）。

社会保険科目 252～253p

オ 正 本肢のとおりである（法89条1項，則75条）。

社会保険科目 245～246p

R3-1	総合問題	重要度 A

問 68 国民年金法に関する次の記述のうち，正しいものはどれか。

A 国民年金法第30条第1項の規定による障害基礎年金は，受給権者が刑事施設，労役場その他これらに準ずる施設に拘禁されているときには，その該当する期間，その支給が停止される。

B 保険料4分の1免除期間に係る老齢基礎年金の給付に要する費用については，480から保険料納付済期間の月数を控除して得た月数を限度として国庫負担の対象となるが，保険料の学生納付特例及び納付猶予の期間（追納が行われた場合にあっては，当該追納に係る期間を除く。）は国庫負担の対象とならない。

C 任意加入被保険者及び特例による任意加入被保険者は，老齢基礎年金又は老齢厚生年金の受給権を取得した日の翌日に資格を喪失する。

D 振替加算の規定によりその額が加算された老齢基礎年金の受給権者が，遺族厚生年金の支給を受けることができるときは，その間，振替加算の規定により加算された額に相当する部分の支給が停止される。

E 国民年金基金は，加入員又は加入員であった者の老齢に関し年金の支給を行い，あわせて加入員又は加入員であった者の障害に関し，一時金の支給を行うものとされている。

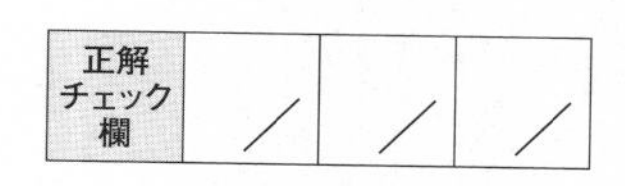

A　誤　「国民年金法30条の４の規定による障害基礎年金（20歳前の傷病による障害に基づく障害基礎年金）」は，受給権者が，刑事施設，労役場その他これらに準ずる施設に拘禁されているときは，その間，その支給が停止される。法30条１項の規定による障害基礎年金（原則の障害基礎年金）については，刑事施設等の拘禁されている場合であっても，支給停止されない（法36条の２第１項）。

社会保険科目 217p

B　正　本肢のとおりである（法85条１項２号）。

社会保険科目 239p

C　誤　「任意加入被保険者については，老齢基礎年金又は老齢厚生年金の受給権の取得によって被保険者の資格は喪失しない」。その他の記述は正しい（法附則５条６項～９項，平６法附則11条７項，平16法附則23条７項）。

社会保険科目 158p

D　誤　振替加算が加算された老齢基礎年金の受給権者が遺族厚生年金の支給を受けることができる場合であっても，それにより振替加算の額に相当する部分の「支給停止は行われない」（昭60法附則16条１項）。

社会保険科目 200p

E　誤　国民年金基金は，「加入員又は加入員であった者に対し，年金の支給」を行い，あわせて加入員又は加入員であった者の「死亡」に関し，一時金の支給を行うものとされている（法128条１項）。

社会保険科目 269p

R3-2	総合問題	重要度 A

問 69 国民年金法に関する次の記述のうち，誤っているものはどれか。

A 同一人に対して障害厚生年金（厚生労働大臣が支給するものに限る。）の支給を停止して老齢基礎年金を支給すべき場合に，その支給すべき事由が生じた日の属する月の翌月以降の分として当該障害厚生年金が支払われたときは，その支払われた障害厚生年金は当該老齢基礎年金の内払とみなすことができる。

B 障害基礎年金について，初診日が令和8年4月1日前にある場合は，当該初診日の前日において当該初診日の属する月の前々月までの1年間（当該初診日において被保険者でなかった者については，当該初診日の属する月の前々月以前における直近の被保険者期間に係る月までの1年間）に，保険料納付済期間及び保険料免除期間以外の被保険者期間がなければ保険料納付要件は満たされたものとされる。ただし，当該初診日において65歳未満であるときに限られる。

C 第3号被保険者が被扶養配偶者でなくなった時点において，第1号被保険者又は第2号被保険者に該当するときは，種別の変更となり，国民年金の被保険者資格は喪失しない。

D 繰下げ支給の老齢基礎年金の受給権者に対し国民年金基金（以下本問において「基金」という。）が支給する年金額は，200円に国民年金基金令第24条第1項に定める増額率を乗じて得た額を200円に加えた額に，納付された掛金に係る当該基金の加入員期間の月数を乗じて得た額を超えるものでなければならない。

E 被保険者又は被保険者であった者が，第3号被保険者としての被保険者期間の特例による時効消滅不整合期間について厚生労働大臣に届出を行ったときは，当該届出に係る時効消滅不整合期間は，当該届出の行われた日以後，国民年金法第89条第1項に規定する法定免除期間とみなされる。

正解チェック欄	／	／	／

A 正 本肢のとおりである（法21条3項）。なお，本肢の「内払」は，年金等の保険給付の支払変更事由（停止，減額，保険給付の変更）が生じたにもかかわらず，停止すべき分，減額すべき分又は保険給付の変更をすべき分の保険給付が支払われた場合に，同一人について行われる処理をいい，受給権者の変更を伴わない。

社会保険科目
183p

B 正 本肢のとおりである（昭60法附則20条1項）。なお，本肢の「初診日」とは，傷病について初めて医師又は歯科医師の診療を受けた日のことである（法30条1項）。

社会保険科目
206p

C 正 本肢のとおりである（法9条ほか）。なお，本肢の種別の変更に係る届出は，当該事実があった日から14日以内に所定の事項を記載した届書又は当該事項を記録した光ディスクを日本年金機構に提出することによって行わなければならない（則6条の2第2項）。

社会保険科目
165p

D 正 本肢のとおりである（法130条2項，基金令24条1項）。なお，国民年金基金が支給する一時金の額は，8,500円を超えるものでなければならない（法130条3項）。

社会保険科目
270p

E 誤 厚生労働大臣の届出が行われた時効消滅不整合期間は，当該届出が行われた日以後，「学生納付特例」の規定により納付することを要しないものとされた保険料に係る期間とみなされる（法附則9条の4の2第2項）。

社会保険科目
167p

キリトリ線

R3-4	総合問題	重要度 A

問 70 国民年金法に関する次のアからオの記述のうち，正しいものの組合せは，後記AからEまでのうちどれか。

ア　国民年金基金（以下本問において「基金」という。）における中途脱退者とは，基金の加入員の資格を喪失した者（当該加入員の資格を喪失した日において当該基金が支給する年金の受給権を有する者を除く。）であって，政令の定めるところにより計算したその者の当該基金の加入員期間（加入員の資格を喪失した後，再び元の基金の加入員の資格を取得した者については，当該基金における前後の加入員期間（国民年金法附則第5条第12項の規定により被保険者とみなされた場合に係る加入員期間を除く。）を合算した期間）が15年に満たない者をいう。

イ　基金の役員である監事は，代議員会において，学識経験を有する者及び代議員のうちからそれぞれ2人を選挙する。

ウ　国民年金法による保険料の納付猶予制度及び学生納付特例制度は，令和12年6月までの時限措置である。

エ　基金の加入員は，いつでも基金に申し出て，加入員の資格を喪失することができる。

オ　老齢基礎年金の受給権者は，年金の払渡しを希望する機関又は当該機関の預金口座の名義を変更しようとするときは，原則として，所定の事項を記載した届書を日本年金機構に提出しなければならない。

A　（アとエ）　**B**　（アとオ）　**C**　（イとウ）
D　（イとエ）　**E**　（ウとオ）

国年法

キリトリ線

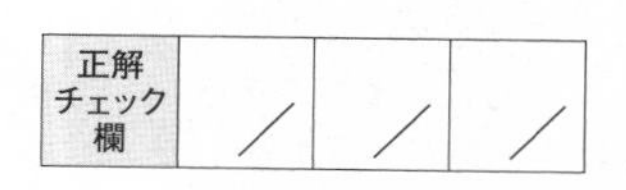

本問アからオまでのそれぞれの記述の正誤は以下のとおりである。したがって，アとオを正しい記述とするＢが解答となる。

ア　正　本肢のとおりである（法137条の17第１項，基金令45条）。なお，国民年金基金連合会は，法137条の17第４項の規定により中途脱退者に係る年金又は一時金を支給することとなったときは，その旨を当該中途脱退者に通知しなければならない（法137条の17第７項）。

社会保険科目 274p

イ　誤　監事は，代議員会において，学識経験を有する者及び代議員のうちから，それぞれ「１人」を選挙する（法124条５項）。

社会保険科目 267p

ウ　誤　「学生納付特例制度は時限措置とはされていない」。その他の記述は正しい（法90条の３第１項，平16法附則19条２項，平26法附則14条１項）。

社会保険科目 249p

エ　誤　本肢のような規定はない。申出によって加入員の資格を喪失させることはできない（法127条３項）。

社会保険科目 268～269p

オ　正　本肢のとおりである（則21条１項）。なお，老齢基礎年金の受給権者が同時に老齢厚生年金の受給権を有する場合において，当該受給権者が厚生年金保険法施行規則39条１項の届出（払渡希望金融機関等の変更の届出）を行ったときは，本肢の届出を行ったものとみなす（同条３項）。

R3-5	総合問題	重要度 B

問 71 国民年金法に関する次の記述のうち，正しいものはどれか。

A 年間収入が280万円の第2号被保険者と同一世帯に属している，日本国内に住所を有する年間収入が130万円の厚生年金保険法による障害厚生年金の受給要件に該当する程度の障害の状態にある50歳の配偶者は，被扶養配偶者に該当しないため，第3号被保険者とはならない。

B 被保険者又は被保険者であった者が，国民年金法その他の政令で定める法令の規定に基づいて行われるべき事務の処理が行われなかったことにより付加保険料を納付する者となる申出をすることができなくなったとして，厚生労働大臣にその旨の申出をしようとするときは，申出書を市町村長（特別区の区長を含む。）に提出しなければならない。

C 保険料その他国民年金法の規定による徴収金の納付の督促を受けた者が指定の期限までに保険料その他同法の規定による徴収金を納付しないときは，厚生労働大臣は，国税滞納処分の例によってこれを処分し，又は滞納者の居住地若しくはその者の財産所在地の市町村（特別区を含む。以下本問において同じ。）に対して，その処分を請求することができる。この請求を受けた市町村が，市町村税の例によってこれを処分した場合には，厚生労働大臣は徴収金の100分の4に相当する額を当該市町村に交付しなければならない。

D 共済組合等が共済払いの基礎年金（国民年金法施行令第1条第1項第1号から第3号までに規定する老齢基礎年金，障害基礎年金及び遺族基礎年金であって厚生労働省令で定めるものをいう。）の支払に関する事務を行う場合に，政府はその支払に必要な資金を日本年金機構に交付することにより当該共済組合等が必要とする資金の交付をさせることができる。

E 国庫は，当該年度における20歳前傷病による障害基礎年金の給付に要する費用について，当該費用の100分の20に相当する額と，残りの部分（100分の80）の4分の1に相当する額を合計した，当該費用の100分の40に相当する額を負担する。

正解チェック欄	／	／	／

A 誤 認定対象者の年間収入が130万円未満（認定対象者が概ね厚生年金保険法による障害厚生年金の受給要件に該当する程度の障害者である場合にあっては180万円未満）であって，かつ，第2号被保険者の年間収入の2分の1未満である場合は，原則として，他の要件を満たす限り，第3号被保険者に該当するものとされている。本肢の配偶者の年間収入は180万円未満であり，かつ，第2号被保険者の年間収入の2分の1である140万円未満でもあるため，「第3号被保険者となる」（法7条1項3号，昭61.3.31庁保発13号）。

社会保険科目
33～34,
152～153p

B 誤 本肢の申出をしようとするときは，申出書を「日本年金機構」に提出しなければならない（令14条の22）。

社会保険科目
255～256p

C 正 本肢のとおりである（法96条4項・5項）。

D 誤 本肢の場合，政府は，共済組合等による共済払いの基礎年金の支払に必要な資金を「日本銀行」に交付することにより，当該共済組合等が必要とする資金の交付をさせることができる（令16条2項）。

E 誤 国庫は，当該年度における20歳前傷病による障害基礎年金の給付に要する費用について，当該費用の100分の20に相当する額と，残りの部分（100分の80）の「2分の1」に相当する額を合計した，当該費用の「100分の60」に相当する額を負担する（法85条1項）。

社会保険科目
239p

キリトリ線

R3-6	総合問題	重要度 B

問 72 国民年金法に関する次の記述のうち，誤っているものはどれか。

A 共済組合等が行った障害基礎年金に係る障害の程度の診査に関する処分に不服がある者は，当該共済組合等に係る共済各法（国家公務員共済組合法，地方公務員等共済組合法及び私立学校教職員共済法）に定める審査機関に対して当該処分の審査請求をすることはできるが，社会保険審査官に対して審査請求をすることはできない。

B 配偶者が遺族基礎年金の受給権を取得した当時胎児であった子が生まれたときは，その子は，配偶者がその権利を取得した当時遺族基礎年金の遺族の範囲に該当し，かつ，死亡した被保険者又は被保険者であった者と生計を同じくした子とみなされるため，遺族基礎年金の額は被保険者又は被保険者であった者の死亡した日の属する月の翌月にさかのぼって改定される。

C 死亡一時金の給付を受ける権利の裁定の請求の受理及び当該請求に係る事実についての審査に関する事務は，市町村長（特別区の区長を含む。）が行う。また当該請求を行うべき市町村（特別区を含む。以下本問において同じ。）は，当該請求者の住所地の市町村である。

D 被保険者又は被保険者であった者の死亡の当時胎児であった子が出生したことによる遺族基礎年金についての裁定請求は，遺族基礎年金の受給権者が同時に当該遺族基礎年金と同一の支給事由に基づく遺族厚生年金の受給権を有する場合においては，厚生年金保険法第33条の規定による当該遺族厚生年金の裁定の請求に併せて行わなければならない。

E 保険料の一部免除の規定によりその一部の額につき納付することを要しないものとされた保険料につき，その残余の額が納付又は徴収された期間，例えば半額免除の規定が適用され免除されない残りの部分（半額）の額が納付又は徴収された期間は，保険料納付済期間ではなく保険料半額免除期間となる。

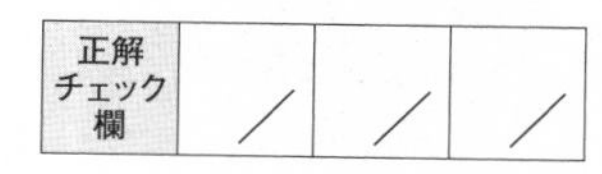

キリトリ線

国年法

A 正 本肢のとおりである（法101条1項・6項）。なお，本肢の規定による共済組合等が行った障害の程度の審査に関する処分が確定したときは，その処分についての不服を当該処分に基づく障害基礎年金に関する処分についての不服の理由とすることができない（同条7項）。

社会保険科目
258～259p

B 誤 本肢の場合の遺族基礎年金の額は，「その生まれた日の属する月の翌月から」改定される。その他の記述は正しい（法39条2項）。

社会保険科目
223p

C 正 本肢のとおりである（令1条の2第3号，令2条1項）。なお，本肢の請求者の住所地が日本国内にないときは，当該請求者の日本国内における最後の住所地の市町村長が本肢の審査に関する事務を行う。

D 正 本肢のとおりである（則40条5項）。なお，本肢の裁定請求に係る請求書に記載することとされた事項及び当該請求書に添えなければならないこととされた書類のうち当該遺族厚生年金の裁定請求書に記載し，又は添えたものについては，本肢の裁定請求に係る請求書に記載し，又は添えることを要しない。

E 正 本肢のとおりである（法5条5項）。なお，保険料免除期間について追納が行われた場合，当該保険料免除期間は，追納が行われた日以後「保険料納付済期間」とされる（法5条1項かっこ書，法94条4項）。

社会保険科目
149p

R3-7	総合問題	重要度 B

問 73 国民年金法に関する次の記述のうち，誤っているものはどれか。

A 配偶者に対する遺族基礎年金が，その者の1年以上の所在不明によりその支給を停止されているときは，子に対する遺族基礎年金もその間，その支給を停止する。

B 老齢基礎年金の支給繰上げの請求をした場合の振替加算については，受給権者が65歳に達した日以後に行われる。老齢基礎年金の支給繰下げの申出をした場合は，振替加算も繰下げて支給されるが，振替加算額が繰下げにより増額されることはない。

C 国民年金事務組合の認可基準の1つとして，国民年金事務組合の認可を受けようとする同種の事業又は業務に従事する被保険者を構成員とする団体が東京都又は指定都市を有する道府県に所在し，かつ，国民年金事務を委託する被保険者を少なくとも2,000以上有するものであることが必要である。

D 被保険者資格の取得及び喪失並びに種別の変更に関する事項並びに氏名及び住所の変更に関する事項の届出が必要な場合には，第1号被保険者は市町村長（特別区の区長を含む。）に，第3号被保険者は厚生労働大臣に，届け出なければならない。

E 国民年金基金は，規約に定める事務所の所在地を変更したときは，2週間以内に公告しなければならない。

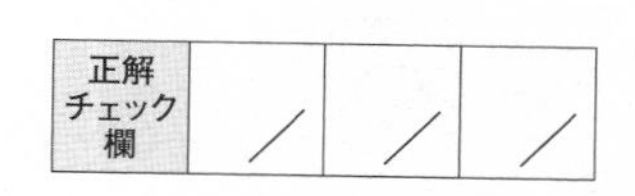

A　誤　配偶者の遺族基礎年金が所在不明により支給停止されている間は，子の遺族基礎年金は支給停止されない（法41条2項）。

社会保険科目 225p

B　正　本肢のとおりである（昭60法附則14条1項・4項）。なお，老齢基礎年金の支給繰上げの請求をした場合の付加年金については，老齢基礎年金と同様に繰り上げて支給され，支給繰上げによる減額率も準用される（法附則9条の2第6項）。

社会保険科目 197〜198p

C　正　本肢のとおりである（昭47.6.19庁保発21号）。なお，国民年金事務組合の認可基準の1つとして，被保険者資格の取得又は喪失の届出，保険料の納付等を国民年金事務組合の認可を受けようとする同種の事業又は業務に従事する被保険者を構成員とする団体の構成員である被保険者に代って行なうにつき組織等が確立され，事務組合の運営が将来にわたって，健全に持続される見とおしがあると認められるものであること等がある。

D　正　本肢のとおりである（法12条1項・5項ほか）。なお，本肢の「種別の変更」とは，第1号被保険者が，厚生年金保険の被保険者の資格を取得したときは，第2号被保険者に該当するというように，国民年金の被保険者の資格の取得及び喪失を伴わず，第1号被保険者，第2号被保険者又は第3号被保険者となることをいう。

社会保険科目 163p

E　正　本肢のとおりである（基金令7条）。なお，本肢の公告は，官報に掲載して行うほか，各事務所の掲示板に掲示して行うものとする（基金令8条）。

R4-1	総合問題	重要度 A

問 74 国民年金法に関する次の記述のうち，正しいものはどれか。

A 国民年金法第109条の2の2に規定する学生納付特例事務法人は，その教育施設の学生等である被保険者の委託を受けて，当該被保険者に係る学生納付特例申請及び保険料の納付に関する事務を行うことができる。

B 厚生労働大臣に対する国民年金原簿の訂正の請求に関し，第2号被保険者であった期間のうち国家公務員共済組合，地方公務員共済組合の組合員又は私立学校教職員共済制度の加入者であった期間については，国民年金原簿の訂正の請求に関する規定は適用されない。

C 第3号被保険者は，その配偶者である第1号厚生年金被保険者が転職したことによりその資格を喪失した後，引き続き第4号厚生年金被保険者の資格を取得したときは，当該事実があった日から14日以内に種別変更の届出を日本年金機構に対して行わなければならない。

D 第1号被保険者は，厚生労働大臣が住民基本台帳法第30条の9の規定により当該第1号被保険者に係る機構保存本人確認情報の提供を受けることができる者であっても，当該被保険者の氏名及び住所を変更したときは，当該事実があった日から14日以内に，届書を市町村長（特別区にあっては，区長とする。）に提出しなければならない。

E 国民年金法施行規則第23条第1項の規定によると，老齢基礎年金の受給権者の所在が6か月以上明らかでないときは，受給権者の属する世帯の世帯主その他その世帯に属する者は，速やかに，所定の事項を記載した届書を日本年金機構に提出しなければならないとされている。

正解チェック欄	／	／	／

A　誤　学生納付特例事務法人は，学生等被保険者の委託を受けて，学生等被保険者に係る学生納付特例申請をすることができるが，「保険料の納付に関する事務を行うことはできない」(法109条の2の2第1項)。

社会保険科目 249～250p

B　正　本肢のとおりである（法附則7条の5第1項)。

社会保険科目 171p

C　誤　本肢の場合，第3号被保険者は「種別確認の届出」を日本年金機構に対して行わなければならない。その他の記述は正しい(則6条の3第1項)。

社会保険科目 165p

D　誤　住民基本台帳法の規定により機構保存本人確認情報の提供を受けることができる第1号被保険者については，「住所変更の届出及び氏名変更の届出を行う必要はない」(則7条1項，則8条1項)。

社会保険科目 166p

E　誤　本肢の所在不明の届出は，老齢基礎年金の受給権者の所在が「1月以上」明らかでないときに行わなければならない（則23条1項)。

社会保険科目 169p

キリトリ線

R4-3	総合問題	重要度 B

問 75 国民年金法に関する次の記述のうち，誤っているものはどれか。

国年法

A 付加年金が支給されている老齢基礎年金の受給者（65歳に達している者に限る。）が，老齢厚生年金を受給するときには，付加年金も支給される。

B 第1号被保険者としての被保険者期間に係る保険料納付済期間が25年以上あり，老齢基礎年金及び障害基礎年金の支給を受けたことがない夫が死亡した場合において，死亡の当時当該夫によって生計を維持し，かつ，夫との婚姻関係が10年以上継続した妻が60歳未満であるときは，寡婦年金の受給権が発生する。

C 脱退一時金の支給の請求に関し，最後に被保険者の資格を喪失した日に日本国内に住所を有していた者は，同日後初めて，日本国内に住所を有しなくなった日から起算して2年を経過するまでに，その支給を請求しなければならない。

D 国民年金法第107条第2項に規定する障害基礎年金の加算の対象となっている子が，正当な理由がなくて，同項の規定による受診命令に従わず，又は同項の規定による当該職員の診断を拒んだときは，年金給付の支払を一時差し止めることができる。

E 老齢基礎年金と付加年金の受給権を有する者が障害基礎年金の受給権を取得し，障害基礎年金を受給することを選択したときは，付加年金は，障害基礎年金を受給する間，その支給が停止される。

キリトリ線

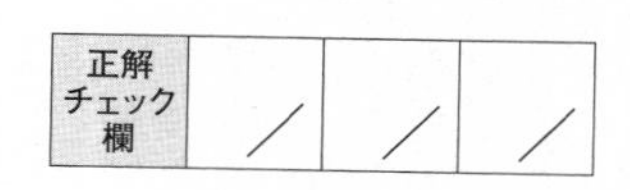

必修基本書

A　正　本肢のとおりである（法20条1項，法附則9条の2の4）。

社会保険科目 228p

B　正　本肢のとおりである（法49条1項）。

社会保険科目 229p

C　正　本肢のとおりである（法附則9条の3の2第1項）。日本国内に住所を有しているときは，脱退一時金を請求することができない。

社会保険科目 234p

D　誤　本肢の場合，その額の全部又は一部につき，その「支給を停止する」ことができる（法72条）。

社会保険科目 235~236p

E　正　本肢のとおりである（法20条1項，法附則9条の2の4）。付加年金と障害基礎年金の併給は認められないため，障害基礎年金の支給を選択して受給している間は，付加年金の支給は停止される。

社会保険科目 179p

R4-4 **総合問題** 重要度 **B**

問 76

国民年金法に関する次の記述のうち，正しいものはどれか。

A 保険料半額免除期間（残りの半額の保険料は納付されているものとする。）については，当該期間の月数（480から保険料納付済期間の月数及び保険料４分の１免除期間の月数を合算した月数を控除して得た月数を限度とする。）の４分の１に相当する月数が老齢基礎年金の年金額に反映される。

B 20歳前傷病による障害基礎年金及び国民年金法第30条の２の規定による事後重症による障害基礎年金は，受給権者が日本国内に住所を有しないときは，その間，その支給が停止される。

C 厚生労働大臣に申し出て付加保険料を納付する者となった者が付加保険料を納期限までに納付しなかったときは，当該納期限の日に付加保険料を納付する者でなくなる申出をしたものとみなされる。

D 遺族基礎年金の受給権を取得した夫が60歳未満であるときは，当該遺族基礎年金は，夫が60歳に達するまで，その支給が停止される。

E 被保険者又は被保険者であった者からの国民年金原簿の訂正請求の受理に関する厚生労働大臣の権限に係る事務は，日本年金機構に行わせるものとされている。

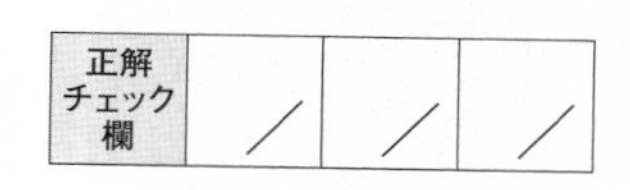

A　誤　保険料半額免除期間については，保険料半額免除期間の月数（480から保険料納付済期間の月数及び保険料４分の１免除期間の月数を合算した月数を控除して得た月数を限度とする）の「４分の３」に相当する月数が，老齢基礎年金の額に反映される（法27条）。

社会保険科目
191～192p

B　誤　20歳前傷病による障害基礎年金は，受給権者が日本国内に住所を有していない間，その支給が停止されるが，「事後重症による障害基礎年金は，受給権者が日本国内に住所を有していない場合であっても，それによる支給停止は行われない」（法36条の２第１項）。

社会保険科目
217p

C　誤　本肢のような規定はない（法87条の２）。本肢のいわゆるみなし辞退の制度は平成26年４月に廃止された。

社会保険科目
241p

D　誤　本肢のような規定はない（法41条ほか）。厚生年金保険法の遺族厚生年金には本肢のような規定があるが，遺族基礎年金については本肢のような規定はないため，夫が60歳未満であることを理由とした支給停止は行われない。

社会保険科目
225p

E　正　本肢のとおりである（法109条の４第１項）。

社会保険科目
150p

キリトリ線

R4-5	総合問題	重要度 C

国年法

問 77 国民年金法に関する次の記述のうち，正しいものはどれか。

A 障害基礎年金の受給権者が更に障害基礎年金の受給権を取得した場合において，新たに取得した障害基礎年金が国民年金法第36条第1項（障害補償による支給停止）の規定により6年間その支給を停止すべきものであるときは，その停止すべき期間，その者に対し同法第31条第1項（併合認定）の規定により前後の障害を併合した障害の程度による障害基礎年金を支給する。

B 障害基礎年金の受給権者が，その権利を取得した日の翌日以後にその者によって生計を維持している65歳未満の配偶者を有するに至ったときは，当該配偶者を有するに至った日の属する月の翌月から，当該障害基礎年金に当該配偶者に係る加算額が加算される。

C 保険料納付済期間又は保険料免除期間（学生納付特例及び納付猶予の規定により納付することを要しないものとされた保険料に係るものを除く。）を合算した期間を23年有している者が，合算対象期間を3年有している場合，遺族基礎年金の支給要件の規定の適用については，「保険料納付済期間と保険料免除期間とを合算した期間が25年以上であるもの」とみなされる。

D 厚生労働大臣から滞納処分等その他の処分の権限を委任された財務大臣は，その委任された権限を国税庁長官に委任し，国税庁長官はその権限の全部を納付義務者の住所地を管轄する税務署長に委任する。

E 厚生年金保険の被保険者が19歳であって，その被扶養配偶者が18歳である場合において，その被扶養配偶者が第3号被保険者の資格を取得するのは当該被保険者が20歳に達したときである。

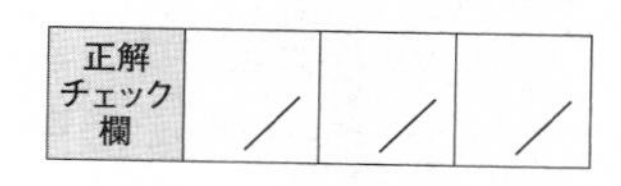

A 誤 本肢の場合，その停止すべき期間，その者に対して「従前の障害基礎年金」が支給される（法32条２項）。

社会保険科目 214p

B 誤 障害基礎年金に配偶者に係る加算はない（法33条の２第２項）。

社会保険科目 213p

C 正 本肢のとおりである（法37条，法附則９条１項）。

社会保険科目 220p

D 誤 滞納処分等その他の処分の権限を委任された財務大臣は，当該委任された権限を国税庁長官に委任し，国税庁長官は，当該委任された権限の「全部又は一部」を納付義務者の居住地を管轄する「国税局長」に委任することができ，国税局長は，当該委任された権限の全部又は一部を納付義務者の居住地を管轄する税務署長に委任することができる（法109条の５第５項～７項）。

E 誤 本肢の被扶養配偶者が第３号被保険者の資格を取得する日は，当該「被扶養配偶者」が20歳に達した日である（法８条）。

社会保険科目 156p

R4-6	総合問題	重要度 A

問 78 国民年金法に関する次の記述のうち，誤っているものはどれか。

A 子の遺族基礎年金については，受給権発生後当該子が18歳に達する日以後の最初の3月31日までの間に障害等級に該当する障害の状態となり，以降当該子が20歳に達するまでの間障害の状態にあったときは，当該子が18歳に達する日以後の最初の3月31日を過ぎても20歳に達するまで遺族基礎年金を受給できる。なお，当該子は婚姻していないものとする。

B 第3号被保険者の資格取得の届出を遅れて行ったときは，第3号被保険者の資格を満たしていたと認められた場合は該当した日にさかのぼって第3号被保険者の資格を取得することになるが，この場合において，保険料納付済期間に算入される期間は当該届出を行った日の属する月の前々月までの2年間である。ただし，届出の遅滞につきやむを得ない事由があると認められるときは，厚生労働大臣にその旨の届出をすることができ，その場合は当該届出が行われた日以後，当該届出に係る期間は保険料納付済期間に算入する。

C 平成17年4月1日前に第3号被保険者であった者で，その者の第3号被保険者期間の未届期間については，その届出を遅滞したことについてやむを得ない事由があると認められない場合でも，厚生労働大臣に届出が行われたときは，当該届出が行われた日以後，当該届出に係る期間は保険料納付済期間に算入する。

D 国庫は，当分の間，毎年度，国民年金事業に要する費用に充てるため，当該年度における国民年金法による付加年金の給付に要する費用及び同法による死亡一時金の給付に要する費用（同法第52条の4第1項に定める額に相当する部分の給付に要する費用を除く。）の総額の4分の1に相当する額を負担する。

E 日本国内に住所を有する60歳以上65歳未満の任意加入被保険者が，日本国内に住所を有しなくなったときは，その日に任意加入被保険者資格を喪失する。

正解チェック欄	／	／	／

国年法

A 正 本肢のとおりである（法37条の2第1項）。なお，本肢の障害等級は，障害の程度に応じて重度のものから1級及び2級とし，各級の障害の状態は，政令で定めるものとされている（法30条2項）。

社会保険科目 222p

B 正 本肢のとおりである（法附則7条の3第1項～3項）。なお，老齢基礎年金の受給権者がこの特例の届出を行い，当該届出に係る期間が保険料納付済期間に算入されたときは，当該届出のあった日の属する月の翌月から年金額が改定される（法附則7条の3第4項ほか）。

社会保険科目 166p

C 正 本肢のとおりである（平16法附則21条1項・2項）。

社会保険科目 167p

D 正 本肢のとおりである（昭60法附則34条1項）。なお，本肢の国庫負担は，当該年度における付加年金の給付に要する費用及び死亡一時金の給付に要する費用のうち付加保険料納付済期間を3年以上有することによる加算額の給付に要する費用について行われる。

社会保険科目 240p

E 誤 日本国内に住所を有する60歳以上65歳未満の任意加入被保険者が，日本国内に住所を有しなくなったときは，その日の「翌日」に，被保険者の資格を喪失する（法附則5条7項）。

社会保険科目 158p

キリトリ線

R4-7	総合問題	重要度 A

国年法

問 79 国民年金法に関する次の記述のうち，正しいものはどれか。

A 厚生年金保険の被保険者が，65歳に達し老齢基礎年金と老齢厚生年金の受給権を取得したときは，引き続き厚生年金保険の被保険者資格を有していても，国民年金の第2号被保険者の資格を喪失する。

B 国民年金基金連合会は，その会員である基金の解散により当該解散した基金から徴収した当該基金の解散基金加入員に係る責任準備金に相当する額を，徴収した基金に係る解散基金加入員が老齢基礎年金の受給権を取得したときは，当該解散基金加入員に対して400円に当該解散した基金に係る加入員期間の月数を乗じて得た額の年金を支給する。

C 国民年金法第30条の4の規定による障害基礎年金の受給権者は，毎年，受給権者の誕生日の属する月の末日までに，当該末日前1月以内に作成された障害基礎年金所得状況届等，国民年金法施行規則第31条第2項第12号ロからニまで及び同条第3項各号に掲げる書類を日本年金機構に提出しなければならない。ただし，当該障害基礎年金の額の全部が支給停止されている場合又は前年の所得に関する当該書類が提出されているときは，当該書類を提出する必要はない。

D 被保険者が保険料を納付受託者に交付したときは，納付受託者は，厚生労働大臣に対して当該保険料の納付の責めに任ずるとともに，遅滞なく厚生労働省令で定めるところにより，その旨及び交付を受けた年月日を厚生労働大臣に報告しなければならない。

E 寡婦年金は，受給権者が繰上げ支給による老齢基礎年金の受給権を取得した場合でも支給される。

正解チェック欄	／	／	／

キリトリ線

正解 A

A 正 本肢のとおりである（法7条1項2号，法附則3条）。

社会保険科目 157p

B 誤 本肢の場合，国民年金基金連合会は，当該解散基金加入員に対して，「200円」に当該解散した国民年金基金に係る加入員期間の月数を乗じて得た額の年金を支給する（法137条の19第1項・3項）。

C 誤 本肢の届出は，「9月30日」までに行わなければならない。その他の記述は正しい（則36条の5，平21.12.28厚労告520号））。

社会保険科目 169~170p

D 誤 被保険者が保険料を納付受託者に交付したときは，納付受託者は，「政府」に対して当該保険料の納付の責めに任ずるものとされている。その他の記述は正しい（法92条の4第1項・2項）。

社会保険科目 243p

E 誤 寡婦年金の受給権者が繰上げ支給の老齢基礎年金の受給権を取得したときは，「寡婦年金の受給権は消滅する」ため，本肢の場合，寡婦年金は支給されない（法附則9条の2第5項）。

社会保険科目 230p

R4-8	総合問題	重要度 A

問 80 国民年金法に関する次の記述のうち，正しいものはどれか。

A 20歳未満の厚生年金保険の被保険者は国民年金の第2号被保険者となるが，当分の間，当該被保険者期間は保険料納付済期間として算入され，老齢基礎年金の額に反映される。

B 国民年金法による保険料の納付を猶予された期間については，当該期間に係る保険料が追納されなければ老齢基礎年金の額には反映されないが，学生納付特例の期間については，保険料が追納されなくても，当該期間は老齢基礎年金の額に反映される。

C 基礎年金拠出金の額の算定基礎となる第1号被保険者数は，保険料納付済期間，保険料全額免除期間，保険料4分の3免除期間，保険料半額免除期間及び保険料4分の1免除期間を有する者の総数とされている。

D 大学卒業後，23歳から民間企業に勤務し65歳までの合計42年間，第1号厚生年金被保険者としての被保険者期間を有する者（昭和32年4月10日生まれ）が65歳から受給できる老齢基礎年金の額は満額となる。なお，当該被保険者は，上記以外の被保険者期間を有していないものとする。

E 第1号被保険者又は第3号被保険者が60歳に達したとき（第2号被保険者に該当するときを除く。）は，60歳に達した日に被保険者の資格を喪失する。また，第1号被保険者又は第3号被保険者が死亡したときは，死亡した日の翌日に被保険者の資格を喪失する。

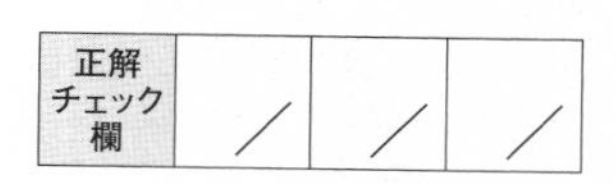

正解チェック欄	／	／	／

A 誤 老齢基礎年金の額の計算上，20歳未満の第2号被保険者であった期間は合算対象期間とみなされるため，当該期間は老齢基礎年金の額に「反映されない」（昭60法附則8条4項）。

社会保険科目 188～192p

B 誤 学生納付特例の適用を受けた期間は，当該期間についての保険料の追納が行われない限り，老齢基礎年金の額に「反映されない」。本肢前段の記述は正しい（法27条，平16法附則19条4項，平26法附則14条3項）。

社会保険科目 191p

C 誤 基礎年金拠出金の額の算定基礎となる第1号被保険者の数に，「保険料全額免除期間を有する者は含まれない」。その他の記述は正しい（国民年金法施行令11条の3）。

D 誤 老齢基礎年金の額の計算上，60歳以上の第2号被保険者であった期間は合算対象期間とみなされるため，本肢の者の60歳以後の第2号被保険者であった期間は保険料納付済期間に算入されない。したがって，本肢の者の保険料納付済期間は40年を下回るため，本肢の者が受給する老齢基礎年金の額は「満額ではない」（法27条，昭60法附則8条4項）。

社会保険科目 188～192p

E 正 本肢のとおりである（法9条）。

社会保険科目 157p

R4-9	総合問題	重要度 A

問 81　国民年金法に関する次の記述のうち，正しいものはどれか。

A　老齢基礎年金のいわゆる振替加算が行われるのは，大正15年4月2日から昭和41年4月1日までの間に生まれた者であるが，その額については，受給権者の老齢基礎年金の額に受給権者の生年月日に応じて政令で定められた率を乗じて得た額となる。

B　第1号被保険者期間中に支払った付加保険料に係る納付済期間を60月有する者は，65歳で老齢基礎年金の受給権を取得したときに，老齢基礎年金とは別に，年額で，400円に60月を乗じて得た額の付加年金が支給される。

C　死亡一時金を受けることができる遺族の範囲は，年金給付の受給権者が死亡した場合において，その死亡した者に支給すべき年金でまだ支給していない年金がある場合に，未支給の年金の支給を請求できる遺族の範囲と同じである。

D　第1号被保険者（産前産後期間の保険料免除及び保険料の一部免除を受ける者ではないものとする。）が，保険料の法定免除の要件に該当するに至ったときは，その要件に該当するに至った日の属する月の前月からこれに該当しなくなる日の属する月までの期間に係る保険料は，既に納付されたものを除き，納付することを要しない。

E　国民年金基金が支給する年金は，当該基金の加入員であった者が老齢基礎年金の受給権を取得した時点に限り，その者に支給が開始されるものでなければならない。

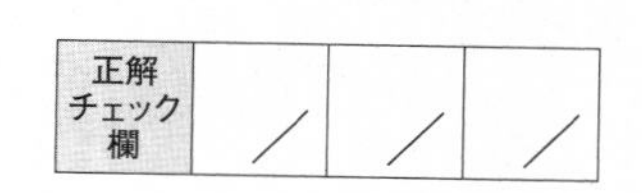

A 誤 振替加算の額は,「224,700円に改定率を乗じて得た額」に,受給権者の生年月日に応じて政令で定められた率を乗じて得た額となる(昭60法附則14条1項)。

社会保険科目 198～199p

B 誤 付加年金の額は,「200円」に付加保険料に係る保険料納付済期間の月数を乗じて得た額である。したがって,本肢の場合の付加年金の額は,「200円」に60を乗じて得た額である(法44条)。

社会保険科目 228p

C 誤 死亡一時金を受けることができる遺族の範囲は,死亡した者の配偶者,子,父母,孫,祖父母又は兄弟姉妹であって,その者の死亡の当時その者と生計を同じくしていたものに対し,未支給年金の支給を請求できる遺族の範囲は,その者の配偶者,子,父母,孫,祖父母,兄弟姉妹又は「これらの者以外の3親等内の親族」であって,その者の死亡の当時その者と生計を同じくしていたものであるため,これらの遺族の範囲は「異なる」(法19条1項,法52条の3第1項)。

社会保険科目 178, 231p

D 正 本肢のとおりである(法89条1項)。

社会保険科目 246p

E 誤 国民年金基金が支給する年金は,少なくとも,当該国民年金基金の加入員であった者が老齢基礎年金の受給権を取得したときには,その者に支給されるものでなければならないとされている。したがって,例えば,加入員が老齢基礎年金の受給権を取得する前に国民年金基金による年金の支給を開始することは可能であるため,老齢基礎年金の受給権を取得した時点に限り,国民年金基金からの年金の支給が開始されるものでなければならないわけではない(法129条1項)。

社会保険科目 270p

R4-10	総合問題	重要度 A

問 82 国民年金法に関する次の記述のうち，誤っているものはどれか。

A 被保険者である妻が死亡し，その夫が，1人の子と生計を同じくして，遺族基礎年金を受給している場合において，当該子が18歳に達した日以後の最初の3月31日が終了したときに，障害等級に該当する障害の状態にない場合は，夫の有する当該遺族基礎年金の受給権は消滅する。

B 保険料納付済期間と保険料免除期間とを合算した期間が25年以上である55歳の第1号被保険者が死亡したとき，当該死亡日の前日において，当該死亡日の属する月の前々月までの1年間に保険料が未納である月があった場合は，遺族基礎年金を受けることができる要件を満たす配偶者と子がいる場合であっても，遺族基礎年金は支給されない。

C 障害基礎年金は，傷病の初診日から起算して1年6か月を経過した日である障害認定日において，その傷病により障害等級に該当する程度の障害の状態にあるときに支給される（当該障害基礎年金に係る保険料納付要件は満たしているものとする。）が，初診日から起算して1年6か月を経過した日前にその傷病が治った場合は，その治った日（その症状が固定し治療の効果が期待できない状態に至った日を含む。）を障害認定日とする。

D 障害基礎年金の額は，受給権者によって生計を維持している18歳に達する日以後の最初の3月31日までの間にある子及び20歳未満であって障害等級に該当する障害の状態にある子があるときは，その子の数に応じた加算額が加算されるが，老齢基礎年金の額には，子の加算額が加算されない。

E 第1号被保険者の保険料は，被保険者本人分のみならず，世帯主はその世帯に属する第1号被保険者の保険料を連帯して納付する義務を負い，配偶者の一方は，第1号被保険者である他方の保険料を連帯して納付する義務を負う。

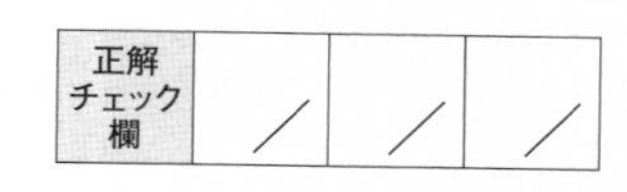

正解 B

A 正 本肢のとおりである（法40条2項）。

社会保険科目 226p

B 誤 本肢の第1号被保険者は，保険料納付済期間と保険料免除期間とを合算した期間が25年以上あるため，「保険料納付要件は問われない」。したがって，本肢のような未納期間があったとしても，その遺族に遺族基礎年金が支給される（法37条）。

社会保険科目 220p

C 正 本肢のとおりである（法30条1項）。なお，「初診日」とは，傷病について初めて医師又は歯科医師の診療を受けた日のことである。

社会保険科目 206p

D 正 本肢のとおりである（法33条の2第1項）。なお，加算額は，加算の要件に該当する子の数に応じて，次のとおりとなる。
①加算の要件に該当する子1人につきそれぞれ74,900円×改定率
②上記①の子のうち2人までについては，それぞれ224,700円×改定率

社会保険科目 190〜192，213p

E 正 本肢のとおりである（法88条2項・3項）。

社会保険科目 242p

R5-1	総合問題	重要度 A

国年法

問 83　国民年金法に関する次の記述のうち，正しいものはどれか。

A　保険料の全額免除の規定により，納付することを要しないとの厚生労働大臣の承認を受けたことのある老齢基礎年金の受給権者が，当該老齢基礎年金を請求していない場合，その承認を受けた日から10年以内の期間に係る保険料について追納することができる。

B　付加年金は，第1号被保険者及び第3号被保険者としての被保険者期間を有する者が老齢基礎年金の受給権を取得したときに支給されるが，第2号被保険者期間を有する者について，当該第2号被保険者期間は付加年金の対象とされない。

C　厚生労働大臣は，被保険者から保険料の口座振替納付を希望する旨の申出があった場合には，その納付が確実と認められるときに限り，その申出を承認することができる。

D　被保険者ではなかった19歳のときに初診日のある傷病を継続して治療中の者が，その傷病の初診日から起算して1年6か月を経過した当該傷病による障害認定日（20歳に達した日後とする。）において，当該傷病により障害等級2級以上に該当する程度の障害の状態にあるときには，その者に障害基礎年金を支給する。

E　寡婦年金の額は，死亡した夫の老齢基礎年金の計算の例によって計算した額の4分の3に相当する額であるが，当該夫が3年以上の付加保険料納付済期間を有していた場合には，上記の額に8,500円を加算した額となる。

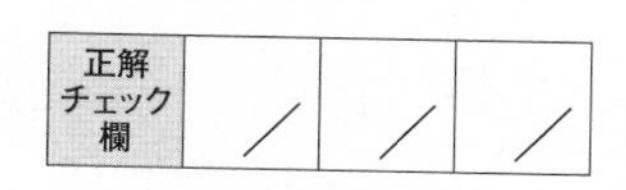

正解チェック欄	／	／	／

A 誤 老齢基礎年金の受給権者は，「保険料を追納することはできない」（法94条1項）。

社会保険科目 252～253p

B 誤 付加年金は，「付加保険料に係る保険料納付済期間を有する者」が老齢基礎年金の受給権を取得したときに，その者に支給する（法43条）。

社会保険科目 228p

C 誤 厚生労働大臣は，被保険者から，口座振替納付を希望する旨の申出があった場合には，その納付が確実と認められ，「かつ，その申出を承認することが保険料の徴収上有利と認められるとき」に限り，その申出を承認することができる（法92条の2）。

社会保険科目 242p

D 正 本肢のとおりである（法30条の4第1項）。本肢の者に対しては，20歳前傷病による障害基礎年金が支給される。

社会保険科目 210p

E 誤 寡婦年金の額は，「死亡日の属する月の前月までの第1号被保険者としての被保険者期間に係る死亡日の前日における保険料納付済期間及び保険料免除期間につき，老齢基礎年金の額の計算の例によって計算した額」の4分の3に相当する額であるが，「死亡した夫が付加保険料に係る保険料納付済期間を有していたとしても寡婦年金の額に加算は行われない」（法50条）。

社会保険科目 229～230p

キリトリ線

R5-2	総合問題	重要度 A

国年法

問 84 国民年金法に関する次の記述のうち，誤っているものはどれか。

A 学生納付特例による保険料納付猶予の適用を受けている第1号被保険者が，新たに保険料の法定免除の要件に該当した場合には，その該当するに至った日の属する月の前月から，これに該当しなくなる日の属する月までの期間，法定免除の適用の対象となる。

B 老齢基礎年金と付加年金の受給権を有する者が，老齢基礎年金の支給繰下げの申出をした場合，付加年金は当該申出のあった日の属する月の翌月から支給が開始され，支給額は老齢基礎年金と同じ率で増額される。

C 死亡した甲の妹である乙は，甲の死亡当時甲と生計を同じくしていたが，甲によって生計を維持していなかった。この場合，乙は甲の死亡一時金の支給を受けることができる遺族とはならない。なお，甲には，乙以外に死亡一時金を受けることができる遺族はいないものとする。

D 国民年金第2号被保険者としての保険料納付済期間が15年であり，他の被保険者としての保険料納付済期間及び保険料免除期間を有しない夫が死亡した場合，当該夫の死亡当時生計を維持し，婚姻関係が15年以上継続した60歳の妻があった場合でも，寡婦年金は支給されない。なお，死亡した夫は，老齢基礎年金又は障害基礎年金の支給を受けたことがないものとする。

E 国民年金法第104条によると，市町村長（地方自治法第252条の19第1項の指定都市においては，区長又は総合区長とする。）は，厚生労働大臣又は被保険者，被保険者であった者若しくは受給権者に対して，当該市町村の条例の定めるところにより，被保険者，被保険者であった者若しくは受給権者又は遺族基礎年金の支給若しくは障害基礎年金若しくは遺族基礎年金の額の加算の要件に該当する子の戸籍に関し，無料で証明を行うことができる。

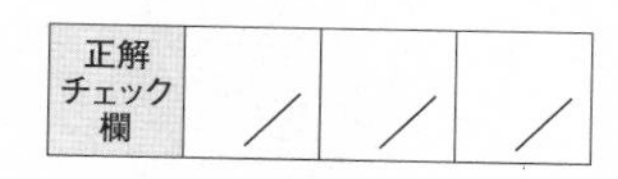

正解チェック欄	／	／	／

キリトリ線

A 正 本肢のとおりである（法89条1項，法90条の3第1項）。なお，学生の保険料の納付特例は，昼間学生はもちろん，定時制，通信制，夜間等の学生も，学生の保険料の納付特例の対象となる（令6条の6，則77条の6ほか）。

社会保険科目 246p

B 正 本肢のとおりである（法46条）。なお，付加年金の受給権は，受給権者が死亡したときは，消滅する（法48条）。

社会保険科目 204, 228p

C 誤 死亡一時金を受けることができる遺族は，原則として，死亡した者の配偶者，子，父母，孫，祖父母又は兄弟姉妹であって，その者の死亡の当時その者と「生計を同じく」していたものである。したがって，死亡した甲の妹である乙は，「死亡一時金の支給を受けることができる遺族となる」（法52条の3第1項）。

社会保険科目 230~231p

D 正 本肢のとおりである（法49条1項）。寡婦年金は，死亡日の前日において死亡日の属する月の前月までの第1号被保険者としての被保険者期間に係る保険料納付済期間と保険料免除期間とを合算した期間が10年以上である夫が死亡した場合において，一定の要件を満たすときに，65歳未満の妻に支給されるものである。本肢の夫は，第1号被保険者としての被保険者期間に係る保険料納付済期間及び保険料免除期間を有していないことから，妻に寡婦年金は支給されない。

社会保険科目 229p

E 正 本肢のとおりである（法104条）。

社会保険科目 261p

R5-3	総合問題	重要度 A

問 85 国民年金法に関する次の記述のうち，正しいものはどれか。

A 故意に障害又はその直接の原因となった事故を生じさせた者の当該障害については，これを支給事由とする障害基礎年金を支給する。

B 国民年金法による保険料の納付猶予制度及び学生納付特例制度は，いずれも国民年金法本則に規定されている。

C 65歳以上70歳未満の特例による任意加入被保険者で昭和28年10月１日生まれの者は，老齢基礎年金，老齢厚生年金その他の老齢又は退職を支給事由とする年金給付の受給権を取得するなど，他の失権事由に該当しないとしても，令和５年９月30日に70歳に達することによりその日に被保険者の資格を喪失する。

D 62歳の特別支給の老齢厚生年金の受給権者が，厚生年金保険の被保険者である場合，第２号被保険者にはならない。

E 国民年金の給付を受ける権利は，譲り渡し，担保に供し，又は差し押さえることができない。ただし，老齢基礎年金又は遺族基礎年金を受ける権利を別に法律で定めるところにより担保に供する場合及び国税滞納処分（その例による処分を含む。）により差し押さえる場合は，この限りでない。

正解チェック欄	／	／	／

A 誤 故意に障害又はその直接の原因となった事故を生じさせた者の当該障害については，これを支給事由とする障害基礎年金は「支給しない」（法69条）。

社会保険科目 234p

B 誤 学生納付特例制度は国民年金法の本則（法90条の3）に規定されているが，納付猶予制度は国民年金法の改正法の「附則（平16法附則19条，平26法附則14条）に規定されている」（法90条の3，平16法附則19条，平26法附則14条）。

社会保険科目 249~250p

C 正 本肢のとおりである（平6法附則11条6項，平16法附則23条6項，年齢計算に関する法律）。65歳以上70歳未満の特例による任意加入被保険者は，70歳に達したときは，その日に被保険者の資格を喪失する。昭和28年10月1日生まれの者は，令和5年9月30日に70歳に達するため，令和5年9月30日に被保険者の資格を喪失する。

社会保険科目 159p

D 誤 本肢の者は，「第2号被保険者となる」（法7条1項，法附則3条）。「65歳以上」の者であって，老齢又は退職を支給事由とする年金たる給付の受給権を有する者は，厚生年金保険の被保険者であっても，第2号被保険者とならない。

社会保険科目 152p

E 誤 給付を受ける権利は，譲り渡し，担保に供し，又は差し押えることができない。ただし，「老齢基礎年金又は付加年金を受ける権利を国税滞納処分（その例による処分を含む）により差し押える場合は，この限りでない」（法24条）。担保提供は例外なく禁止されているほか，遺族基礎年金を受ける権利は国税滞納処分によっても差し押さえることはできない。

社会保険科目 185p

キリトリ線

R5-4	**総合問題**	重要度 **A**

問 86 国民年金法に関する次の記述のうち，誤っているものはどれか。

A　被保険者が，被保険者の資格を取得した日の属する月にその資格を喪失したときは，その月を1か月として被保険者期間に算入するが，その月に更に被保険者の資格を取得したときは，前後の被保険者期間を合算し，被保険者期間2か月として被保険者期間に算入する。

B　老齢基礎年金の受給権を裁定した場合において，その受給権者が老齢厚生年金（特別支給の老齢厚生年金を含む。）の年金証書の交付を受けているときは，当該老齢厚生年金の年金証書は，当該老齢基礎年金の年金証書とみなされる。

C　解散した国民年金基金又は国民年金基金連合会が，正当な理由がなくて，解散に伴いその解散した日において年金の支給に関する義務を負っている者に係る政令の定めに従い算出された責任準備金相当額を督促状に指定する期限までに納付しないときは，その代表者，代理人又は使用人その他の従業者でその違反行為をした者は，6か月以下の懲役又は50万円以下の罰金に処せられる。

D　老齢基礎年金の支給の繰上げをした者には寡婦年金は支給されず，国民年金の任意加入被保険者になることもできない。

E　国民年金法第26条によると，老齢基礎年金は，保険料納付済期間又は保険料免除期間（学生納付特例及び納付猶予の規定により納付することを要しないものとされた保険料に係るものを除く。）を有する者が65歳に達したときに，その者に支給される。ただし，その者の保険料納付済期間と保険料免除期間とを合算した期間が10年に満たないときは，この限りでない。なお，その者は合算対象期間を有しないものとする。

国年法

キリトリ線

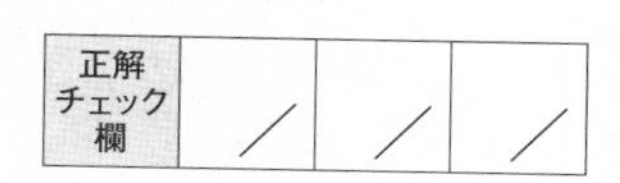

A 誤 被保険者がその資格を取得した日の属する月にその資格を喪失したときは，その月を1箇月として被保険者期間に算入する。「ただし，その月にさらに被保険者の資格を取得したときは，この限りでない」。したがって，本肢の月は被保険者期間「1か月」として被保険者期間に算入する（法11条2項）。

社会保険科目 160p

B 正 本肢のとおりである（則65条3項）。なお，障害基礎年金の受給権を裁定した場合において，その受給権者が障害厚生年金の年金証書の交付を受けているときは，当該障害厚生年金の年金証書は，当該障害基礎年金の年金証書とみなされる。

社会保険科目 262p

C 正 本肢のとおりである（法111条の3第1項）。

D 正 本肢のとおりである（法附則9条の2の3）。なお，支給繰上げにより減額された老齢基礎年金の額は，65歳になっても本来の額に引き上げられることなく，将来を通じて減額されたままの額で支給されることになる（法附則9条の2第4項）。

社会保険科目 201p

E 正 本肢のとおりである（法26条）。なお，保険料納付済期間又は保険料免除期間（学生納付特例及び納付猶予の規定により納付することを要しないものとされた保険料に係るものを除く）を有する者のうち，本肢（原則）の保険料納付要件を満たさない者であっても，保険料納付済期間，保険料免除期間及び合算対象期間を合算して10年以上あれば，受給資格期間を満たしていることとされる（法附則9条）。

社会保険科目 185p

R5-5	総合問題	重要度 B

問 87 国民年金法に関する次の記述のうち，正しいものはどれか。

A 保険料の一部免除の規定によりその一部の額につき納付することを要しないものとされた保険料について，保険料4分の1免除の規定が適用されている者は，免除されないその残余の4分の3の部分（額）が納付又は徴収された場合，当該納付又は徴収された期間は，保険料納付済期間となる。

B 保険料の産前産後免除期間が申請免除又は納付猶予の終期と重なる場合又はその終期をまたぐ場合でも，翌周期の継続免除又は継続納付猶予対象者として取り扱う。例えば，令和3年7月から令和4年6月までの継続免除承認者が，令和4年5月から令和4年8月まで保険料の産前産後免除期間に該当した場合，令和4年9月から令和5年6月までの保険料に係る継続免除審査を行う。

C 第2号被保険者としての被保険者期間のうち，20歳に達した日の属する月前の期間及び60歳に達した日の属する月以後の期間は，老齢基礎年金の年金額の計算に関しては保険料納付済期間に算入され，合算対象期間に算入されない。

D 4月に第1号被保険者としての保険料を納付した者が，同じ月に第2号被保険者への種別の変更があった場合には，4月は第2号被保険者であった月とみなし，第1号被保険者としての保険料の納付をもって第2号被保険者としての保険料を徴収したものとみなす。

E 20歳前傷病による障害基礎年金は，受給権者が刑事施設等に収容されている場合，その該当する期間は，その支給が停止されるが，判決の確定していない未決勾留中の者についても，刑事施設等に収容されている間は，その支給が停止される。

正解チェック欄	／	／	／

国年法

キリトリ線

A 誤 保険料4分の1免除の適用を受け，その残余の4分の3の額が納付された期間は，「保険料4分の1免除期間」となる（法5条6項）。

社会保険科目
148p

B 正 本肢のとおりである（平30.12.6年管管発1206第1号）。

C 誤 第2号被保険者としての被保険者期間のうち，20歳に達した日の属する月前の期間及び60歳に達した日の属する月以後の期間は，老齢基礎年金の年金額の計算に関しては，「保険料納付済期間に算入されず，合算対象期間に算入される」（昭60法附則8条4項）。

社会保険科目
148, 188p

D 誤 被保険者の種別に変更があった月は，変更後の種別の被保険者であった月とみなされる。したがって，4月は第2号被保険者であった月とみなされる。そして，「第2号被保険者としての被保険者期間については，政府は保険料を徴収しない」とされているため，第2号被保険者としての保険料を徴収したものとみなすという取扱いはなされない（法11条の2，法94条の6）。

社会保険科目
161p

E 誤 刑事施設等に拘禁されている者であっても，まだ判決の確定していないいわゆる未決勾留中のものについては，20歳前傷病による障害基礎年金の支給は「停止されない」（法36条の2第1項，則34条の4）。

社会保険科目
217〜218p

総合問題

重要度 A

問 88 国民年金法に関する次の記述のうち，誤っているものはどれか。

A 震災，風水害，火災その他これに類する災害により，自己又は所得税法に規定する同一生計配偶者若しくは扶養親族の所有に係る住宅，家財又は政令で定めるその他の財産につき，被害金額（保険金，損害賠償金等により補充された金額を除く。）が，その価格のおおむね2分の1以上である損害を受けた者（以下「被災者」という。）がある場合は，その損害を受けた月から翌年の9月までの20歳前傷病による障害基礎年金については，その損害を受けた年の前年又は前々年における当該被災者の所得を理由とする支給の停止は行わない。

B 未支給の年金の支給の請求は，老齢基礎年金の受給権者が同時に老齢厚生年金の受給権を有していた場合であって，未支給の年金の支給の請求を行う者が当該受給権者の死亡について厚生年金保険法第37条第1項の請求を行うことができる者であるときは，当該請求に併せて行わなければならない。

C 老齢基礎年金と老齢厚生年金の受給権を有する者であって支給繰下げの申出をすることができるものが，老齢基礎年金の支給繰下げの申出を行う場合，老齢厚生年金の支給繰下げの申出と同時に行わなければならない。

D 第三者の行為による事故の被害者が受給することとなる障害基礎年金，第三者の行為による事故の被害者の遺族が受給することとなる遺族基礎年金及び寡婦年金は，損害賠償額との調整の対象となるが，死亡一時金については，保険料の掛け捨て防止の考え方に立った給付であり，その給付額にも鑑み，損害賠償を受けた場合であっても，損害賠償額との調整は行わない。

E 遺族基礎年金の受給権を有する配偶者と子のうち，すべての子が直系血族又は直系姻族の養子となった場合，配偶者の有する遺族基礎年金の受給権は消滅するが，子の有する遺族基礎年金の受給権は消滅しない。

正解チェック欄	／	／	／

正解 C

A 正 本肢のとおりである（法36条の4第1項）。

社会保険科目 218p

B 正 本肢のとおりである（則25条3項）。なお，厚生年金保険法37条1項の請求とは，厚生年金保険法の未支給の保険給付の請求のことである。

C 誤 老齢基礎年金の支給繰下げの申出と老齢厚生年金の支給繰下げの申出は「同時に行う必要はない」（法28条1項）。

社会保険科目 202p

D 正 本肢のとおりである（平27.9.30年管管発0930第6号）。なお，第三者行為事故による障害と因果関係のない外部障害（先発の障害）を有している者について，第三者行為事故により障害基礎年金の受給権が発生した場合において，当該障害基礎年金の障害の程度を認定するに当たり，先発の障害と併せて認定を行った場合には，当該損害賠償額との調整は行わないとされている。

社会保険科目 184p

E 正 本肢のとおりである（法40条2項・3項）。すべての子が配偶者の遺族基礎年金の減額改定事由（配偶者以外の者の養子となったとき）に該当しているため，配偶者の遺族基礎年金の受給権は消滅するが，子は，直系血族又は直系姻族の養子となっているため，これを理由として子の有する遺族基礎年金の受給権は消滅しない。

社会保険科目 226～227p

キリトリ線

R5-7	総合問題	重要度 A

問 89 国民年金法に関する次の記述のうち，正しいものはどれか。

A 保険料の納付受託者が，国民年金法第92条の5第1項の規定により備え付けなければならない帳簿は，国民年金保険料納付受託記録簿とされ，納付受託者は厚生労働省令で定めるところにより，これに納付事務に関する事項を記載し，及びこれをその完結の日から3年間保存しなければならない。

B 国民年金・厚生年金保険障害認定基準によると，障害の程度について，1級は，例えば家庭内の極めて温和な活動（軽食作り，下着程度の洗濯等）はできるが，それ以上の活動はできない状態又は行ってはいけない状態，すなわち，病院内の生活でいえば，活動範囲がおおむね病棟内に限られる状態であり，家庭内でいえば，活動の範囲がおおむね家屋内に限られる状態であるとされている。

C 被保険者又は被保険者であった者（以下「被保険者等」という。）の死亡の当時胎児であった子が生まれたときは，その子は，当該被保険者等の死亡の当時その者によって生計を維持していたものとみなされるとともに，配偶者は，その者の死亡の当時その子と生計を同じくしていたものとみなされ，その子の遺族基礎年金の受給権は被保険者等の死亡当時にさかのぼって発生する。

D 国民年金法第21条の2によると，年金給付の受給権者が死亡したためその受給権が消滅したにもかかわらず，その死亡の日の属する月の翌月以降の分として当該年金給付の過誤払が行われた場合において，当該過誤払による返還金に係る債権に係る債務の弁済をすべき者に支払うべき年金給付があるときは，その過誤払が行われた年金給付は，債務の弁済をすべき者の年金給付の内払とみなすことができる。

E 国民年金法附則第5条第1項によると，第2号被保険者及び第3号被保険者を除き，日本国籍を有する者その他政令で定める者であって，日本国内に住所を有しない20歳以上70歳未満の者は，厚生労働大臣に申し出て，任意加入被保険者となることができる。

正解チェック欄	／	／	／

国年法

キリトリ線

A 正 本肢のとおりである（法92条の5第1項，則72条の7）。

社会保険科目 244p

B 誤 本肢の記述は「障害等級2級」の障害の状態に関する記述である（国民年金・厚生年金保険障害認定基準）。

C 誤 被保険者又は被保険者であった者の死亡の当時胎児であった子が生まれたときは，「将来に向かって」，その子は，被保険者又は被保険者であった者の死亡の当時その者によって生計を維持していたものとみなされ，配偶者は，その者の死亡の当時その子と生計を同じくしていたものとみなされる。したがって，子の遺族基礎年金の受給権が，被保険者又は被保険者であった者の死亡の当時にさかのぼって発生するわけではない（法37条の2第2項）。

社会保険科目 223p

D 誤 年金給付の受給権者が死亡したためその受給権が消滅したにもかかわらず，その死亡の日の属する月の翌月以降の分として当該年金給付の過誤払が行われた場合において，当該過誤払による返還金債権に係る債務の弁済をすべき者に支払うべき年金給付があるときは，「当該年金給付の支払金の金額を当該過誤払による返還金債権の金額に充当することができる」（法21条の2）。

社会保険科目 183p

E 誤 日本国籍を有する者その他政令で定める者であって，日本国内に住所を有しない20歳以上「65歳未満」のもの（第2号被保険者及び第3号被保険者を除く）は，厚生労働大臣に申し出て，任意加入被保険者となることができる（法附則5条1項）。

社会保険科目 154p

キリトリ線

R5-8	総合問題	重要度 A

問 90 国民年金法に関する次の記述のうち，正しいものはどれか。

国年法

A 令和５年度の老齢基礎年金の額は，名目手取り賃金変動率がプラスで物価変動率のプラスを上回ったことから，令和５年度において67歳以下の人（昭和31年４月２日以降生まれの人）は名目手取り賃金変動率を，令和５年度において68歳以上の人（昭和31年４月１日以前生まれの人）は物価変動率を用いて改定され，満額が異なることになったため，マクロ経済スライドによる調整は行われなかった。

B 令和５年度の実際の国民年金保険料の月額は，平成29年度に引き上げが完了した上限である16,900円（平成16年度水準）に，国民年金法第87条第３項及び第５項の規定に基づき名目賃金の変動に応じて改定された。

C 保険料の４分の３免除，半額免除及び４分の１免除の規定により，その一部の額につき納付することを要しないものとされた保険料について，追納を行うためには，その免除されていない部分である残余の額が納付されていなければならない。

キリトリ線

D 昭和36年４月１日から平成４年３月31日までの間で，20歳以上60歳未満の学生であった期間は，国民年金の任意加入期間とされていたが，その期間中に加入せず，保険料を納付しなかった期間については，合算対象期間とされ，老齢基礎年金の受給資格期間には算入されるが，年金額の計算に関しては保険料納付済期間に算入されない。

E 保険料の全額免除期間については，保険料の全額免除の規定により納付することを要しないものとされた保険料をその後追納しなくても老齢基礎年金の年金額に反映されるが，それは免除期間に係る老齢基礎年金の給付に要する費用について国庫が負担しているからであり，更に，平成15年４月１日以降，国庫負担割合が３分の１から２分の１へ引き上げられたことから年金額の反映割合も免除の種類に応じて異なっている。

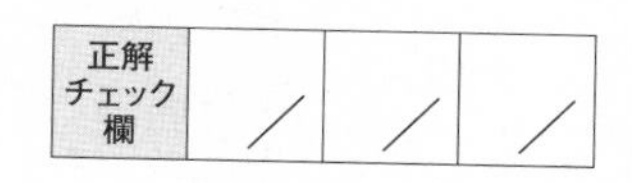

A 誤 令和5年度の年金額改定においては,「マクロ経済スライド調整は行われた」(改定率令1条ほか)。

社会保険科目
194~195p

B 誤 保険料の月額は「17,000円」に保険料改定率を乗じて得た額である(法87条3項)。保険料の月額は,平成16年改正によって毎年度引き上げられることとなったが,この引上げは平成29年度にいったん完了し,16,900円(平成16年度水準)とされた。しかし,平成31年度に産前産後期間の保険料免除制度が導入されたことに伴い,さらに17,000円(平成16年度水準)に引き上げられた。なお,名目賃金の変動に応じて改定する旨の記述は正しい。

社会保険科目
241p

C 正 本肢のとおりである(法94条1項)。

社会保険科目
252p

D 誤 昭和36年4月1日から「平成3年3月31日」までの間で,20歳以上60歳未満の学生であった期間は任意加入期間とされ,その期間中に任意加入せず,保険料を納付しなかった期間は合算対象期間となり,老齢基礎年金の受給資格期間には算入されるが,年金額の計算の基礎には算入されない(平元法附則4条1項)。

社会保険科目
188p

E 誤 保険料全額免除期間(「学生納付特例及び保険料納付猶予制度の適用を受けた期間を除く」)については,原則として,追納をしなくても老齢基礎年金の額の計算の基礎に算入される。また,国庫負担割合が3分の1から2分の1へと引き上げられたのは,「平成21年4月1日」以降である(法27条,平16法附則10条)。

社会保険科目
239p

R5-9	総合問題	重要度 A

問 91　国民年金法に関する次の記述のうち，正しいものはどれか。

A　老齢基礎年金の繰上げの請求をした場合において，付加年金については繰上げ支給の対象とはならず，65歳から支給されるため，減額されることはない。

B　在職しながら老齢厚生年金を受給している67歳の夫が，厚生年金保険法第43条第2項に規定する在職定時改定による年金額の改定が行われ，厚生年金保険の被保険者期間が初めて240月以上となった場合，夫により生計維持され老齢基礎年金のみを受給していた66歳の妻は，65歳時にさかのぼって振替加算を受給できるようになる。

C　年金額の増額を図る目的で，60歳以上65歳未満の間に国民年金に任意加入をする場合，当該期間については，第1号被保険者としての被保険者期間とみなされるため，申請すれば，一定期間保険料の免除を受けることができる。

D　毎支払期月ごとの年金額の支払において，その額に1円未満の端数が生じたときは，これを切り捨てるものとされている。また，毎年3月から翌年2月までの間において，切り捨てた金額の合計額（1円未満の端数が生じたときは，これを切り捨てた額）については，これを当該2月の支払期月の年金額に加算して支払うものとされている。

E　国民年金基金の加入員は，国民年金保険料の免除規定により，その全部又は一部の額について，保険料を納付することを要しないものとされたときは，該当するに至った日の翌日に加入員の資格を喪失する。

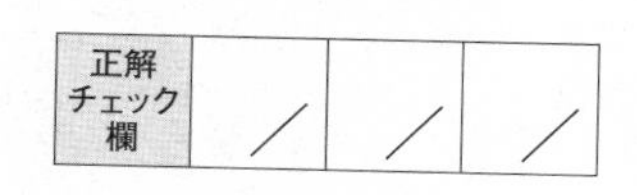

A 誤 老齢基礎年金の支給繰上げの請求をした場合,「付加年金についても支給繰上げの対象となる」。また,この「付加年金の額についても減額される」(法46条,法附則9条の2第6項)。

社会保険科目 228p

B 誤 本肢の場合,夫の厚生年金保険の被保険者期間が「240月以上となった月の翌月」から,妻の老齢基礎年金に振替加算が加算される(昭60法附則14条4項)。

社会保険科目 198~199p

C 誤 任意加入被保険者は「各種保険料の免除を受けることはできない」(法附則5条10項)。

社会保険科目 245p

D 正 本肢のとおりである(法18条の2)。

社会保険科目 177p

E 誤 国民年金基金の加入員が,保険料免除の規定により,その全部又は一部について保険料を納付することを要しないものとされた場合,「当該保険料を納付することを要しないものとされた月の初日」に加入員の資格を喪失する(法127条3項)。

社会保険科目 268p

キリトリ線

R5-10	総合問題	重要度 A

問 92 国民年金法に関する次のアからオの記述のうち，正しいものの組合せは，後記AからEまでのうちどれか。

ア　20歳前傷病による障害基礎年金は，受給権者の前年の所得が，その者の所得税法に規定する同一生計配偶者及び扶養親族の有無及び数に応じて，政令で定める額を超えるときは，その年の10月から翌年の9月まで，その全部又は3分の1に相当する部分の支給が停止される。

イ　障害の程度が増進したことによる障害基礎年金の額の改定請求については，障害の程度が増進したことが明らかである場合として厚生労働省令で定める場合を除き，当該障害基礎年金の受給権を取得した日又は国民年金法第34条第1項の規定による厚生労働大臣の障害の程度の診査を受けた日から起算して1年を経過した日後でなければ行うことができない。

ウ　65歳以上の場合，異なる支給事由による年金給付であっても併給される場合があり，例えば老齢基礎年金と遺族厚生年金は併給される。一方で，障害基礎年金の受給権者が65歳に達した後，遺族厚生年金の受給権を取得した場合は併給されることはない。

エ　配偶者の有する遺族基礎年金の受給権は，生計を同じくする当該遺族基礎年金の受給権を有する子がいる場合において，当該配偶者が国民年金の第2号被保険者になったときでも，当該配偶者が有する遺族基礎年金の受給権は消滅しない。

オ　老齢基礎年金を受給している者が，令和5年6月26日に死亡した場合，未支給年金を請求する者は，死亡した者に支給すべき年金でまだその者に支給されていない同年5月分と6月分の年金を未支給年金として請求することができる。なお，死亡日前の直近の年金支払日において，当該受給権者に支払うべき年金で支払われていないものはないものとする。

A　（アとウ）　**B**　（アとエ）　**C**　（イとエ）
D　（イとオ）　**E**　（ウとオ）

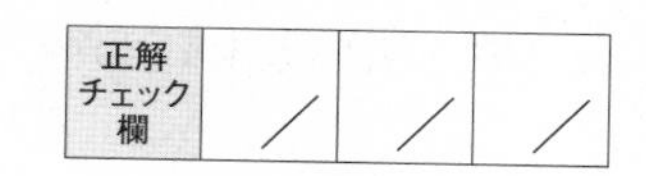

キリトリ線

国年法

本問アからオまでのそれぞれの記述の正誤は以下のとおりである。したがって，イとエを正しい記述とするCが解答となる。

ア 誤 20歳前傷病による障害基礎年金は，受給権者の前年の所得が，その者の所得税法に規定する同一生計配偶者及び扶養親族の有無及び数に応じて，政令で定める額を超えるときは，その年の10月から翌年の9月まで，その全部又は「2分の1」（子の加算額が加算された障害基礎年金にあっては，その額から子の加算額を控除した額の2分の1）に相当する部分の支給が停止される（法36条の3第1項）。

社会保険科目 218p

イ 正 本肢のとおりである（法34条3項）。

社会保険科目 215～216p

ウ 誤 受給権者が65歳以上である場合，障害基礎年金と遺族厚生年金は「併給することができる」。本肢前段の記述は正しい（法20条1項，法附則9条の2の4）。

社会保険科目 180～181p

エ 正 本肢のとおりである（法40条2項）。遺族基礎年金の失権事由に第2号被保険者となったとき，というものはない。

社会保険科目 226p

オ 誤 年金給付の支給は，受給権が消滅した日の属する月で終わる。その支払は，毎年2月，4月，6月，8月，10月及び12月の6期に，それぞれの前月までの分が支払われ，具体的な支給日は，原則として，支払期月の15日とされている。したがって，令和5年6月26日時点においては，すでに同年5月分までの年金は支払われているため，未支給年金を請求する者は，「令和5年6月分」の年金を未支給年金として請求することができる（法18条1項・3項，法19条1項ほか）。

社会保険科目 176, 198p

キリトリ線

R6-1	総合問題	重要度 B

問 93 国民年金法に関する次の記述のうち，誤っているものはどれか。

A 被保険者は，出産の予定日（厚生労働省令で定める場合にあっては，出産の日）の属する月の前月（多胎妊娠の場合においては，3か月前）から出産予定月の翌々月までの期間に係る保険料は，納付することを要しない。

B 国民年金法第90条の3第1項各号のいずれかに該当する，学生等である被保険者又は学生等であった被保険者から申請があったときは，厚生労働大臣は，その指定する期間に係る保険料につき，既に納付されたものを除き，これを納付することを要しないものとし，申請のあった日以後，当該保険料に係る期間を保険料全額免除期間（国民年金法第94条第1項の規定により追納が行われた場合にあっては，当該追納に係る期間を除く。）に算入することができる。

C 国民年金法第93条第1項の規定による保険料の前納は，厚生労働大臣が定める期間につき，月を単位として行うものとし，厚生労働大臣が定める期間のすべての保険料（既に前納されたものを除く。）をまとめて前納する場合においては，6か月又は年を単位として行うことを要する。

D 基礎年金拠出金の額は，保険料・拠出金算定対象額に当該年度における被保険者の総数に対する当該年度における当該政府及び実施機関に係る被保険者の総数の比率に相当するものとして毎年度政令で定めるところにより算定した率を乗じて得た額とする。

E 国民年金事業の事務の一部は，法律によって組織された共済組合，国家公務員共済組合連合会，全国市町村職員共済組合連合会，地方公務員共済組合連合会又は日本私立学校振興・共済事業団に行わせることができる。

国年法

キリトリ線

正解チェック欄	／	／	／

正解 C

社会保険科目 244p

A 正 本肢のとおりである（法88条の2）。

社会保険科目 249p

B 正 本肢のとおりである（法90条の3第1項）。

C 誤 保険料の前納は，厚生労働大臣が定める期間につき，「6月又は年」を単位として，行うものとする。ただし，厚生労働大臣が定める期間のすべての保険料（既に前納されたものを除く）をまとめて前納する場合においては，「6月又は年を単位として行うことを要しない」（令7条）。

社会保険科目 252p

D 正 本肢のとおりである（法94条の3第1項）。

社会保険科目 145p

E 正 本肢のとおりである（法3条2項）。

キリトリ線

R6-2	総合問題	重要度 A

問 94 国民年金法に関する次のアからオの記述のうち，正しいものの組合せは，後記AからEまでのうちどれか。

ア　障害基礎年金を受けることができる者とは，初診日に，被保険者であること又は被保険者であった者であって日本国内に住所を有し，かつ，60歳以上65歳未満であることのいずれかに該当する者であり，障害認定日に政令で定める障害の状態にある者である。なお，保険料納付要件は満たしているものとする。

イ　国民年金法第30条の4の規定による障害基礎年金は，受給権者の前年の所得が，その者の所得税法に規定する同一生計配偶者及び扶養親族の有無及び数に応じて，政令で定める額を超えるときは，その年の10月から翌年の9月まで，政令で定めるところにより，その全部又は3分の1に相当する部分の支給を停止する。

ウ　障害基礎年金を受けることができる者とは，初診日の前日において，初診日の属する月の前々月までに被保険者期間があり，国民年金の保険料納付済期間と保険料免除期間を合算した期間が3分の2以上である者，あるいは初診日が令和8年4月1日前にあるときは，初診日において65歳未満であれば，初診日の前日において，初診日の属する月の前々月までの1年間（当該初診日において被保険者でなかった者については，当該初診日の属する月の前々月以前における直近の被保険者期間に係る月までの1年間）に保険料の未納期間がない者である。なお，障害認定日に政令で定める障害の状態にあるものとする。

エ　国民年金基金の加入の申出をした者は，その申出をした日に，加入員の資格を取得するものとする。

オ　国民年金基金の加入員が，第1号被保険者の資格を喪失したときは，その被保険者の資格を喪失した日の翌日に，加入員の資格を喪失する。

A（アとイとエ）　**B**（アとイとオ）　**C**（アとウとエ）
D（イとウとオ）　**E**（ウとエとオ）

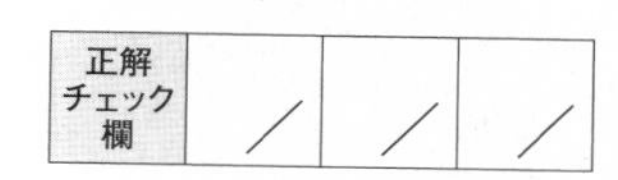

国年法

キリトリ線

本問アからオまでのそれぞれの記述の正誤は以下のとおりである。したがって，アとウとエを正しい記述とするCが解答となる。

ア　正　本肢のとおりである（法30条）。

社会保険科目 206p

イ　誤　国民年金法30条の4のいわゆる20歳前障害による障害基礎年金は，受給権者の前年の所得が，その者の所得税法の規定による同一生計配偶者及び扶養親族の有無及び数に応じて，政令で定める額を超えるときは，その年の10月から翌年の9月まで，原則として，その全部又は「2分の1」に相当する部分の支給が停止される（法36条の3第1項）。

社会保険科目 218p

ウ　正　本肢のとおりである（法30条）。

社会保険科目 206～207p

エ　正　本肢のとおりである（法127条2項）。

社会保険科目 268p

オ　誤　国民年金基金の加入員が，第1号被保険者の資格を喪失したときは，その喪失した「日」に，加入員の資格を喪失する（法127条3項）。

社会保険科目 269p

キリトリ線

R6-3	総合問題	重要度 A

国年法

問 95 国民年金法に関する次の記述のうち，誤っているものはどれか。

A 国民年金法第101条第1項に規定する処分の取消の訴えは，当該処分についての再審査請求に対する社会保険審査会の裁定を経た後でなければ，提起することができない。

B 労働基準法の規定による障害補償を受けることができるときにおける障害基礎年金並びに同法の規定による遺族補償が行われるべきものであるときにおける遺族基礎年金又は寡婦年金については，6年間，その支給を停止する。

C 国民年金基金連合会は，厚生労働大臣の認可を受けることによって，国民年金基金が支給する年金及び一時金につき一定額が確保されるよう，国民年金基金の拠出金等を原資として，国民年金基金の積立金の額を付加する事業を行うことができる。

D 積立金の運用は，厚生労働大臣が，国民年金法第75条の目的に沿った運用に基づく納付金の納付を目的として，年金積立金管理運用独立行政法人に対し，積立金を寄託することにより行うものとする。

E 国民年金事務組合は，その構成員である被保険者の委託を受けて，当該被保険者に係る資格の取得及び喪失並びに種別の変更に関する事項，氏名及び住所の変更に関する事項の届出をすることができる。

キリトリ線

正解チェック欄	／	／	／

A　誤　被保険者の資格に関する処分又は給付に関する処分（共済組合等が行った障害基礎年金に係る障害の程度の診査に関する処分を除く）の取消しの訴えは，当該処分についての「審査請求」に対する「社会保険審査官」の「決定」を経た後でなければ，提起することができない（法101条の2）。なお，「国民年金法101条1項に規定する処分」には，保険料等に関する処分も含まれるが，保険料等に関する処分は，当該処分についての審査請求に対する社会保険審査官の決定を経なくても処分の取消しの訴えを提起できる。

社会保険科目 259p

B　正　本肢のとおりである（法36条1項，法41条1項，法52条）。

社会保険科目 216, 224, 229p

C　正　本肢のとおりである（法137条の15第2項）。

社会保険科目 274p

D　正　本肢のとおりである（法76条1項）。

社会保険科目 238p

E　正　本肢のとおりである（法109条1項）。

社会保険科目 170p

R6-5	総合問題	重要度 A

問 96　国民年金法に関する次の記述のうち，正しいものはどれか。

A　第1号被保険者が国民年金法第88条の2の規定による産前産後期間の保険料免除制度を利用するには，同期間終了日以降に年金事務所又は市町村（特別区を含む。以下本問において同じ。）の窓口に申出書を提出しなければならない。

B　学生納付特例制度を利用することができる学生には高等学校に在籍する生徒も含まれるが，定時制及び通信制課程の生徒は，学生納付特例制度を利用することができない。

C　矯正施設の収容者は，市町村に住民登録がなく，所得に係る税の申告が行えないため，保険料免除制度を利用できない。

D　第1号被保険者が国民年金法第88条の2の規定による産前産後期間の保険料免除制度を利用すると，将来，受給する年金額を計算する時に当該制度を利用した期間も保険料を納付した期間とするため，産前産後期間については保険料納付済期間として老齢基礎年金が支給される。

E　配偶者から暴力を受けて避難している被保険者が，配偶者の前年所得を免除の審査対象としない特例免除を利用するには，配偶者と住民票上の住居が異ならなければならないことに加えて，女性相談支援センター等が発行する配偶者からの暴力の被害者の保護に関する証明書によって配偶者から暴力があった事実を証明しなければならない。

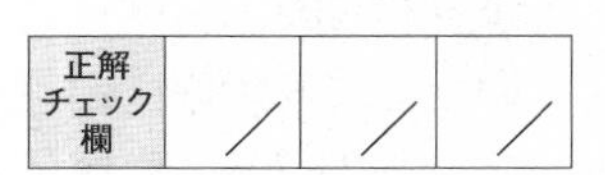

A　誤　産前産後期間の保険料免除の適用を受ける第1号被保険者は，産前産後免除該当届を市町村長に提出しなければならないが，「当該届出は出産の予定日の6月前から行うことができる」(則73条の7第1項・3項)。

社会保険科目
244~245p

B　誤　学生納付特例制度を利用することができる学生には高等学校に在籍する生徒も含まれるが，定時制及び通信制課程の生徒も，所定の要件を満たす限り，学生納付特例制度を「利用することができる」(令11条の8)。

社会保険科目
249p

C　誤　矯正施設の収容者は，矯正施設の収容期間中の住民登録がなかった期間であっても，日本国内に住所があったと認められるから，「保険料免除制度を利用することができる」。また，税の申告が行えず，免除申請書に所得証明の添付等が行えない収容者であっても，所得の申立書を添付することにより所得証明の添付等を省略することができる（平26.9.19年管管発0919第1号)。

D　正　本肢のとおりである（法5条1項)。

社会保険科目
244p

E　誤　配偶者と住民票上の住所が同一であっても，実際の住居が異なるのであれば特例免除の適用を受けることができる。また，裁判所において発行する保護命令に係る書類等他の公的機関が発行する配偶者からの暴力を理由として保護した旨を証する書類の提示をもって本肢の「証明書に代えることができる」ほか，女性相談支援センター等以外の配偶者暴力対応機関（配偶者暴力相談支援センター，福祉事務所及び市町村における配偶者暴力相談支援担当部署）や地方公共団体と連携して配偶者からの暴力を受けた者の支援を行っている民間支援団体（一時保護委託を受けている民間シェルター，配偶者暴力に関する協議会参加団体，補助金等交付団体）が発行した「確認書」も，本肢の証明書と同様のものとして取り扱うこととされている（平19.2.21庁保険発0221001号，平24.7.6年管管発0706第1号)。

R6-8	総合問題	重要度 A

問 97 国民年金法に関する次の記述のうち，正しいものはいくつあるか。

ア　国民年金法第4条の3第1項の規定により，政府は，少なくとも5年ごとに，保険料及び国庫負担の額並びにこの法律による給付に要する費用の額その他の国民年金事業の財政に係る収支についてその現況及び財政均衡期間における見通しを作成しなければならない。

イ　年金の給付は，毎年2月，4月，6月，8月，10月及び12月の6期に，それぞれの前月までの分が支払われることになっており，前支払期月に支払われるべきであった年金又は権利が消滅した場合若しくは年金の支給を停止した場合におけるその期の年金であっても，その支払期月でない月に支払われることはない。

ウ　付加保険料の納付は，国民年金法第88条の2の規定により保険料を納付することを要しないものとされた第1号被保険者の産前産後期間の各月については行うことができないとされている。

エ　年金給付の支給は，これを支給すべき事由が生じた日の属する月の翌月から始め，権利が消滅した日の属する月で終わるものとする。一方，その支給を停止すべき事由が生じたときは，その事由が生じた日の属する月の翌月からその事由が消滅した日の属する月までの分の支給を停止するが，これらの日が同じ月に属する場合は，支給を停止しない。

オ　国民年金法第20条第1項の併給の調整の規定により，支給停止された年金給付については，同条第2項の支給停止の解除申請により選択受給することができるが，申請時期は，毎年，厚生労働大臣が受給権者に係る現況の確認を行う際に限られる。

A　一つ
B　二つ
C　三つ
D　四つ
E　五つ

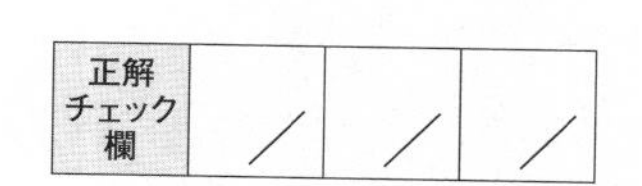

正解チェック欄	／	／	／

本問アからオまでのそれぞれの記述の正誤は以下のとおりである。したがって，正しい記述はア及びエの2つであり，Bが解答となる。

ア　正　本肢のとおりである（法4条の3第1項）。

社会保険科目 146p

イ　誤　前支払期月に支払うべきであった年金又は権利が消滅した場合若しくは年金の支給を停止した場合におけるその期の年金は，その支払期月でない月であっても「支払う」。その他の記述については正しい（法18条3項）。

社会保険科目 176p

ウ　誤　産前産後期間の保険料免除の適用を受けている第1号被保険者についても，所定の要件を満たす限り，「付加保険料を納付することができる」（法87条の2第1項）。

社会保険科目 242p

エ　正　本肢のとおりである（法18条1項）。

社会保険科目 176p

オ　誤　本肢の解除申請は，厚生労働大臣による「現況の確認以外の際にも行うことができる」。本肢前段の記述は正しい（法20条2項）。

社会保険科目 180p

R6-9	総合問題	重要度 A

問 98　国民年金法に関する次の記述のうち，正しいものはどれか。

A　甲（昭和34年4月20日生まれ）は，20歳以後の学生であった期間は国民年金の加入が任意であったため加入していない。大学卒業後7年間は厚生年金保険の被保険者であったが，30歳で結婚してから15年間は第3号被保険者であった。その後，45歳から20年間，再び厚生年金保険の被保険者となっていたが65歳の誕生日で退職した。甲の老齢基礎年金は満額にならないため，65歳以降国民年金に任意加入して保険料を納付することができる。

B　老齢基礎年金の受給権を有する者であって66歳に達する前に当該老齢基礎年金を請求していなかった者が，65歳に達した日から66歳に達した日までの間において遺族厚生年金の受給権者となったが，実際には遺族厚生年金は受給せず老齢厚生年金を受給する場合は，老齢基礎年金の支給繰下げの申出をすることができる。

C　政府は，国民年金事業に要する費用に充てるため，被保険者期間の計算の基礎となる各月につき保険料を徴収することとなっているが，被保険者は，将来の一定期間の保険料を前納することができる。その場合，国民年金法第87条第3項の表に定める額に保険料改定率を乗じて得た額となり，前納による控除は適用されない。

D　積立金の運用は，積立金が国民年金の被保険者から徴収された保険料の一部であり，かつ，将来の給付の貴重な財源となるものであることに特に留意し，専ら国民年金の被保険者の利益のために，長期的な観点から，安全かつ効率的に行うことにより，将来にわたって，国民年金事業の運営の安定に資することを目的として行うものとされている。

E　国民年金基金は，加入員又は加入員であった者に対し，年金の支給を行い，あわせて加入員又は加入員であった者の死亡に関しても，年金の支給を行うものとする。

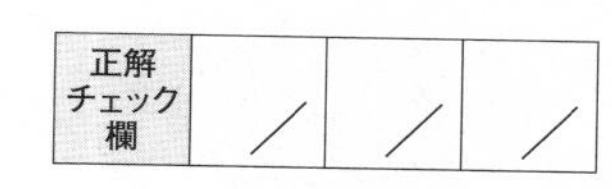

A 誤 老齢又は退職を支給事由とする年金たる給付の受給権者は，65歳以上70歳未満の特例による任意加入被保険者となることができない。本肢の者の保険料納付済期間は10年以上あり，65歳に達した時点で老齢基礎年金の受給権を取得しているため，本肢の者は「任意加入することができない」（平6法附則11条1項，平16法附則23条1項）。

社会保険科目 154p

B 誤 65歳に達した日から66歳に達した日までの間において遺族厚生年金などの他の年金たる給付の「受給権者となった」ときは，老齢基礎年金の「支給繰下げの申出をすることはできない」（法28条1項）。

社会保険科目 202p

C 誤 保険料を前納する場合の前納すべき額は，当該期間の各月の保険料の額から「政令で定める額を控除した額」である（法87条1項・2項，法93条1項・2項）。

社会保険科目 252p

D 正 本肢のとおりである（法75条）。

社会保険科目 238p

E 誤 国民年金基金は，加入員又は加入員であった者に対し，年金の支給を行い，あわせて加入員又は加入員であった者の死亡に関し，「一時金」の支給を行うものとされている（法128条1項）。

社会保険科目 269p

R6-10	総合問題	重要度 A

問 99 国民年金法に関する次の記述のうち，正しいものはどれか。

A 被保険者又は被保険者であった者の死亡の当時その者によって生計を維持していた配偶者は，遺族基礎年金を受けることができる子と生計を同じくし，かつ，その当時日本国内に住所を有していなければ遺族基礎年金を受けることができない。なお，死亡した被保険者又は被保険者であった者は保険料の納付要件を満たしているものとする。

B 第2号被保険者である50歳の妻が死亡し，その妻により生計を維持されていた50歳の夫に遺族基礎年金の受給権が発生し，16歳の子に遺族基礎年金と遺族厚生年金の受給権が発生した。この場合，子が遺族基礎年金と遺族厚生年金を受給し，その間は夫の遺族基礎年金は支給停止される。

C 死亡日の前日において死亡日の属する月の前月までの第1号被保険者としての被保険者期間に係る保険料半額免除期間を48月有し，かつ，4分の1免除期間を12月有している者で，所定の要件を満たす被保険者が死亡した場合に，その被保険者の死亡によって遺族基礎年金又は寡婦年金を受給できる者はいないが，死亡一時金を受給できる遺族がいるときは，その遺族に死亡一時金が支給される。

D 国民年金法第30条の3に規定するいわゆる基準障害による障害基礎年金は，65歳に達する日の前日までに，基準障害と他の障害とを併合して初めて障害等級1級又は2級に該当する程度の障害の状態となった場合に支給される。ただし，請求によって受給権が発生し，支給は請求のあった月からとなる。

E 保険料その他この法律の規定による徴収金を滞納する者があるときは，厚生労働大臣は，督促状により期限を指定して督促することができるが，この期限については，督促状を発する日から起算して10日以上を経過した日でなければならない。

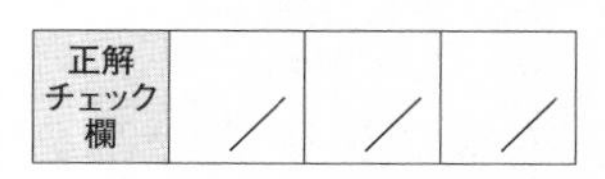

正解チェック欄	／	／	／

A　誤　遺族基礎年金の支給を受けることができる遺族の要件に「国内居住要件はない」。したがって，本肢の配偶者は，日本国内に住所を有していなくても，遺族基礎年金を受けることができる（法37条の２第１項）。

社会保険科目 222p

B　誤　子に対する遺族基礎年金は，原則として，配偶者（本肢でいう父）が遺族基礎年金の受給権を有するときは，その間，その支給が停止される。したがって，本肢の場合，「夫が遺族基礎年金を受給し，子が遺族厚生年金を受給する（子の遺族基礎年金は支給停止）」（法41条２項）。

社会保険科目 225p

C　誤　本肢の者は保険料半額免除期間を48月有し，保険料４分の１免除期間を12月有しているため，48月×1/2＋12×3/4＝33月となり，36月に満たないため，「死亡一時金は支給されない」（法52条の２第１項）。

社会保険科目 230p

D　誤　基準障害による障害基礎年金は，請求をせずとも「所定の支給要件を満たした時点でその受給権が発生する」。また，基準障害による障害基礎年金の支給は，その請求があった月の「翌月」から始まる（法30条の３第１項・３項）。

社会保険科目 209p

E　正　本肢のとおりである（法96条１項～３項）。

社会保険科目 255p

第3編

厚生年金保険法

おことわり

被用者年金制度の一元化（厚生年金保険法等の改正）により，従来は厚生年金保険の適用除外とされていた共済組合の組合員及び私学教職員共済制度の加入者も，平成27年10月からは厚生年金保険に加入することとなり，2階建ての公的年金制度における2階部分の年金（被用者年金制度）は，厚生年金保険に統一され，今までとは大きく様変わりすることとなりました。

共済組合の組合員及び私学教職員共済制度の加入者については，平成27年10月からは厚生年金保険の被保険者となりますが，それぞれ実施機関が異なり，取扱いが異なる部分もあることから，厚生年金保険の被保険は下記のとおり4つの種別に分けられています。

①以下の②～④の被保険者以外の厚生年金保険の被保険者……第1号厚生年金被保険者

②国家公務員共済組合の組合員たる厚生年金保険の被保険者……第2号厚生年金被保険者

③地方公務員共済組合の組合員たる厚生年金保険の被保険者……第3号厚生年金被保険者

④私立学校教職員共済法の規定による私立学校教職員共済制度の加入者たる厚生年金保険の被保険者……第4号厚生年金被保険者

従来からの厚生年金保険の被保険者である第1号厚生年金被保険者「以外の被保険者」については，取扱いが異なる点もあり，また2以上の種別の被保険者期間を有する者については，年金たる保険給付の併給の調整や保険給付についての特例などが定められています。

本書では，平成27年度以前の過去問題は，被用者年金制度の一元化「前」のものであり，出題当時は，当然，上記の種別や特例は想定されていません。

本書では，できる限り被用者年金制度一元化の改正を考慮して問題を改題しておりますが，どうしても対応できない部分も出てくるため，下記事項を考慮した上で，本書を利用してください。

1. 本書平成27年度以前の過去問について，特に記載がない場合には，第2号厚生年金被保険者，第3号厚生年金被保険者及び第4号厚生年金被保険者及びこれらの被保険者期間については考慮する必要はなく，また，2以上の種別の被保険者期間を有する者についても考慮する必要はないこと
2. 本書平成27年度以前の過去問について，特に記載がない場合には，厚生労働大臣以外の実施機関が支給する保険給付については考慮する必要はないこと

過去10年間の出題傾向

厚生年金保険法

□…選択式　○…択一式

出題項目＼年度	平成27年	平成28年	平成29年	平成30年	令和元年	令和２年	令和３年	令和４年	令和５年	令和６年
総則				○	□	○	□		□○	
適用事業所		○	○	○	○		□	○	○	
被保険者の資格	○	○	○	○	○	○	○	○	○	○
被保険者期間				○			○	○	○	○
標準報酬月額	○	○	○	□○	○	○	○	○	○	□○
届出等	○	○	○	○	○	□○	○		○	○
保険給付の通則	○		○	○	□○		○	○		○
老齢厚生年金	□○	□○	○	○	○	□○	○	□○	□○	○
障害厚生年金・障害手当金	○	○	○	○	○	○	○	□○	□○	□○
遺族厚生年金	○	○	□○	○	○	○	○	□○	□○	□○
その他の保険給付	○		○	○	○	□	○			○
保険給付の制限	○									
離婚時の年金分割	○	○	□○		○	□○	○			
費用の負担	○		□○	□○	□○	○	□	□○	○	□○
厚生年金保険事業の円滑な実施を図るための措置		□								
不服申立て・雑則		○	○	○		○				○
時効			○	○				○		

厚年法

R5-選択　権限の委任・年金額の改定・支給停止等

問 1　次の文中の[　　]の部分を選択肢の中の最も適切な語句で埋め，完全な文章とせよ。

1　厚生年金保険法第100条の9の規定によると，同法に規定する厚生労働大臣の権限（同法第100条の5第1項及び第2項に規定する厚生労働大臣の権限を除く。）は，厚生労働省令（同法第28条の4に規定する厚生労働大臣の権限にあっては，政令）で定めるところにより，[A]に委任することができ，[A]に委任された権限は，厚生労働省令（同法第28条の4に規定する厚生労働大臣の権限にあっては，政令）で定めるところにより，[B]に委任することができるとされている。

2　甲は20歳の誕生日に就職し，厚生年金保険の被保険者の資格を取得したが，40代半ばから物忘れによる仕事でのミスが続き，46歳に達した日に退職をし，その翌日に厚生年金保険の被保険者の資格を喪失した。退職した後，物忘れが悪化し，退職の3か月後に，当該症状について初めて病院で診察を受けたところ，若年性認知症の診断を受けた。その後，当該認知症に起因する障害により，障害認定日に障害等級2級に該当する程度の障害の状態にあると認定された。これにより，甲は障害年金を受給することができたが，障害等級2級に該当する程度の障害の状態のまま再就職することなく，令和5年4月に52歳で死亡した。甲には，死亡の当時，生計を同一にする50歳の妻（乙）と17歳の未婚の子がおり，乙の前年収入は年額500万円，子の前年収入は0円であった。この事例において，甲が受給していた障害年金と乙が受給できる遺族年金をすべて挙げれば，[C]となる。

3　令和X年度の年金額改定に用いる物価変動率がプラス0.2％，名目手取り賃金変動率がマイナス0.2％，マクロ経済スライドによるスライド調整率がマイナス0.3％，前年度までのマクロ経済スライドの未調整分が0％だった場合，令和X年度の既裁定者（令和X年度が68歳到達年度以後である受給権者）の年金額は，前年度から[D]となる。なお，令和X年度においても，現行の年金額の改定ルールが適用されているものとする。

キリトリ線

重要度 B

4 厚生年金保険法第67条第1項の規定によれば，配偶者又は子に対する遺族厚生年金は，その配偶者又は子の所在が［ E ］以上明らかでないときは，遺族厚生年金の受給権を有する子又は配偶者の申請によって，その所在が明らかでなくなったときにさかのぼって，その支給を停止する。

選択肢

① 0.1％の引下げ　② 0.2％の引下げ
③ 0.5％の引下げ　④ 1か月
⑤ 1年　⑥ 3か月
⑦ 3年　⑧ 国税庁長官
⑨ 財務大臣　⑩ 市町村長
⑪ 障害基礎年金，遺族基礎年金
⑫ 障害基礎年金，遺族基礎年金，遺族厚生年金
⑬ 障害基礎年金，障害厚生年金，遺族基礎年金
⑭ 障害基礎年金，障害厚生年金，遺族基礎年金，遺族厚生年金
⑮ 据置き　⑯ 地方厚生局長
⑰ 地方厚生支局長　⑱ 都道府県知事
⑲ 日本年金機構理事長　⑳ 年金事務所長

厚年法

キリトリ線

正解チェック欄	／	／	／

【解　答】

A　⑯ 地方厚生局長

B　⑰ 地方厚生支局長

C　⑫ 障害基礎年金，遺族基礎年金，遺族厚生年金

D　② 0.2%の引下げ

E　⑤ 1年

【解　説】

本問1は，地方厚生局長等への権限の委任に関する問題であり，厚生年金保険法100条の9からの出題である。

厚生年金保険法100条の9の規定によると，同法に規定する厚生労働大臣の権限（同法100条の5第1項及び2項に規定する厚生労働大臣の権限を除く）は，厚生労働省令（同法28条の4に規定する厚生労働大臣の権限にあっては，政令）で定めるところにより，地方厚生局長に委任することができ，地方厚生局長に委任された権限は，厚生労働省令（同法28条の4に規定する厚生労働大臣の権限にあっては，政令）で定めるところにより，地方厚生支局長に委任することができるとされている。

社会保険科目 286p

本問2は，保険給付等に関する問題であり，厚生年金保険法47条，同法58条1項，同法59条1項，国民年金法30条，同法37条及び同法37条の2からの出題である。

甲は20歳の誕生日に就職し，厚生年金保険の被保険者の資格を取得したが，40代半ばから物忘れによる仕事でのミスが続き，46歳に達した日に退職をし，その翌日に厚生年金保険の被保険者の資格を喪失した。退職した後，物忘れが悪化し，退職の3か月後に，当該症状について初めて病院で診察を受けたところ，若年性認知症の診断を受けた。その後，当該認知症に起因する障害により，障害認定日に障害等級2級に該当する程度の障害の状態にあると認定された。これにより，甲は障害年金を受給することができたが，障害等級2級に該当する程度の障害の状態のまま再就職することなく，令和5年4月に52歳で死亡した。甲には，死亡の当時，生計を同一にする50歳の妻（乙）と17歳の未婚の子がおり，乙の前年収入は年額500万円，子の前年収入は0円であった。この事例において，甲が受給していた障害年金と乙が受給できる遺族年金をすべて挙げれば，障害基礎年金，遺族基礎年金，遺族厚生年金となる。

本問3は，年金額の改定に関する問題であり，厚生年金保険法43条の5からの出題である。

令和X年度の年金額改定に用いる物価変動率がプラス0.2％，名目手取り賃金変動率がマイナス0.2％，マクロ経済スライドによるスライド調整率がマイナス0.3％，前年度までのマクロ経済スライドの未調整分が0％だった場合，令和X年度の既裁定者（令和X年度が68歳到達年度以後である受給権者）の年金額は，前年度から0.2％の引下げとなる。なお，令和X年度においても，現行の年金額の改定ルールが適用されているものとする。

本問4は，遺族厚生年金の支給停止に関する問題であり，厚生年金保険法67条1項からの出題である。

厚生年金保険法第67条第1項の規定によれば，配偶者又は子に対する遺族厚生年金は，その配偶者又は子の所在が1年以上明らかでないときは，遺族厚生年金の受給権を有する子又は配偶者の申請によって，その所在が明らかでなくなったときにさかのぼって，その支給を停止する。

社会保険科目
377p

MEMO

キリトリ線

R3-選択	賞与・交付金・適用事業所の一括	重要度 A

問 2

次の文中の[　　]の部分を選択肢の中の最も適切な語句で埋め，完全な文章とせよ。

1　厚生年金保険法における賞与とは，賃金，給料，俸給，手当，賞与その他いかなる名称であるかを問わず，労働者が労働の対償として受ける全てのもののうち，[A]受けるものをいう。

2　厚生年金保険法第84条の3の規定によると，政府は，政令で定めるところにより，毎年度，実施機関（厚生労働大臣を除く。以下本問において同じ。）ごとに実施機関に係る[B]として算定した金額を，当該実施機関に対して[C]するとされている。

3　厚生年金保険法第8条の2第1項の規定によると，2以上の適用事業所（[D]を除く。）の事業主が同一である場合には，当該事業主は，[E]当該2以上の事業所を1の事業所とすることができるとされている。

厚年法

選択肢

① 2か月を超える期間ごとに　② 3か月を超える期間ごとに
③ 4か月を超える期間ごとに　④ 拠出金として交付
⑤ 国又は地方公共団体　⑥ 厚生年金保険給付費等
⑦ 厚生労働大臣に届け出ることによって，
⑧ 厚生労働大臣の確認を受けることによって，
⑨ 厚生労働大臣の承認を受けて，　⑩ 厚生労働大臣の認可を受けて，
⑪ 交付金として交付　⑫ 執行に要する費用等
⑬ 事務取扱費等　⑭ 船　舶
⑮ その事業所に使用される労働者の数が政令で定める人数以下のもの
⑯ 特定適用事業所　⑰ 特別支給金として支給
⑱ 納付金として支給　⑲ 予備費等
⑳ 臨時に

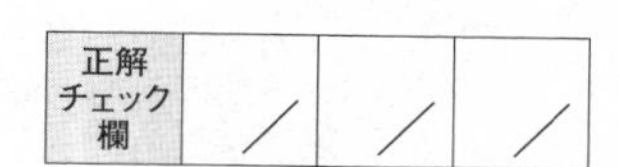

【解　答】

A　② 3か月を超える期間ごとに

B　⑥ 厚生年金保険給付費等

C　⑪ 交付金として交付

D　⑭ 船舶

E　⑨ 厚生労働大臣の承認を受けて，

【解　説】

本問1は，賞与の定義に関する問題であり，厚生年金保険法（以下本問において「法」とする）3条1項4号からの出題である。

厚生年金保険法における賞与とは，賃金，給料，俸給，手当，賞与その他いかなる名称であるかを問わず，労働者が労働の対償として受ける全てのもののうち，3か月を超える期間ごとに受けるものをいう。

社会保険科目 302p

本問2は，交付金に関する問題であり，法84条の3からの出題である。

法84条の3の規定によると，政府は，政令で定めるところにより，毎年度，実施機関（厚生労働大臣を除く。以下本問において同じ）ごとに実施機関に係る厚生年金保険給付費等として算定した金額を，当該実施機関に対して交付金として交付するとされている。

社会保険科目 404p

本問3は，適用事業所の一括に関する問題であり，法8条の2第1項からの出題である。

法8条の2第1項の規定によると，2以上の適用事業所（船舶を除く）の事業主が同一である場合には，当該事業主は，厚生労働大臣の承認を受けて，当該2以上の事業所を1の事業所とすることができるとされている。

社会保険科目 290p

MEMO

厚年法

H27-選択	老齢厚生年金の特例

問 3 次の文中の[　　]の部分を対応する選択肢群の中の最も適切な語句で埋め，完全な文章とせよ。なお，本問の者は，特定警察職員等でないものとし，第1号厚生年金被保険者期間のみ有する者とする。また，平成28年10月1日前において支給事由の生じた厚生年金保険法附則9条に規定するいわゆる障害者の特例及び長期加入者の特例による老齢厚生年金の受給権者であって，同日前から引き続き同一の事業所において短時間労働者として勤務しており，平成28年10月1日に短時間労働者として厚生年金保険の適用拡大の対象に該当したことにより，厚生年金被保険者となった者であって，同日以後引き続き当該被保険者の資格を有することとなった者ではないものとする。

昭和30年4月2日生まれの男子に係る特別支給の老齢厚生年金について，報酬比例部分の支給開始年齢は62歳であり，定額部分の支給は受けられないが，

(1)　厚生年金保険法附則第9条の2第1項及び第5項各号に規定する，傷病により障害等級に該当する程度の障害の状態にあるとき

(2)　被保険者期間が[A]以上であるとき

(3)　坑内員たる被保険者であった期間と船員たる被保険者であった期間とを合算した期間が[B]以上であるとき

のいずれかに該当する場合には，60歳台前半に定額部分の支給を受けることができる。

上記(1)から(3)のうち，「被保険者でない」という要件が求められるのは，[C]であり，定額部分の支給を受けるために受給権者の請求が必要（請求があったものとみなされる場合を含む。）であるのは，[D]である。

また(3)に該当する場合，この者に支給される定額部分の年金額（平成27年度）は，[E]に改定率を乗じて得た額（その額に50銭未満の端数が生じたときは，これを切り捨て，50銭以上1円未満の端数が生じたときは，これを1円に切り上げる。）に被保険者期間の月数（当該月数が480か月を超えるときは480か月とする。）を乗じて得た額である。

重要度 A

選択肢

A	① 42 年	② 43 年	③ 44 年	④ 45 年
B	① 10 年	② 15 年	③ 20 年	④ 25 年
C	① (1)及び(2) ③ (2)のみ		② (1)，(2)及び(3) ④ (2)及び(3)	
D	① (1)のみ ③ (1)及び(3)		② (1)及び(2) ④ (1)，(2)及び(3)	
E	① 1,628円 ② 1,628円に生年月日に応じて政令で定める率である1.032を乗じて得た額 ③ 1,676円 ④ 1,676円に生年月日に応じて政令で定める率である1.032を乗じて得た額			

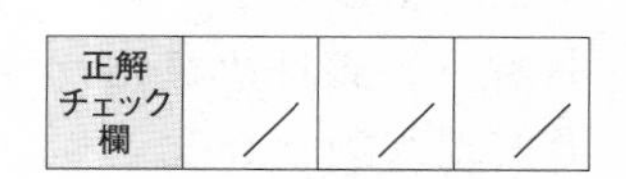

厚年法

【解　答】

A　③ 44年

B　② 15年

C　① (1)及び(2)

D　① (1)のみ

E　① 1,628円

【解　説】

本問は，60歳台前半の老齢厚生年金の特例に関する問題であり，厚生年金保険法（以下本問において「法」とする）附則9条の2，法附則9条の3及び法附則9条の4ほかからの出題である。

昭和30年4月2日生まれの男子に係る特別支給の老齢厚生年金について，報酬比例部分の支給開始年齢は62歳であり，定額部分の支給は受けられないが，

(1)　厚生年金保険法附則9条の2第1項及び第5項各号に規定する，傷病により障害等級に該当する程度の障害の状態にあるとき

(2)　被保険者期間が44年以上であるとき

社会保険科目 337～338p

(3)　坑内員たる被保険者であった期間と船員たる被保険者であった期間とを合算した期間が15年以上であるとき

のいずれかに該当する場合には，60歳台前半に定額部分の支給を受けることができる。

上記の(1)から(3)のうち，「被保険者でない」という要件が求められるのは，(1)及び(2)であり，定額部分の支給を受けるために受給権者の請求が必要（請求があったものとみなされる場合を含む。）であるのは，(1)のみである。

社会保険科目 337～338p

また(3)に該当する場合，この者に支給される定額部分の年金額（平成27年度）は，1,628円に改定率を乗じて得た額（その額に50銭未満の端数が生じたときは，これを切り捨て，50銭以上1円未満の端数が生じたときは，これを1円に切り上げる。）に被保険者期間の月数（当該月数が480か月を超えるときは，480か月とする。）を乗じて得た額である。

社会保険科目 334p

MEMO

厚年法

R2-選択　被保険者に対する情報の提供・老齢厚生年金の支給繰下げ等

問 4　次の文中の[　　]の部分を選択肢の中の最も適切な語句で埋め，完全な文章とせよ。

1　厚生年金保険法第31条の2の規定によると，実施機関は，厚生年金保険制度に対する[A]を増進させ，及びその信頼を向上させるため，主務省令で定めるところにより，被保険者に対し，当該被保険者の保険料納付の実績及び将来の給付に関する必要な情報を分かりやすい形で通知するものとするとされている。

2　厚生年金保険法第44条の3第1項の規定によると，老齢厚生年金の受給権を有する者であってその[B]前に当該老齢厚生年金を請求していなかったものは，実施機関に当該老齢厚生年金の支給繰下げの申出をすることができるとされている。ただし，その者が当該老齢厚生年金の受給権を取得したときに，他の年金たる給付（他の年金たる保険給付又は国民年金法による年金たる給付（[C]を除く。）をいう。）の受給権者であったとき，又は当該老齢厚生年金の[B]までの間において他の年金たる給付の受給権者となったときは，この限りでないとされている。

3　厚生年金保険法第78条の2第1項の規定によると，第1号改定者又は第2号改定者は，離婚等をした場合であって，当事者が標準報酬の改定又は決定の請求をすること及び請求すべき[D]について合意しているときは，実施機関に対し，当該離婚等について対象期間に係る被保険者期間の標準報酬の改定又は決定を請求することができるとされている。ただし，当該離婚等をしたときから[E]を経過したときその他の厚生労働省令で定める場合に該当するときは，この限りでないとされている。

キリトリ線

重要度 **A**

選択肢

① 1　年	② 2　年
③ 3　年	④ 6か月
⑤ 按分割合	⑥ 改定額
⑦ 改定請求額	⑧ 改定割合
⑨ 国民の理解	⑩ 受給権者の理解

⑪ 受給権を取得した日から起算して1か月を経過した日
⑫ 受給権を取得した日から起算して1年を経過した日
⑬ 受給権を取得した日から起算して5年を経過した日
⑭ 受給権を取得した日から起算して6か月を経過した日
⑮ 被保険者及び被保険者であった者の理解
⑯ 被保険者の理解
⑰ 付加年金及び障害基礎年金並びに遺族基礎年金
⑱ 老齢基礎年金及び障害基礎年金並びに遺族基礎年金
⑲ 老齢基礎年金及び付加年金並びに遺族基礎年金
⑳ 老齢基礎年金及び付加年金並びに障害基礎年金

厚年法

キリトリ線

正解チェック欄	／	／	／

【解　答】

A　⑨ 国民の理解

B　⑫ 受給権を取得した日から起算して1年を経過した日

C　⑳ 老齢基礎年金及び付加年金並びに障害基礎年金

D　⑤ 按分割合

E　② 2年

【解　説】

本問1は，被保険者に対する情報の提供に関する問題であり，厚生年金保険法（以下「法」とする）31条の2からの出題である。

法31条の2の規定によると，実施機関は，厚生年金保険制度に対する国民の理解を増進させ，及びその信頼を向上させるため，主務省令で定めるところにより，被保険者に対し，当該被保険者の保険料納付の実績及び将来の給付に関する必要な情報を分かりやすい形で通知するものとするとされている。

社会保険科目
313p

本問2は，老齢厚生年金の支給繰下げに関する問題であり，法44条の3第1項からの出題である。

法44条の3第1項の規定によると，老齢厚生年金の受給権を有する者であってその受給権を取得した日から起算して1年を経過した日前に当該老齢厚生年金を請求していなかったものは，実施機関に当該老齢厚生年金の支給繰下げの申出をすることができるとされている。ただし，その者が当該老齢厚生年金の受給権を取得したときに，他の年金たる給付（他の年金たる保険給付又は国民年金法による年金たる給付（老齢基礎年金及び付加年金並びに障害基礎年金を除く。）をいう。）の受給権者であったとき，又は当該老齢厚生年金の受給権を取得した日から起算して1年を経過した日までの間において他の年金たる給付の受給権者となったときは，この限りでないとされている。

社会保険科目
348p

本問3は，離婚等をした場合における標準報酬の改定の特例に関する問題であり，法78条の2第1項からの出題である。

法78条の2第1項の規定によると，第1号改定者又は第2号改定者は，離婚等をした場合であって，当事者が標準報酬の改定又は決定の請求をすること及び請求すべき按分割合について合意しているときは，実施機関に対し，当該離婚等について対象期間に係る被保険者期間の標準報酬の改定又は決定を請求することができるとされている。ただし，当該離婚等をしたときから2年を経過したときその他の厚生労働省令で定める場合に該当するときは，この限りでないとされている。

社会保険科目
379～380p

H28-選択　在職老齢年金・厚生年金保険の事業

問 5　次の文中の［　　］の部分を選択肢の中の最も適切な語句で埋め，完全な文章とせよ。

1　厚生年金保険法46条第1項の規定によると，60歳台後半の老齢厚生年金の受給権者が被保険者（前月以前の月に属する日から引き続き当該被保険者の資格を有する者に限る。）である日（厚生労働省令で定める日を除く。）が属する月において，その者の標準報酬月額とその月以前の1年間の標準賞与額の総額を12で除して得た額とを合算して得た額（以下「［ A ］」という。）及び老齢厚生年金の額（厚生年金保険法第44条第1項に規定する加給年金額及び同法第44条の3第4項に規定する加算額を除く。以下同じ。）を12で除して得た額（以下「基本月額」という。）との合計額が［ B ］を超えるときは，その月の分の当該老齢厚生年金について，［ A ］と基本月額との合計額から［ B ］を控除して得た額の2分の1に相当する額に12を乗じて得た額（以下「［ C ］」という。）に相当する部分の支給を停止する。ただし，［ C ］が老齢厚生年金の額以上であるときは老齢厚生年金の全部（同法第44条の3第4項に規定する加算額を除く。）の支給を停止するものとされている。

2　厚生年金保険法第79条の規定によると，政府等は，厚生年金保険事業の円滑な実施を図るため，厚生年金保険に関し，次に掲げる事業を行うことができるとされている。

(1)　教育及び広報を行うこと。

(2)　被保険者，受給権者その他の関係者（以下「被保険者等」という。）に対し，［ D ］を行うこと。

(3)　被保険者等に対し，被保険者等が行う手続きに関する情報その他の被保険者等の利便の向上に資する情報を提供すること。

キリトリ線

重要度 A

選択肢

①	株式会社日本政策金融公庫	②	支給調整開始額
③	支給調整基準額	④	支給停止開始額
⑤	支給停止額	⑥	支給停止基準額
⑦	支給停止調整額	⑧	生活設計の支援
⑨	制度の周知	⑩	相談その他の援助
⑪	総報酬月額	⑫	総報酬月額相当額
⑬	定額部分	⑭	独立行政法人福祉医療機構
⑮	都道府県社会福祉協議会		
⑯	年金積立金管理運用独立行政法人		
⑰	標準賞与月額相当額	⑱	平均標準報酬月額
⑲	報酬比例部分	⑳	老後の支援

厚年法

キリトリ線

※空欄Eは，改正により，削除しました。

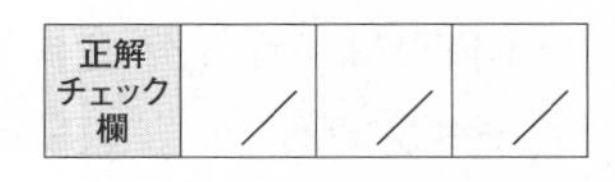

【解　答】

A　⑫ 総報酬月額相当額

B　⑦ 支給停止調整額

C　⑥ 支給停止基準額

D　⑩ 相談その他の援助

※空欄Eは，改正により，削除しました。

【解　説】

本問1は，65歳以後の在職老齢年金に関する問題であり，厚生年金保険法（以下本問において「法」とする）46条1項からの出題である。

厚生年金保険法第46条第1項の規定によると，60歳台後半の老齢厚生年金の受給権者が被保険者（前月以前の月に属する日から引き続き当該被保険者の資格を有する者に限る。）である日（厚生労働省令で定める日を除く。）が属する月において，その者の標準報酬月額とその月以前の1年間の標準賞与額の総額を12で除して得た額とを合算して得た額（以下「総報酬月額相当額」という。）及び老齢厚生年金の額（厚生年金保険法第44条第1項に規定する加給年金額及び同法第44条の3第4項に規定する加算額を除く。以下同じ。）を12で除して得た額（以下「基本月額」という。）との合計額が支給停止調整額を超えるときは，その月の分の当該老齢厚生年金について総報酬月額相当額と基本月額との合計額から支給停止調整額を控除して得た額の2分の1に相当する額に12を乗じて得た額（以下「支給停止基準額」という。）に相当する部分の支給を停止する。ただし，支給停止基準額が老齢厚生年金の額以上であるときは老齢厚生年金の全部（同法第44条の3第4項に規定する加算額を除く。）の支給を停止するものとされている。

社会保険科目
351p

本問2は，厚生年金保険事業の円滑な実施を図るための措置に関する問題であり，法79条からの出題である。

厚生年金保険法第79条の規定によると，政府等は，厚生年金保険事業の円滑な実施を図るため，厚生年金保険に関し，次に掲げる事業を行うことができるとされている。

(1) 教育及び広報を行うこと。

(2) 被保険者，受給権者その他の関係者（以下「被保険者等」という。）に対し，相談その他の援助を行うこと。

社会保険科目
410p

(3) 被保険者等に対し，被保険者等が行う手続きに関する情報その他の被保険者等の利便の向上に資する情報を提供すること。

R6-選択　国庫負担・標準賞与額・受給権の保護等

問 6　次の文中の［　　］の部分を選択肢の中の最も適切な語句で埋め，完全な文章とせよ。

1　厚生年金保険法第80条第2項の規定によると，国庫は，毎年度，予算の範囲内で，厚生年金保険事業の事務（基礎年金拠出金の負担に関する事務を含む。）の執行（実施機関（厚生労働大臣を除く。）によるものを除く。）に要する［ A ］を負担するものとされている。

2　実施機関は，被保険者が賞与を受けた月において，その月に当該被保険者が受けた賞与額に基づき，これに1,000円未満の端数を生じたときはこれを切り捨てて，その月における標準賞与額を決定するが，当該標準賞与額が［ B ］（標準報酬月額の等級区分の改定が行われたときは政令で 定める額）を超えるときは，これを［ B ］とする。

3　保険給付を受ける権利は，譲り渡し，担保に供し，又は差し押えることができない。ただし，［ C ］を受ける権利を国税滞納処分により差し押える場合は，この限りでない。

4　厚生年金保険法第58条第1項第2号の規定により，厚生年金保険の被保険者であった者が，被保険者の資格を喪失した後に，被保険者であった間に初診日がある傷病により［ D ］を経過する日前に死亡したときは，死亡した者によって生計を維持していた一定の遺族に遺族厚生年金が支給される。ただし，死亡した者が遺族厚生年金に係る保険料納付要件を満たしていない場合は，この限りでない。

5　甲（66歳）は35歳のときに障害等級3級に該当する程度の障害の状態にあると認定され，障害等級3級の障害厚生年金の受給を開始した。その後も障害の程度に変化はなく，また，老齢基礎年金と老齢厚生年金の合計額が障害等級3級の障害厚生年金の年金額を下回るため，65歳以降も障害厚生年金を受給している。一方，乙（66歳）は35歳のときに障害等級2級に該当する程度の障害の状態にあると認定され，障害等級2級の障害基礎年金と障害厚生年金の受給を開始した。しかし，40歳時点で障害の程度が軽減し，障害等級3級の障害厚生年金を受給することになった。その後，障害の程度に変化はないが，65歳以降は老齢基礎年金と老齢厚

重要度 A

生年金を受給している。今後，甲と乙の障害の程度が増進した場合，障害年金の額の改定請求は，[E]。

選択肢

①	100万円	②	150万円
③	200万円	④	250万円
⑤	遺族厚生年金	⑥	甲のみが行うことができる
⑦	甲も乙も行うことができない	⑧	甲も乙も行うことができる
⑨	乙のみが行うことができる	⑩	障害厚生年金
⑪	障害手当金	⑫	脱退一時金
⑬	当該初診日から起算して3年	⑭	当該初診日から起算して5年
⑮	被保険者の資格を喪失した日から起算して3年		
⑯	被保険者の資格を喪失した日から起算して5年		
⑰	費用	⑱	費用の2分の1
⑲	費用の3分の1	⑳	費用の4分の3

正解チェック欄	／	／	／

厚年法

キリトリ線

【解　答】

A　⑰ 費用

B　② 150万円

C　⑫ 脱退一時金

D　⑭ 当該初診日から起算して5年

E　⑨ 乙のみが行うことができる

【解　説】

本問1は，国庫負担に関する問題であり，厚生年金保険法80条2項からの出題である。

厚生年金保険法80条2項の規定によると，国庫は，毎年度，予算の範囲内で，厚生年金保険事業の事務（基礎年金拠出金の負担に関する事務を含む）の執行（実施機関（厚生労働大臣を除く）によるものを除く）に要する費用を負担するものとされている。

社会保険科目 399p

本問2は，標準賞与額の決定に関する問題であり，厚生年金保険法24条の4第1項からの出題である。

実施機関は，被保険者が賞与を受けた月において，その月に当該被保険者が受けた賞与額に基づき，これに1,000円未満の端数を生じたときはこれを切り捨てて，その月における標準賞与額を決定するが，当該標準賞与額が150万円（標準報酬月額の等級区分の改定が行われたときは政令で 定める額）を超えるときは，これを150万円とする。

社会保険科目 304p

本問3は，受給権の保護に関する問題であり，法附則29条9項からの出題である。

保険給付を受ける権利は，譲り渡し，担保に供し，又は差し押えることができない。ただし，脱退一時金を受ける権利を国税滞納処分により差し押える場合は，この限りでない。

社会保険科目 325p

本問4は，遺族厚生年金の支給要件に関する問題であり，厚生年金保険法58条1項2号からの出題である。

厚生年金保険法58条1項第2号の規定により，厚生年金保険の被保険者であった者が，被保険者の資格を喪失した後に，被保険者であった間に初診日がある傷病により当該初診日から起算して5年を経過する日前に死亡したときは，死亡した者によって生計を維持していた一定の遺族に遺族厚生年金が支給される。ただし，死亡した者が遺族厚生年金に係る保険料納付要件を満たしていない場合は，この限りでない。

社会保険科目
365p

本問5は，障害の程度が変わった場合における年金額の改定に関する問題であり，厚生年金保険法52条7項からの出題である。

甲（66歳）は35歳のときに障害等級3級に該当する程度の障害の状態にあると認定され，障害等級3級の障害厚生年金の受給を開始した。その後も障害の程度に変化はなく，また，老齢基礎年金と老齢厚生年金の合計額が障害等級3級の障害厚生年金の年金額を下回るため，65歳以降も障害厚生年金を受給している。一方，乙（66歳）は35歳のときに障害等級2級に該当する程度の障害の状態にあると認定され，障害等級2級の障害基礎年金と障害厚生年金の受給を開始した。しかし，40歳時点で障害の程度が軽減し，障害等級3級の障害厚生年金を受給することになった。その後，障害の程度に変化はないが，65歳以降は老齢基礎年金と老齢厚生年金を受給している。今後，甲と乙の障害の程度が増進した場合，障害年金の額の改定請求は，乙のみが行うことができる。

H30-選択	保険料の納付・積立金の運用の目的等

問 7

次の文中の［　　］の部分を選択肢の中の最も適切な語句で埋め，完全な文章とせよ。

1　厚生年金保険法第83条第２項の規定によると，厚生労働大臣は，納入の告知をした保険料額が当該納付義務者が納付すべき保険料額をこえていることを知ったとき，又は納付した保険料額が当該納付義務者が納付すべき保険料額をこえていることを知ったときは，そのこえている部分に関する納入の告知又は納付を，その［ A ］以内の期日に納付されるべき保険料について納期を繰り上げてしたものとみなすことができるとされている。

2　厚生年金保険法第79条の２の規定によると，積立金（特別会計積立金及び実施機関積立金をいう。以下同じ。）の運用は，積立金が厚生年金保険の［ B ］の一部であり，かつ，将来の保険給付の貴重な財源となるものであることに特に留意し，［ C ］の利益のために，長期的な観点から，安全かつ効率的に行うことにより，将来にわたって，厚生年金保険事業の運営の安定に資することを目的として行うものとされている。

3　厚生年金保険法第26条第１項の規定によると，３歳に満たない子を養育し，又は養育していた被保険者又は被保険者であった者が，主務省令で定めるところにより実施機関に申出（被保険者にあっては，その使用される事業所の事業主を経由して行うものとする。）をしたときは，当該子を養育することとなった日（厚生労働省令で定める事実が生じた日にあっては，その日）の属する月から当該子が３歳に達したときに該当するに［ D ］までの各月のうち，その標準報酬月額が当該子を養育することとなった日の属する月の前月（当該月において被保険者でない場合にあっては，当該月前［ E ］における被保険者であった月のうち直近の月。以下「基準月」という。）の標準報酬月額（同項の規定により当該子以外の子に係る基準月の標準報酬月額が標準報酬月額とみなされている場合にあっては，当該みなされた基準月の標準報酬月額。以下「従前標準報酬月額」という。）を下回る月（当該申出が行われた日の属する月前の月にあっては，当該申出が行われた日の属する月の前月までの２年間のうちにあるものに限る。）については，従前標準報酬月額を当該下回る月の厚生年金保険法第43条第1項に規定する平均標準報酬額の計算の基礎となる標準報酬月額とみなすとされている。

選択肢

① 1年以内
② 1年6か月以内
③ 2年以内
④ 6か月以内
⑤ 至った日の属する月
⑥ 至った日の属する月の前月
⑦ 至った日の翌日の属する月
⑧ 至った日の翌日の属する月の前月
⑨ 事業主から徴収された保険料
⑩ 事業主から徴収された保険料及び国庫負担
⑪ 納入の告知又は納付の日から1年
⑫ 納入の告知又は納付の日から6か月
⑬ 納入の告知又は納付の日の翌日から1年
⑭ 納入の告知又は納付の日の翌日から6か月
⑮ 被保険者から徴収された保険料
⑯ 被保険者から徴収された保険料及び国庫負担
⑰ 広く国民
⑱ 広く国民年金の被保険者
⑲ 専ら厚生年金保険の被保険者
⑳ 専ら適用事業所

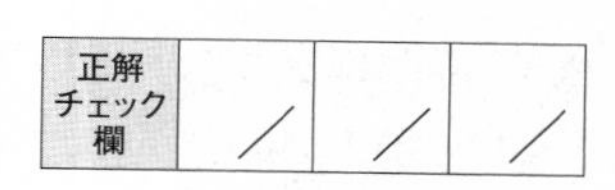

【解　答】

A　⑭ 納入の告知又は納付の日の翌日から6か月

B　⑮ 被保険者から徴収された保険料

C　⑲ 専ら厚生年金保険の被保険者

D　⑧ 至った日の翌日の属する月の前月

E　① 1年以内

【解　説】

本問1は，保険料の納付に関する問題であり，厚生年金保険法（以下本問において「法」とする）83条2項からの出題である。

法83条2項の規定によると，厚生労働大臣は，納入の告知をした保険料額が当該納付義務者が納付すべき保険料額をこえていることを知ったとき，又は納付した保険料額が当該納付義務者が納付すべき保険料額をこえていることを知ったときは，そのこえている部分に関する納入の告知又は納付を，その納入の告知又は納付の日の翌日から6か月以内の期日に納付されるべき保険料について納期を繰り上げてしたものとみなすことができるとされている。

社会保険科目 404p

本問2は，積立金の運用の目的に関する問題であり，法79条の2からの出題である。

法79条の2の規定によると，積立金（特別会計積立金及び実施機関積立金をいう。以下同じ。）の運用は，積立金が厚生年金保険の被保険者から徴収された保険料の一部であり，かつ，将来の保険給付の貴重な財源となるものであることに特に留意し，専ら厚生年金保険の被保険者の利益のために，長期的な観点から，安全かつ効率的に行うことにより，将来にわたって，厚生年金保険事業の運営の安定に資することを目的として行うものとされている。

社会保険科目 397p

本問3は，3歳に満たない子を養育する被保険者等の標準報酬月額の特例に関する問題であり，法26条1項からの出題である。

法26条1項の規定によると，3歳に満たない子を養育し，又は養育していた被保険者又は被保険者であった者が，主務省令で定めるところにより実施機関に申出（被保険者にあっては，その使用される事業所の事業主を経由して行うものとする。）をしたときは，当該子を養育することとなった日（厚生労働省令で定める事実が生じた日にあっては，その日）の属する月から当該子が3歳に達したときに該当するに至った日の翌日の属する月の前月までの各月のうち，その標準報酬月額が当該子を養育することとなった日の属する月の前月（当該月において被保険者でない場合にあっては，当該月前1年以内における被保険者であった月のうち直近の月。以下「基準月」という。）の標準報酬月額（同項の規定により当該子以外の子に係る基準月の標準報酬月額が標準報酬月額とみなされている場合にあっては，当該みなされた基準月の標準報酬月額。以下「従前標準報酬月額」という。）を下回る月（当該申出が行われた日の属する月前の月にあっては，当該申出が行われた日の属する月の前月までの2年間のうちにあるものに限る。）については，従前標準報酬月額を当該下回る月の厚生年金保険法第43条第1項に規定する平均標準報酬額の計算の基礎となる標準報酬月額とみなすとされている。

社会保険科目
304〜305p

H29-選択	国庫負担・中高齢寡婦加算等

問 8 次の文中の［　　］の部分を選択肢の中の最も適切な語句で埋め，完全な文章とせよ。

1 厚生年金保険法第80条第1項の規定により，国庫は，毎年度，厚生年金保険の実施者たる政府が負担する［ A ］に相当する額を負担する。

2 遺族厚生年金に加算される中高齢寡婦加算の額は，国民年金法第38条に規定する遺族基礎年金の額に［ B ］を乗じて得た額（その額に50円未満の端数が生じたときは，これを切り捨て，50円以上100円未満の端数が生じたときは，これを100円に切り上げるものとする。）として算出される。

3 厚生年金保険法第78条の14の規定によるいわゆる3号分割における標準報酬の改定請求の対象となる特定期間は，［ C ］以後の期間に限られる。

4 厚生年金保険法第78条の2の規定によるいわゆる合意分割の請求は，離婚等をした日の翌日から起算して2年を経過したときは，原則として行うことはできないが，離婚等をした日の翌日から起算して2年を経過した日前に請求すべき按分割合に関する審判の申立てがあったときであって，当該按分割合を定めた審判が離婚等をしたときから2年を経過した後に確定したときは，当該確定した日［ D ］を経過する日までは合意分割の請求を行うことができる。

また，合意分割で請求すべき按分割合は，当事者それぞれの対象期間標準報酬総額の合計額に対する，［ E ］の範囲内で定められなければならない。

キリトリ線

重要度 A

選択肢

① 2分の1　② 3分の2
③ 4分の3　④ 100分の125
⑤ から起算して1か月　⑥ から起算して3か月
⑦ 基礎年金拠出金の額の2分の1
⑧ 基礎年金拠出金の額の3分の1
⑨ 事務の執行に要する費用の2分の1
⑩ 昭和61年4月1日
⑪ 第1号改定者の対象期間標準報酬総額の割合を超え2分の1以下
⑫ 第1号改定者の対象期間標準報酬総額の割合を超え第2号改定者の対象期間標準報酬総額の割合以下
⑬ 第2号改定者の対象期間標準報酬総額の割合を超え2分の1以下
⑭ 第2号改定者の対象期間標準報酬総額の割合を超え第1号改定者の対象期間標準報酬総額の割合以下
⑮ の翌日から起算して6か月　⑯ の翌日から起算して3か月
⑰ 平成12年4月1日　⑱ 平成19年4月1日
⑲ 平成20年4月1日　⑳ 保険給付費の2分の1

厚年法

キリトリ線

正解チェック欄	／	／	／

【解　答】

A　⑦ 基礎年金拠出金の額の2分の1

B　③ 4分の3

C　⑲ 平成20年4月1日

D　⑮ の翌日から起算して6か月

E　⑬ 第2号改定者の対象期間標準報酬総額の割合を超え2分の1以下

【解　説】

本問1は，国庫負担に関する問題であり，厚生年金保険法（以下本問において「法」とする）80条1項からの出題である。

厚生年金保険法第80条第1項の規定により，国庫は，毎年度，厚生年金保険の実施者たる政府が負担する基礎年金拠出金の額の2分の1に相当する額を負担する。

社会保険科目 399p

本問2は，中高齢寡婦加算に関する問題であり，法62条からの出題である。

遺族厚生年金に加算される中高齢寡婦加算の額は，国民年金法第38条に規定する遺族基礎年金の額に4分の3を乗じて得た額（その額に50円未満の端数が生じたときは，これを切り捨て，50円以上100円未満の端数が生じたときは，これを100円に切り上げるものとする。）として算出される。

社会保険科目 372p

本問3は，いわゆる3号分割に関する問題であり，法78条の14及び平16法附則49条からの出題である。

厚生年金保険法第78条の14の規定によるいわゆる3号分割における標準報酬の改定請求の対象となる特定期間は，平成20年4月1日以後の期間に限られる。

社会保険科目 387p

本問4は，合意分割に関する問題であり，厚生年金保険法第78条の3からの出題である。

厚生年金保険法第78条の2の規定によるいわゆる合意分割の請求

は，離婚等をした日の翌日から起算して2年を経過したときは，原則として行うことはできないが，離婚等をした日の翌日から起算して2年を経過した日前に請求すべき按分割合に関する審判の申立てがあったときであって，当該按分割合を定めた審判が離婚等をしたときから2年を経過した後に確定したときは，当該確定した日の翌日から起算して6か月を経過する日までは合意分割の請求を行うことができる。

また，合意分割で請求すべき按分割合は，当事者それぞれの対象期間標準報酬総額の合計額に対する，第2号改定者の対象期間標準報酬総額の割合を超え2分の1以下の範囲内で定められなければならない。

社会保険科目 381p

R4-選択	産前産後休業期間中の保険料免除等

問 9 次の文中の[ ]の部分を選択肢の中の最も適切な語句で埋め，完全な文章とせよ。

1 厚生年金保険法第81条の2の2第1項の規定によると，産前産後休業をしている被保険者が使用される事業所の事業主が，主務省令で定めるところにより実施機関に申出をしたときは，同法第81条第2項の規定にかかわらず当該被保険者に係る保険料であってその産前産後休業を[A]からその産前産後休業が[B]までの期間に係るものの徴収は行わないとされている。

2 厚生年金保険の被保険者であるX（50歳）は，妻であるY（45歳）及びYとYの先夫との子であるZ（10歳）と生活を共にしていた。XとZは養子縁組をしていないが，事実上の親子関係にあった。また，Xは，Xの先妻であるV（50歳）及びXとVとの子であるW（15歳）にも養育費を支払っていた。V及びWは，Xとは別の都道府県に在住している。この状況で，Xが死亡した場合，遺族厚生年金が最初に支給されるのは，[C]である。なお，遺族厚生年金に係る保険料納付要件及び生計維持要件は満たされているものとする。

3 令和4年4月から，65歳未満の在職老齢年金制度が見直されている。令和6年度では，総報酬月額相当額が41万円，老齢厚生年金の基本月額が10万円の場合，支給停止額は[D]となる。

4 厚生年金保険法第47条の2によると，疾病にかかり，又は負傷し，かつ，その傷病に係る初診日において被保険者であった者であって，障害認定日において同法第47条第2項に規定する障害等級（以下「障害等級」という。）に該当する程度の障害の状態になかったものが，障害認定日から同日後[E]までの間において，その傷病により障害の状態が悪化し，障害等級に該当する程度の障害の状態に該当するに至ったときは，その者は，その期間内に障害厚生年金の支給を請求することができる。なお，障害厚生年金に係る保険料納付要件は満たされているものとする。

キリトリ線

重要度 A

選択肢

①	1年半を経過する日	②	5年を経過する日
③	60歳に達する日の前日	④	65歳に達する日の前日
⑤	開始した日の属する月	⑥	開始した日の属する月の翌月
⑦	開始した日の翌日が属する月	⑧	開始した日の翌日が属する月の翌月
⑨	月額5千円	⑩	月額4万円
⑪	月額5万円	⑫	月額10万円
⑬	終了する日の属する月	⑭	終了する日の属する月の前月
⑮	終了する日の翌日が属する月	⑯	終了する日の翌日が属する月の前月
⑰	V	⑱	W
⑲	Y	⑳	Z

厚年法

キリトリ線

正解チェック欄	／	／	／

【解　答】

A　⑤ 開始した日の属する月

B　⑯ 終了する日の翌日が属する月の前月

C　⑱ W

D　⑨ 月額5千円

E　④ 65歳に達する日の前日

【解　説】

本問1は，産前産後休業期間中の保険料免除に関する問題であり，厚生年金保険法81条の2の2第1項からの出題である。

厚生年金保険法第81条の2の2第1項の規定によると，産前産後休業をしている被保険者が使用される事業所の事業主が，主務省令で定めるところにより実施機関に申出をしたときは，同法第81条第2項の規定にかかわらず当該被保険者に係る保険料であってその産前産後休業を開始した日の属する月からその産前産後休業が終了する日の翌日が属する月の前月までの期間に係るものの徴収は行わないとされている。

社会保険科目 402p

本問2は，遺族厚生年金に関する問題であり，厚生年金保険法59条1項・2項，同法66条2項からの出題である。

社会保険科目 367～368, 376p

厚生年金保険の被保険者であるX（50歳）は，妻であるY（45歳）及びYとYの先夫との子であるZ（10歳）と生活を共にしていた。XとZは養子縁組をしていないが，事実上の親子関係にあった。また，Xは，Xの先妻であるV（50歳）及びXとVとの子であるW（15歳）にも養育費を支払っていた。V及びWは，Xとは別の都道府県に在住している。この状況で，Xが死亡した場合，遺族厚生年金が最初に支給されるのは，Wである。なお，遺族厚生年金に係る保険料納付要件及び生計維持要件は満たされているものとする。

本問3は，在職老齢年金に関する問題であり，厚生年金保険法附則11条ほかからの出題である。

令和4年4月から，65歳未満の在職老齢年金制度が見直されている。令和6年度では，総報酬月額相当額が41万円，老齢厚生年金の基本月額が10万円の場合，支給停止額は月額5千円となる。

社会保険科目 340p

本問4は，障害厚生年金に関する問題であり，厚生年金保険法第47条の2からの出題である。

厚生年金保険法第47条の2によると，疾病にかかり，又は負傷し，かつ，その傷病に係る初診日において被保険者であった者であって，障害認定日において同法第47条第2項に規定する障害等級（以下「障害等級」という。）に該当する程度の障害の状態になかったものが，障害認定日から同日後65歳に達する日の前日までの間において，その傷病により障害の状態が悪化し，障害等級に該当する程度の障害の状態に該当するに至ったときは，その者は，その期間内に障害厚生年金の支給を請求することができる。なお，障害厚生年金に係る保険料納付要件は満たされているものとする。

社会保険科目 354p

R元-選択

督促・調整期間・年金の支払期月等

問 10 次の文中の［　　］の部分を選択肢の中の最も適切な語句で埋め，完全な文章とせよ。

1 保険料の納付義務者が保険料を滞納した場合には，厚生労働大臣は納付義務者に対して期限を指定してこれを督促しなければならないが，この期限は督促状を［ A ］以上を経過した日でなければならない。これに対して，当該督促を受けた者がその指定の期限までに保険料を納付しないときは，厚生労働大臣は国税滞納処分の例によってこれを処分することができるが，厚生労働大臣は所定の要件に該当する場合にはこの権限を財務大臣に委任することができる。この要件のうち，滞納の月数と滞納の金額についての要件は，それぞれ［ B ］である。

2 政府は，財政の現況及び見通しを作成するに当たり，厚生年金保険事業の財政が，財政均衡期間の終了時に保険給付の支給に支障が生じないようにするために必要な積立金（年金特別会計の厚生年金勘定の積立金及び厚生年金保険法第79条の2に規定する実施機関積立金をいう。）を政府等が保有しつつ当該財政均衡期間にわたってその均衡を保つことができないと見込まれる場合には，［ C ］を調整するものとされている。

3 年金は，毎年2月，4月，6月，8月，10月及び12月の6期に，それぞれその前月分までを支払うが，前支払期月に支払うべきであった年金又は権利が消滅した場合若しくは年金の支給を停止した場合におけるその期の年金は，その額に1円未満の端数が生じたときはこれを切り捨てて，支払期月でない月であっても，支払うものとする。また，毎年［ D ］までの間において上記により切り捨てた金額の合計額（1円未満の端数が生じたときは，これを切り捨てた額）については，これを［ E ］の年金額に加算するものとする。

重要度 A

選択肢

① 1月から12月	② 3月から翌年2月
③ 4月から翌年3月	④ 9月から翌年8月
⑤ 12か月分以上及び1億円以上	⑥ 12か月分以上及び5千万円以上
⑦ 24か月分以上及び1億円以上	⑧ 24か月分以上及び5千万円以上
⑨ 国庫負担金の額	⑩ 次年度の4月の支払期月
⑪ 支払期月でない月	⑫ 受領した日から起算して10日
⑬ 受領した日から起算して20日	⑭ 積立金の額
⑮ 当該2月の支払期月	⑯ 当該12月の支払期月
⑰ 発する日から起算して10日	⑱ 発する日から起算して20日
⑲ 保険給付の額	⑳ 保険料の額

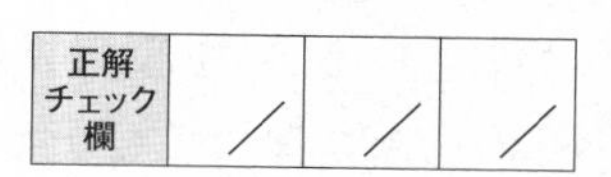

キリトリ線

【解　答】

A　⑰ 発する日から起算して10日

B　⑧ 24か月分以上及び5千万円以上

C　⑲ 保険給付の額

D　② 3月から翌年2月

E　⑮ 当該2月の支払期月

【解　説】

本問1は，督促及び滞納処分に関する問題であり，厚生年金保険法（以下本問において「法」とする）86条4項及び法100条の5第1項，同法施行令4条の2の16，同法施行規則99条，同則101条からの出題である。

保険料の納付義務者が保険料を滞納した場合には，厚生労働大臣は納付義務者に対して期限を指定してこれを督促しなければならないが，この期限は督促状を発する日から起算して10日以上を経過した日でなければならない。これに対して，当該督促を受けた者がその指定の期限までに保険料を納付しないときは，厚生労働大臣は国税滞納処分の例によってこれを処分することができるが，厚生労働大臣は所定の要件に該当する場合にはこの権限を財務大臣に委任することができる。この要件のうち，滞納の月数と滞納の金額についての要件は，それぞれ24か月分以上及び5千万円以上である。

社会保険科目 406p

本問2は，調整期間に関する問題であり，法34条1項からの出題である。

政府は，財政の現況及び見通しを作成するに当たり，厚生年金保険事業の財政が，財政均衡期間の終了時に保険給付の支給に支障が生じないようにするために必要な積立金（年金特別会計の厚生年金勘定の積立金及び厚生年金保険法第79条の2に規定する実施機関積立金をいう。）を政府等が保有しつつ当該財政均衡期間にわたってその均衡を保つことができないと見込まれる場合には，保険給付の

社会保険科目 284p

額を調整するものとされている。

本問3は，年金の支払期月及び端数処理に関する問題であり，法36条の2第2項からの出題である。

年金は，毎年2月，4月，6月，8月，10月及び12月の6期に，それぞれその前月分までを支払うが，前支払期月に支払うべきであった年金又は権利が消滅した場合若しくは年金の支給を停止した場合におけるその期の年金は，その額に1円未満の端数が生じたときはこれを切り捨てて，支払期月でない月であっても，支払うものとする。また，毎年3月から翌年2月までの間において上記により切り捨てた金額の合計額（1円未満の端数が生じたときは，これを切り捨てた額）については，これを当該2月の支払期月の年金額に加算するものとする。

社会保険科目
317p

MEMO

キリトリ線

H30-7	総則等	重要度 A

問 1 厚生年金保険法に関する次の記述のうち，正しいものはどれか。

A 財政の現況及び見通しにおける財政均衡期間は，財政の現況及び見通しが作成される年以降おおむね100年間とされている。

B 厚生年金保険法に基づく保険料率は，国民の生活水準，賃金その他の諸事情に著しい変動が生じた場合には，変動後の諸事情に応ずるため，速やかに改定の措置が講ぜられなければならない。

C 日本年金機構が国の毎会計年度所属の保険料等を収納する期限は，当該年度の3月31日限りとされている。

D 厚生年金保険制度は，老齢，障害又は死亡によって国民生活の安定がそこなわれることを国民の共同連帯によって防止し，もって健全な国民生活の維持及び向上に寄与することを目的としている。

E 厚生年金保険は，厚生年金保険法に定める実施機関がそれぞれ管掌することとされている。

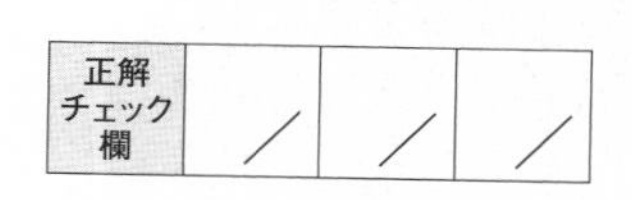

正解チェック欄	／	／	／

正解 A

必修基本書

A 正 本肢のとおりである（法2条の4第2項）。

社会保険科目 284p

B 誤 厚生年金保険法による「年金たる保険給付の額」は，国民の生活水準，賃金その他の諸事情に著しい変動が生じた場合には，変動後の諸事情に応ずるため，速やかに改定の措置が講ぜられなければならない（法2条の2）。

社会保険科目 283p

C 誤 日本年金機構が国の毎会計年度所属の保険料等を収納する期限は，翌年度の「4月30日」限りとされている（令4条の7）。

D 誤 厚生年金保険法は，「労働者の老齢，障害又は死亡について保険給付を行い，労働者及びその遺族の生活の安定と福祉の向上に寄与すること」を目的としている（法1条）。

社会保険科目 283p

E 誤 厚生年金保険は，「政府」が管掌することとされている（法2条）。

社会保険科目 283p

キリトリ線

H28-1	適用事業所	重要度 A

問 2 次のアからオのうち，その事業所を適用事業所とするためには任意適用事業所の認可を受けなければならない事業主として，正しいものの組合せは後記AからEまでのうちどれか。

ア　常時5人の従業員を使用する，個人経営の旅館の事業主
イ　常時5人の従業員を使用する，個人経営の貨物積み卸し業の事業主
ウ　常時5人の従業員を使用する，個人経営の理容業の事業主
エ　常時使用している船員（船員法第1条に規定する船員）が5人から4人に減少した船舶所有者
オ　常時5人の従業員を使用する，個人経営の学習塾の事業の事業主

A（アとウ）　**B**（アとオ）　**C**（イとエ）
D（イとオ）　**E**（ウとエ）

厚年法

キリトリ線

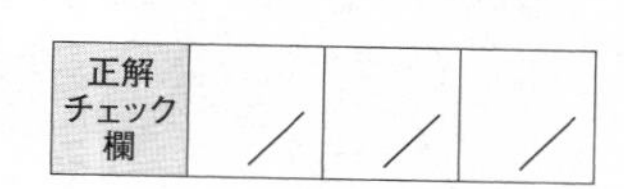
正解チェック欄

本問のアからオまでのそれぞれの記述の正誤は以下のとおりであり，したがって，ア及びウを正しいとするAが解答となる。

ア 正 本肢のとおりである（法6条1項・3項ほか）。旅館の事業はいわゆる法定17業種以外の事業であるため，本肢の事業所を適用事業所とするためには，任意適用事業所の認可を受けなければならない。

社会保険科目 19~20, 288~289p

イ 誤 貨物積卸の事業はいわゆる法定17業種の事業であり，常時5人以上の従業員を使用する個人経営の法定17業種の事業は，強制適用事業所となるため，本肢の事業主は「任意適用事業所の認可を受ける必要はない」（法6条1項1号・3項ほか）。

社会保険科目 19~20, 288~289p

ウ 正 本肢のとおりである（法6条1項・3項ほか）。理容業の事業はいわゆる法定17業種以外の事業であるため，本肢の事業所を適用事業所とするためには，任意適用事業所の認可を受けなければならない。

社会保険科目 19~20, 288~289p

エ 誤 船員法1条に規定する船員として船舶所有者に使用される者が乗り組む船舶は，従業員の人数にかかわらず強制適用事業所となるため，本肢の船舶所有者は「任意適用事業所の認可を受ける必要はない」（法6条1項3号・3項ほか）。

社会保険科目 19~20, 288~289p

オ 誤 学習塾の事業（教育の事業）はいわゆる法定17業種の事業であり，常時5人以上の従業員を使用する個人経営の法定17業種の事業は，強制適用事業所となるため，本肢の事業主は「任意適用事業所の認可を受ける必要はない」（法6条1項1号・3項ほか）。

社会保険科目 19~20, 288~289p

H27-2	被保険者	重要度 A

問 3 厚生年金保険法に関する次の記述のうち，正しいものはどれか。

A 民間企業に使用される任意単独被保険者が厚生労働大臣の認可を受けてその資格を喪失するには，事業主の同意を得た上で，所定の事項を記載した申請書を提出しなければならない。

B 適用事業所以外の民間の事業所に使用される高齢任意加入被保険者が，老齢基礎年金の受給権を取得したために資格を喪失するときは，当該高齢任意加入被保険者の資格喪失届を提出する必要はない。

C 適用事業所に使用される高齢任意加入被保険者は，保険料（初めて納付すべき保険料を除く。）を滞納し，督促状の指定期限までに，その保険料を納付しないときは，当該保険料の納期限の日に，その資格を喪失する。なお，当該適用事業所の事業主（第2号厚生年金被保険者又は第3号厚生年金被保険者に係る事業主を除く）は，保険料を半額負担し，かつ，その保険料納付義務を負うことについて同意していないものとする。

D 季節的業務に使用される者（船舶所有者に使用される船員を除く。）は，当初から継続して6か月を超えて使用されるべき場合を除き，被保険者とならない。

E 被保険者（高齢任意加入被保険者及び第4種被保険者を除く。）は，死亡したときはその日に，70歳に達したときはその翌日に被保険者資格を喪失する。

厚年法

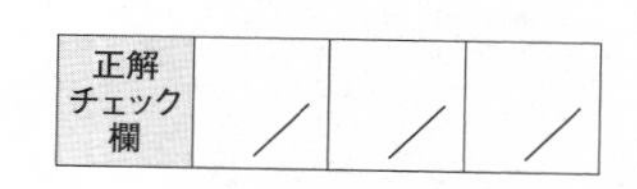

A　誤　任意単独被保険者が厚生労働大臣の認可を受けてその資格を喪失する場合に，事業主の同意は必要とされていない（法11条）。なお，本肢の任意単独被保険者がその資格喪失の認可を受けようとするときは，事業主にその旨を申し出た上，所定の事項を記載した申請書を日本年金機構に提出しなければならない（則5条）。

B　正　本肢のとおりである（則22条1項3号）。

C　誤　本肢の場合，当該保険料の「納期限の属する月の前月の末日」に，高齢任意加入被保険者の資格を喪失する（法附則4条の3第6項）。

D　誤　季節的業務に使用される者（船舶所有者に使用される船員を除く）は，当初から継続して「4か月」を超えて使用されるべき場合を除き，被保険者とならない（法12条3号）。

社会保険科目 293p

E　誤　本肢の被保険者が死亡したときは，「その翌日」に，70歳に達したときは「その日」に被保険者資格を喪失する（法14条）。

社会保険科目 292p

キリトリ線

R2-7	被保険者	重要度 A

問 4 **厚生年金保険法に関する次のアからオの記述のうち，誤っているものの組合せは，後記AからEまでのうちどれか。**

ア　特定適用事業所に使用される者は，その1週間の所定労働時間が同一の事業所に使用される通常の労働者の1週間の所定労働時間の4分の3未満であって，厚生年金保険法の規定により算定した報酬の月額が88,000円未満である場合は，厚生年金保険の被保険者とならない。

イ　特定適用事業所に使用される者は，その1か月間の所定労働日数が同一の事業所に使用される通常の労働者の1か月間の所定労働日数の4分の3未満であって，当該事業所に継続して1年以上使用されることが見込まれない場合は，厚生年金保険の被保険者とならない。

ウ　特定適用事業所でない適用事業所に使用される特定4分の3未満短時間労働者は，事業主が実施機関に所定の申出をしない限り，厚生年金保険の被保険者とならない。

エ　特定適用事業所に該当しなくなった適用事業所に使用される特定4分の3未満短時間労働者は，事業主が実施機関に所定の申出をしない限り，厚生年金保険の被保険者とならない。

オ　適用事業所以外の事業所に使用される70歳未満の特定4分の3未満短時間労働者については，厚生年金保険法第10条第1項に規定する厚生労働大臣の認可を受けて任意単独被保険者となることができる。

A　(アとイ)　**B**　(アとエ)　**C**　(イとウ)
D　(ウとオ)　**E**　(エとオ)

厚年法

キリトリ線

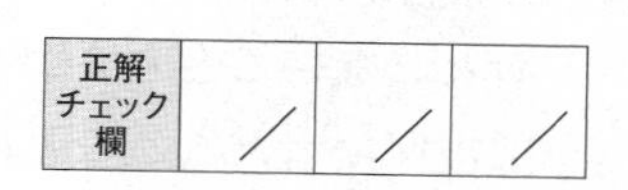

出題当時はエ及びオを誤っている記述とするEが正解であったが，改正により，イが誤りの記述となったため，本設問は，「解答なし」となった。

ア　正　本肢のとおりである（法12条5号）。

社会保険科目 293p

※イ　誤　特定適用事業所に使用される者であって，その1か月間の所定労働日数が同一の事業所に使用される通常の労働者の1か月間の所定労働日数の4分の3未満のものは，当該事業所に継続して1年以上使用されることが見込まれない場合であっても，他の適用除外事由に該当しない限り，「被保険者となる」。なお，出題当時は正しい記述であった（法12条5号）。

社会保険科目 293p

ウ　正　本肢のとおりである（平24法附則17条1項・5項）。

社会保険科目 25, 294p

エ　誤　特定適用事業所に該当しなくなった適用事業所に使用される特定4分の3未満短時間労働者は，「事業主が実施機関に所定の申出をしなくても」原則として，厚生年金保険の被保険者と「なる」（平24法附則17条2項）。なお，特定適用事業所に該当しなくなった適用事業所の事業主が，所定の同意を得て実施機関に申出をした場合には，当該事業所に使用される特定4分の3未満短時間労働者は，被保険者の資格を喪失するものとされている。

社会保険科目 25, 294p

オ　誤　当分の間，適用事業所以外の事業所に使用される特定4分の3未満短時間労働者については，法10条（任意単独被保険者）及び法附則4条の5（適用事業所以外の事業所に使用される高齢任意加入被保険者）の規定にかかわらず，厚生年金保険の被保険者としないこととされている。したがって，本肢の者は，任意単独被保険者となることは「できない」（平24法附則17条の3）。

R4-2	被保険者	重要度 B

問 5 適用事業所に使用される高齢任意加入被保険者（以下本問において「当該被保険者」という。）に関する次の記述のうち，正しいものはどれか。

A 当該被保険者を使用する適用事業所の事業主が，当該被保険者に係る保険料の半額を負担し，かつ，当該被保険者及び自己の負担する保険料を納付する義務を負うことにつき同意をしたときを除き，当該被保険者は保険料の全額を負担するが，保険料の納付義務は当該被保険者が保険料の全額を負担する場合であっても事業主が負う。

B 当該被保険者に係る保険料の半額を負担し，かつ，当該被保険者及び自己の負担する保険料を納付する義務を負うことにつき同意をした適用事業所の事業主は，厚生労働大臣の認可を得て，将来に向かって当該同意を撤回することができる。

C 当該被保険者が保険料（初めて納付すべき保険料を除く。）を滞納し，厚生労働大臣が指定した期限までにその保険料を納付しないときは，厚生年金保険法第83条第1項に規定する当該保険料の納期限の属する月の末日に，その被保険者の資格を喪失する。なお，当該被保険者の事業主は，保険料の半額を負担し，かつ，当該被保険者及び自己の負担する保険料を納付する義務を負うことについて同意していないものとする。

D 当該被保険者の被保険者資格の取得は，厚生労働大臣の確認によってその効力を生ずる。

E 当該被保険者が，実施機関に対して当該被保険者資格の喪失の申出をしたときは，当該申出が受理された日の翌日（当該申出が受理された日に更に被保険者の資格を取得したときは，その日）に被保険者の資格を喪失する。

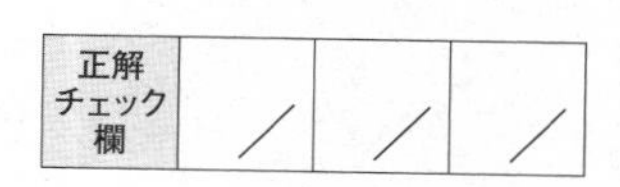

A 誤 適用事業所に使用される高齢任意加入被保険者が保険料の全額を負担する場合には，当該高齢任意加入被保険者は，「自己の負担する保険料を納付する義務を負う」。その他の記述は正しい（法附則4条の3第7項）。

社会保険科目 295p

B 誤 本肢の事業主は，「本肢の高齢任意加入被保険者の同意を得て」，将来に向かって本肢の同意を撤回することができる（法附則4条の3第8項）。

社会保険科目 295p

C 誤 本肢の場合，保険料の納期限の属する月の「前月末日」に，本肢の高齢任意加入被保険者はその資格を喪失する（法附則4条の3第6項）。

社会保険科目 295p

D 誤 適用事業所に使用される高齢任意加入被保険者の資格取得の効力発生については，「厚生労働大臣の確認を要しない」（令6条1項）。

社会保険科目 298p

E 正 本肢のとおりである（法附則4条の3第5項）。

社会保険科目 295p

キリトリ線

R4-7	適用事業所及び被保険者	重要度 A

問6

厚生年金保険法の適用事業所や被保険者に関する次の記述のうち，正しいものはどれか。なお，文中のX，Y，Zは，厚生年金保険法第12条第1号から第4号までに規定する適用除外者には該当しないものとする。

A　常時40人の従業員を使用する地方公共団体において，1週間の所定労働時間が25時間，月の基本給が15万円で働き，継続して1年以上使用されることが見込まれる短時間労働者で，生徒又は学生ではないX（30歳）は，厚生年金保険の被保険者とはならない。

B　代表者の他に従業員がいない法人事業所において，当該法人の経営への参画を内容とする経常的な労務を提供し，その対価として，社会通念上労務の内容にふさわしい報酬が経常的に支払われている代表者Y（50歳）は，厚生年金保険の被保険者となる。

C　常時90人の従業員を使用する法人事業所において，1週間の所定労働時間が30時間，1か月間の所定労働日数が18日で雇用される学生Z（18歳）は，厚生年金保険の被保険者とならない。なお，Zと同一の事業所に使用される通常の労働者で同様の業務に従事する者の1週間の所定労働時間は40時間，1か月間の所定労働日数は24日である。

D　厚生年金保険の強制適用事業所であった個人事業所において，常時使用する従業員が5人未満となった場合，任意適用の申請をしなければ，適用事業所ではなくなる。

E　宿泊業を営み，常時10人の従業員を使用する個人事業所は，任意適用の申請をしなくとも，厚生年金保険の適用事業所となる。

厚年法

正解チェック欄	／	／	／

A　誤　本肢の短時間労働者（70歳未満）は，「厚生年金保険の被保険者となる」（法9条，法12条，平24法附則17条ほか）。本肢の短時間労働者は，短時間労働者に係る適用除外事由（法12条5号）及び他の適用除外事由（法12条1号～4号）のいずれにも該当せず，また，地方公共団体に使用されているため，特定適用事業所以外の事業所に使用される短時間労働者の適用除外の特例の規定も適用されないことから，被保険者となる。

社会保険科目
293p

B　正　本肢のとおりである（法9条，昭24.7.28保発74号）。法人の代表者であっても，法人から，労務の対償として報酬を受けている70歳未満の者は，法人に使用される者として被保険者の資格を取得する。

C　誤　本肢の短時間労働者（70歳未満）は，「厚生年金保険の被保険者となる」（法9条，法12条）。本肢の短時間労働者の週所定労働時間及び月の所定労働日数は，当該短時間労働者と同一の事業所に使用される通常の労働者で同様の業務に従事する者の週所定労働時間及び月の所定労働日数の4分の3（週所定労働時間＝40時間分の30時間＝4分の3，月の所定労働日数＝24日分の18日＝4分の3）であり短時間労働者の適用除外事由（法12条5号）及び他の適用除外事由（法12条1号～4号）のいずれにも該当しないことから，被保険者となる。

社会保険科目
293p

D　誤　強制適用事業所（船舶を除く）が従業員数の減少により強制適用事業所の要件に該当しなくなったときは，その事業所について，「任意適用の認可があったものとみなされる」。したがって，本肢の場合，「任意適用の申請をしなくても，引き続き適用事業所とされる」（法7条）。なお，任意適用事業所の事業主が，所定の要件を満たして任意適用取消の認可を受けたときは，当該事業所を適用事業所でなくすることができる（法8条）。

社会保険科目
289p

E　誤　本肢の事業所は，いわゆる法定17業種以外の個人経営の事業所であり，任意に適用事業所となることができる事業所であることから，「任意適用の申請をして，厚生労働大臣の認可を受けなければ，厚生年金保険の適用事業所とはならない」（法6条）。

社会保険科目
19～20,
288～289p

R5-1	標準報酬月額	重要度 B

問 7 厚生年金保険法第26条に規定する3歳に満たない子を養育する被保険者等の標準報酬月額の特例（以下本問において「本特例」という。）に関する次の記述のうち，正しいものはどれか。

A 本特例についての実施機関に対する申出は，第1号厚生年金被保険者又は第4号厚生年金被保険者はその使用される事業所の事業主を経由して行い，第2号厚生年金被保険者又は第3号厚生年金被保険者は事業主を経由せずに行う。

B 本特例が適用される場合には，老齢厚生年金の額の計算のみならず，保険料額の計算に当たっても，実際の標準報酬月額ではなく，従前標準報酬月額が用いられる。

C 甲は，第1号厚生年金被保険者であったが，令和4年5月1日に被保険者資格を喪失した。その後，令和5年6月15日に3歳に満たない子の養育を開始した。更に，令和5年7月1日に再び第1号厚生年金被保険者の被保険者資格を取得した。この場合，本特例は適用される。

D 第1子の育児休業終了による職場復帰後に本特例が適用された被保険者乙の従前標準報酬月額は30万円であったが，育児休業等終了時改定に該当し標準報酬月額は24万円に改定された。その後，乙は第2子の出産のため厚生年金保険法第81条の2の2第1項の適用を受ける産前産後休業を取得し，第2子を出産し産後休業終了後に職場復帰したため第2子の養育に係る本特例の申出を行った。第2子の養育に係る本特例が適用された場合，被保険者乙の従前標準報酬月額は24万円である。

E 本特例の適用を受けている被保険者の養育する第1子が満3歳に達する前に第2子の養育が始まり，この第2子の養育にも本特例の適用を受ける場合は，第1子の養育に係る本特例の適用期間は，第2子が3歳に達した日の翌日の属する月の前月までとなる。

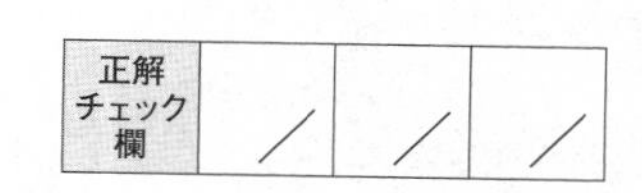

正解チェック欄	／	／	／

正解 A

社会保険科目
305p

A 正 本肢のとおりである（法26条4項）。

B 誤 本特例は，従前標準報酬月額を，年金額計算に用いられる平均標準報酬額の計算の基礎となる標準報酬月額とみなすものであり，「保険料の計算は実際の標準報酬月額が用いられる」（法26条1項）。

C 誤 本特例は，原則として，子を養育することとなった日の属する月から子が3歳に達した等に至った日の翌日の属する月の前月までの各月のうち，その標準報酬月額が，当該子を養育することとなった日の属する月の前月（当該月において被保険者でない場合にあっては，当該月前1年以内における被保険者であった月のうち直近の月。以下「基準月」という）の標準報酬月額を下回る月について適用される。本肢の甲は，子を養育することとなった日の属する月の前月において被保険者でなかったため，当該月前1年以内における被保険者であった月のうち直近の月が基準月となる。本肢の甲は，令和5年6月15日に子を養育することとなったため，その前月である令和5年5月前1年以内（令和4年5月～令和5年4月）に被保険者であった月がなければならないところ，甲は，令和4年5月1日に被保険者の資格を喪失し，その後再び被保険者の資格を取得したのが令和5年7月1日であることから，令和4年5月から令和5年4月までの間に被保険者であった月がないこととなる。以上より，基準月が存在しないため，「本特例は適用されない」（法26条1項）。

社会保険科目
305p

D　誤　本特例を受けた場合の平均標準報酬額の計算の基礎とされる「従前標準報酬月額」とは，基準月の標準報酬月額をいうが，本特例により当該子以外の子に係る基準月の標準報酬月額が標準報酬月額とみなされている場合にあっては，当該みなされた基準月の標準報酬月額（つまり，本肢の場合，第１子について受けた本特例により従前標準報酬月額とされた標準報酬月額）が従前標準報酬月額となる。したがって，本肢の乙の第２子の養育に係る本特例が適用された場合の従前標準報酬月額は，「30万円」である（法26条１項）。

社会保険科目
305p

E　誤　本肢の場合，第１子の養育に係る本特例の適用期間は，「第２子に係る産前産後休業を開始した日の翌日の属する月の前月まで」となる（法26条１項）。

社会保険科目
305p

H27-1	届出等	重要度 A

問 8 厚生年金保険法に関する次の記述のうち，正しいものはいくつあるか。

ア　第1号厚生年金被保険者に係る適用事業所の事業主（船舶所有者を除く。以下本肢において同じ。）は，厚生年金保険法の規定に基づいて事業主がしなければならない事項につき，代理人をして処理させようとするときは，あらかじめ，文書でその旨を日本年金機構に届け出なければならない。

イ　厚生年金保険法第27条の規定による第1号厚生年金被保険者（船員被保険者を除く。）の資格取得の届出は，当該事実があった日から5日以内に，厚生年金保険被保険者資格取得届又は当該届書に記載すべき事項を記録した磁気ディスクを日本年金機構に提出することによって行うものとする。

ウ　厚生年金保険法第6条第1項の規定により初めて適用事業所となった船舶の船舶所有者（第1号厚生年金被保険者に係るものに限る）は，当該事実があった日から5日以内に，所定の事項を記載した届書を日本年金機構に提出しなければならない。

エ　第1号厚生年金被保険者（適用事業所に使用される高齢任意加入被保険者及び第4種被保険者を除き，厚生労働大臣が住民基本台帳法第30条の9の規定により機構保存本人確認情報の提供を受けることができない者に限る。）は，その住所を変更したときは，速やかに，変更後の住所及び変更の年月日を事業主に申し出なければならない。

オ　育児休業期間中における厚生年金保険料の免除の規定により保険料の徴収を行わない第1号厚生年金被保険者を使用する事業所の事業主は，当該被保険者が育児休業等終了予定日を変更したとき又は育児休業等終了予定日の前日までに育児休業等を終了したときは，速やかに，これを日本年金機構に届け出なければならない。ただし，当該被保険者が育児休業等終了予定日の前日までに産前産後休業期間中における厚生年金保険料の免除の規定の適用を受ける産前産後休業を開始したことにより育児休業等を終了したときは，この限りではない。

A　一つ
B　二つ
C　三つ
D　四つ
E　五つ

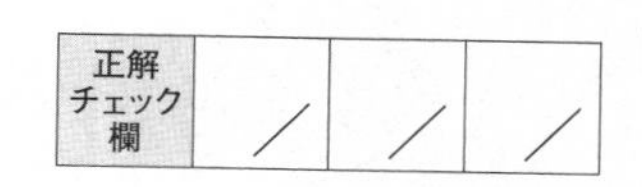

厚年法

本問のアからオまでのそれぞれの記述の正誤は以下のとおりである。したがって，正しい記述はア，イ，エ及びオの4つであり，Dが解答となる。

ア　正　本肢のとおりである（則29条1項）。なお，本肢の事業主が代理人を解任したときも，同様に文書でその旨を日本年金機構に届け出なければならない。

社会保険科目 308p

イ　正　本肢のとおりである（則15条1項）。なお，本肢の場合において，本肢の被保険者が同時に全国健康保険協会の管掌する健康保険の被保険者の資格を取得したことにより，健康保険法施行規則24条（健康保険の被保険者の資格取得の届出）の規定によって届出又は光ディスクを提出するときは，これに併記又は記録して行うものとされている。

社会保険科目 308p

ウ　誤　本肢の船舶所有者は，当該事実があった日から「10日以内」に，所定の事項を記載した届書を日本年金機構に提出しなければならない（則13条3項）。

社会保険科目 308p

エ　正　本肢のとおりである（則6条の2）。なお，本肢の申出を受けた事業主（船舶所有者を除く）は，速やかに，所定の事項を記載した届書又は記録した光ディスクを日本年金機構に提出しなければならない（則21条の2）。

社会保険科目 308p

オ　正　本肢のとおりである（則25条の2第3項）。

キリトリ線

H30-6	届出等	重要度 A

問 9 厚生年金保険法の規定による厚生年金保険原簿の訂正の請求に関する次の記述のうち，誤っているものはどれか。

A 第2号厚生年金被保険者であった者は，その第2号厚生年金被保険者期間について厚生労働大臣に対して厚生年金保険原簿の訂正の請求をすることができない。

B 第1号厚生年金被保険者であった老齢厚生年金の受給権者が死亡した場合，その者の死亡により遺族厚生年金を受給することができる遺族はその死亡した者の厚生年金保険原簿の訂正の請求をすることができるが，その者の死亡により未支給の保険給付の支給を請求することができる者はその死亡した者の厚生年金保険原簿の訂正の請求をすることができない。

C 厚生労働大臣は，訂正請求に係る厚生年金保険原簿の訂正に関する方針を定めなければならず，この方針を定めようとするときは，あらかじめ，社会保障審議会に諮問しなければならない。

D 厚生労働大臣が行った訂正請求に係る厚生年金保険原簿の訂正をしない旨の決定に不服のある者は，厚生労働大臣に対して行政不服審査法に基づく審査請求を行うことができる。

E 厚生年金基金の加入員となっている第1号厚生年金被保険者期間については，厚生労働大臣に対して厚生年金保険原簿の訂正の請求をすることができる。

厚年法

キリトリ線

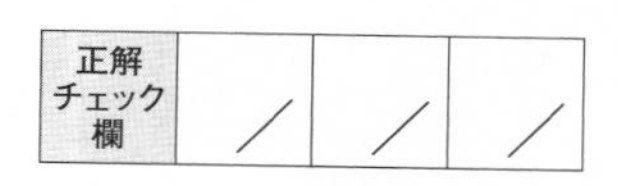

A　正　本肢のとおりである（法31条の３）。なお，第３号厚生年金被保険者であった者は，その第３号厚生年金被保険者期間について，第４号厚生年金被保険者であった者は，その第４号厚生年金被保険者期間について，厚生労働大臣に対して厚生年金保険原簿の訂正の請求をすることができない。

社会保険科目
312p

B　誤　本肢の場合，遺族厚生年金を受給することができる遺族のみならず，未支給の保険給付の支給を請求することができる者も，死亡した者の厚生年金保険原簿の訂正の請求をすることが「できる」（法28条の２第２項）。

社会保険科目
312p

C　正　本肢のとおりである（法28条の３）。なお，厚生労働大臣は，本肢の方針を変更しようとするときも，あらかじめ，社会保障審議会に諮問しなければならない。

社会保険科目
312p

D　正　本肢のとおりである（法90条１項，法91条の２ほか）。厚生労働大臣が行った訂正請求に係る厚生年金保険原簿の訂正をする旨の決定又は訂正をしない旨の決定に不服がある場合，厚生年金保険法の規定による審査請求及び再審査請求をすることはできないが，行政不服審査法の規定による不服申立てを行うことができる。

社会保険科目
410~411p

E　正　本肢のとおりである（法28条の２第１項）。

社会保険科目
312p

R5-2	届出等	重要度 A

問 10 厚生年金保険法に関する次の記述のうち，誤っているものはどれか。

A 船舶所有者は，その住所に変更があったときは，5日以内に，所定の届書を日本年金機構に提出しなければならない。

B 住民基本台帳法第30条の9の規定により，厚生労働大臣が機構保存本人確認情報の提供を受けることができない被保険者（適用事業所に使用される高齢任意加入被保険者又は第4種被保険者等ではないものとする。）は，その氏名を変更したときは，速やかに，変更後の氏名を事業主に申し出なければならない。

C 受給権者又は受給権者の属する世帯の世帯主その他その世帯に属する者は，厚生労働省令の定めるところにより，厚生労働大臣に対し，厚生労働省令の定める事項を届け出，かつ，厚生労働省令の定める書類その他の物件を提出しなければならない。

D 老齢厚生年金の受給権者は，行政手続における特定の個人を識別するための番号の利用等に関する法律第2条第5項に規定する個人番号を変更したときは，速やかに，所定の事項を記載した届書を，日本年金機構に提出しなければならないが，老齢厚生年金の受給権者が同時に老齢基礎年金の受給権を有する場合において，当該受給権者が国民年金法施行規則第20条の2第1項の届出を行ったときは，本届出を行ったものとみなされる。

E 適用事業所の事業主は，被保険者（船員被保険者を除く。）の資格の取得に関する事項を厚生労働大臣に届け出なければならないが，この届出は，当該事実があった日から5日以内に，所定の届書等を日本年金機構に提出することによって行うものとされている。

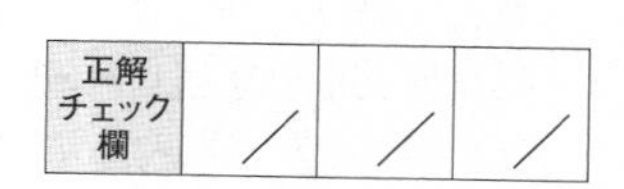

正解チェック欄	／	／	／

A　誤　第1号厚生年金被保険者に係る船舶所有者は，その住所に変更があったときは，「速やかに」，所定の届書を日本年金機構に提出しなければならない（則23条4項）。

社会保険科目 308p

B　正　本肢のとおりである（則6条）。なお，被保険者（適用事業所に使用される高齢任意加入被保険者又は第4種被保険者等ではないものとする）は，その住所を変更したときは，速やかに，変更後の住所及び変更の年月日を事業主に申し出なければならない（則6条の2）。

社会保険科目 310p

C　正　本肢のとおりである（法98条3項）。なお，第2号厚生年金被保険者，第3号厚生年金被保険者又は第4号厚生年金被保険者，これらの者に係る事業主及び第2号厚生年金被保険者期間，第3号厚生年金被保険者期間又は第4号厚生年金被保険者期間に基づく保険給付の受給権者については，本肢の規定は適用しない（同条5項）。

社会保険科目 310p

D　正　本肢のとおりである（則38条の2）。なお，老齢基礎年金の受給権者が同時に老齢厚生年金の受給権を有する場合において，当該受給権者が厚生年金保険法施行規則38条の2の届出（個人番号の変更の届出）を行ったときは，国民年金法施行規則20条の2第1項の届出を行ったものとみなす（国民年金法施行規則20条の2第2項）。

E　正　本肢のとおりである（法27条，則15条1項）。なお，法27条の規定による船員被保険者の資格の取得の届出は，当該事実があった日から10日以内に，所定の事項を記載した届書を機構に提出することによって行うものとする。この場合において，被保険者が同時に船員保険の被保険者の資格を取得したことにより，船員保険法施行規則6条の規定によって届書を提出するときは，これに併記して行うものとする（則15条3項）。

社会保険科目 308p

キリトリ線

R4-1	併給調整	重要度 A

問 11 次のアからオの記述のうち，厚生年金保険法第38条第1項及び同法附則第17条の規定によってどちらか一方の年金の支給が停止されるものの組合せとして正しいものはいくつあるか。ただし，いずれも，受給権者は65歳に達しているものとする。

ア　老齢基礎年金と老齢厚生年金
イ　老齢基礎年金と障害厚生年金
ウ　障害基礎年金と老齢厚生年金
エ　障害基礎年金と遺族厚生年金
オ　遺族基礎年金と障害厚生年金

A　一つ
B　二つ
C　三つ
D　四つ
E　五つ

厚年法

キリトリ線

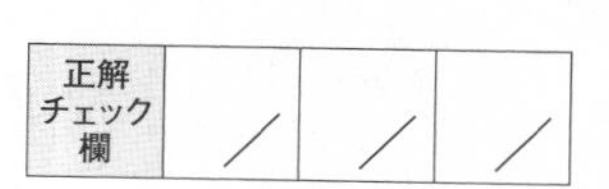

本問アからオまでのそれぞれの記述の正誤は以下のとおりである。したがって，正しい記述はイ及びオの2つであり，Bが正解となる。

ア 誤 本肢の老齢基礎年金と老齢厚生年金は，「併給される」（法38条1項，法附則17条）。

社会保険科目
318~319p

イ 正 本肢の老齢基礎年金と障害厚生年金は，併給されず，いずれか一方の年金の支給が停止される（法38条1項，法附則17条）。

社会保険科目
318~319p

ウ 誤 本肢の障害基礎年金と老齢厚生年金は，「併給される」（法38条1項，法附則17条）。

社会保険科目
318~319p

エ 誤 本肢の障害基礎年金と遺族厚生年金は，「併給される」（法38条1項，法附則17条）。

社会保険科目
318~319p

オ 正 本肢の遺族基礎年金と障害厚生年金は，併給されず，いずれか一方の年金の支給が停止される（法38条1項，法附則17条）。

社会保険科目
318~319p

キリトリ線

R5-6	老齢厚生年金	重要度 A

問 12 特別支給の老齢厚生年金に関する次の記述のうち，正しいものはどれか。

A　第2号厚生年金被保険者期間のみを有する昭和36年1月1日生まれの女性で，特別支給の老齢厚生年金の受給資格要件を満たす場合，報酬比例部分の支給開始年齢は64歳である。

B　特別支給の老齢厚生年金の受給資格要件の1つは，1年以上の被保険者期間を有することであるが，この被保険者期間には，離婚時みなし被保険者期間を含めることができる。

C　特別支給の老齢厚生年金については，雇用保険法による高年齢雇用継続給付との併給調整が行われる。ただし，在職老齢年金の仕組みにより，老齢厚生年金の全部又は一部が支給停止されている場合は，高年齢雇用継続給付との併給調整は行われない。

D　報酬比例部分のみの特別支給の老齢厚生年金の受給権を有する者であって，受給権を取得した日から起算して1年を経過した日前に当該老齢厚生年金を請求していなかった場合は，当該老齢厚生年金の支給繰下げの申出をすることができる。

E　報酬比例部分のみの特別支給の老齢厚生年金の受給権を有する者が，被保険者でなく，かつ，障害の状態にあるときは，老齢厚生年金の額の計算に係る特例の適用を請求することができる。ただし，ここでいう障害の状態は，厚生年金保険の障害等級1級又は2級に該当する程度の障害の状態に限定される。

厚年法

キリトリ線

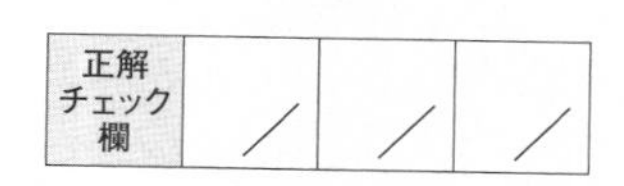

正解チェック欄	／	／	／

A 正 本肢のとおりである（法附則8条の2第1項）。

社会保険科目 328p

B 誤 60歳台前半の老齢厚生年金の支給要件の1つである「1年以上の被保険者期間」には，離婚時みなし被保険者期間及び被扶養配偶者みなし被保険者期間は「含まれない」（法附則8条，法附則17条の10）。

社会保険科目 329p

C 誤 60歳台前半の老齢厚生年金について，在職老齢年金の仕組みによる支給停止が行われる場合において，雇用保険法による高年齢雇用継続給付を受けることができる場合の支給停止が行われる場合，「その両方による支給停止が行われる」（法附則11条の6第1項）。

社会保険科目 342p

D 誤 60歳台前半の老齢厚生年金については，支給繰下げの申出をすることができない（法附則12条）。

社会保険科目 348~349p

E 誤 障害者に係る60歳台前半の老齢厚生年金の額の特例の規定における障害の状態は，障害等級1級から「3級」に該当する程度の障害の状態をいう（法附則9条の2第1項）。

社会保険科目 337p

キリトリ線

R4-5	老齢厚生年金	重要度 B

問 13 老齢厚生年金の支給繰上げ，支給繰下げに関する次の記述のうち，誤っているものはどれか。

A 老齢厚生年金の支給繰上げの請求は，老齢基礎年金の支給繰上げの請求を行うことができる者にあっては，その請求を同時に行わなければならない。

B 昭和38年4月1日生まれの男性が老齢厚生年金の支給繰上げの請求を行い，60歳0か月から老齢厚生年金の受給を開始する場合，その者に支給する老齢厚生年金の額の計算に用いる減額率は24パーセントとなる。

C 68歳0か月で老齢厚生年金の支給繰下げの申出を行った者に対する老齢厚生年金の支給は，当該申出を行った月の翌月から開始される。

D 老齢厚生年金の支給繰下げの申出を行った場合でも，経過的加算として老齢厚生年金に加算された部分は，当該老齢厚生年金の支給繰下げの申出に応じた増額の対象とはならない。

E 令和4年4月以降，老齢厚生年金の支給繰下げの申出を行うことができる年齢の上限が70歳から75歳に引き上げられた。ただし，その対象は，同年3月31日時点で，70歳未満の者あるいは老齢厚生年金の受給権発生日が平成29年4月1日以降の者に限られる。

厚年法

キリトリ線

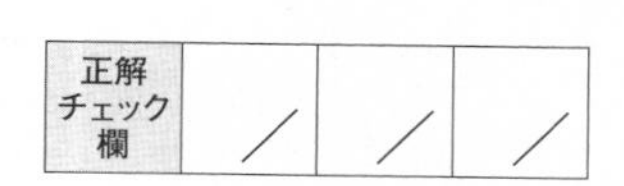

社会保険科目
348p

A 正 本肢のとおりである（法附則7条の3第2項）。

B 正 本肢のとおりである（法附則7条の3第4項，令6条の3）。本肢の場合の減額率は，1,000分の4×繰り上げた月数（60月）＝24％となる。なお，当該「繰り上げた月数」とは，繰上げ請求日の属する月から65歳に達する日の属する月の前月までの月数をいう。

社会保険科目
348p

社会保険科目
350p

C 正 本肢のとおりである（法44条の3第3項）。

D 誤 経過的加算として老齢厚生年金に加算された部分は，当該老齢厚生年金の支給繰下げの申出に応じた増額の「対象となる」（法44条の3第4項，令3条の5の2第1項）。繰下げ支給の老齢厚生年金の額は，本来の老齢厚生年金の額にいわゆる繰下げ加算額を加算した額とされており，この繰下げ加算額（つまり増額部分の計算）は，老齢厚生年金の受給権取得月前被保険者期間を基礎とした老齢厚生年金の額（経過的加算額を除く）に平均支給率を乗じて得た額（経過的加算の規定が適用される場合にあっては，当該乗じて得た額に老齢厚生年金の受給権取得月前被保険者期間を基礎として計算した「経過的加算額を加算した額」）に増額率を乗じて得た額とされている。

E 正 本肢のとおりである（令2法附則8条）。老齢厚生年金の支給繰り下げ可能年齢の上限が70歳から75歳に引き上げられる改正は，当該改正の施行日の前日（令和4年3月31日）において，老齢厚生年金の受給権を取得した日から起算して5年を経過していない者（つまり，本肢の者）について適用される。

キリトリ線

R4-8	老齢厚生年金	重要度 A

問 14 厚生年金保険法の在職老齢年金に関する次の記述のうち，正しいものはどれか。

A 在職老齢年金の支給停止額を計算する際に用いる総報酬月額相当額は，在職中に標準報酬月額や標準賞与額が変更されることがあっても，変更されない。

B 在職老齢年金は，総報酬月額相当額と基本月額との合計額が支給停止調整額を超える場合，年金額の一部又は全部が支給停止される仕組みであるが，適用事業所に使用される70歳以上の者に対しては，この在職老齢年金の仕組みが適用されない。

C 在職中の被保険者が65歳になり老齢基礎年金の受給権が発生した場合において，老齢基礎年金は在職老齢年金の支給停止額を計算する際に支給停止の対象とはならないが，経過的加算額については在職老齢年金の支給停止の対象となる。

D 60歳以降も在職している被保険者が，60歳台前半の老齢厚生年金の受給権者であって被保険者である場合で，雇用保険法に基づく高年齢雇用継続基本給付金の支給を受けることができるときは，その間，60歳台前半の老齢厚生年金は全額支給停止となる。

E 在職老齢年金について，支給停止額を計算する際に使用される支給停止調整額は，一定額ではなく，年度ごとに改定される場合がある。

厚年法

キリトリ線

正解チェック欄	／	／	／

A　誤　総報酬月額相当額は，在職中に標準報酬月額や標準賞与額が変更される場合には「変更される」（法46条）。総報酬月額相当額は，在職老齢年金の規定が適用される月の標準報酬月額や標準報酬月額に相当する額及びその月以前1年間の標準賞与額や標準賞与額に相当する額の総額を12で除して得た額とを合算して得た額とされており，原則として，在職老齢年金の規定が適用される月ごとに計算される。

社会保険科目
351~352p

B　誤　在職老齢年金の仕組みは，「適用事業所に使用される70歳以上の者に対しても適用され得る」（法46条1項）。70歳以上の使用される者（前月以前の月に属する日から引き続き当該適用事業所において所定の要件に該当する者に限る）である日が属する月は，在職老齢年金の仕組みの適用対象となる月である。

社会保険科目
351~352p

C　誤　経過的加算額については，在職老齢年金の支給停止の「対象とならない」。その他の記述は正しい（昭60法附則62条1項ほか）。

社会保険科目
351~352p

D　誤　本肢の60歳台前半の老齢厚生年金と雇用保険法に基づく高年齢雇用継続基本給付金との調整においては，当該被保険者である60歳台前半の老齢厚生年金の受給権者の標準報酬月額の金額や当該標準報酬月額の雇用保険法に規定するみなし賃金日額に30を乗じて得た額に対する割合に応じて，60歳台前半の老齢厚生年金が支給停止されるか否かやその支給停額の計算が定められており，当該調整において60歳台前半の老齢厚生年金の「全額が支給停止されるとは限らない」（法附則11条の6）。

社会保険科目
342p

E　正　本肢のとおりである（法46条3項）。平成17年度以後の各年度の物価変動率に実質賃金変動率を乗じて得た率をそれぞれ乗じて得た額（5千円未満は四捨五入する）が直近の改定された支給停止調整額を超え，又は下るに至ったときは，当該年度の4月以後の支給停止調整額を改定するものとされている。

社会保険科目
352~353p

R6-4	老齢厚生年金	重要度 A

問 15 次の記述のうち，老齢厚生年金の支給繰下げの申出をすることができないものはいくつあるか。なお，いずれも，老齢厚生年金の支給繰下げの申出に係るその他の条件を満たしているものとする。

ア　老齢厚生年金の受給権を取得したときに障害厚生年金の受給権者であった者。

イ　老齢厚生年金の受給権を取得したときに遺族厚生年金の受給権者であった者。

ウ　老齢厚生年金の受給権を取得したときに老齢基礎年金の受給権者であった者。

エ　老齢厚生年金の受給権を取得したときに障害基礎年金の受給権者であった者。

オ　老齢厚生年金の受給権を取得したときに遺族基礎年金の受給権者であった者。

A　一つ
B　二つ
C　三つ
D　四つ
E　五つ

正解チェック欄	／	／	／

本問アからオまでのそれぞれの記述の正誤は以下のとおりである。したがって，老齢厚生年金の支給繰下げの申出をすることができない記述として正しいものはア，イ及びオの3つであり，Cが解答となる。

ア　正　本肢の場合，老齢厚生年金の支給繰下げの申出をすることができない（法44条の3第1項）。

社会保険科目 348～349p

イ　正　本肢の場合，老齢厚生年金の支給繰下げの申出をすることができない（法44条の3第1項）。

社会保険科目 348～349p

ウ　誤　本肢の場合，老齢厚生年金の支給繰下げの申出をすることが「できる」（法44条の3第1項）。

社会保険科目 348～349p

エ　誤　本肢の場合，老齢厚生年金の支給繰下げの申出をすることが「できる」（法44条の3第1項）。

社会保険科目 348～349p

オ　正　本肢の場合，老齢厚生年金の支給繰下げの申出をすることができない（法44条の3第1項）。

社会保険科目 348～349p

H27-4	障害厚生年金	重要度 A

問 16 障害厚生年金に関する次の記述のうち，正しいものはどれか。

A 障害等級2級の障害厚生年金と同一の支給事由に基づく障害基礎年金の受給権者が，国民年金の第1号被保険者になり，その期間中に初診日がある傷病によって国民年金法第34条第4項の規定による障害基礎年金とその他障害との併合が行われ，当該障害基礎年金が障害等級1級の額に改定された場合には，障害厚生年金についても障害等級1級の額に改定される。

B 63歳の障害等級3級の障害厚生年金の受給権者（受給権を取得した当時から引き続き障害等級1級又は2級に該当したことはなかったものとする。）が，老齢基礎年金を繰上げ受給した場合において，その後，当該障害厚生年金に係る障害の程度が増進したときは，65歳に達するまでの間であれば実施機関に対し，障害の程度が増進したことによる障害厚生年金の額の改定を請求することができる。

C 障害等級3級の障害厚生年金の受給権者（受給権を取得した当時から引き続き障害等級1級又は2級に該当したことはなかったものとする。）について，更に障害等級2級に該当する障害厚生年金を支給すべき事由が生じたときは，前後の障害を併合した障害の程度による障害厚生年金が支給され，従前の障害厚生年金の受給権は消滅する。

D 40歳の障害厚生年金の受給権者が実施機関に対し障害の程度が増進したことによる年金額の改定請求を行ったが，実施機関による診査の結果，額の改定は行われなかった。このとき，その後，障害の程度が増進しても当該受給権者が再度，額の改定請求を行うことはできないが，障害厚生年金の受給権者の障害の程度が増進したことが明らかである場合として厚生労働省令で定める場合については，実施機関による診査を受けた日から起算して1年を経過した日以後であれば，再度，額の改定請求を行うことができる。

E 障害等級3級の障害厚生年金の支給を受けていた者が，63歳の時に障害の程度が軽減したためにその支給が停止された場合，当該障害厚生年金の受給権はその者が65歳に達した日に消滅する。

正解チェック欄	／	／	／

厚年法

正解 A

A 正 本肢のとおりである（法52条の2第2項）。

社会保険科目 360～361p

B 誤 繰上げ支給の老齢基礎年金の受給権者であって，かつ，障害厚生年金の受給権者（当該障害厚生年金と同一の支給事由に基づく障害基礎年金の受給権を有しないものに限る）については，障害の程度が増進した場合の受給権者からの障害厚生年金の額改定請求の規定は適用されない。したがって，本肢の者は障害厚生年金の額の改定を請求することは「できない」（法52条7項，法附則16条の3第2項）。

社会保険科目 361p

C 誤 一度も障害等級1級又は2級の障害の状態に該当したことのない障害等級3級の障害厚生年金の受給権者については「併合認定の規定は適用されない」（法47条の3，法48条）。

社会保険科目 358p

D 誤 障害の程度が増進した場合の受給権者からの障害厚生年金の額改定請求に回数の制限は設けられていないため，本肢の者は，当該障害厚生年金の受給権を取得した日又は実施機関の診査を受けた日から起算して1年を経過した日後であれば（障害の程度が増進したことが明らかである場合として厚生労働省令で定める場合には当該1年を経過していなくても），当該障害厚生年金の額改定請求をすることができる（法52条2項・3項）。

社会保険科目 360p

E 誤 本肢の者は，65歳に達した時点では，障害等級に該当する程度の障害の状態に該当しなくなった日から起算して障害等級に該当する程度の障害の状態に該当することなく3年を経過していないため，65歳に達した日には障害厚生年金の受給権は消滅しない（法53条）。

社会保険科目 362～363p

キリトリ線

R3-4	障害厚生年金	重要度 B

問 17

障害厚生年金に関する次のアからオの記述のうち，正しいものの組合せは，後記ＡからＥまでのうちどれか。

ア　厚生年金保険法第47条の３第１項に規定する基準障害と他の障害とを併合した障害の程度による障害厚生年金の支給は，当該障害厚生年金の請求があった月の翌月から始まる。

イ　厚生年金保険法第48条第２項の規定によると，障害等級２級の障害厚生年金の受給権者が，更に障害等級２級の障害厚生年金を支給すべき事由が生じたことにより，同法第48条第１項に規定する前後の障害を併合した障害の程度による障害厚生年金の受給権を取得したときは，従前の障害厚生年金の支給は停止するものとされている。

ウ　期間を定めて支給を停止されている障害等級２級の障害厚生年金の受給権者に対して更に障害等級２級の障害厚生年金を支給すべき事由が生じたときは，厚生年金保険法第48条第１項に規定する前後の障害を併合した障害の程度による障害厚生年金は，従前の障害厚生年金の支給を停止すべきであった期間，その支給が停止され，その間，その者に従前の障害を併合しない障害の程度による障害厚生年金が支給される。

エ　厚生年金保険法第48条第１項に規定する前後の障害を併合した障害の程度による障害厚生年金の額が，従前の障害厚生年金の額よりも低額であったとしても，従前の障害厚生年金は支給が停止され，併合した障害の程度による障害厚生年金の支給が行われる。

オ　障害厚生年金の受給権者は，障害の程度が増進した場合には，実施機関に年金額の改定を請求することができるが，65歳以上の者又は国民年金法による老齢基礎年金の受給権者であって障害厚生年金の受給権者である者（当該障害厚生年金と同一の支給事由に基づく障害基礎年金の受給権を有しない者に限る。）については，実施機関が職権でこの改定を行うことができる。

厚年法

A　（アとイ）　**B**　（アとウ）　**C**　（イとエ）
D　（ウとオ）　**E**　（エとオ）

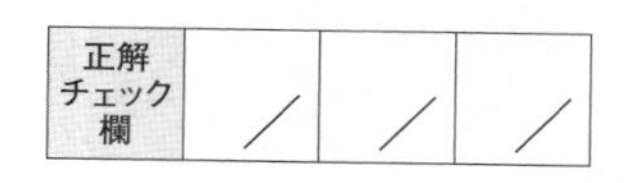

キリトリ線

本問のアからオまでのそれぞれの記述の正誤は以下のとおりであり，したがって，アとウを正しいとするBが解答となる。

ア　正　本肢のとおりである（法47条の3第3項）。

社会保険科目 355p

イ　誤　障害厚生年金の受給権者が併合認定の規定により前後の障害を併合した障害の程度による障害厚生年金の受給権を取得したときは，従前の障害厚生年金の「受給権は消滅する」（法48条2項）。

社会保険科目 358～359p

ウ　正　本肢のとおりである（法49条1項）。

社会保険科目 358～359p

エ　誤　法48条1項の規定による前後の障害を併合した障害の程度による障害厚生年金の額は，その額が「消滅した従前の障害厚生年金」の額より低額であるときは，「従前の障害厚生年金の額に相当する額」とされる（法50条4項）。

社会保険科目 358～359p

オ　誤　65歳以上の者又は老齢基礎年金の受給権者であって，かつ，障害厚生年金の受給権者（当該障害厚生年金と同一の支給事由に基づく障害基礎年金の受給権を有しないものに限る）については，実施機関の職権による額改定及び障害の程度が増進したことによる受給権者からの額改定請求の規定は適用されない。したがって，本肢の者について，実施機関が職権によって障害厚生年金の額改定を行うことはできない（法52条1項・2項・7項，法附則16条の3第2項）。

社会保険科目 360～361p

H27-5	遺族厚生年金	重要度 A

問 18 遺族厚生年金に関する次の記述のうち，誤っているものはどれか。

A 老齢厚生年金の受給権者（保険料納付済期間，保険料免除期間及び合算対象期間を合算した期間が25年以上である者に限る）が死亡したことにより支給される遺族厚生年金の額の計算における給付乗率については，死亡した者が昭和21年4月1日以前に生まれた者であるときは，生年月日に応じた読み替えを行った乗率が適用される。

B 遺族厚生年金の受給権者である妻が実家に復籍して姓も婚姻前に戻した場合であっても，遺族厚生年金の失権事由である離縁による親族関係の終了には該当しないため，その受給権は消滅しない。

C 被保険者が，自己の故意の犯罪行為により，死亡の原因となった事故を生じさせたときは，保険給付の全部又は一部を行なわないことができることとなっており，被保険者が精神疾患のため自殺した場合には遺族厚生年金は支給されない。

D 老齢厚生年金の受給権者（その計算の基礎となる被保険者期間の月数は300か月以上。）が死亡したことによりその妻（昭和25年4月2日生まれ）に支給される遺族厚生年金は，その権利を取得した当時，妻が65歳以上であっても，経過的寡婦加算が加算される。なお，当該妻は障害基礎年金及び遺族基礎年金の受給権を有しないものとする。

E 夫（障害の状態にない）に対する遺族厚生年金は，当該夫が60歳に達するまでの期間，支給停止されるが，夫が妻の死亡について遺族基礎年金の受給権を有するときは，支給停止されない。

正解チェック欄	／	／	／

A 正 本肢のとおりである（法60条，昭60法附則59条1項ほか）。なお，本肢の遺族厚生年金の額を計算する際には，被保険者期間の月数は実期間を用いる。

社会保険科目
369~370p

B 正 本肢のとおりである（法63条，昭30.4.12保文発3441号）。

C 誤 自殺により保険事故を生じた場合の遺族年金（遺族厚生年金）の給付制限については，自殺行為は何らかの精神異常に起因して行われる場合が多く，たとえ当該行為が外見上通常人と全く同様の状態にあったとしても，これをもって直ちに故意に保険事故を生じさせたものとして給付制限を行うのは適当でないとされている（法73条の2，昭35.10.6保険発123号）。

D 正 本肢のとおりである（昭60法附則73条）。なお，経過的寡婦加算は，①遺族厚生年金（長期要件に該当する場合はその額の計算の基礎となる被保険者期間の月数が240未満であるものを除く）の受給権者である死亡した者の妻であって，昭和31年4月1日以前に生まれたものが，その権利を取得した当時65歳以上であったとき，又は②中高齢寡婦加算の額が加算された遺族厚生年金の受給権者であって昭和31年4月1日以前に生まれたものが65歳に達したときに支給される。

社会保険科目
375p

E 正 本肢のとおりである（法65条の2）。

社会保険科目
376p

H28-3	遺族厚生年金	重要度 A

問 19　次の記述の場合のうち，死亡した者によって生計を維持していた一定の遺族に遺族厚生年金が支給されるものはいくつあるか。

ア　20歳未満の厚生年金保険の被保険者が死亡した場合。

イ　保険料納付要件を満たしている被保険者が行方不明となり，その後失踪の宣告を受けた場合。

ウ　国民年金の第1号被保険者期間のみを有していた者が，離婚時みなし被保険者期間を有するに至ったことにより老齢厚生年金の受給権を取得した後に死亡した場合（当該老齢厚生年金の受給権を取得した際には，保険料納付済期間，保険料免除期間及び合算対象期間を合算した期間が25年以上であった場合とする。）。

エ　保険料納付要件を満たした厚生年金保険の被保険者であった者が被保険者の資格を喪失した後に，被保険者であった間に初診日がある傷病により，当該初診日から起算して5年を経過する日前に死亡した場合。

オ　63歳の厚生年金保険の被保険者が平成28年4月に死亡した場合であって，死亡日の前日において，その者について国民年金の被保険者期間があり，かつ，当該被保険者期間に係る保険料納付済期間と保険料免除期間とを合算した期間が，当該被保険者期間の3分の2未満であり，老齢基礎年金の受給資格期間を満たしていないが，60歳から継続して厚生年金保険の被保険者であった場合。

A　一つ
B　二つ
C　三つ
D　四つ
E　五つ

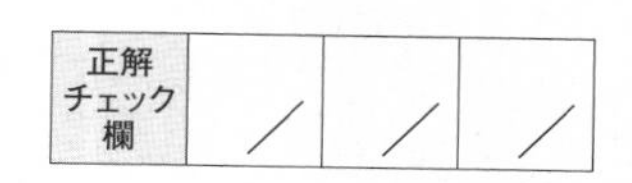

本問のアからオまでのそれぞれの記述の正誤は以下のとおりである。したがって，正しい記述はア，イ，ウ，エ及びオの5つであり，Eが解答となる。

ア　正　本肢のとおりである（法58条1項）。20歳未満の厚生年金保険の被保険者が死亡した場合，死亡日の前日において，死亡日の属する月の前々月までに国民年金の被保険者期間は，すべて保険料納付済期間であるため，保険料納付要件は満たしている。

イ　正　本肢のとおりである（法58条1項ほか）。被保険者（失踪の宣告を受けた被保険者であった者であって，行方不明となった当時被保険者であったものを含む）が死亡した場合は，その他の要件を満たせば，死亡した者によって生計を維持していた一定の遺族に遺族厚生年金が支給される。

ウ　正　本肢のとおりである（法58条1項，法78条の11）。遺族厚生年金の支給要件がいわゆる長期要件に該当する場合には，離婚時みなし被保険者期間を有する者を含むこととされており，本肢の者のように離婚時みなし被保険者期間以外に厚生年金保険の被保険者期間がない者であっても，長期要件に該当する場合にあっては，死亡した者によって生計を維持していた一定の遺族に遺族厚生年金が支給される。本肢の場合，離婚時みなし被保険者期間を有しており，かつ，老齢厚生年金の受給権者（保険料納付済期間，保険料免除期間及び合算対象期間を合算した期間が25年以上であった者）が死亡していることから，長期要件に該当する。

社会保険科目
365～366p

エ　正　本肢のとおりである（法58条1項）。

社会保険科目
365～366p

オ　正　本肢のとおりである（法58条1項，昭60法附則64条2項）。本肢の厚生年金保険の被保険者（65歳未満）の死亡は，令和8年4月1日前の死亡であり，死亡日の前日において，死亡日の属する月の前々月までの1年間のうちに保険料納付済期間及び保険料免除期間以外の国民年金の被保険者期間がないときは，保険料納付要件を満たしているものとされる。本肢の者は60歳から継続して厚生年金保険の被保険者であったことから，この要件に該当し，保険料納付要件を満たしているものとされる。

社会保険科目
365～366p

MEMO

R3-5	遺族厚生年金	重要度 B

問 20 遺族厚生年金に関する次のアからオの記述のうち，誤っているものの組合せは，後記AからEまでのうちどれか。

ア　老齢厚生年金の受給権者（被保険者ではないものとする。）が死亡した場合，国民年金法に規定する保険料納付済期間と保険料免除期間とを合算した期間が10年であったとしても，その期間と同法に規定する合算対象期間を合算した期間が25年以上である場合には，厚生年金保険法第58条第1項第4号に規定するいわゆる長期要件に該当する。

イ　厚生年金保険の被保険者であった甲は令和3年4月1日に厚生年金保険の被保険者資格を喪失したが，厚生年金保険の被保険者期間中である令和3年3月15日に初診日がある傷病により令和3年8月1日に死亡した（死亡時の年齢は50歳であった。）。この場合，甲について国民年金の被保険者期間があり，当該国民年金の被保険者期間に係る保険料納付済期間と保険料免除期間とを合算した期間が，当該国民年金の被保険者期間の3分の2未満である場合であっても，令和2年7月から令和3年6月までの間に保険料納付済期間及び保険料免除期間以外の国民年金の被保険者期間がないときには，遺族厚生年金の支給対象となる。

ウ　85歳の老齢厚生年金の受給権者が死亡した場合，その者により生計を維持していた未婚で障害等級2級に該当する程度の障害の状態にある60歳の当該受給権者の子は，遺族厚生年金を受けることができる遺族とはならない。

エ　厚生年金保険の被保険者であった甲には妻の乙と，甲の前妻との間の子である15歳の丙がいたが，甲が死亡したことにより，乙と丙が遺族厚生年金の受給権者となった。その後，丙が乙の養子となった場合，丙の遺族厚生年金の受給権は消滅する。

オ　厚生年金保険の被保険者の死亡により，被保険者の死亡当時27歳で子のいない妻が遺族厚生年金の受給権者となった。当該遺族厚生年金の受給権は，当該妻が30歳になったときに消滅する。

A（アとイ）　**B**（アとオ）　**C**（イとウ）
D（ウとエ）　**E**（エとオ）

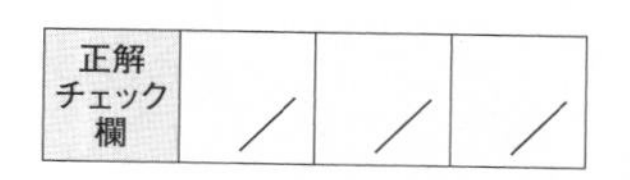

本問のアからオまでのそれぞれの記述の正誤は以下のとおりであり，したがって，エとオを誤りとするEが解答となる。

社会保険科目 365~366p

ア　正　本肢のとおりである（法58条，法附則14条1項）。

社会保険科目 365~366p

イ　正　本肢のとおりである（昭60法附則64条2項ほか）。本肢の者は，令和8年4月1日前に死亡しており，死亡当時65歳未満であったことから，いわゆる保険料納付要件の特定の適用を受けることができる。したがって，死亡日（令和3年8月1日）の前日において死亡日の属する月の前々月までの1年間（令和2年7月から令和3年6月）のうちに保険料納付済期間及び保険料免除期間以外の国民年金の被保険者期間がないことから，いわゆる保険料納付要件を満たしており，その他の要件を満たしていれば，本肢の者の所定の遺族に，遺族厚生年金が支給される。

社会保険科目 367~368p

ウ　正　本肢のとおりである（法59条1項）。本肢の受給権者の死亡の当時，本肢の子の年齢は60歳であるため，遺族厚生年金を受けることができる遺族とはならない。

社会保険科目 377~378p

エ　誤　本肢の子丙は，当該子の直系姻族である乙の養子となっているため，当該子の遺族厚生年金の受給権は，「消滅しない」（法63条1項3号）。

社会保険科目 377~378p

オ　誤　本肢の妻の遺族厚生年金の受給権は，「当該遺族厚生年金の受給権を取得した日から起算して5年を経過したとき」は消滅する（法63条1項5号）。

R6-5	遺族厚生年金

問 21 遺族厚生年金に関する次のアからオの記述のうち，正しいものの組合せは，後記ＡからＥまでのうちどれか。なお，本問では，遺族厚生年金に係る保険料納付要件は満たされているものとする。

ア　死亡した者が短期要件に該当する場合は，遺族厚生年金の年金額を算定する際に，死亡した者の生年月日に応じた給付乗率の引上げが行われる。

イ　厚生年金保険の被保険者である甲は令和2年1月1日に死亡した。甲の死亡時に甲によって生計を維持されていた遺族は，妻である乙（当時40歳）と子である丙（当時10歳）であり，乙が甲の死亡に基づく遺族基礎年金と遺族厚生年金を受給していた。しかし，令和6年8月1日に，乙も死亡した。乙は死亡時に厚生年金保険の被保険者であった。また，乙によって生計を維持されていた遺族は丙だけである。この場合，丙が受給権を有する遺族厚生年金は，甲の死亡に基づく遺族厚生年金と乙の死亡に基づく遺族厚生年金である。丙は，そのどちらかを選択して受給することができる。

ウ　厚生年金保険の被保険者が死亡したときに，被保険者によって生計を維持されていた遺族が50歳の父と54歳の母だけであった場合，父には遺族厚生年金の受給権は発生せず，母にのみ遺族厚生年金の受給権が発生する。

エ　夫（70歳）と妻（70歳）は，厚生年金保険の被保険者期間を有しておらず，老齢基礎年金を受給している。また，夫妻と同居していた独身の子は厚生年金保険の被保険者であったが，3年前に死亡しており，夫妻は，それに基づく遺族厚生年金も受給している。この状況で夫が死亡し，遺族厚生年金の受給権者の数に増減が生じたときは，増減が生じた月の翌月から，妻の遺族厚生年金の年金額が改定される。

キリトリ線

重要度 A

オ　繰下げにより増額された老齢厚生年金を受給している夫（厚生年金保険の被保険者ではない。）が死亡した場合，夫によって生計を維持されていた妻には，夫の受給していた老齢厚生年金の額（繰下げによる加算額を含む。）の4分の3が遺族厚生年金として支給される。なお，妻は老齢厚生年金の受給権を有しておらず，老齢基礎年金のみを受給しているものとする。

A（アとイ）　**B**（アとウ）　**C**（イとエ）
D（ウとオ）　**E**（エとオ）

厚年法

正解チェック欄	／	／	／

本問アからオまでのそれぞれの記述の正誤は以下のとおりである。したがって，イとエを正しい記述とするCが解答となる。

ア　誤　いわゆる短期要件に該当する遺族厚生年金については，遺族厚生年金の額を算定する際の給付乗率は「定率」であり，「死亡した者の生年月日に応じた給付乗率の引き上げは行われない」(法60条1項，昭60法附則59条1項)。

社会保険科目 370p

イ　正　本肢のとおりである（法59条1項，法66条1項，法38条1項)。本肢の甲の死亡の当時甲と生計維持関係にあった10歳の甲の子である丙の遺族厚生年金は，その受給権は発生したが，死亡した甲の妻である乙が当該死亡に基づく遺族厚生年金の受給権を有する期間支給停止されていた（乙の死亡により当該支給停止は解除される)。また，乙の死亡の当時乙と生計維持関係にある18歳年度末までの間にある乙の子である丙は，乙の死亡に基づく遺族厚生年金の受給権者となる。この2つの遺族厚生年金は，併給調整の規定により，いずれか一方を選択受給することとなる。

社会保険科目 367p

ウ　誤　本肢の父及び母は，被保険者の死亡の当時ともに55歳未満であり，当該父のみならず，「その母についても遺族厚生年金の受給権は発生しない」(法59条1項1号ほか)。

社会保険科目 318p

社会保険科目 371p

エ　正　本肢のとおりである（法61条1項)。

オ　誤　本肢の妻には，死亡した被保険者であった夫の被保険者期間を基礎として法43条1項（老齢厚生年金の額）の規定の例により計算した額の4分の3に相当する額，すなわち夫の受給していた老齢厚生年金の額（繰下げによる加算額を「含まない」）の4分の3が，遺族厚生年金として支給される（法60条1項)。

社会保険科目 369~370p

R2-1	保険給付	重要度 A

問 22 厚生年金保険法に関する次の記述のうち，誤っているものはどれか。

A 遺族厚生年金の受給権を有する障害等級1級又は2級に該当する程度の障害の状態にある子について，当該子が19歳に達した日にその事情がやんだときは，10日以内に，遺族厚生年金の受給権の失権に係る届書を日本年金機構に提出しなければならない。

B 年金たる保険給付は，厚生年金保険法の他の規定又は同法以外の法令の規定によりその額の一部につき支給を停止されている場合は，その受給権者の申出により，停止されていない部分の額の支給を停止することとされている。

C 老齢厚生年金の受給権者（保険料納付済期間と保険料免除期間とを合算した期間が25年以上ある者とする。）が行方不明になり，その後失踪の宣告を受けた場合，失踪者の遺族が遺族厚生年金を受給するに当たっての生計維持に係る要件については，行方不明となった当時の失踪者との生計維持関係が問われる。

D 障害厚生年金の受給権者が障害厚生年金の額の改定の請求を行ったが，診査の結果，その障害の程度が従前の障害の等級以外の等級に該当すると認められず改定が行われなかった。この場合，当該受給権者は実施機関の診査を受けた日から起算して1年6か月を経過した日後でなければ再び改定の請求を行うことはできない。

E 老齢厚生年金の加給年金額の加算の対象となる妻と子がある場合の加給年金額は，配偶者及び2人目までの子についてはそれぞれ224,700円に，3人目以降の子については1人につき74,900円に，それぞれ所定の改定率を乗じて得た額（その額に50円未満の端数が生じたときは，これを切り捨て，50円以上100円未満の端数が生じたときは，これを100円に切り上げるものとする。）である。

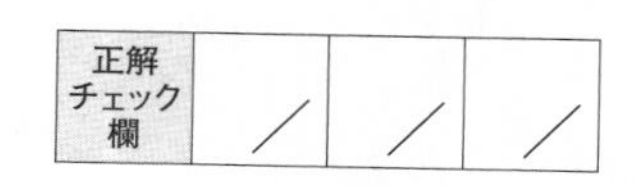

厚年法

A 正 本肢のとおりである（則63条1項）。なお，遺族厚生年金の受給権者が同時に当該遺族厚生年金と同一の支給事由に基づく遺族基礎年金の受給権を有する場合において，当該受給権者が遺族基礎年金の受給権の失権に係る届書を行ったときは，本肢の届出を行ったものとみなす（同条3項）。

B 正 本肢のとおりである（法38条の2第1項）。なお，本肢の申出は，いつでも，将来に向かって撤回することができる（同条3項）。

社会保険科目 321p

C 正 本肢のとおりである（法59条1項）。

D 誤 本肢の場合，当該障害厚生年金の受給権者は，その障害の程度が増進したことが明らかである場合として厚生労働省令で定める場合を除き，実施機関の診査を受けた日から起算して「1年」を経過した日後でなければ，再び障害厚生年金の額改定の請求を行うことはできない（法52条3項）。

社会保険科目 360p

E 正 本肢のとおりである（法44条2項）。

社会保険科目 335p

R4-6	保険給付	重要度 A

問 23 加給年金額に関する次の記述のうち，正しいものはどれか。

A 障害等級1級又は2級に該当する者に支給する障害厚生年金の額は，当該受給権者によって生計を維持しているその者の65歳未満の配偶者又は子（18歳に達する日以後最初の3月31日までの間にある子及び20歳未満で障害等級1級又は2級に該当する障害の状態にある子）があるときは，加給年金額が加算された額となる。

B 昭和9年4月2日以後に生まれた障害等級1級又は2級に該当する障害厚生年金の受給権者に支給される配偶者に係る加給年金額については，受給権者の生年月日に応じた特別加算が行われる。

C 老齢厚生年金（その年金額の計算の基礎となる被保険者期間の月数が240以上であるものに限る。）の受給権者が，受給権を取得した以後に初めて婚姻し，新たに65歳未満の配偶者の生計を維持するようになった場合には，当該配偶者に係る加給年金額が加算される。

D 報酬比例部分のみの特別支給の老齢厚生年金の年金額には，加給年金額は加算されない。また，本来支給の老齢厚生年金の支給を繰り上げた場合でも，受給権者が65歳に達するまで加給年金額は加算されない。

E 老齢厚生年金の加給年金額の対象となっている配偶者が，収入を増加させて，受給権者による生計維持の状態がやんだ場合であっても，当該老齢厚生年金の加給年金額は減額されない。

正解チェック欄	／	／	／

A 誤 障害厚生年金については,「子に係る加給年金額の加算はない」。その他の記述は正しい(法50条の2第1項・2項ほか)。

社会保険科目 357p

B 誤 障害厚生年金に係る配偶者加給年金額については,「特別加算は行われない」(法50条の2第1項・2項ほか)。

社会保険科目 357p

C 誤 老齢厚生年金(その年金額の計算の基礎となる被保険者期間の月数が240以上であるものに限る)に係る配偶者加給年金額は,原則として,当該老齢厚生年金の受給権者が「その権利を取得した当時」にその者によって生計を維持していたその者の65歳未満の配偶者があるときに,当該老齢厚生年金の額に加算される。したがって,「老齢厚生年金の受給権を取得した当時は要件に該当する配偶者がおらず,その後に初めて婚姻し新たに65歳未満の配偶者の生計を維持することとなった場合には,配偶者加給年金額は加算されない」(法44条1項,法附則16条ほか)。

社会保険科目 334～335p

D 正 本肢のとおりである(法附則7条の3第6項,平6法附則19条3項・5項,平6法附則20条3項・5項)。なお,本来支給の老齢厚生年金(65歳以後に支給される老齢厚生年金)の支給を繰り下げた場合,加給年金額の加算時期も繰り下がる(法44条1項)。

社会保険科目 334～335p

E 誤 老齢厚生年金の加給年金額の対象となっている配偶者が,当該老齢厚生年金の受給権者による生計維持の状態がやんだときは,当該事由に該当した月の翌月から,当該老齢厚生年金の「配偶者加給年金額は加算されなくなる」(法44条4項)。

社会保険科目 336p

キリトリ線

R2-10	保険給付	重要度 A

問 24 厚生年金保険法に関する次のアからオの記述のうち，誤っているものの組合せは，後記AからEまでのうちどれか。

ア　被保険者であった者が，被保険者の資格を喪失した後に，被保険者であった間に初診日がある傷病により当該初診日から起算して5年を経過する日前に死亡したときは，死亡した者が遺族厚生年金の保険料納付要件を満たしていれば，死亡の当時，死亡した者によって生計を維持していた一定の遺族に遺族厚生年金が支給される。

イ　老齢基礎年金の受給資格期間を満たしている60歳以上65歳未満の者であって，特別支給の老齢厚生年金の生年月日に係る要件を満たす者が，特別支給の老齢厚生年金の受給開始年齢に到達した日において第1号厚生年金被保険者期間が9か月しかなかったため特別支給の老齢厚生年金を受給することができなかった。この者が，特別支給の老齢厚生年金の受給開始年齢到達後に第3号厚生年金被保険者の資格を取得し，当該第3号厚生年金被保険者期間が3か月になった場合は，特別支給の老齢厚生年金を受給することができる。なお，この者は上記期間以外に被保険者期間はないものとする。

ウ　令和6年8月において，総報酬月額相当額が220,000円の64歳の被保険者が，特別支給の老齢厚生年金の受給権を有し，当該老齢厚生年金における基本月額が120,000円の場合，在職老齢年金の仕組みにより月60,000円の当該老齢厚生年金が支給停止される。

エ　障害厚生年金は，その傷病が治らなくても，初診日において被保険者であり，初診日から1年6か月を経過した日において障害等級に該当する程度の状態であって，保険料納付要件を満たしていれば支給対象となるが，障害手当金は，初診日において被保険者であり，保険料納付要件を満たしていたとしても，初診日から起算して5年を経過する日までの間に，その傷病が治っていなければ支給対象にならない。

オ　遺族厚生年金は，被保険者の死亡当時，当該被保険者によって生計維持されていた55歳以上の夫が受給権者になることはあるが，子がいない場合は夫が受給権者になることはない。

厚年法

キリトリ線

A　（アとウ）　**B**　（アとエ）　**C**　（イとエ）
D　（イとオ）　**E**　（ウとオ）

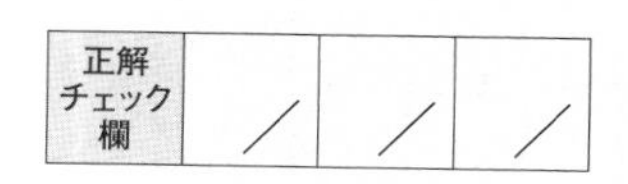

本問のアからオまでのそれぞれの記述の正誤は以下のとおりであり，したがって，ウとオを誤りとするEが解答となる。

ア　正　本肢のとおりである（法58条1項，法59条1項）。

社会保険科目
365～366p

イ　正　本肢のとおりである（法附則20条1項ほか）。2以上の種別の被保険者であった期間を有する者については，60歳台前半の老齢厚生年金（本肢の表現では「特別支給の老齢厚生年金」）の支給要件の1つである「1年以上の被保険者期間を有すること」を判断する場合，その者の2以上の被保険者の種別に係る被保険者であった期間に係る被保険者期間を合算し，一の期間に係る被保険者期間のみを有するものとみなして判断する。したがって，本肢の場合，第1号厚生年金被保険者期間9か月と第3号厚生年金被保険者期間3か月を合算して12月（1年）となり，60歳台前半の老齢厚生年金を受給することができる。

社会保険科目
329p

ウ　誤　本肢の場合，総報酬月額相当額220,000円と基本月額120,000円との合算額340,000円が支給停止調整額500,000円（令和6年度価額）を超えないため，在職老齢年金の仕組みによる支給停止は行われない（法附則11条，平6法附則21条）。

社会保険科目
339～340p

社会保険科目
353,
363～364p

エ　正　本肢のとおりである（法47条1項，法55条）。

オ　誤　被保険者の死亡の当時，当該被保険者によって生計維持されていた55歳以上の夫は，子がいない場合であっても，「遺族厚生年金の受給権者となることができる」（法59条1項1号）。

社会保険科目
367～368p

キリトリ線

H27-3	保険給付	重要度 A

問 25 厚生年金保険の保険給付と雇用保険の給付との調整に関する次のアからオまでの記述のうち，正しいものの組合せは，後記AからEまでのうちどれか。

ア　特別支給の老齢厚生年金の受給権者が雇用保険の求職の申込みをしたときは，当該求職の申込みがあった月から当該受給資格に係る所定給付日数に相当する日数分の基本手当を受け終わった月（雇用保険法第28条第1項に規定する延長給付を受ける者にあっては，当該延長給付が終わった月。）又は当該受給資格に係る受給期間が経過した月までの各月において，当該老齢厚生年金の支給を停止する。

イ　雇用保険の基本手当との調整により老齢厚生年金の支給が停止された者について，当該老齢厚生年金に係る調整対象期間が終了するに至った場合，調整対象期間の各月のうち年金停止月の数から基本手当の支給を受けた日とみなされる日の数を30で除して得た数（1未満の端数が生じたときは，これを1に切り上げるものとする。）を控除して得た数が1以上であるときは，年金停止月のうち，当該控除して得た数に相当する月数分の直近の各月については，雇用保険の基本手当との調整による老齢厚生年金の支給停止が行われなかったものとみなす。

ウ　60歳台前半において，障害等級2級の障害基礎年金及び障害厚生年金の受給権者が雇用保険の基本手当を受けることができるときは，障害厚生年金のみが支給停止の対象とされる。

エ　特別支給の老齢厚生年金の受給権者が，雇用保険の基本手当を受けた後，再就職して厚生年金保険の被保険者になり，雇用保険の高年齢再就職給付金を受けることができる場合，その者の老齢厚生年金は，在職老齢年金の仕組みにより支給停止を行い，さらに高年齢再就職給付金との調整により標準報酬月額を基準とする一定の額が支給停止される。なお，標準報酬月額は賃金月額の64％相当額未満であり，かつ，高年齢雇用継続給付の支給限度額未満であるものとする。また，老齢厚生年金の全額が支給停止される場合を考慮する必要はない。

オ　60歳台後半の老齢厚生年金の受給権者が，雇用保険の高年齢求職者給付金を受給した場合，当該高年齢求職者給付金の支給額に一定の割合を乗じて得た額に達するまで老齢厚生年金が支給停止される。

A（アとウ）　**B**（アとオ）　**C**（イとエ）
D（イとオ）　**E**（ウとエ）

正解チェック欄	／	／	／

厚年法

キリトリ線

正解 C

本問のアからオまでのそれぞれの記述の正誤は以下のとおりであり，したがって，イ及びエを正しいとするCが解答となる。

ア　誤　雇用保険法に規定する基本手当の受給資格を有する特別支給の老齢厚生年金の受給権者が同法の規定による求職の申込みをしたときは，当該求職の申込みがあった月の「翌月」から，当該老齢厚生年金の支給が停止される。その他の記述については正しい（法附則11条の5ほか）。

社会保険科目 340~341p

イ　正　本肢のとおりである（法附則11条の5ほか）。

社会保険科目 340~341p

ウ　誤　障害基礎年金及び障害厚生年金は，雇用保険の基本手当との調整の対象とはされていない（法附則11条の5ほか）。

社会保険科目 340~341p

エ　正　本肢のとおりである（法附則11条の6第8項ほか）。

社会保険科目 342p

オ　誤　60歳台後半に支給される老齢厚生年金について，本肢のような調整規定は設けられていない（法附則7条の4，法附則11条の5ほか）。

社会保険科目 342p

R5-7	保険給付	重要度 A

問 26 厚生年金保険法に関する次の記述のうち，正しいものはどれか。

A　老齢厚生年金に係る子の加給年金額は，その対象となる子の数に応じて加算される。1人当たりの金額は，第2子までは配偶者の加給年金額と同額だが，第3子以降は，配偶者の加給年金額の3分の2の額となる。

B　昭和9年4月2日以後に生まれた老齢厚生年金の受給権者については，配偶者の加給年金額に更に特別加算が行われる。特別加算額は，受給権者の生年月日によって異なり，その生年月日が遅いほど特別加算額が少なくなる。

C　甲は，厚生年金保険に加入しているときに生じた障害により，障害等級2級の障害基礎年金と障害厚生年金を受給している。現在は，自営業を営み，国民年金に加入しているが，仕事中の事故によって，新たに障害等級2級に該当する程度の障害の状態に至ったため，甲に対して更に障害基礎年金を支給すべき事由が生じた。この事例において，前後の障害を併合した障害の程度が障害等級1級と認定される場合，新たに障害等級1級の障害基礎年金の受給権が発生するとともに，障害厚生年金の額も改定される。

D　乙は，視覚障害で障害等級3級の障害厚生年金（その権利を取得した当時から引き続き障害等級1級又は2級に該当しない程度の障害の状態にあるものとする。）を受給している。現在も，厚生年金保険の適用事業所で働いているが，新たな病気により，障害等級3級に該当する程度の聴覚障害が生じた。後発の障害についても，障害厚生年金に係る支給要件が満たされている場合，厚生年金保険法第48条の規定により，前後の障害を併合した障害等級2級の障害厚生年金が乙に支給され，従前の障害厚生年金の受給権は消滅する。

E　障害手当金の額は，厚生年金保険法第50条第1項の規定の例により計算した額の100分の200に相当する額である。ただし，その額が，障害基礎年金2級の額に2を乗じて得た額に満たないときは，当該額が障害手当金の額となる。

正解チェック欄	／	／	／

A 誤 老齢厚生年金の子に係る加給年金額は，第2子までは，配偶者加給年金額と同額の1人当たり「224,700円×改定率」であり，第3子以降は，「74,900円×改定率」である。つまり，第3子以降の加給年金額は，配偶者加給年金額の「3分の1」の額となる（法44条2項）。

社会保険科目 335p

B 誤 特別加算額は，老齢厚生年金の受給権者の生年月日により異なり，その生年月日が遅いほど特別加算額が「高くなる」。本肢前段の記述は正しい（昭60法附則60条2項）。

社会保険科目 336p

C 正 本肢のとおりである（法52条の2第2項）。

社会保険科目 361~362p

D 誤 一度も障害等級1級又は2級に該当したことのない障害等級3級の障害厚生年金の受給権者については，法48条の規定による「併合認定は行われず，従前の障害厚生年金の受給権は消滅しない」（法47条の3第1項・2項，法48条）。なお，本肢の場合は，法47条の3の基準障害の障害厚生年金の支給要件を満たせば，障害等級2級の障害厚生年金が支給される。

社会保険科目 358p

E 誤 障害手当金の最低保障額は，障害等級2級の障害基礎年金の額に「4分の3を乗じて得た額」に2を乗じて得た額である。本肢前段の記述は正しい（法57条）。

社会保険科目 364p

R5-9	保険給付	重要度 B

問 27 厚生年金保険法に関する次の記述のうち，正しいものはどれか。

A 今年度65歳に達する被保険者甲と乙について，20歳に達した日の属する月から60歳に達した日の属する月の前月まで厚生年金保険に加入した甲と，20歳に達した日の属する月から65歳に達した日の属する月の前月まで厚生年金保険に加入した乙とでは，老齢厚生年金における経過的加算の額は異なる。

B 老齢厚生年金の支給繰下げの申出をした者に支給する繰下げ加算額は，老齢厚生年金の受給権を取得した日の属する月までの被保険者期間を基礎として計算した老齢厚生年金の額と在職老齢年金の仕組みによりその支給を停止するものとされた額を勘案して，政令で定める額とする。

C 65歳到達時に老齢厚生年金の受給権が発生していた者が，72歳のときに老齢厚生年金の裁定請求をし，かつ，請求時に繰下げの申出をしない場合には，72歳から遡って5年分の年金給付が一括支給されることになるが，支給される年金には繰下げ加算額は加算されない。

D 厚生年金保険法第43条第2項の在職定時改定の規定において，基準日が被保険者の資格を喪失した日から再び被保険者の資格を取得した日までの間に到来し，かつ，当該被保険者の資格を喪失した日から再び被保険者の資格を取得した日までの期間が1か月以内である場合は，基準日の属する月前の被保険者であった期間を老齢厚生年金の額の計算の基礎として，基準日の属する月の翌月から年金の額を改定するものとする。

E 被保険者である受給権者がその被保険者の資格を喪失し，かつ，再び被保険者となることなくして被保険者の資格を喪失した日から起算して1か月を経過したときは，その被保険者の資格を喪失した月以前における被保険者であった期間を老齢厚生年金の額の計算の基礎とするものとし，資格を喪失した日から起算して1か月を経過した日の属する月から，年金の額を改定する。

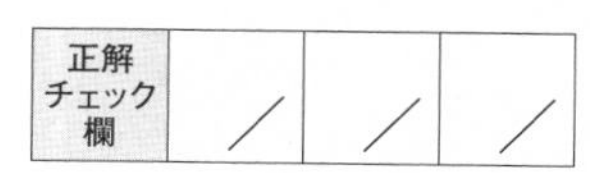

キリトリ線

A　誤　経過的加算額は，60歳台前半の老齢厚生年金の定額部分の額相当額から厚生年金保険の加入期間に係る老齢基礎年金の額を控除して得た額である。この「厚生年金保険の加入期間に係る老齢基礎年金の額」は，780,900円に改定率を乗じて得た額に，昭和36年4月1日以後の20歳に達した日の属する月から60歳に達した日の属する月前の被保険者期間の月数を加入可能月数で除して得た数を乗じて得た額である。したがって，60歳に達した日の属する月以後の被保険者期間は，経過的加算額の計算の基礎に算入されないため，甲と乙の経過的加算額は「同額となる」（昭60法附則59条2項）。

社会保険科目 345p

B　誤　繰下げ加算額は，老齢厚生年金の受給権を取得した日の属する月の「前月」までの被保険者期間を基礎とした老齢厚生年金の額及び在職老齢年金の仕組みによりその支給を停止するものとされた額を勘案して政令で定める額とする（法44条の3第4項）。

社会保険科目 350p

C　誤　老齢厚生年金の支給繰下げの申出をすることができる者が，その受給権を取得した日から起算して5年を経過した日後に当該老齢厚生年金を請求し，かつ，当該請求の際に支給繰下げの申出をしないときは，当該請求をした日の5年前の日に支給繰下げの申出があったものとみなされる。したがって，本肢の者は67歳のときに支給繰下げの申出があったものとみなされるため，支給される老齢厚生年金には，原則として，「繰下げ加算額が加算される」（法44条の3第5項）。

社会保険科目 350～351p

D　正　本肢のとおりである（法43条2項）。

社会保険科目 345p

E 誤 被保険者である老齢厚生年金の受給権者がその被保険者の資格を喪失し，かつ，被保険者となることなくして被保険者の資格を喪失した日から起算して1か月を経過したときは，その被保険者の資格を喪失した月「前」における被保険者であった期間を老齢厚生年金の額の計算の基礎とするものとし，資格を喪失した日（一定の資格喪失事由に該当した場合は，その日）から起算して1か月を経過した日の属する月から，老齢厚生年金の額を改定する（法43条3項）。

社会保険科目
345p

MEMO

R5-10	保険給付	重要度 A

問 28 厚生年金保険法に関する次のアからオの記述のうち，誤っているものの組合せは，後記AからEまでのうちどれか。

ア　障害厚生年金の給付事由となった障害について，国民年金法による障害基礎年金を受けることができない場合において，障害厚生年金の額が障害等級2級の障害基礎年金の額に2分の1を乗じて端数処理をして得た額に満たないときは，当該額が最低保障額として保障される。なお，配偶者についての加給年金額は加算されない。

イ　甲は，障害等級3級の障害厚生年金の支給を受けていたが，63歳のときに障害等級3級に該当する程度の障害の状態でなくなったために当該障害厚生年金の支給が停止された。その後，甲が障害等級に該当する程度の障害の状態に該当することなく65歳に達したとしても，障害厚生年金の受給権は65歳に達した時点では消滅しない。

ウ　遺族厚生年金を受けることができる遺族のうち，夫については，被保険者又は被保険者であった者の死亡の当時その者によって生計を維持していた者で，55歳以上であることが要件とされており，かつ，60歳に達するまでの期間はその支給が停止されるため，国民年金法による遺族基礎年金の受給権を有するときも，55歳から遺族厚生年金を受給することはない。

エ　遺族厚生年金は，障害等級1級又は2級に該当する程度の障害の状態にある障害厚生年金の受給権者が死亡したときにも，一定の要件を満たすその者の遺族に支給されるが，その支給要件において，その死亡した者について保険料納付要件を満たすかどうかは問わない。

オ　遺族厚生年金と当該遺族厚生年金と同一の支給事由に基づく遺族基礎年金の受給権も有している妻が，30歳に到達する日前に当該遺族基礎年金の受給権が失権事由により消滅した場合，遺族厚生年金の受給権は当該遺族基礎年金の受給権が消滅した日から5年を経過したときに消滅する。

A　（アとイ）　**B**　（アとウ）　**C**　（イとエ）
D　（ウとオ）　**E**　（エとオ）

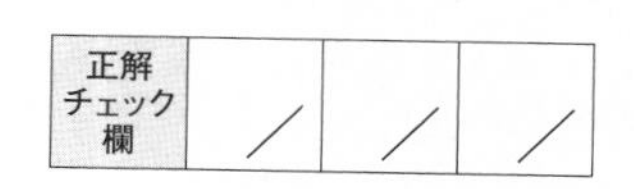

本問アからオまでのそれぞれの記述の正誤は以下のとおりである。したがって，アとウを誤っている記述とするBが解答となる。

ア 誤 障害厚生年金の最低保障額は，障害等級2級の障害基礎年金の額に4分の3を乗じて得た額である（法50条3項）。

社会保険科目 356p

イ 正 本肢のとおりである（法53条）。障害厚生年金の受給権は，障害等級3級にも該当しなくなった場合であって，そのまま障害等級3級にも該当することなく65歳に達した日又は3年を経過した日のいずれか遅い方に達したときに消滅する。本肢の甲が65歳に達した時点においては，障害等級3級に該当しなくなってまだ3年を経過していないため，65歳に達した時点では，まだ障害厚生年金の受給権は消滅しない。

社会保険科目 362～363p

ウ 誤 夫に対する遺族厚生年金は，原則として，夫が60歳に達するまでの期間，その支給が停止されるが，被保険者又は被保険者であった者の死亡について，「夫が遺族基礎年金の受給権を有するときは，当該支給停止は行われない」。夫の遺族厚生年金の支給要件に関する記述については正しい（法59条1項，法65条の2）。

社会保険科目 367～368p

エ 正 本肢のとおりである（法58条1項）。障害等級1級又は2級に該当する障害の状態にある障害厚生年金の受給権者が死亡したときは，遺族厚生年金の支給に当たって保険料納付要件は問われない。

社会保険科目 365～366p

オ 正 本肢のとおりである（法63条1項）。

社会保険科目 377p

R6-9	保険給付	重要度 A

問 29 厚生年金保険法に関する次の記述のうち，正しいものはどれか。

A 2以上の種別の被保険者であった期間を有する者の場合，厚生年金保険法附則第8条の規定により支給される特別支給の老齢厚生年金の支給要件のうち「1年以上の被保険者期間を有すること」については，その者の2以上の種別の被保険者であった期間に係る被保険者期間を合算することはできない。

B 2以上の種別の被保険者であった期間を有する者に係る老齢厚生年金の額は，その者の2以上の種別の被保険者であった期間を合算して一の期間に係る被保険者期間のみを有するものとみなして平均標準報酬額を算出し計算することとされている。

C 第1号厚生年金被保険者として在職中である者が，報酬比例部分のみの特別支給の老齢厚生年金の受給権を取得したとき，第1号厚生年金被保険者としての期間が44年以上である場合は，老齢厚生年金の額の計算に係る特例の適用となり，その者の特別支給の老齢厚生年金に定額部分が加算される。

D 65歳以上の被保険者で老齢厚生年金の受給権者が離職し，雇用保険法に基づく高年齢求職者給付金を受給した場合は，当該高年齢求職者給付金に一定の率を乗じて得た額に相当する部分の老齢厚生年金の支給が停止される。

E 65歳以後の在職老齢年金の仕組みにおいて，在職中であり，被保険者である老齢厚生年金の受給権者が，66歳以降に繰下げの申出を行った場合，当該老齢厚生年金の繰下げ加算額は，在職老齢年金の仕組みによる支給停止の対象とはならない。

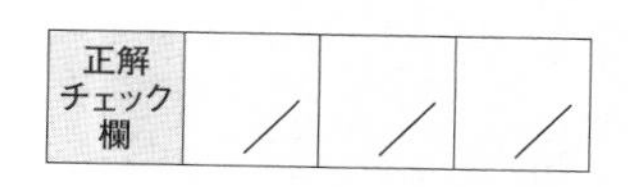

A 誤 2以上の種別の被保険者であった期間を有する者の場合，60歳台前半の老齢厚生年金の支給要件のうち「1年以上の被保険者期間を有すること」については，その者の2以上の被保険者の種別に係る被保険者であった期間に係る被保険者期間を「合算し，一の期間に係る被保険者期間のみを有するものとみなして」判断する（法附則20条1項）。

社会保険科目 329p

B 誤 2以上の種別の被保険者であった期間を有する者に係る老齢厚生年金の額は，「各号の被保険者期間ごとに」平均標準報酬額を算定し計算する（法78条26第2項）。

社会保険科目 345p

C 誤 本肢の場合，第1号厚生年金被保険者として在職中であるため，いわゆる長期加入者の特例は「適用されず，当該老齢厚生年金に定額部分は加算されない」（法附則9条の3第1項）。

社会保険科目 338p

D 誤 本肢の老齢厚生年金の支給は「停止されない」（法附則11条の5）。なお，「65歳未満」である者に支給する老齢厚生年金については，雇用保険法の「基本手当」との調整の対象となる。

社会保険科目 342p

E 正 本肢のとおりである（法46条1項）。

社会保険科目 352p

R6-10	保険給付	重要度 A

問 30 厚生年金保険法に関する次のアからオの記述のうち，正しいものの組合せは，後記AからEまでのうちどれか。

ア　厚生年金保険の被保険者であった18歳のときに初診日のある傷病について，その障害認定日において障害等級3級の障害の状態にある場合にその者が20歳未満のときは，障害厚生年金の受給権は20歳に達したときに発生する。

イ　障害手当金は，疾病にかかり又は負傷し，その傷病に係る初診日において被保険者であった者が，保険料納付要件を満たし，当該初診日から起算して5年を経過する日までの間にまだその傷病が治っておらず治療中の場合でも，5年を経過した日に政令で定める程度の障害の状態にあるときは支給される。

ウ　年金たる保険給付（厚生年金保険法の他の規定又は他の法令の規定によりその全額につき支給を停止されている年金たる保険給付を除く。）は，その受給権者の申出により，その全額の支給を停止することとされている。ただし，厚生年金保険法の他の規定又は他の法令の規定によりその額の一部につき支給を停止されているときは，停止されていない部分の額の支給を停止する。

エ　現在55歳の自営業者の甲は，20歳から5年間会社に勤めていたので，厚生年金保険の被保険者期間が5年あり，この他の期間はすべて国民年金の第1号被保険者期間で保険料はすべて納付済みとなっている。もし，甲が現時点で死亡した場合，一定要件を満たす遺族に支給される遺族厚生年金の額は，厚生年金保険の被保険者期間を300月として計算した額となる。

オ　2以上の種別の被保険者であった期間を有する者に係る脱退一時金については，その者の2以上の被保険者の種別に係る被保険者であった期間に係る被保険者期間を合算し，一の期間に係る被保険者期間のみを有する者に係るものとみなして支給要件を判定する。

A　（アとイ）　**B**　（アとウ）　**C**　（イとエ）
D　（ウとオ）　**E**　（エとオ）

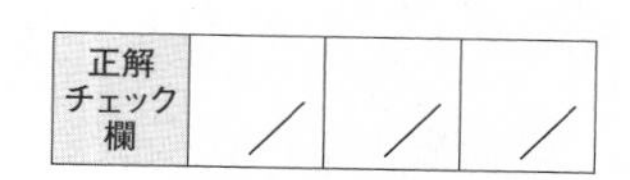

厚年法

本問アからオまでのそれぞれの記述の正誤は以下のとおりである。したがって，ウとオを正しい記述とするDが解答となる。

ア　誤　本肢の場合，「障害認定日」に障害厚生年金の受給権が発生する（法47条1項）。

社会保険科目 353p

イ　誤　障害手当金は，まだ傷病が治っておらず治療中の場合は，「支給されない」（法55条）。障害手当金は，傷病に係る初診日において被保険者であった者が，保険料納付要件を満たし，「当該初診日から起算して5年を経過する日までの間におけるその傷病が治った日」において，その傷病により政令で定める程度の障害の状態にある場合に，その者に支給される。

社会保険科目 363p

ウ　正　本肢のとおりである（法38条の2第1項）。

社会保険科目 321p

エ　誤　本肢の場合，保険料納付済期間が25年以上である者が死亡したいわゆる長期要件に該当する遺族厚生年金であり，当該遺族厚生年金の額は，「実際の被保険者期間の月数」を基に計算する（法58条1項4号，法60条1項）。

社会保険科目 370p

オ　正　本肢のとおりである（法附則30条）。

社会保険科目 391p

キリトリ線

R4-4	保険料等	重要度 A

問 31 次のアからオの記述のうち，厚生年金保険法第85条の規定により，保険料を保険料の納期前であっても，すべて徴収することができる場合として正しいものの組合せは，後記AからEまでのうちどれか。

ア　法人たる納付義務者が法人税の重加算税を課されたとき。
イ　納付義務者が強制執行を受けるとき。
ウ　納付義務者について破産手続開始の申立てがなされたとき。
エ　法人たる納付義務者の代表者が死亡したとき。
オ　被保険者の使用される事業所が廃止されたとき。

A　（アとウ）　**B**　（アとエ）　**C**　（イとウ）
D　（イとオ）　**E**　（ウとオ）

厚年法

キリトリ線

正解チェック欄	／	／	／

本問アからオまでのそれぞれの記述の正誤は以下のとおりである。したがって，イとオを正しい記述とするDが正解となる。

ア　誤　本肢の場合は，法85条の規定により保険料をその納期前であっても全て徴収することができる場合には「該当しない」（法85条）。

社会保険科目 406p

イ　正　本肢の場合は，法85条の規定により保険料をその納期前であっても全て徴収することができる場合に該当する（法85条）。

社会保険科目 406p

ウ　誤　本肢の場合は，法85条の規定により保険料をその納期前であっても全て徴収することができる場合には「該当しない」（法85条）。なお，納付義務者が破産手続開始の「決定を受けたとき」は，法85条の規定により保険料をその納期前であっても全て徴収することができる場合に該当する。

社会保険科目 406p

D　誤　本肢の場合は，法85条の規定により保険料をその納期前であっても全て徴収することができる場合には「該当しない」（法85条）。

社会保険科目 406p

E　正　本肢の場合は，法85条の規定により保険料をその納期前であっても全て徴収することができる場合に該当する（法85条）。

社会保険科目 406p

キリトリ線

R6-1	不服申立て	重要度 A

問 32

厚生年金保険法に関する次の記述のうち，正しいものはどれか。

A　厚生労働大臣による被保険者の資格に関する処分に不服がある者は，社会保険審査会に対して審査請求をすることができる。

B　厚生労働大臣による保険料の賦課の処分に不服がある者は，社会保険審査官に対して審査請求をすることができる。

C　厚生労働大臣による脱退一時金に関する処分に不服がある者は，社会保険審査会に対して審査請求をすることができる。

D　第1号厚生年金被保険者が厚生年金保険原簿の訂正請求をしたが，厚生労働大臣が訂正をしない旨を決定した場合，当該被保険者が当該処分に不服がある場合は，社会保険審査官に対して審査請求をすることができる。

E　被保険者の資格又は標準報酬に関する処分が確定した場合でも，その処分についての不服を当該処分に基づく保険給付に関する処分についての不服の理由とすることができる。

厚年法

キリトリ線

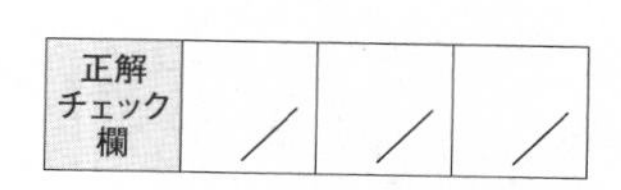

正解チェック欄	／	／	／

A　誤　厚生労働大臣による被保険者の資格に関する処分に不服がある者は,「社会保険審査官」に対して審査請求をすることができる（法90条1項）。

社会保険科目 410p

B　誤　厚生労働大臣による保険料の賦課の処分に不服がある者は,「社会保険審査会」に対して審査請求をすることができる（法91条1項）。

社会保険科目 410p

C　正　本肢のとおりである（法附則29条6項）。

社会保険科目 411p

D　誤　特定厚生年金保険原簿記録に係る厚生年金保険原簿の訂正をしない旨の決定に関する処分については，社会保険審査官に対して審査請求をすることは「できない」（法90条1項ただし書）。

社会保険科目 410~411p

E　誤　被保険者の資格又は標準報酬に関する処分が確定したときは，その処分についての不服を当該処分に基づく保険給付に関する処分についての不服の理由とすることが「できない」（法90条5項）。

社会保険科目 411p

H27-6	総合問題	重要度 A

問 33 厚生年金保険法に関する次の記述のうち，誤っているものはどれか。
※本問においては，事業所及び船舶は民間の事業所及び船舶であるものと，被保険者は第1号厚生年金被保険者であるものと，保険料は第1号厚生年金被保険者に係る保険料であるものとする。

A 被保険者が同時にいずれも適用事業所である船舶甲及び事業所乙に使用される場合，当該被保険者を使用する甲及び乙が負担すべき標準賞与額に係る保険料の額は，甲及び乙がその月に支払った賞与額をその月に当該被保険者が受けた賞与額で除して得た数を当該被保険者の保険料の半額に乗じて得た額とし，甲及び乙がそれぞれ納付する義務を負う。

B 被保険者の使用される船舶について船舶所有者の変更があった場合には，厚生年金保険法第85条の規定に基づいて保険料を納期前にすべて徴収することができる。

C 保険料に係る延滞金は，保険料額が1,000円未満であるときは徴収しないこととされている。

D 未支給の保険給付を受けるべき者の順位は，死亡した者と生計を同じくしていたもののうち，死亡した者の配偶者，子（死亡した者が遺族厚生年金の受給権者である夫であった場合における被保険者又は被保険者であった者の子であってその者の死亡によって遺族厚生年金の支給の停止が解除されたものを含む。），父母，孫，祖父母，兄弟姉妹及びこれらの者以外の三親等内の親族の順序とする。

E 老齢厚生年金の額に加算される加給年金額の対象となっている障害の状態にある19歳の子が，実施機関が必要と認めた受診命令に従わなかったときは，厚生年金保険法第77条の規定による支給停止が行われることがある。

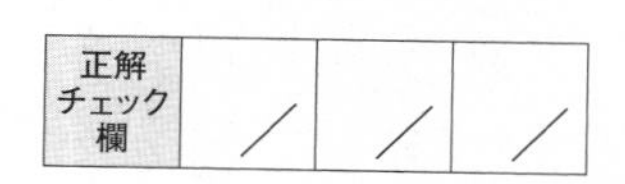

A　誤　本肢の場合，船舶所有者以外の事業主は保険料を負担せず，保険料を納付する義務を負わないものとされ，船舶所有者が当該被保険者に係る保険料の半額を負担し，当該保険料及び当該被保険者の負担する保険料を納付する義務を負う（令4条4項）。

社会保険科目
403p

B　正　本肢のとおりである（法85条）。

社会保険科目
406p

C　正　本肢のとおりである（法87条1項）。次の①～③のいずれかに該当する場合又は滞納につきやむを得ない事情があると認められる場合は，この限りでない。

①保険料額が1,000円未満であるとき
②納期を繰り上げて徴収するとき
③納付義務者の住所若しくは居所が国内にないため，又はその住所及び居所がともに明らかでないため，公示送達の方法によって督促したとき

社会保険科目
407p

D　正　本肢のとおりである（令3条の2）。

社会保険科目
317p

E　正　本肢のとおりである（法77条2号）。なお，本問に規定する者が，故意若しくは重大な過失により，又は正当な理由がなくて療養に関する指示に従わないことにより，その障害の回復を妨げたときも同様に，年金たる保険給付の支給停止が行われることがある。

社会保険科目
394p

キリトリ線

H27-7	総合問題	重要度 A

問 34 厚生年金保険法に関する次の記述のうち，誤っているものはどれか。

A 被保険者又は被保険者であった者の死亡の当時胎児であった子が出生したときは，厚生年金保険法第59条第1項に規定する遺族厚生年金を受けることができる遺族の範囲の適用については，将来に向かって，その子は，被保険者又は被保険者であった者の死亡の当時その者によって生計を維持していた子とみなす。

B 障害手当金の額の計算に当たって，給付乗率は生年月日に応じた読み替えは行わず，計算の基礎となる被保険者期間の月数が300か月に満たないときは，これを300か月として計算する。

C 老齢厚生年金（その計算の基礎となる被保険者期間の月数は240か月以上。）の加給年金額に係る生計維持関係の認定要件について，受給権者がその権利を取得した当時，その前年の収入（前年の収入が確定しない場合にあっては前々年の収入）が厚生労働大臣の定める金額以上の収入を有すると認められる者以外の者でなければならず，この要件に該当しないが，定年退職等の事情により近い将来収入がこの金額を下回ると認められる場合であっても，生計維持関係が認定されることはない。

D 老齢厚生年金の受給権者（保険料納付済期間，保険料免除期間及び合算対象期間を合算した期間が25年以上である者とする）が死亡したことにより，子が遺族厚生年金の受給権者となった場合において，その子が障害等級3級に該当する障害の状態にあるときであっても，18歳に達した日以後の最初の3月31日が終了したときに，子の有する遺族厚生年金の受給権は消滅する。

E 受給権者が，正当な理由がなくて厚生年金保険法第98条第3項の規定による届出をせず又は書類その他の物件を提出しないときは，第1号厚生年金被保険者期間に基づく保険給付の支払を一時差し止めることができる。

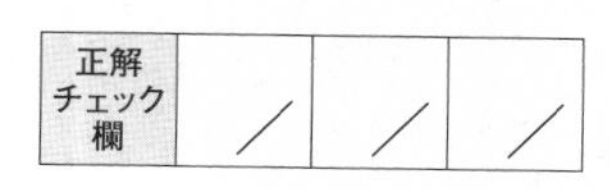

厚年法

キリトリ線

正解 C

A 正 本肢のとおりである（法59条3項）。

社会保険科目 368p

B 正 本肢のとおりである（法57条）。障害手当金の額は，原則として，障害厚生年金の額の規定の例によって計算した額の100分の200に相当する額とされており，障害厚生年金の額の計算においては，給付乗率は生年月日に応じた読み替えは行わず，計算の基礎となる被保険者期間の月数が300に満たないときは，これを300として計算する。

社会保険科目 364p

C 誤 本肢の者は，老齢厚生年金の加給年金額に係る生計維持関係が「認定され得る」。老齢厚生年金の加給年金額に係る生計維持関係が認定されるためには，生計同一要件と収入要件を満たす必要があるが，収入要件については，生計維持認定対象者の前年の収入が年額850万円（又は所得が年額655.5万円）以上であっても，定年退職等の事情により近い将来（おおむね5年以内）収入が年額850万円（又は所得が年額655.5万円）未満となると認められる場合には，この収入要件を満たすこととされている。

社会保険科目 357p

D 正 本肢のとおりである（法63条2項）。

社会保険科目 377~378p

E 正 本肢のとおりである（法78条）。

社会保険科目 394p

総合問題

重要度 A

問 35

厚生年金保険法に関する次の記述のうち，誤っているものはどれか。

A　老齢厚生年金の支給繰上げの請求は，老齢基礎年金の支給繰上げの請求と同時に行わなければならない。

B　保険料を徴収する権利が時効によって消滅したときは，当該保険料に係る被保険者であった期間に基づく保険給付は行われないが，当該被保険者であった期間に係る被保険者資格の取得について事業主の届出があった後に，保険料を徴収する権利が時効によって消滅したものであるときは，この限りではないとされている。

C　障害厚生年金を受ける権利は，譲り渡し，又は差し押さえることはできず，また，障害厚生年金として支給を受けた金銭を標準として，租税その他の公課を課すこともできない。

D　厚生労働大臣は，政令で定める場合における保険料の収納を，政令で定めるところにより，日本年金機構に行わせることができる。日本年金機構は，保険料等の収納をしたときは，遅滞なく，これを日本銀行に送付しなければならない。

E　在職老齢年金を受給する者の総報酬月額相当額が改定された場合は，改定が行われた月の翌月から，新たな総報酬月額相当額に基づいて支給停止額が再計算され，年金額が改定される。

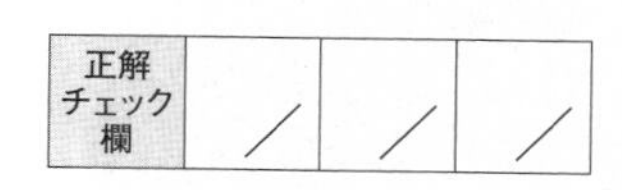

正解 E

A 正 本肢のとおりである（法附則7条の3第2項）。

社会保険科目 347p

B 正 本肢のとおりである（法75条）。

社会保険科目 395p

C 正 本肢のとおりである（法41条）。保険給付を受ける権利は，原則として，譲り渡し，担保に供し，又は差し押さえることができず，保険給付として支給を受けた金銭を標準として租税その他の公課を課することもできない。ただし，老齢厚生年金を受ける権利を国税滞納処分（その例による処分を含む）により差し押さえる場合には当該権利を差し押さえることができる。また，租税その他の公課は，老齢厚生年金として支給を受けた金銭を標準として，課することができるものとされている。

社会保険科目 325p

D 正 本肢のとおりである（法100条の11第1項・3項）。

E 誤 在職老齢年金の仕組みによる老齢厚生年金の支給停止は，老齢厚生年金の受給権者が被保険者である日等が属する月において，その者の総報酬月額相当額及び基本月額との合計額が支給停止調整額を超えるときは，「その月分」の当該老齢厚生年金について行われる。したがって，在職老齢年金を受給する者の総報酬月額相当額が改定された場合は，改定が行われた「月」から，新たな総報酬月額相当額に基づいて支給停止額が再計算され，年金額が改定されることとなる（法46条ほか）。

社会保険科目 351~352p

H27-9	総合問題	重要度 A

問 36 厚生年金保険法に関する次の記述のうち，正しいものはどれか。なお，本問においては，被保険者は第1号厚生年金被保険者期間のみ有するものと，老齢厚生年金及び特別支給の老齢厚生年金は厚生労働大臣が支給するものとする。

A 特別支給の老齢厚生年金（基本月額220,000円）を受給する被保険者について，標準報酬月額が240,000円であり，その月以前1年間の標準賞与額の総額が600,000円であったとき，支給停止後の年金月額は105,000円（加給年金額を除く。）となる。

B 70歳以上の老齢厚生年金（基本月額170,000円）の受給権者が適用事業所に使用され，その者の標準報酬月額に相当する額が360,000円であり，その月以前1年間に賞与は支給されていない場合，支給停止される月額は20,000円となる。

C 子に係る加給年金額が加算された老齢厚生年金について，その加給年金額の対象者である子が養子縁組によって当該老齢厚生年金の受給権者の配偶者の養子になったときは，その翌月から当該子に係る加給年金額は加算されないこととなる。

D 障害手当金は初診日において被保険者であった者が保険料納付要件を満たしていても，当該初診日から起算して5年間を経過する日までの間において傷病が治っていなければ支給されない。

E 脱退一時金の額の計算に用いる支給率は，最後に被保険者の資格を喪失した日の属する月の前月の属する年の前年9月の保険料率に2分の1を乗じて得た率に，被保険者であった期間に応じて政令で定める数を乗じて得た率とする。

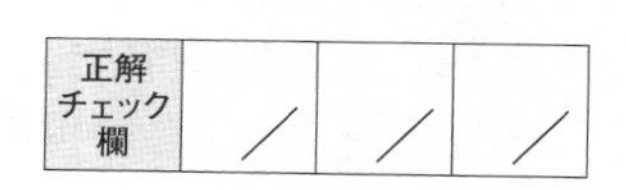

A　誤　本肢の場合，当該年金の支給停止月額（令和6年度価額）は，{基本月額(220,000円)＋総報酬月額相当額(240,000円＋600,000円÷12)－支給停止調整額(500,000円)}×2分の1＝5,000円となり，支給停止後の年金月額は，基本月額（220,000円）－支給停止月額(5,000円)＝215,000円（加給年金額を除く）となる（法附則11条ほか）。

社会保険科目
339～340p

B　誤　本肢の年金が支給停止される月額（令和6年度価額）は，{基本月額（170,000円）＋総報酬月額相当額（360,000円）－支給停止調整額（500,000円）}×2分の1＝ 15,000円となる（法46条ほか）。

社会保険科目
351～352p

C　誤　子に係る加給年金額が加算された老齢厚生年金について，その加給年金額の対象者である子が養子縁組によって当該受給権者の「配偶者以外の者の養子」となったときは，その翌月から当該子に係る加給年金額は加算されなくなるが，当該受給権者の「配偶者の養子」となった場合は，その他の減額事由に該当しなければ，当該子に係る加給年金額は，その翌月以後も「加算される」（法44条4項）。

社会保険科目
336～337p

D　正　本肢のとおりである（法55条）。障害手当金は，疾病にかかり，又は負傷し，その傷病に係る初診日において被保険者であった者が，当該初診日から起算して5年を経過する日までの間におけるその傷病の治った日において，その傷病により政令で定める程度の障害の状態にある場合に，その者に支給される。

社会保険科目
363～364p

E　誤　脱退一時金の額の計算に用いる支給率は，最終月（最後に被保険者の資格を喪失した日の属する月の前月をいう）の属する年の前年の「10月」の保険料率（最終月が1月から8月までの場合にあっては，前々年の10月の保険料率）に2分の1を乗じて得た率に，被保険者であった期間に応じて政令で定める数を乗じて得た率とされる（法附則29条4項）。

社会保険科目
392p

キリトリ線

H27-10	総合問題	重要度 A

問 37 厚生年金保険法に関する次の記述のうち，誤っているものはどれか。

A 厚生労働大臣は，標準報酬の決定又は改定を行ったときはその旨を原則として事業主に通知しなければならないが，厚生年金保険法第78条の14第2項及び第3項に規定する「特定被保険者及び被扶養配偶者についての標準報酬の特例」における標準報酬の改定又は決定を行ったときは，その旨を特定被保険者及び被扶養配偶者に通知しなければならない。

B 厚生年金保険の被保険者期間が離婚時みなし被保険者期間としてみなされた期間のみである者は，特別支給の老齢厚生年金を受給することはできない。

C 離婚等をした場合に当事者が行う標準報酬の改定又は決定の請求について，請求すべき按分割合の合意のための協議が調わないときは，当事者の一方の申立てにより，家庭裁判所は当該対象期間における保険料納付に対する当事者の寄与の程度その他一切の事情を考慮して，請求すべき按分割合を定めることができる。

D 子のない妻が，被保険者である夫の死亡による遺族厚生年金の受給権を取得したときに30歳以上40歳未満であった場合，妻が40歳に達しても中高齢寡婦加算は加算されない。

E 9月3日に出産した被保険者について，その年の定時決定により標準報酬月額が280,000円から240,000円に改定され，産後休業終了後は引き続き育児休業を取得した。職場復帰後は育児休業等終了時改定に該当し，標準報酬月額は180,000円に改定された。この被保険者が，出産日から継続して子を養育しており，厚生年金保険法第26条に規定する養育期間標準報酬月額特例の申出をする場合の従前標準報酬月額は240,000円である。

厚年法

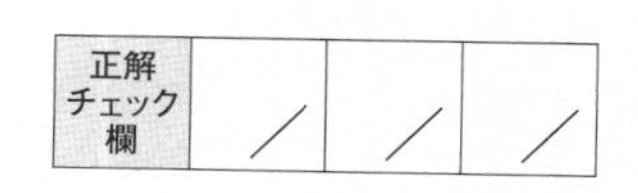

A 正 本肢のとおりである（法29条1項，法78条の16）。

B 正 本肢のとおりである（法附則17条の10）。60歳台前半の老齢厚生年金の支給要件として1年以上の被保険者期間を有することが必要であるが，当該「1年以上の被保険者期間」からは離婚時みなし被保険者期間は除かれている。本肢の者は，厚生年金保険の被保険者期間は離婚時みなし被保険者期間「のみ」であるため，この要件を満たすことはできず，特別支給の老齢厚生年金を受給することはできない。

社会保険科目 329p

社会保険科目 380～381p

C 正 本肢のとおりである（法78条の2第2項）。

D 正 本肢のとおりである（法62条）。子のない妻の遺族厚生年金の額に中高生寡婦加算が加算されるためには，当該遺族厚生年金の受給権を取得した当時40歳以上65歳未満であることが必要である。本肢の者（子のない妻）は，夫の死亡による遺族厚生年金の受給権を取得したときに40歳未満であるため，遺族厚生年金の額に中高齢寡婦加算は加算されない。なお，子のある妻の場合には，当該遺族厚生年金の受給権を取得した当時40歳以上65歳未満である場合のほか，当該遺族厚生年金の受給権を取得した当時40歳未満であっても，その者が40歳に達した当時当該死亡した被保険者又は被保険者であった者（夫）の子で遺族基礎年金の遺族の範囲に該当するもの（当該夫の死亡後に妻に支給される遺族基礎年金の減額改定事由に該当したことがあるものを除く）と生計を同じくしていたものが65歳未満であるときにも，当該遺族厚生年金の額に中高齢寡婦加算が加算される。

社会保険科目 372～373p

E　誤　法26条（3歳に満たない子を養育する被保険者等の標準報酬月額の特例）に係る従前標準報酬月額とは，原則として，3歳未満の子を養育することとなった日の属する月の前月（基準月）の標準報酬月額とされており，本肢の場合の「当該子を養育することとなった日の属する月の前月」は，当該子が出生した月（9月）の前月である8月である。したがって，本肢の場合，定時決定により9月から標準報酬月額が改定される前の標準報酬月額である「280,000円」が，原則として，従前標準報酬月額となる（法26条ほか）。

社会保険科目
304～305p

MEMO

H28-2	総合問題	重要度 A

問 38 厚生年金保険法に関する次の記述のうち，誤っているものはどれか。

A 障害手当金の受給要件に該当する被保険者が，当該障害手当金に係る傷病と同一の傷病により労働者災害補償保険法に基づく障害補償給付を受ける権利を有する場合には，その者には障害手当金が支給されない。

B 被保険者である障害厚生年金の受給権者が被保険者資格を喪失した後，被保険者となることなく1か月を経過したときは，資格を喪失した日から起算して1か月を経過した日の属する月から障害厚生年金の額が改定される。

C 厚生年金保険法第78条の14に規定する特定被保険者（以下本問において「特定被保険者」という。）が障害厚生年金の受給権者である場合，当該障害厚生年金の計算の基礎となった被保険者期間は，3号分割標準報酬改定請求により標準報酬月額及び標準賞与額が改定される期間から除かれる。

D 経過的寡婦加算が加算された遺族厚生年金の受給権者が国民年金法による障害基礎年金の支給を受ける場合には，遺族厚生年金の経過的寡婦加算の額に相当する部分の支給が停止される。

E 離婚をし，その1年後に，特定被保険者が死亡した場合，その死亡の日から起算して1か月以内に被扶養配偶者（当該特定被保険者の配偶者として国民年金法に規定する第3号被保険者であった者）から3号分割標準報酬改定請求があったときは，当該特定被保険者が死亡した日の前日に当該請求があったものとみなされる。

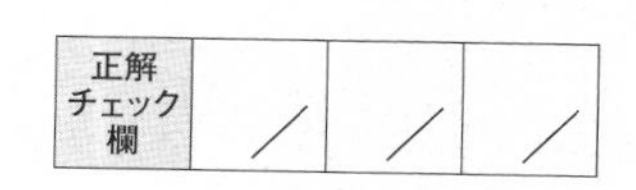

正解 B

A 正 本肢のとおりである（法56条）。

B 誤 障害厚生年金については，老齢厚生年金の場合のようないわゆる退職時改定の規定は設けられていない。

C 正 本肢のとおりである（令3条の12の11）。なお，いわゆる離婚時分割の場合には，第1号改定者が障害厚生年金の受給権者である場合に，障害厚生年金の額の計算の基礎となった被保険者期間を標準報酬改定請求の対象から除くという規定は，設けられていない。

D 正 本肢のとおりである（昭60法附則73条1項）。なお，経過的寡婦加算が加算された遺族厚生年金の受給権者が，旧国民年金法による障害年金の受給権を有するとき（その支給を停止されているときを除く）又は同一の支給事由に基づき遺族基礎年金の支給を受けることができるときにも，その間，経過的寡婦加算額に相当する部分の支給が停止される。

E 正 本肢のとおりである（令3条の12の14第1項）。

キリトリ線

H28-4	総合問題	重要度 A

問 39 厚生年金保険法に関する次の記述のうち，誤っているものはどれか。

A　平成19年4月1日以後に老齢厚生年金の受給権を取得した者の支給繰下げの申出は，必ずしも老齢基礎年金の支給繰下げの申出と同時に行うことを要しない。

B　60歳から受給することのできる特別支給の老齢厚生年金については，支給を繰り下げることができない。

C　障害基礎年金の受給権者が65歳になり老齢厚生年金の受給権を取得したものの，その受給権を取得した日から起算して1年を経過した日前に当該老齢厚生年金を請求していなかった場合，その者は，老齢厚生年金の支給繰下げの申出を行うことができる。なお，その者は障害基礎年金，老齢基礎年金及び老齢厚生年金以外の年金の受給権者となったことがないものとする。

D　老齢厚生年金の支給の繰下げの請求があったときは，その請求があった日の属する月から，その者に老齢厚生年金が支給される。

E　特別支給の老齢厚生年金の報酬比例部分の支給開始年齢が61歳である昭和29年4月2日生まれの男性が60歳に達した日の属する月の翌月からいわゆる全部繰上げの老齢厚生年金を受給し，かつ60歳から62歳まで継続して第1号厚生年金被保険者であった場合，その者が61歳に達したときは，61歳に達した日の属する月前における被保険者であった期間を当該老齢厚生年金の額の計算の基礎とし，61歳に達した日の属する月の翌月から年金額が改定される。

厚年法

キリトリ線

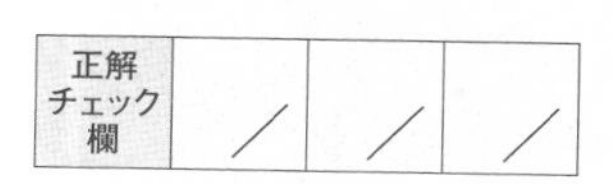

A 正 本肢のとおりである（法44条の3，平16法附則42条ほか）。

B 正 本肢のとおりである（法附則12条）。

C 正 本肢のとおりである（法44条の3第1項）。なお，老齢厚生年金の受給権を取得したときに他の年金たる給付の受給権者であったときは支給繰下げの申出をすることができないが，障害基礎年金は「他の年金たる給付」に含まれていないため，本肢の者は支給繰下げの申出をすることができる。

社会保険科目 349p

D 誤 老齢厚生年金の支給繰下げの申出をした者に対する老齢厚生年金の支給は，「当該申出のあった月の翌月から」始めるものとされている（法44条の3第3項）。

社会保険科目 350p

E 正 本肢のとおりである（法附則13条の4第5項）。報酬比例部分相当の老齢厚生年金の支給開始年齢に達する前に，実施機関に老齢厚生年金の支給繰上げの請求をして繰上げ支給の老齢厚生年金の受給権者となった者が，当該請求日以後の被保険者期間を有する場合において，この者が報酬比例部分相当の老齢厚生年金の支給開始年齢に達したときは，当該年齢に達した日の属する月前における被保険者であった期間を当該老齢厚生年金の額の計算の基礎とするものとされ，当該年齢に達した日の属する月の翌月から，年金の額が改定される。

キリトリ線

H28-5	総合問題	重要度 A

問 40 厚生年金保険法に関する次の記述のうち，正しいものはどれか。

A 配偶者に係る加給年金額が加算された老齢厚生年金について，その対象となる配偶者が繰上げ支給の老齢基礎年金の支給を受けるときは，当該配偶者については65歳に達したものとみなされ，加給年金額に相当する部分が支給されなくなる。

B 加給年金額が加算された老齢厚生年金について，その加算の対象となる配偶者が老齢厚生年金の支給を受けることができるときは，その間，加給年金額の部分の支給が停止されるが，この支給停止は当該配偶者の老齢厚生年金の計算の基礎となる被保険者期間が300か月以上の場合に限られる。

C 第1号厚生年金被保険者期間を170か月，第2号厚生年金被保険者期間を130か月有する昭和25年10月2日生まれの男性が，老齢厚生年金の受給権を65歳となった平成27年10月1日に取得した。この場合，一定の要件を満たす配偶者がいれば，第1号厚生年金被保険者期間に基づく老齢厚生年金に加給年金額が加算される。なお，この者は，障害等級3級以上の障害の状態になく，上記以外の被保険者期間を有しないものとする。

D 老齢厚生年金に加算される加給年金額は，厚生年金保険法第44条第2項に規定する所定の額に改定率を乗じて得た額とされるが，この計算において，5円未満の端数が生じたときは，これを切り捨て，5円以上10円未満の端数が生じたときは，これを10円に切り上げるものとされている。

E 昭和9年4月2日以後に生まれた老齢厚生年金の受給権者に支給される配偶者に係る加給年金額については，その配偶者の生年月日に応じた特別加算が行われる。

厚年法

キリトリ線

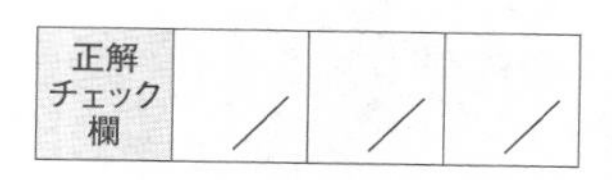

正解チェック欄	／	／	／

正解 C

A　誤　本肢のような規定はない（法44条４項ほか）。

B　誤　配偶者加給年金額が加算された老齢厚生年金について，その加算の対象となる配偶者が老齢厚生年金の支給を受けることができるときに，その間，加給年金額に相当する部分の支給が停止されるのは，当該配偶者の老齢厚生年金の額の計算の基礎となる被保険者期間が「240月以上」の場合とされている（法46条６項，令３条の７）。

社会保険科目 337p

C　正　本肢のとおりである（法78条の27，令３条の13ほか）。２以上の種別の被保険者であった期間を有する者については，当該２以上の種別の被保険者であった期間に係る被保険者期間を合算して240月以上ある場合，一定の要件を満たす配偶者がいれば，老齢厚生年金に加給年金額が加算される。この場合の加給年金額の加算は，原則として，最も早い日に受給権を取得した老齢厚生年金に加算され，老齢厚生年金の受給権取得日が同日である場合は，各号の厚生年金被保険者期間のうち最も長い一の期間に基づく老齢厚生年金に加算される。本肢の場合，受給権取得日は同日であることから，最も長い被保険者期間である第１号厚生年金被保険者期間に基づく老齢厚生年金に，加給年金額が加算される。

社会保険科目 335p

D　誤　本肢の場合，「50円未満」の端数が生じたときは，これを切り捨て，「50円以上100円未満」の端数が生じたときは，これを「100円」に切り上げるものとされている（法44条２項）。

社会保険科目 335p

E　誤　本肢の配偶者加給年金額については，「老齢厚生年金の受給権者の生年月日」に応じた特別加算が行われる（昭60法附則60条２項）。

社会保険科目 336p

H28-6

総合問題

重要度 A

問 41 厚生年金保険法に関する次の記述のうち，正しいものはどれか。

A 障害認定日において障害等級に該当する程度の障害の状態にある場合の障害厚生年金は，原則として障害認定日の属する月の翌月分から支給される。ただし，障害認定日が月の初日である場合にはその月から支給される。

B 第1号厚生年金被保険者が同時に2以上の適用事業所（船舶を除く。）に使用される場合における各事業主の負担すべき標準報酬月額に係る保険料の額は，各事業所について算定した報酬月額を当該被保険者の報酬月額で除し，それにより得た数を当該被保険者の保険料の半額に乗じた額とする。

C 第1号厚生年金被保険者である者が同時に第4号厚生年金被保険者の資格を有することとなった場合，2以上事業所選択届を，選択する年金事務所又は日本私立学校振興・共済事業団に届け出なければならない。

D 障害厚生年金の受給権者であって，当該障害に係る障害認定日において2以上の種別の被保険者であった期間を有する者に係る当該障害厚生年金の支給に関する事務は，当該障害に係る障害認定日における被保険者の種別に応じた実施機関が行う。

E 配偶者以外の者に対する遺族厚生年金の受給権者が2人いる場合において，そのうちの1人の所在が1年以上明らかでない場合は，所在が不明である者に対する遺族厚生年金は，他の受給権者の申請により，その申請のあった日の属する月の翌月から，その支給が停止される。

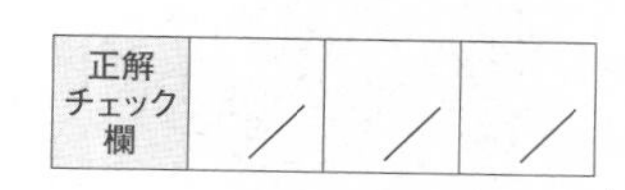

厚年法

A　誤　年金の支給は，年金を支給すべき事由が生じた月（受給権発生月）の翌月から始めるものとされており，本肢の障害厚生年金は，障害認定日にその受給権が発生するため，障害認定日の属する月の翌月から支給される。この場合，本肢後段のような例外規定は設けられていない（法36条1項，法47条）。

社会保険科目
316, 353p

B　正　本肢のとおりである（法82条3項，令4条）。

社会保険科目
402p

C　誤　第1号厚生年金被保険者が同時に第4号厚生年金被保険者の資格を有するに至ったときは，「その日に，当該第1号厚生年金被保険者の資格を喪失する」ため，2以上事業所選択届を「提出する必要はない」（法18条の2第2項，則1条ほか）。

社会保険科目
298p

D　誤　障害厚生年金の受給権者であって，当該障害に係る障害認定日において2以上の種別の被保険者であった期間を有する者に係る当該障害厚生年金の支給に関する事務は，政令で定めるところにより，当該障害に係る「初診日」における被保険者の種別に応じた実施機関が行う（法78条の33）。

E　誤　本肢の所在不明である者に対する遺族厚生年金は，「その所在が明らかでなくなった時にさかのぼって」，その支給が停止される（法68条1項）。

社会保険科目
377p

キリトリ線

H28-7	総合問題	重要度 A

問 42 厚生年金保険法に関する次のアからオの記述のうち，正しいものの組合せは後記AからEまでのうちどれか。

ア　被保険者の死亡により妻が中高齢寡婦加算額が加算された遺族厚生年金の受給権を取得した場合において，その遺族厚生年金は，妻に当該被保険者の死亡について国民年金法による遺族基礎年金が支給されている間，中高齢寡婦加算額に相当する部分の支給が停止される。

イ　第1号厚生年金被保険者の資格に関する処分に不服がある者が，令和4年4月8日に，社会保険審査官に審査請求をした場合，当該請求日から2か月以内に決定がないときは，社会保険審査官が審査請求を棄却したものとみなして，社会保険審査会に対して再審査請求をすることができる。

ウ　国民年金の第1号被保険者としての保険料納付済期間が25年ある昭和31年4月2日生まれの女性が，60歳となった時点で第1号厚生年金被保険者期間を8か月及び第4号厚生年金被保険者期間を10か月有していた場合であっても，それぞれの種別の厚生年金保険の被保険者期間が1年以上ないため，60歳から特別支給の老齢厚生年金を受給することはできない。

エ　第1号厚生年金被保険者期間を30年と第2号厚生年金被保険者期間を14年有する昭和29年10月2日生まれの現に被保険者でない男性は，両種別を合わせた被保険者期間が44年以上であることにより，61歳から定額部分も含めた特別支給の老齢厚生年金を受給することができる。

オ　昭和12年4月1日以前生まれの者が平成28年4月に適用事業所に使用されている場合，その者に支給されている老齢厚生年金は，在職老齢年金の仕組みによる支給停止が行われることはない。

A　（アとイ）　B　（イとオ）　C　（ウとエ）
D　（ウとオ）　E　（アとエ）

正解チェック欄	／	／	／

厚年法

キリトリ線

本問のアからオまでのそれぞれの記述の正誤は以下のとおりであり，したがって，ア及びイを正しいとするAが解答となる。

ア　正　本肢のとおりである（法65条）。

社会保険科目
374p

イ　正　本肢のとおりである（法90条1項・3項）。なお，本肢の場合，社会保険審査官が審査請求を棄却したものとみなすことができるため，社会保険審査会に対して再審査請求をすることもできるが，社会保険審査会に対して再審査請求をせずに，本肢の処分について処分の取消しの訴えを提起することもできる（法91条の3）。

社会保険科目
410~412p

ウ　誤　2以上の種別の被保険者であった期間を有する者について，60歳台前半の老齢厚生年金の支給要件の1つである「1年以上の被保険者期間を有すること」を判断するときは，当該2以上の種別の被保険者であった期間を「合算して1年以上」あれば，当該要件を満たしたものとされる。本肢の者は，第1号厚生年金被保険者期間が8か月，第4号厚生年金被保険者期間が10か月あることから，この要件を満たしており，また，受給資格期間を満たしている昭和31年4月2日生まれの女性であるため，第1号厚生年金被保険者期間に基づく報酬比例部分相当の60歳台前半の老齢厚生年金が，「60歳から支給される」（法附則8条，法附則8条の2，法附則20条1項ほか）。なお，本肢の女性について，第4号厚生年金被保険者期間に基づく報酬比例部分相当の60歳台前半の老齢厚生年金は，62歳から支給される。

社会保険科目
327, 329p

エ　誤　いわゆる長期加入者の特例の要件の1つとして，被保険者期間が44年以上必要であるが，この要件については，各種別の被保険者期間を「合算して判断することはできない」。したがって，本肢の者（昭和29年10月2日生まれの男性）は，原則として，「定額部分は支給されず」，61歳から「報酬比例部分相当の60歳台前半の老齢厚生年金」を受給することとなる（法附則9条の3，法附則20条2項，平27.9.30年管管発0930第13号）。

オ　誤　従来，昭和12年4月1日以前生まれの者に対しては，在職老齢年金の規定の適用は除外されていたが，昭和12年4月1日以前生まれの者についても，被用者年金一元化の改正により，65歳以後の在職老齢年金の規定が適用されることとなったため，本肢の者に支給されている老齢厚生年金は，在職老齢年金の仕組みによる支給停止が「行われることがある」（平16法附則43条ほか）。

MEMO

H28-8	総合問題	重要度 B

問 43 厚生年金保険法に関する次の記述のうち，正しいものはどれか。

A 在職老齢年金の受給者が令和3年1月31日付けで退職し同年2月1日に被保険者資格を喪失し，かつ被保険者となることなくして被保険者の資格を喪失した日から起算して1か月を経過した場合，当該被保険者資格を喪失した月前における被保険者であった期間も老齢厚生年金の額の計算の基礎とするものとし，令和3年3月から年金額が改定される。

B 第1号厚生年金被保険者に係る保険料の納付義務者の住所及び居所がともに明らかでないため，公示送達の方法によって滞納された保険料の督促が行われた場合にも，保険料額に所定の割合を乗じて計算した延滞金が徴収される。

C 老齢厚生年金の受給権者がその権利を取得した当時その者によって生計を維持していた子が18歳に達した日以後の最初の3月31日が終了したため，子に係る加給年金額が加算されなくなった。その後，その子は，20歳に達する日前までに障害等級1級又は2級に該当する程度の障害の状態となった。この場合，その子が20歳に達するまで老齢厚生年金の額にその子に係る加給年金額が再度加算される。

D 昭和20年10月2日以後に生まれた者であり，かつ，平成27年10月1日の前日から引き続いて国，地方公共団体に使用される者で共済組合の組合員であった者は，平成27年10月1日に厚生年金保険の被保険者の資格を取得する。

E 4か月間の臨時的事業の事業所に使用される70歳未満の者は，その使用されるに至った日から被保険者となる。

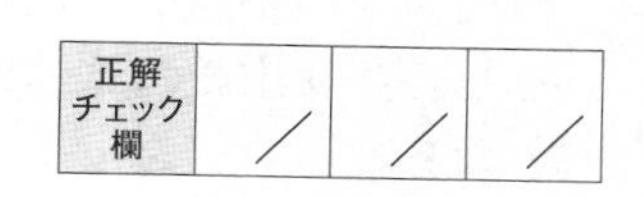

厚年法

A 誤 被保険者である老齢厚生年金の受給権者がその被保険者の資格を喪失し，かつ，被保険者となることなくして被保険者の資格を喪失した日から起算して1月を経過した場合には，いわゆる退職時改定が行われることとなるが，適用事業所を退職したことにより被保険者資格を喪失した場合の退職時改定は，当該退職した日から起算して1月を経過した日の属する月から行われる。本肢の者の退職日は令和3年1月31日であり，当該日から起算して1月を経過した日の属する月である令和3年「2月」から，本肢の者の老齢厚生年金の額が改定される（法43条3項ほか）。なお，被保険者である老齢厚生年金の受給権者がその被保険者の資格を喪失し，かつ，被保険者となることなくして被保険者の資格を喪失した日から起算して1月を経過した場合には，当該被保険者の資格を喪失した日の属する月（本肢の場合，令和3年2月）は，在職老齢年金の仕組みによる支給停止の対象とされない（法46条，則32条の2ほか）。

社会保険科目 345p

B 誤 第1号厚生年金被保険者に係る保険料の納付義務者に対して，公示送達の方法によって滞納された保険料の督促が行われた場合には，延滞金は「徴収されない」（法87条1項）。

社会保険科目 407p

C 誤 子が18歳に達した日以後の最初の3月31日が終了したことにより加算されなくなった加給年金額は，その後，当該子が障害等級1級又は2級に該当する程度の障害の状態となった場合であっても，「再度加算されることはない」（法44条4項）。

社会保険科目 336~337p

D 正 本肢のとおりである（平24法附則5条）。

E 誤 本肢の者は，「被保険者とならない」（法12条）。なお，臨時的事業の事業所に使用される70歳未満の者が，継続して6箇月を超えて使用されるべき場合は，その使用された日から被保険者となる。

社会保険科目 293p

H28-9 **総合問題** 重要度 **A**

問 44 厚生年金保険法に関する次の記述のうち，誤っているものはどれか。

A 第1号厚生年金被保険者期間が15年，第3号厚生年金被保険者期間が18年ある老齢厚生年金の受給権者が死亡したことにより支給される遺族厚生年金は，それぞれの被保険者期間に応じてそれぞれの実施機関から支給される。

B 障害等級3級の障害厚生年金の受給権者が65歳になり，老齢基礎年金の受給権を取得したとしても，それらは併給されないため，いずれか一方のみを受給することができるが，遺族厚生年金の受給権者が65歳になり，老齢基礎年金の受給権を取得したときは，それらの両方を受給することができる。

C 厚生年金保険法第78条の6第1項及び第2項の規定によるいわゆる合意分割により改定され，又は決定された標準報酬は，その改定又は決定に係る標準報酬改定請求のあった日から将来に向かってのみその効力を有する。

D 障害厚生年金は，その受給権者が当該障害厚生年金に係る傷病と同一の傷病について労働者災害補償保険法の規定による障害補償給付を受ける権利を取得したときは，6年間その支給を停止する。

E 適用事業所に平成31年3月1日に採用され，第1号厚生年金被保険者の資格を取得した者が同年3月20日付けで退職し，その翌日に被保険者資格を喪失し国民年金の第1号被保険者となった。その後，この者は同年4月1日に再度第1号厚生年金被保険者となった。この場合，同年3月分については，厚生年金保険における被保険者期間に算入されない。

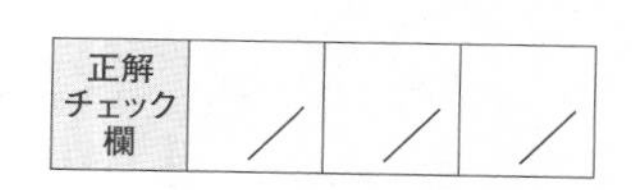

A　正　本肢のとおりである（法78条の32第２項ほか）。本肢の遺族厚生年金はいわゆる長期要件に該当するため，それぞれの種別の厚生年金被保険者期間に応じて，それぞれの実施機関から支給される。

社会保険科目 318～319p

B　正　本肢のとおりである（法38条，法附則17条）。

社会保険科目 383p

C　正　本肢のとおりである（法78条の６第４項）。

D　誤　本肢の場合，障害厚生年金は「支給停止されない」（法54条１項，労災保険法別表１ほか）。なお，障害厚生年金は，その受給権者が当該傷病について労働基準法の規定による障害補償を受ける権利を取得したときは，６年間，その支給が停止される。

社会保険科目 362p

E　正　本肢のとおりである（法19条２項）。厚生年金保険の被保険者の資格を取得した月にその資格を喪失したときは，原則として，その月は１箇月として厚生年金保険の被保険者期間に算入されるが，その月に更に厚生年金保険の被保険者又は国民年金の被保険者（国民年金の第２号被保険者を除く）の資格を取得したときは，その月は，厚生年金保険の被保険者期間には算入されない。したがって，本肢の場合，平成31年３月分については，厚生年金保険の被保険者期間に算入されない。

社会保険科目 298～299p

H28-10	総合問題	重要度 A

問 45 厚生年金保険法に関する次の記述のうち，誤っているものはどれか。

A 第1号厚生年金被保険者の資格の取得及び喪失に係る厚生労働大臣の確認は，事業主による届出又は被保険者若しくは被保険者であった者からの請求により，又は職権で行われる。

B 障害厚生年金の年金額の計算に用いる給付乗率は，平成15年3月以前の被保険者期間と，いわゆる総報酬制が導入された平成15年4月以降の被保険者期間とでは適用される率が異なる。

C 「精神又は神経系統に，労働が著しい制限を受けるか，又は労働に著しい制限を加えることを必要とする程度の障害を残すもの」は，厚生年金保険の障害等級3級の状態に該当する。

D 適用事業所に使用される70歳以上の遺族厚生年金の受給権者が，老齢厚生年金，国民年金法による老齢基礎年金その他の老齢又は退職を支給事由とする年金たる給付であって政令で定める給付の受給権を有しない場合，実施機関に申し出て，被保険者となることができる。なお，この者は厚生年金保険法第12条の被保険者の適用除外の規定に該当しないものとする。

E 被保険者が死亡したことによる遺族厚生年金の額は，死亡した者の被保険者期間を基礎として同法第43条第1項の規定の例により計算された老齢厚生年金の額の4分の3に相当する額とする。この額が，遺族基礎年金の額に4分の3を乗じて得た額に満たないときは，当該4分の3を乗じて得た額を遺族厚生年金の額とする。

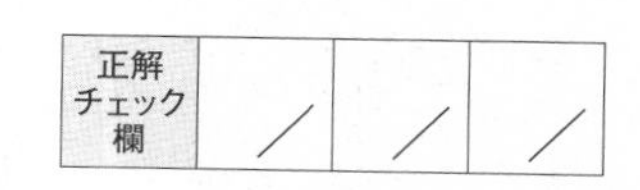

A 正 本肢のとおりである（法18条2項）。

社会保険科目
297〜298p

B 正 本肢のとおりである（法50条，平12法附則20条1項ほか）。総報酬制導入前（平成15年3月以前）の被保険者期間に係る部分の額を計算する場合の給付乗率は，原則として1,000分の7.125，総報酬制導入以降（平成15年4月以降）の被保険者期間に係る部分の額を計算する場合の給付乗率は，原則として1,000分の5.481とされている。

社会保険科目
355〜356p

C 正 本肢のとおりである（令3条の8，令別表1第13号）。

D 正 本肢のとおりである（法附則4条の3第1項）。なお，老齢厚生年金，老齢基礎年金その他の老齢又は退職を支給事由とする給付であって政令で定める給付の受給権を有するときは，高齢任意加入被保険者となることはできない（法附則4条の3第1項，法附則4条の5第1項）。

社会保険科目
294〜295p

E 誤 遺族厚生年金の額には，本肢後段部分のような最低保障の規定は「設けられていない」。本肢前段部分の記述については正しい（法60条1項ほか）。

社会保険科目
369〜370p

H29-1	総合問題	重要度 A

問 46 厚生年金保険法に関する次の記述のうち，正しいものはどれか。

A 障害等級2級の障害厚生年金の受給権者について，その者の障害の程度が障害等級3級に該当しない程度となったときは，障害厚生年金及び当該障害厚生年金と同一の支給事由に基づく障害基礎年金について，それぞれ個別に障害の状態に関する医師又は歯科医師の診断書を添えた障害不該当の届出を日本年金機構に提出しなければならない。

B 国外に居住する障害等級2級の障害厚生年金の受給権者が死亡した。死亡の当時，この者は，国民年金の被保険者ではなく，また，老齢基礎年金の受給資格期間を満たしていなかった。この者によって生計を維持していた遺族が5歳の子1人であった場合，その子には遺族基礎年金は支給されないが，その子に支給される遺族厚生年金の額に遺族基礎年金の額に相当する額が加算される。

C 60歳台後半の在職老齢年金の仕組みにおいて，経過的加算額及び繰下げ加算額は，支給停止される額の計算に用いる基本月額の計算の対象に含まれる。

D 高齢任意加入被保険者を使用する適用事業所の事業主は，当該被保険者に係る保険料の半額を負担し，かつ，当該被保険者及び自己の負担する保険料を納付する義務を負うことにつき同意すること及びその同意を将来に向かって撤回することができるとされているが，当該被保険者が第4号厚生年金被保険者であるときは，この規定は適用されない。

E 適用事業所に使用される第1号厚生年金被保険者である高齢任意加入被保険者（厚生労働大臣が住民基本台帳法第30条の9の規定により機構保存本人確認情報の提供を受けることができる者を除く）は，その住所を変更したときは氏名，生年月日，変更前及び変更後の住所，住所の変更年月日並びに個人番号又は基礎年金番号を記載した届書を5日以内に，またその氏名を変更したときは所並びに個人番号又は基礎年金番号を記載した届書を10日以内に，それぞれ日本年金機構に提出しなければならない。

正解チェック欄	／	／	／

厚年法

A 誤 本肢の場合，障害厚生年金の障害不該当の届出又は障害基礎年金の障害状態不該当の届出の「いずれか一方を行ったときは，他方の届出を行ったものとみなされる」(則48条2項，国民年金法施行規則33条の7第2項)。

B 正 本肢のとおりである（昭60法附則74条2項)。同一の死亡について，子が遺族厚生年金の受給権を取得したものの，遺族基礎年金の受給権を取得しないときは，当該遺族厚生年金の額に遺族基礎年金の額相当額及び遺族基礎年金に係る子の加算額相当額が加算される。本肢の死亡した者は障害等級2級の障害厚生年金の受給権者であったため，子に対し遺族厚生年金が支給されるものの，遺族基礎年金の支給要件を満たしていないことから遺族基礎年金は支給されない。したがって，本肢の子に支給される遺族厚生年金の額には遺族基礎年金の額相当額が加算される。

C 誤 60歳台後半の在職老齢厚生年金の仕組みにおいて，経過的加算額及び繰下げ加算額は，支給停止される額の計算に用いる基本月額の計算の対象に「含まれない」(法46条，昭60法附則62条1項)。

社会保険科目
351～352p

D 誤 本肢の規定は，第4号厚生年金被保険者にも「適用される」(法附則4条の3第7項・8項・10項)。なお，第2号厚生年金被保険者及び第3号厚生年金被保険者については，本肢の規定は適用されない。

E 誤 本肢の高齢任意加入被保険者が届け出る住所変更届は，「10日以内」に，日本年金機構に提出しなければならない。その他の記述は正しい（則5条の4，則5条の5)。

社会保険科目
309p

キリトリ線

H29-2	総合問題	重要度 A

問 47 厚生年金保険法に関する次の記述のうち，誤っているものはどれか。

A 第1号厚生年金被保険者を使用する事業主が，正当な理由がなく厚生年金保険法第27条の規定に違反して，厚生労働大臣に対し，当該被保険者に係る報酬月額及び賞与額に関する事項を届け出なければならないにもかかわらず，これを届け出なかったときは，6か月以下の懲役又は50万円以下の罰金に処する旨の罰則が定められている。

B 昭和27年4月2日生まれの遺族厚生年金の受給権者が65歳に達し，老齢厚生年金の受給権を取得した場合，当該遺族厚生年金は，当該老齢厚生年金の額（加給年金額が加算されている場合は，その額を除く。）に相当する部分の支給が停止される。

C 第1号厚生年金被保険者に係る厚生労働大臣による保険料の滞納処分に不服がある者は社会保険審査官に対して，また，第1号厚生年金被保険者に係る脱退一時金に関する処分に不服がある者は社会保険審査会に対して，それぞれ審査請求をすることができる。

D 政府等は，第三者の行為によって生じた事故により保険給付を行ったときは，その給付の価額の限度で，受給権者が第三者に対して有する損害賠償の請求権を取得する。また，政府等は，受給権者が当該第三者から同一の事由について損害賠償を受けたときは，その価額の限度で，保険給付をしないことができる。

E 障害の程度が障害等級3級に該当する者に支給される障害厚生年金の額は，障害等級2級に該当する者に支給される障害基礎年金の額に4分の3を乗じて得た額（その額に50円未満の端数が生じたときは，これを切り捨て，50円以上100円未満の端数が生じたときは，これを100円に切り上げるものとする。）に満たないときは，当該額とされる。

厚年法

キリトリ線

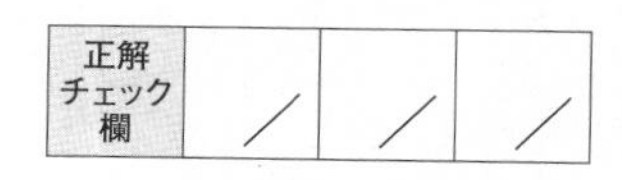

正解 C

A 正 本肢のとおりである（法102条）。

社会保険科目 416p

B 正 本肢のとおりである（法64条の2）。なお，遺族厚生年金は，当該被保険者又は被保険者であった者の死亡において労働基準法の規定による遺族補償の支給が行われるべきものであるときは，死亡の日から6年間支給停止される（法64条）。

社会保険科目 376p

C 誤 第1号厚生年金被保険者に係る厚生労働大臣による保険料の滞納処分に不服がある者は，「社会保険審査会」に対して審査請求をすることができる。本肢の脱退一時金に関する処分についての審査請求に関する部分は正しい（法91条1項，法附則29条6項）。

社会保険科目 411~412p

D 正 本肢のとおりである（法40条）。なお，本肢の「政府等」とは，政府及び実施機関（厚生労働大臣を除く）とされている（法32条）。

社会保険科目 324p

E 正 本肢のとおりである（法50条3項）。

社会保険科目 356p

H29-3	総合問題	重要度 A

問 48 厚生年金保険法に関する次のアからオの記述のうち，正しいものの組合せは，後記AからEまでのうちどれか。

ア　適用事業所以外の事業所に使用される任意単独被保険者の被保険者資格の喪失は，厚生労働大臣の確認によってその効力を生ずる。

イ　産前産後休業期間中の保険料の免除の申出は，被保険者が第1号厚生年金被保険者又は第4号厚生年金被保険者である場合には当該被保険者が使用される事業所の事業主が，また第2号厚生年金被保険者又は第3号厚生年金被保険者である場合には当該被保険者本人が，主務省令で定めるところにより実施機関に行うこととされている。

ウ　障害手当金の額は，厚生年金保険法第50条第1項の規定の例により計算した額の100分の200に相当する額であるが，その額が障害等級2級に該当する者に支給する障害基礎年金の額の2倍に相当する額に満たないときは，当該額が障害手当金の額とされる。

エ　厚生年金保険法第47条の3に規定するいわゆる基準障害による障害厚生年金を受給するためには，基準傷病の初診日が，基準傷病以外の傷病（基準傷病以外の傷病が2以上ある場合は，基準傷病以外の全ての傷病）に係る初診日以降でなければならない。

オ　任意適用事業所に使用される被保険者について，その事業所が適用事業所でなくなったことによる被保険者資格の喪失は，厚生労働大臣の確認によってその効力を生ずる。

A（アとイ）　**B**（アとウ）　**C**（イとエ）
D（ウとオ）　**E**（エとオ）

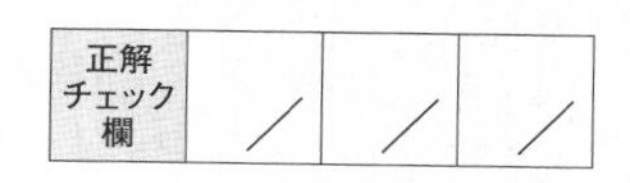

厚年法

本問のアからオまでのそれぞれの記述の正誤は以下のとおりであり，したがって，イ及びエを正しいとするCが解答となる。

ア　誤　任意単独被保険者が厚生労働大臣の認可を受けてその資格を喪失した場合については，「厚生労働大臣の確認によらず」，被保険者資格の喪失の効力が生ずる（法18条1項ただし書）。なお，第2号厚生年金被保険者，第3号厚生年金被保険者及び第4号厚生年金被保険者の資格の取得及び喪失については，法18条（資格の得喪の確認）1項から3項までの規定は適用されない（同条4項）。

社会保険科目 297〜298p

イ　正　本肢のとおりである（法81条の2の2）。

社会保険科目 402p

ウ　誤　障害手当金の額が障害等級2級に該当する障害基礎年金の額に「4分の3を乗じて得た額に2を乗じて得た額」に満たないときは，当該額が障害手当金の額とされる（法57条）。

社会保険科目 364p

エ　正　本肢のとおりである（法47条の3第1項）。

オ　誤　任意適用事業所が任意適用取消に係る厚生労働大臣の認可を受けて適用事業所でなくなったことによる当該事業所の被保険者資格の喪失については，「厚生労働大臣の確認によらず」，被保険者資格の喪失の効力が生ずる（法18条1項ただし書）。

社会保険科目 297〜298p

キリトリ線

H29-4	総合問題	重要度 A

問 49 厚生年金保険法に関する次の記述のうち，正しいものはどれか。

A 被保険者が労働の対償として毎年期日を定め四半期毎に受けるものは，いかなる名称であるかを問わず，厚生年金保険法における賞与とみなされる。

B 1週間の所定労働時間及び1か月間の所定労働日数が，ともに同一の事業所に使用される通常の労働者の4分の3以上であっても大学の学生であれば，厚生年金保険の被保険者とならない。

C 同時に2か所の適用事業所A及びBに使用される第1号厚生年金被保険者について，同一の月に適用事業所Aから200万円，適用事業所Bから100万円の賞与が支給された。この場合，適用事業所Aに係る標準賞与額は150万円，適用事業所Bに係る標準賞与額は100万円として決定され，この合計である250万円が当該被保険者の当該月における標準賞与額とされる。

D 常時従業員5人（いずれも70歳未満とする。）を使用する個人経営の社会保険労務士事務所の事業主が，適用事業所の認可を受けようとするときは，当該従業員のうち3人以上の同意を得て，厚生労働大臣に申請しなければならない。なお，本問の事業所には，厚生年金保険法第12条各号のいずれかに該当し，適用除外となる者又は特定4分の3未満短時間労働者に該当する者はいないものとする。

E 第1号厚生年金被保険者に係る適用事業所の事業主は，厚生年金保険に関する書類を原則として，その完結の日から2年間，保存しなければならないが，被保険者の資格の取得及び喪失に関するものについては，保険給付の時効に関わるため，その完結の日から5年間，保存しなければならない。

厚年法

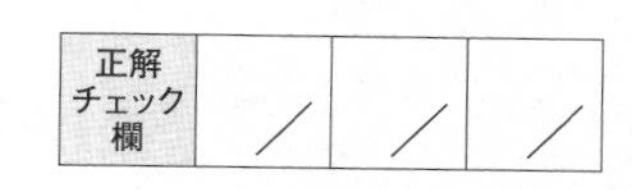

A 誤 賞与の支給が，給与規定，労働協約等の諸規定によって年間を通じ4回以上の支給につき客観的に定められているときは，当該賞与は報酬に該当する。本肢の賞与は毎年期日を定めて四半期毎に（すなわち年4回）受けるものであるため，「賞与とはみなされず」，報酬に該当する（法3条1項4号，昭53.6.20保発47号・庁保発21号）。

社会保険科目
302p

B 誤 本肢の者は，1週間の所定労働時間及び1か月間の所定労働日数がともに同一の事業所に使用される通常の労働者の4分の3以上であるため，たとえ大学の学生であっても，その他の適用除外事由に該当しない場合には，厚生年金保険の「被保険者となる」（法12条）。

社会保険科目
293p

C 誤 本肢の場合，各事業所についての賞与額の「合算額をその者の賞与額としてその月の標準賞与額が決定される」こととなり，200万円＋100万円＝300万円＞150万円であることから，当該標準賞与額は150万円となる（法24条の4）。

社会保険科目
304p

※D 誤 出題当時は正しい記述であったが，改正により，本肢の事業所（社会保険労務士事務所）は法定17業種の事業所であり，常時5人以上の従業員を使用する個人経営の事業所であることから，強制適用事業所に該当するため，適用事業所の認可を受けることなく適用事業所となる（法6条1項1号，令1条の2）。

社会保険科目
288p

E 誤 事業主は，その厚生年金保険に関する書類を，その完結の日から2年間保存しなければならず，本肢後段のような例外規定は設けられていない（則28条）。

社会保険科目
309p

H29-5	総合問題	重要度 A

問 50 厚生年金保険法に関する次の記述のうち，誤っているものはどれか。

A 障害手当金の給付を受ける権利は，その支給すべき事由が生じた日から2年を経過したときは，時効によって消滅する。

B 実施機関は，障害厚生年金の受給権者が，故意若しくは重大な過失により，又は正当な理由がなくて療養に関する指示に従わないことにより，その障害の程度を増進させ，又はその回復を妨げたときは，実施機関の診査による改定を行わず，又はその者の障害の程度が現に該当する障害等級以下の障害等級に該当するものとして，改定を行うことができる。

C 障害等級1級に該当する障害厚生年金の受給権者が，その受給権を取得した日の翌日以後にその者によって生計を維持している65歳未満の配偶者を有するに至ったときは，当該配偶者を有するに至った日の属する月の翌月から，当該障害厚生年金の額に加給年金額が加算される。

D 障害厚生年金の受給権を取得した当時は障害等級2級に該当したが，現在は障害等級3級である受給権者に対して，新たに障害等級2級の障害厚生年金を支給すべき事由が生じたときは，前後の障害を併合した障害の程度による障害厚生年金を支給することとし，従前の障害厚生年金の受給権は消滅する。

E 15歳の子と生計を同じくする55歳の夫が妻の死亡により遺族基礎年金及び遺族厚生年金の受給権を取得した場合，子が18歳に達した日以後の最初の3月31日までの間は遺族基礎年金と遺族厚生年金を併給することができるが，子が18歳に達した日以後の最初の3月31日が終了したときに遺族基礎年金は失権し，その翌月から夫が60歳に達するまでの間は遺族厚生年金は支給停止される。なお，本問の子は障害の状態にはなく，また，設問中にある事由以外の事由により遺族基礎年金又は遺族厚生年金は失権しないものとする。

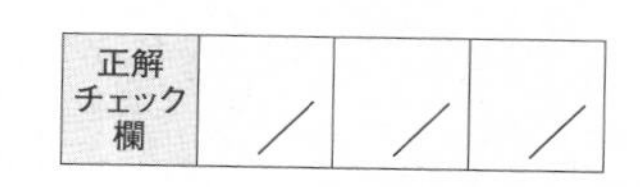

A 誤 障害手当金の給付を受ける権利は，その支給すべき事由が生じた日から「5年」を経過したときは，時効によって消滅する（法92条1項）。

社会保険科目 413p

B 正 本肢のとおりである（法74条）。

社会保険科目 394p

C 正 本肢のとおりである（法50条の2第3項）。

社会保険科目 357p

D 正 本肢のとおりである（法48条1項・2項）。一度も障害等級1級又は2級の障害の状態に該当したことのない障害等級3級の障害厚生年金の受給権者については併合認定の規定は適用されないが，本肢の者は一度障害等級2級の障害の状態に該当しているため，併合認定が行われる。

社会保険科目 358～359p

E 正 本肢のとおりである（法38条1項，法65条の2ほか）。夫に対する遺族厚生年金は，原則として，受給権者が60歳に達するまでの期間，その支給が停止されるが，同一の支給事由に基づく遺族基礎年金の受給権を夫が有するときは，夫に対する遺族厚生年金は支給停止されない。

社会保険科目 376p

H29-6	総合問題	重要度 A

問 51 厚生年金保険法に関する次の記述のうち，誤っているものはどれか。なお，本問における合意分割とは，厚生年金保険法第78条の2に規定する離婚等をした場合における標準報酬の改定の特例をいう。

A 障害厚生年金の額の計算の基礎となる被保険者期間に係る標準報酬が，合意分割により改定又は決定がされた場合は，改定又は決定後の標準報酬を基礎として年金額が改定される。ただし，年金額の計算の基礎となる被保険者期間の月数が300月に満たないため，これを300月として計算された障害厚生年金については，離婚時みなし被保険者期間はその計算の基礎とされない。

B 厚生年金保険法第78条の14の規定によるいわゆる3号分割の請求については，当事者が標準報酬の改定及び決定について合意している旨の文書は必要とされない。

C 離婚時みなし被保険者期間は，特別支給の老齢厚生年金の定額部分の額の計算の基礎とはされない。

D 離婚が成立したが，合意分割の請求をする前に当事者の一方が死亡した場合において，当事者の一方が死亡した日から起算して1か月以内に，当事者の他方から所定の事項が記載された公正証書を添えて当該請求があったときは，当事者の一方が死亡した日の前日に当該請求があったものとみなされる。

E 第1号改定者及び第2号改定者又はその一方は，実施機関に対して，厚生労働省令の定めるところにより，標準報酬改定請求を行うために必要な情報の提供を請求することができるが，その請求は，離婚等が成立した日の翌日から起算して3か月以内に行わなければならない。

厚年法

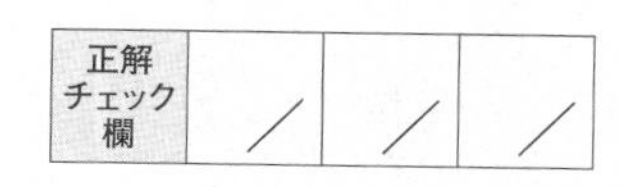

正解チェック欄	／	／	／

A 正 本肢のとおりである（法78条の10第2項）。なお，本肢のいわゆる合意分割（離婚時分割）の規定により標準報酬の改定又は決定が行われた場合は，標準報酬改定請求のあった日の属する月の翌月から老齢厚生年金又は障害厚生年金の額の改定が行われる（同条1項）。

社会保険科目 384p

B 正 本肢のとおりである（法78条の14）。

社会保険科目 386p

C 正 本肢のとおりである（法附則17条の10）。なお，「離婚時みなし被保険者期間」とは，合意分割（離婚時分割）の規定により第1号改定者から第2号改定者に標準報酬が分割された場合，対象期間のうち第1号改定者の被保険者期間であって第2号改定者の被保険者期間でない期間については，第2号改定者の被保険者期間であったものとみなされた期間をいう（法78条の6第3項）。

社会保険科目 390p

D 正 本肢のとおりである（令3条の12の7，則78条の12）。

E 誤 本肢の情報の提供の請求は，当該請求が標準報酬改定請求後に行われた場合，離婚等をしたときから「2年」を経過したときその他の厚生労働省令で定める場合及び当該情報の提供を受けた日の翌日から起算して3月を経過していない場合（一定の場合を除く）においては，行うことができない（法78条の4，則78条の7）。

社会保険科目 382p

H29-7	総合問題	重要度 A

問 52 厚生年金保険法に関する次の記述のうち，誤っているものはどれか。

A 保険料は，法人たる納付義務者が解散した場合は，納期前であってもすべて徴収することができる。

B 子の加算額が加算された障害基礎年金の支給を受けている者に，当該子に係る加給年金額が加算された老齢厚生年金が併給されることとなった場合，当該老齢厚生年金については，当該子について加算する額に相当する部分の支給が停止される。

C 被保険者期間の月数を12月以上有する昭和31年４月２日生まれの男性が老齢厚生年金の支給繰上げの請求をした場合，その者に支給する老齢厚生年金の額の計算に用いる減額率は，請求日の属する月から62歳に達する日の属する月の前月までの月数に一定率を乗じて得た率である。なお，本問の男性は，第１号厚生年金被保険者期間のみを有し，かつ，坑内員たる被保険者であった期間及び船員たる被保険者であった期間を有しないものとする。

D いわゆる事後重症による障害厚生年金について，障害認定日に障害等級に該当しなかった者が障害認定日後65歳に達する日の前日までに当該傷病により障害等級３級に該当する程度の障害の状態となり，初診日の前日において保険料納付要件を満たしている場合は，65歳に達した日以後であっても障害厚生年金の支給を請求できる。

E 傷病に係る初診日が平成29年９月１日で，障害認定日が平成31年３月１日である障害厚生年金の額の計算において，平成31年４月以後の被保険者期間はその計算の基礎としない。なお，当該傷病以外の傷病を有しないものとする。

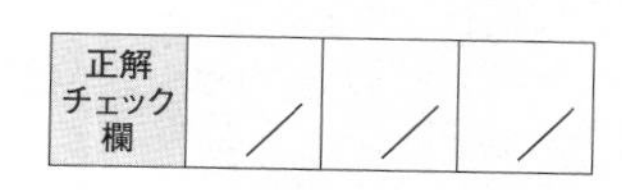

正解チェック欄	／	／	／

正解 D

A 正 本肢のとおりである（法85条）。

社会保険科目 406p

B 正 本肢のとおりである（法44条1項ただし書）。

社会保険科目 346p

C 正 本肢のとおりである（法附則8条の2第1項，法附則13条の4第4項，令8条の2の3ほか）。昭和28年4月2日から昭和36年4月1日以前生まれの男子であって60歳台前半の老齢厚生年金の支給要件を満たすもの（国民年金の任意加入被保険者を除く）は，報酬比例部分相当の老齢厚生年金の支給開始年齢（特例支給開始年齢）に達する前に，実施機関に，老齢厚生年金の支給繰上げの請求をすることができる。

D 誤 いわゆる事後重症による障害厚生年金は，65歳に達した日以後においては「請求することができない」（法47条の2）。

社会保険科目 354p

E 正 本肢のとおりである（法51条）。本肢の場合の障害厚生年金の額の計算において，当該障害厚生年金の支給事由となった障害に係る障害認定日（平成31年3月1日）の属する月後（平成31年4月以後）における被保険者であった期間は，その計算の基礎としない。

社会保険科目 356p

H29-8	総合問題	重要度 B

問 53 厚生年金保険法に関する次の記述のうち，正しいものはどれか。

A　2以上の種別の被保険者であった期間を有する者の脱退一時金は，それぞれの種別の被保険者であった期間ごとに6か月以上の期間がなければ受給資格を得ることはできない。

B　平成28年5月31日に育児休業を終えて同年6月1日に職場復帰した3歳に満たない子を養育する被保険者が，育児休業等終了時改定に該当した場合，その者の標準報酬月額は同年9月から改定される。また，当該被保険者を使用する事業主は，当該被保険者に対して同年10月に支給する報酬から改定後の標準報酬月額に基づく保険料を控除することができる。

C　第1号厚生年金被保険者に係る適用事業所の事業主は，被保険者が70歳に到達し，引き続き当該事業所に使用される場合，原則として，被保険者の資格喪失の届出にあわせて70歳以上の使用される者の該当の届出をしなければならないが，70歳以上の者（厚生年金保険法第12条各号に定める適用除外者に該当する者を除く。）を新たに雇い入れたときは，70歳以上の使用される者の該当の届出をすることを要しない。なお，本問の事業所は，特定適用事業所とする。

D　障害等級1級又は2級の障害厚生年金の額は，受給権者によって生計を維持している子（18歳に達する日以後の最初の3月31日までの間にある子及び20歳未満で障害等級の1級又は2級に該当する障害の状態にある子に限る。）があるときは，当該子に係る加給年金額が加算された額とする。

E　被保険者の死亡の当時その者と生計を同じくしていたが，年収850万円以上の給与収入を将来にわたって有すると認められたため，遺族厚生年金の受給権を得られなかった配偶者について，その後，給与収入が年収850万円未満に減少した場合は，当該減少したと認められたときから遺族厚生年金の受給権を得ることができる。

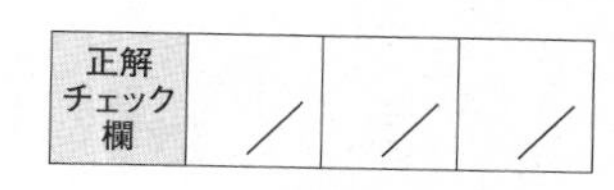

厚年法

A 誤 2以上の種別の被保険者であった期間を有する者の脱退一時金については，その者の2以上の被保険者の種別に係る被保険者であった期間に係る被保険者期間を「合算し，一の期間に係る被保険者期間のみを有する者に係るものとみなして」その支給要件の規定を適用する。したがって，2以上の種別被保険者であった期間に係る被保険者期間を「合算して6月以上」の期間があれば，脱退一時金の支給を請求することができる（法附則30条）。

社会保険科目
391p

B 正 本肢のとおりである（法23条の2第2項，法84条1項）。育児休業等終了時改定に該当した場合，その者の標準報酬月額は，育児休業等終了日の翌日（本肢の場合平成28年6月1日）から起算して2月を経過した日の属する月の翌月（本肢の場合平成28年9月）から改定される。また，事業主は，被保険者の負担すべき前月の標準報酬月額に係る保険料を報酬から控除することができるものとされていることから，本肢の事業主が改定後の標準報酬月額に基づく保険料を控除することができるのは，当該被保険者に対して同年10月に支給する報酬からである。

社会保険科目
41〜42，
303p

C 誤 本肢の事業主は，被保険者が70歳に到達し引き続き当該事業所に使用される場合のみならず，70歳以上の者（法12条各号に定める適用除外者に該当する者を除く）を新たに雇い入れたときにも，その者が過去に厚生年金保険の被保険者期間を有する者であるときは，「70歳以上の使用される者の該当の届出をしなければならない」。その他の記述については正しい（則10条の4，則15条の2，則22条）。

社会保険科目
308p

D　誤　障害厚生年金の額には，「子に係る加給年金額は加算されない」（法50条の2第1項ほか）。なお，障害等級2級以上の障害厚生年金の受給権者に一定の要件を満たす配偶者があるときは，当該障害厚生年金の額に配偶者加給年金額が加算される。

社会保険科目
357p

E　誤　被保険者又は被保険者であった者の死亡の当時（失踪宣告を受けた被保険者であった者にあっては，行方不明となった当時）生計維持要件を満たした者でなければ，遺族厚生年金を受けることができる遺族となることはできない。本肢の配偶者は，被保険者の死亡の当時生計維持要件を満たしていないため，その後，収入が減少した場合であっても，原則として，遺族厚生年金の受給権を得ることは「できない」（法59条ほか）。

社会保険科目
365～366p

MEMO

H29-9	総合問題	重要度 A

問 54 厚生年金保険法に関する次のアからオの記述のうち，正しいものの組合せは，後記AからEまでのうちどれか。

ア　子の有する遺族厚生年金の受給権は，その子が母と再婚した夫の養子となったときは消滅する。

イ　2以上の種別の被保険者であった期間を有する者に係る障害厚生年金の額は，初診日における被保険者の種別に係る被保険者期間のみが計算の基礎とされる。

ウ　厚生労働大臣は，被保険者の資格，標準報酬，保険料又は保険給付に関する決定に関し，必要があると認めるときは，当該職員をして事業所に立ち入って関係者に質問し，若しくは帳簿，書類その他の物件を検査させることができるが，この規定は第2号厚生年金被保険者，第3号厚生年金被保険者又は第4号厚生年金被保険者及びこれらの者に係る適用事業所等の事業主については適用されない。

エ　2以上の種別の被保険者であった期間を有する者の老齢厚生年金の額の計算においては，その者の2以上の被保険者の種別に係る期間を合算して1の期間に係る被保険者期間のみを有するものとみなして平均標準報酬額を算出する。

オ　未支給の保険給付を受けるべき同順位者が2人以上あるときは，その1人のした請求は，全員のためその全額につきしたものとみなされ，その1人に対してした支給は，全員に対してしたものとみなされる。

A　（アとイ）　　**B**　（アとエ）　　**C**　（イとオ）
D　（ウとエ）　　**E**　（ウとオ）

正解チェック欄	／	／	／

本問のアからオまでのそれぞれの記述の正誤は以下のとおりであり，したがって，ウ及びオを正しいとするEが解答となる。

ア 誤 母と再婚した夫は子の直系姻族にあたるため，本肢の場合，子の有する遺族厚生年金の受給権は「消滅しない」（法63条1項3号）。

社会保険科目 377～378p

イ 誤 2以上の種別の被保険者であった期間を有する者に係る障害厚生年金の額については，その者の2以上の被保険者の種別に係る被保険者であった期間を「合算し，一の期間に係る被保険者期間のみを有するものとみなして」，障害厚生年金の額の計算の規定が適用される（法78条の30）。

社会保険科目 356p

ウ 正 本肢のとおりである（法100条1項・4項）。

社会保険科目 414～415p

エ 誤 2以上の種別の被保険者であった期間を有する者に係る老齢厚生年金の額の計算においては，「各号の厚生年金被保険者期間ごとに」，平均標準報酬額を算出する（法78条の26第2項）。なお，2以上の種別の被保険者であった期間を有する者に係る老齢厚生年金の額を計算するときは，各号の厚生年金被保険者期間ごとに計算し，それぞれの被保険者の種別に係る実施機関から，それぞれの種別の被保険者期間に応じた額が支給される。

社会保険科目 345p

オ 正 本肢のとおりである（法37条5項）。

社会保険科目 317p

H29-10	総合問題	重要度 A

問 55 厚生年金保険法に関する次の記述のうち，誤っているものはどれか。

A 遺族厚生年金及び当該遺族厚生年金と同一の支給事由に基づく遺族基礎年金の受給権を取得した妻について，当該受給権の取得から1年後に子の死亡により当該遺族基礎年金の受給権が消滅した場合であって，当該消滅した日において妻が30歳に到達する日前であった場合は，当該遺族厚生年金の受給権を取得した日から起算して5年を経過したときに当該遺族厚生年金の受給権は消滅する。

B 昭和29年4月1日生まれの女性（障害の状態になく，第1号厚生年金被保険者期間を120月，国民年金の第1号被保険者としての保険料納付済期間を180月有するものとする。）が，特別支給の老齢厚生年金における報酬比例部分を受給することができるのは60歳からであり，また，定額部分を受給することができるのは64歳からである。なお，支給繰上げの請求はしないものとする。

C 特別支給の老齢厚生年金は，その受給権者が雇用保険法の規定による基本手当の受給資格を有する場合であっても，当該受給権者が同法の規定による求職の申込みをしないときは，基本手当との調整の仕組みによる支給停止は行われない。

D 令和6年4月において，総報酬月額相当額が480,000円の66歳の被保険者（第1号厚生年金被保険者期間のみを有し，前月以前の月に属する日から引き続き当該被保険者の資格を有する者とする。）が，基本月額が100,000円の老齢厚生年金を受給することができる場合，在職老齢年金の仕組みにより月額40,000円の老齢厚生年金が支給停止される。

E 被保険者が死亡した当時，妻，15歳の子及び65歳の母が当該被保険者により生計を維持していた。妻及び子が当該被保険者の死亡により遺族厚生年金の受給権を取得したが，その1年後に妻が死亡した。この場合，母が当該被保険者の死亡による遺族厚生年金の受給権を取得することはない。

正解チェック欄	／	／	／

A 誤 本肢の場合，妻の遺族厚生年金の受給権が消滅するのは，本肢の「遺族基礎年金の受給権が消滅した日」から起算して5年を経過したときである（法63条1項5号）。

社会保険科目
377～378p

B 正 本肢のとおりである（法附則8条の2第2項，平6法附則20条ほか）。

社会保険科目
327p

C 正 本肢のとおりである（法附則11条の5）。60歳台前半の老齢厚生年金は，その受給権者が雇用保険法に規定する基本手当の受給資格を有する場合において，同法の規定による求職の申込みをしたときは，当該求職の申込みがあった月の翌月から一定の期間，その支給が停止される。

社会保険科目
340～341p

D 正 本肢のとおりである（法46条）。本肢（65歳以後の在職老齢年金）の場合，｛総報酬月額相当額（480,000円）＋基本月額（100,000円）－支給停止調整額（令和6年度価額500,000円）｝×2分の1＝40,000円が，老齢厚生年金の支給停止月額となる。

社会保険科目
351～352p

E 正 本肢のとおりである（法59条1項・2項）。遺族厚生年金には，いわゆる転給の制度は設けられておらず，父母は，配偶者又は子が遺族厚生年金の受給権を取得したときは，遺族厚生年金を受けることができる遺族とされない。

社会保険科目
367～368p

H30-1	総合問題	重要度 A

問 56 厚生年金保険法に関する次の記述のうち，正しいものはどれか。

A 2以上の船舶の船舶所有者が同一である場合には，当該2以上の船舶を1つの適用事業所とすることができる。このためには厚生労働大臣の承認を得なければならない。

B 船員法に規定する船員として船舶所有者に2か月以内の期間を定めて臨時に使用される70歳未満の者は，当該期間を超えて使用されることが見込まれないときは，厚生年金保険の被保険者とならない。

C 昭和9年4月2日以後に生まれた老齢厚生年金の受給権者に支給される配偶者の加給年金額に加算される特別加算の額は，受給権者の生年月日に応じて33,200円に改定率を乗じて得た額から165,800円に改定率を乗じて得た額の範囲内であって，受給権者の生年月日が早いほど特別加算の額は大きくなる。

D 加給年金額の対象者がある障害厚生年金の受給権者（当該障害厚生年金は支給が停止されていないものとする。）は，原則として，毎年，厚生労働大臣が指定する日（以下「指定日」という。）までに，加給年金額の対象者が当該受給権者によって生計を維持している旨等の所定の事項を記載し，かつ，自ら署名した届書を，日本年金機構に提出しなければならないが，当該障害厚生年金の裁定が行われた日以後1年以内に指定日が到来する年は提出を要しない。なお，当該障害厚生年金の受給権者は，第1号厚生年金被保険者期間のみを有するものとする。

E 被保険者の死亡により，その妻と子に遺族厚生年金の受給権が発生した場合，子に対する遺族厚生年金は，妻が遺族厚生年金の受給権を有する期間，その支給が停止されるが，妻が自己の意思で妻に対する遺族厚生年金の全額支給停止の申出をしたときは，子に対する遺族厚生年金の支給停止が解除される。

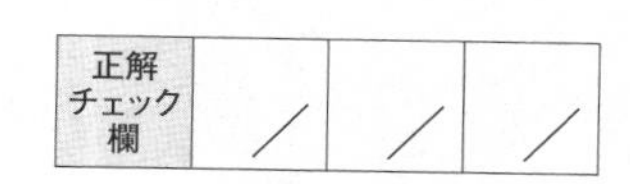

A 誤 2以上の船舶の船舶所有者が同一である場合には，当該2以上の船舶は，「厚生労働大臣の承認を得ることなく」，法律上当然に一の適用事業所とされる（法8条の3）。

社会保険科目 290p

B 誤 船員法に規定する船員として船舶所有者に臨時に使用される70歳未満の者は，2月以内の期間を定めて使用され，当該定めた期間を超えて使用されることが見込まれない場合であっても，他の適用除外事由に該当するときを除き，「雇入れ当初から被保険者となる」（法12条1号）。

社会保険科目 293p

C 誤 昭和9年4月2日以後に生まれた老齢厚生年金の受給権者に支給される配偶者の加給年金額に加算される特別加算の額は，受給権者の生年月日が「遅いほど」大きくなる。その他の記述は正しい（昭60法附則60条2項）。

社会保険科目 336p

D 正 本肢のとおりである（則51条の3第1項・2項）。

E 誤 本肢の場合，妻が自己の意思で妻に対する遺族厚生年金の全額支給停止の申出をしたときであっても，子に対する遺族厚生年金の支給停止は「解除されない」（法66条1項）。

社会保険科目 376p

H30-2	総合問題	重要度 A

問 57 厚生年金保険法に関する次の記述のうち，正しいものはいくつあるか。

ア　老齢基礎年金を受給している66歳の者が，令和5年4月1日に被保険者の資格を取得し，同月20日に喪失した（同月に更に被保険者の資格を取得していないものとする。）。当該期間以外に被保険者期間を有しない場合，老齢厚生年金は支給されない。

イ　在職老齢年金の仕組みにより支給停止が行われている老齢厚生年金を受給している65歳の者が，障害の程度を定めるべき日において障害手当金に該当する程度の障害の状態になった場合，障害手当金は支給される。

ウ　特別支給の老齢厚生年金の受給権者（第1号厚生年金被保険者期間のみを有する者とする。）が65歳に達し，65歳から支給される老齢厚生年金の裁定を受けようとする場合は，新たに老齢厚生年金に係る裁定の請求書を日本年金機構に提出しなければならない。

エ　第1号厚生年金被保険者に係る保険料その他厚生年金保険法の規定による徴収金の先取特権の順位は，国税及び地方税に次ぐものとされている。

オ　障害厚生年金は，その受給権が20歳到達前に発生した場合，20歳に達するまでの期間，支給が停止される。

A　一つ
B　二つ
C　三つ
D　四つ
E　五つ

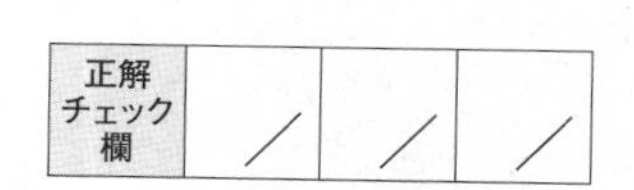

本問のアからオまでのそれぞれの記述の正誤は以下のとおりであり，ウ及びエの2つが正しい記述となる。したがって，Bが解答となる。

ア 誤 老齢厚生年金は，1月でも被保険者期間を有する者が，65歳以上であり，受給資格期間を満たしている場合に支給される。本肢の場合，いわゆる被保険者資格の同月得喪に該当するため，令和5年4月は原則として1月として被保険者期間に算入される。また，本肢の者は，65歳以上（66歳）で，老齢基礎年金を受給している（すなわち受給資格期間を満たしている）ため，本肢の者に「老齢厚生年金が支給され得る」（法19条2項，法42条）。

社会保険科目 298～299，343p

イ 誤 障害手当金の障害の程度を定めるべき日において，年金たる保険給付の受給権者（一定の障害厚生年金の受給権者を除く）に該当する者には，「障害手当金は支給されない」（法56条）。

社会保険科目 364p

ウ 正 本肢のとおりである（法33条，則30条1項ほか）。特別支給の老齢厚生年金（60歳台前半の老齢厚生年金）と65歳から支給される老齢厚生年金は，別年金であり，それぞれ，裁定請求をする必要がある。

社会保険科目 315p

エ 正 本肢のとおりである（法88条）。

社会保険科目 408p

オ 誤 本肢のような支給停止の規定は設けられていない（法47条，法54条ほか）。

社会保険科目 362p

H30-3	総合問題	重要度 A

問 58

厚生年金保険法等に関する次のアからオの記述のうち，誤っているものの組合せは，後記AからEまでのうちどれか。

ア　保険料を徴収する権利が時効によって消滅したときは，当該保険料に係る被保険者であった期間に基づく保険給付は行わない。当該被保険者であった期間に係る被保険者の資格の取得について，厚生年金保険法第31条第1項の規定による確認の請求があった後に，保険料を徴収する権利が時効によって消滅したものであるときも同様に保険給付は行わない。

イ　厚生年金保険の保険給付及び国民年金の給付に係る時効の特例等に関する法律の施行日（平成19年7月6日）において厚生年金保険法による保険給付を受ける権利を有する者について，厚生年金保険法第28条の規定により記録した事項の訂正がなされた上で当該保険給付を受ける権利に係る裁定が行われた場合においては，その裁定による当該記録した事項の訂正に係る保険給付を受ける権利に基づき支払期月ごとに支払うものとされる保険給付の支給を受ける権利について当該裁定の日までに消滅時効が完成した場合においても，当該権利に基づく保険給付を支払うものとされている。

ウ　年金たる保険給付を受ける権利の時効は，当該年金たる保険給付がその全額につき支給を停止されている間であっても進行する。

エ　厚生年金保険法第86条の規定によると，厚生労働大臣は，保険料の納付義務者が保険料を滞納したため期限を指定して督促したにもかかわらずその期限までに保険料を納付しないときは，納付義務者の居住地若しくはその者の財産所在地の市町村（特別区を含むものとし，地方自治法第252条の19第1項の指定都市にあっては，区又は総合区とする。以下同じ。）に対して，その処分を請求することができ，当該処分の請求を受けた市町村が市町村税の例によってこれを処分したときは，厚生労働大臣は，徴収金の100分の4に相当する額を当該市町村に交付しなければならないとされている。

オ　脱退一時金は，最後に国民年金の被保険者の資格を喪失した日（同日において日本国内に住所を有していた者にあっては，同日後初めて，日本国内に住所を有しなくなった日）から起算して2年を経過しているときは，請求することができない。

A　（アとイ）　**B**　（アとウ）　**C**　（イとエ）
D　（ウとオ）　**E**　（エとオ）

正解チェック欄	／	／	／

正解 B

本問のアからオまでのそれぞれの記述の正誤は以下のとおりであり，したがって，ア及びウを誤りとするBが解答となる。

ア 誤 保険料を徴収する権利が時効によって消滅したときは，当該保険料に係る被保険者であった期間に基づく保険給付は行われないが，当該被保険者であった期間に係る被保険者の資格の取得について法31条1項の規定による確認の請求があった後に，保険料を徴収する権利が時効によって消滅したものであるときは，当該保険料に係る被保険者であった期間に基づく保険給付は「行われる」（法75条）。

社会保険科目 395p

イ 正 本肢のとおりである（厚生年金保険の保険給付及び国民年金の給付に係る時効の特例等に関する法律1条）。

社会保険科目 413p

ウ 誤 年金たる保険給付を受ける権利の時効は，当該年金たる保険給付がその全額につき支給を停止されている間は，「進行しない」（法92条2項）。

社会保険科目 413p

エ 正 本肢のとおりである（法86条5項・6項）。

社会保険科目 406~407p

オ 正 本肢のとおりである（法附則29条1項）。

社会保険科目 391~392p

H30-4	総合問題

問 59 厚生年金保険法に関する次のアからオの記述のうち，正しいものの組合せは，後記AからEまでのうちどれか。

ア　在職老齢年金の仕組みにより支給停止が行われている特別支給の老齢厚生年金の受給権を有している63歳の者が，雇用保険法に基づく高年齢雇用継続基本給付金を受給した場合，当該高年齢雇用継続基本給付金の受給期間中は，当該特別支給の老齢厚生年金には，在職による支給停止基準額に加えて，最大で当該受給権者に係る標準報酬月額の10％相当額が支給停止される。

イ　第1号厚生年金被保険者期間に基づく老齢厚生年金の受給権者（加給年金額の対象者があるものとする。）は，その額の全部につき支給が停止されている場合を除き，正当な理由なくして，厚生年金保険法施行規則第35条の3に規定する加給年金額の対象者がある老齢厚生年金の受給権者に係る現況の届書を提出しないときは，当該老齢厚生年金が支給停止され，その後，当該届書が提出されれば，提出された月から支給停止が解除される。

ウ　障害等級3級の障害厚生年金の受給権者であった者が，64歳の時点で障害等級に該当する程度の障害の状態に該当しなくなったために支給が停止された。その者が障害等級に該当する程度の障害の状態に該当しないまま65歳に達したとしても，その時点では当該障害厚生年金の受給権は消滅しない。

エ　2つの被保険者の種別に係る被保険者であった期間を有する者に，一方の被保険者の種別に係る被保険者であった期間に基づく老齢厚生年金と他方の被保険者の種別に係る被保険者であった期間に基づく老齢厚生年金の受給権が発生した。当該2つの老齢厚生年金の受給権発生日が異なり，加給年金額の加算を受けることができる場合は，遅い日において受給権を取得した種別に係る老齢厚生年金においてのみ加給年金額の加算を受けることができる。

重要度 B

オ　繰上げ支給の老齢厚生年金を受給している者であって，当該繰上げの請求があった日以後の被保険者期間を有する者が65歳に達したときは，その者が65歳に達した日の属する月前における被保険者であった期間を当該老齢厚生年金の額の計算の基礎とするものとし，65歳に達した日の属する月の翌月から，年金の額を改定する。

A　（アとイ）　**B**　（アとウ）　**C**　（イとエ）
D　（ウとオ）　**E**　（エとオ）

正解チェック欄	／	／	／

厚年法

キリトリ線

本問のアからオまでのそれぞれの記述の正誤は以下のとおりであり，したがって，ウ及びオを正しいとするDが解答となる。

ア 誤 本肢の特別支給の老齢厚生年金については，在職老齢年金の仕組みによる支給停止基準額に加えて，最大で当該受給権者に係る標準報酬月額の「4％」相当額が支給停止される（法附則11条の6第1項）。

社会保険科目 342p

イ 誤 本肢の場合，老齢厚生年金の支払いを「一時差し止める」ことができ，本肢の届書が提出されれば，「差し止められた当時にさかのぼって」老齢厚生年金が支払われる（法78条1項）。

社会保険科目 394

ウ 正 本肢のとおりである（法53条）。障害厚生年金の受給権者の障害の程度が軽減して障害等級3級にも該当しなくなった場合，当該受給権者がそのまま障害等級に該当することなく3年を経過した日又は65歳に達した日のいずれか遅い方に達したときに，障害厚生年金の受給権は消滅する。本肢の者が65歳に達した時点では，障害等級3級にも該当しなくなってから3年を経過していないため，その時点では障害厚生年金の受給権は消滅しない。

社会保険科目 362～363p

エ 誤 本肢の場合，2つの老齢厚生年金のうち，「早い日」において受給権を取得した種別に係る老齢厚生年金においてのみ加給年金額の加算を受けることができる（法78条の27，令3条の13第2項ほか）。

社会保険科目 335p

オ 正 本肢のとおりである（法附則7条の3第5項）。

社会保険科目 348p

キリトリ線

H30-5	総合問題	重要度 B

問 60 厚生年金保険法に関する次の記述のうち，正しいものはどれか。

A 任意適用事業所を適用事業所でなくするための認可を受けようとするときは，当該事業所に使用される者の3分の2以上の同意を得て，厚生労働大臣に申請することとされている。なお，当該事業所には厚生年金保険法第12条各号のいずれかに該当し，適用除外となる者又は特定4分の3未満短時間労働者に該当する者はいないものとする。

B 厚生年金保険法第78条の14第1項の規定による3号分割標準報酬改定請求のあった日において，特定被保険者の被扶養配偶者が第3号被保険者としての国民年金の被保険者の資格（当該特定被保険者の配偶者としての当該資格に限る。）を喪失し，かつ，離婚の届出はしていないが当該特定被保険者が行方不明になって2年が経過していると認められる場合，当該特定被保険者の被扶養配偶者は3号分割標準報酬改定請求をすることができる。

C 第1号厚生年金被保険者が月の末日に死亡したときは，被保険者の資格喪失日は翌月の1日になるが，遺族厚生年金の受給権は死亡した日に発生するので，当該死亡者の遺族が遺族厚生年金を受給できる場合には，死亡した日の属する月の翌月から遺族厚生年金が支給される。

D 障害厚生年金及び当該障害厚生年金と同一の支給事由に基づく障害基礎年金の受給権者が60歳に達して特別支給の老齢厚生年金の受給権を取得した場合，当該障害厚生年金と当該特別支給の老齢厚生年金は併給されないのでどちらか一方の選択になるが，いずれを選択しても当該障害基礎年金は併給される。

E 障害等級2級に該当する障害厚生年金の受給権者が更に障害厚生年金の受給権を取得した場合において，新たに取得した障害厚生年金と同一の傷病について労働基準法第77条の規定による障害補償を受ける権利を取得したときは，一定の期間，その者に対する従前の障害厚生年金の支給を停止する。

正解チェック欄	／	／	／

厚年法

キリトリ線

A 誤　任意適用事業所を適用事業所でなくするための認可を受けようとするときは，当該事業所に使用される者（適用除外に該当するもの等を除く）の「4分の3」以上の同意を得て，厚生労働大臣に申請することとされている（法8条）。

社会保険科目 289p

B 誤　3号分割標準報酬改定請求のあった日において，特定被保険者の被扶養配偶者が第3号被保険者としての国民年金の被保険者の資格（当該特定被保険者の配偶者としての当該資格に限る）を喪失し，かつ，離婚の届出はしていないが当該特定被保険者が行方不明になって「3年」が経過していると認められる場合，当該特定被保険者の被扶養配偶者は3号分割標準報酬改定請求をすることができる（法78条の14第1項，則78条の14）。

C 正　本肢のとおりである（法14条1項，法36条1項，法58条1項）。被保険者が死亡した場合の被保険者資格の喪失日は，被保険者が死亡した日の翌日であり，遺族厚生年金の受給権は，被保険者又は被保険者であった者が死亡した日に発生し，年金の支給は，年金を支給すべき事由が生じた月の翌月から始めるものとされている。

社会保険科目 290～291，316，365～366p

D 誤　障害厚生年金と当該障害厚生年金と同一の支給事由に基づく障害基礎年金は併給されるが，受給権者が65歳未満の場合には，老齢厚生年金と障害基礎年金は併給されない。障害厚生年金と特別支給の老齢厚生年金は併給されないのでどちらか一方の選択となるという部分は正しい（法38条1項，法附則17条）。

社会保険科目 318～319p

E 誤　障害厚生年金（一度も障害等級2級以上に該当したことのない3級の障害厚生年金を除く）の受給権者が更に「2級以上の」障害厚生年金の受給権を取得した場合において，新たに取得した障害厚生年金が労働基準法の規定による障害補償を受ける権利を取得したことによりその支給を停止すべきものであるときは，その支給を停止すべき期間，その者に対して「従前の障害厚生年金が支給される」（法49条2項）。

社会保険科目 359p

キリトリ線

H30-8	総合問題	重要度 B

問 61 厚生年金保険法に関する次の記述のうち，誤っているものはどれか。

A 被保険者の配偶者が出産した場合であっても，所定の要件を満たす被保険者は，厚生年金保険法第26条に規定する3歳に満たない子を養育する被保険者等の標準報酬月額の特例の申出をすることができる。

B 産前産後休業期間中の保険料の免除の適用を受ける場合，その期間中における報酬の支払いの有無は問われない。

C 在籍出向，在宅勤務等により適用事業所以外の場所で常時勤務する者であって，適用事業所と常時勤務する場所が所在する都道府県が異なる場合は，その者の勤務地ではなく，その者が使用される事業所が所在する都道府県の現物給与の価額を適用する。

D 7月1日前の1年間を通じ4回以上の賞与が支給されているときは，当該賞与を報酬として取り扱うが，当該年の8月1日に賞与の支給回数を，年間を通じて3回に変更した場合，当該年の8月1日以降に支給される賞与から賞与支払届を提出しなければならない。

E 第1号厚生年金被保険者に係る保険料は，法人たる納付義務者が破産手続開始の決定を受けたときは，納期前であっても，すべて徴収することができる。

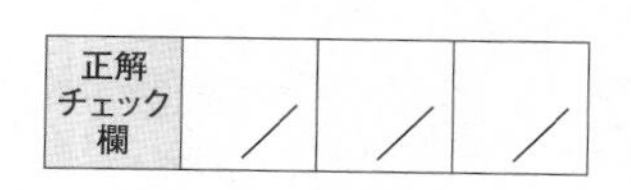

キリトリ線

正解 D

社会保険科目 304～306p

A 正 本肢のとおりである（法26条）。

社会保険科目 402p

B 正 本肢のとおりである（法81条の2の2）。

C 正 本肢のとおりである（平25.2.4年管管発0204第1号）。なお，現物給与の価額の適用に当たっては，被保険者の勤務地（被保険者が常時勤務する場所）が所在する都道府県の現物給与の価額を適用することが原則とされているが，例外として，本肢の場合のほか，派遣労働者について派遣元と派遣先の事業所が所在する都道府県が異なる場合は，派遣元事業所が所在する都道府県の現物給与の価額が適用される。

D 誤 賞与の支給が7月1日前の1年間を通じ4回以上行われているときは，当該賞与は報酬に該当する。賞与の支給回数が，当該年の7月2日以降新たに年間を通じて4回以上又は4回未満に変更された場合においても，次期標準報酬月額の定時決定（7月，8月又は9月の随時改定を含む）による標準報酬月額が適用されるまでの間は，報酬に係る当該賞与の取扱いは変わらないものとされている。したがって，本肢の場合（8月1日に賞与の支給回数を，年間を通じて3回に変更した場合）であっても，次期準報酬月額の定時決定（7月，8月又は9月の随時改定を含む）による標準報酬月額が適用されるまでの間に支給される賞与は，報酬として取り扱われるため，「賞与支払届を提出する必要はない」（昭53.6.20保発47号・庁保発21号ほか）。

社会保険科目 406p

E 正 本肢のとおりである（法85条）。

キリトリ線

H30-9	総合問題	重要度 B

問 62 厚生年金保険法に関する次の記述のうち，誤っているものはどれか。

A 被保険者が厚生年金保険法第6条第1項第3号に規定する船舶に使用され，かつ，同時に事業所に使用される場合においては，船舶所有者（同号に規定する船舶所有者をいう。以下同じ。）以外の事業主は保険料を負担せず，保険料を納付する義務を負わないものとし，船舶所有者が当該被保険者に係る保険料の半額を負担し，当該保険料及び当該被保険者の負担する保険料を納付する義務を負うものとされている。

B 被保険者期間を計算する場合には，月によるものとし，例えば，平成30年10月1日に資格取得した被保険者が，平成31年3月30日に資格喪失した場合の被保険者期間は，平成30年10月から平成31年2月までの5か月間であり，平成31年3月は被保険者期間には算入されない。なお，平成31年3月30日の資格喪失以後に被保険者の資格を取得していないものとする。

C 保険給付の受給権者が死亡した場合において，その死亡した者に支給すべき保険給付でまだその者に支給しなかったものがあるときは，その者の死亡の当時その者と生計を同じくしていた者であれば，その者の配偶者，子，父母，孫，祖父母，兄弟姉妹又はこれらの者以外の3親等内の親族は，自己の名で，その未支給の保険給付の支給を請求することができる。

D 実施機関は，必要があると認めるときは，障害等級に該当する程度の障害の状態にあることにより，年金たる保険給付の受給権を有し，又は厚生年金保険法第44条第1項の規定によりその者について加給年金額の加算が行われている子に対して，その指定する医師の診断を受けるべきことを命じ，又は当該職員をしてこれらの者の障害の状態を診断させることができる。

E 雇用保険法に基づく基本手当と60歳台前半の老齢厚生年金の調整は，当該老齢厚生年金の受給権者が，管轄公共職業安定所への求職の申込みを行うと，当該求職の申込みがあった月の翌月から当該老齢厚生年金が支給停止されるが，当該基本手当の受給期間中に失業の認定を受けなかったことにより，1日も当該基本手当の支給を受けなかった月が1か月あった場合は，受給期間経過後又は受給資格に係る所定給付日数分の当該基本手当の支給を受け終わった後に，事後精算の仕組みによって直近の1か月について当該老齢厚生年金の支給停止が解除される。

正解チェック欄	／	／	／

厚年法

正解 E

社会保険科目
403p

A 正 本肢のとおりである（令4条4項）。

B 正 本肢のとおりである（法19条1項）。被保険者期間を計算する場合，原則として，被保険者の資格を取得した月からその資格を喪失した月の前月までが被保険者期間に算入される。本肢の場合の被保険者期間は，被保険者の資格を取得した月である平成29年10月から，被保険者の資格を喪失した月の前月である平成30年2月までの5か月間である。

社会保険科目
298p

C 正 本肢のとおりである（法37条）。なお，未支給の保険給付を受けるべき者の順位は，死亡した者の配偶者，子，父母，孫，祖父母，兄弟姉妹及びこれらの者以外の3親等内の親族の順序とされている（令3条の2）。

社会保険科目
317p

D 正 本肢のとおりである（法97条1項）。

E 誤 その月において，60歳台前半の老齢厚生年金の受給権者が雇用保険の基本手当の支給を受けた日とみなされる日及びこれに準ずる日として政令で定める日がないときは，「その月分の当該老齢厚生年金については，雇用保険の基本手当との調整による支給停止は行われない」ため，事後精算をする必要はない。したがって，本肢の場合，事後精算の仕組みによる当該老齢厚生年金の支給停止の解除は「行われない」（法附則7条の4第2項，法附則11条の5）。

社会保険科目
341p

H30-10	総合問題	重要度 A

問 63　厚生年金保険法に関する次の記述のうち，誤っているものはどれか。

A　障害等級１級の障害厚生年金の受給権者（厚生年金保険法第58条第１項第４号に規定するいわゆる長期要件には該当しないものとする。）が死亡し，その者が２以上の被保険者の種別に係る被保険者であった期間を有していた場合，遺族厚生年金の額については，その死亡した者に係る２以上の被保険者の種別に係る被保険者であった期間を合算し，１の被保険者の種別に係る被保険者であった期間に係る被保険者期間のみを有するものとみなして額の計算をする。なお，それぞれの期間を合算しても300か月に満たない場合は，300か月として計算する。

B　第１号厚生年金被保険者期間と第２号厚生年金被保険者期間を有する者に係る老齢厚生年金について，支給繰下げの申出を行う場合，第１号厚生年金被保険者期間に基づく老齢厚生年金の申出と，第２号厚生年金被保険者期間に基づく老齢厚生年金の申出を同時に行わなければならない。

C　被保険者である老齢厚生年金の受給権者は，その受給権を取得した当時，加給年金額の対象となる配偶者がいたが，当該老齢厚生年金の額の計算の基礎となる被保険者期間の月数が240未満であったため加給年金額が加算されなかった。その後，被保険者資格を喪失した際に，被保険者期間の月数が240以上になり，当該240以上となるに至った当時，加給年金額の対象となる配偶者がいたとしても，当該老齢厚生年金の受給権を取得した当時における被保険者期間が240未満であるため，加給年金額が加算されることはない。

D　実施機関は，被保険者の資格を取得した者について，日，時間，出来高又は請負によって報酬が定められる場合には，被保険者の資格を取得した月前１か月間に当該事業所で，同様の業務に従事し，かつ，同様の報酬を受ける者が受けた報酬の額を平均した額を報酬月額として，その者の標準報酬月額を決定する。当該標準報酬月額は，被保険者の資格を取得した月からその年の８月（６月１日から12月31日までの間に被保険者の資格を取得した者については，翌年の８月）までの各月の標準報酬月額とする。

E　第１号厚生年金被保険者に対して通貨をもって報酬を支払う場合において，事業主が被保険者の負担すべき保険料を報酬から控除したときは，保険料の控除に関する計算書を作成し，その控除額を被保険者に通知しなければならない。

正解チェック欄	／	／	／

厚年法

A 正 本肢のとおりである（法78条の32第1項）。短期要件による遺族厚生年金の額は，2以上の種別に係る被保険者であった期間を合算し，一の期間に係る被保険者期間のみを有するものとみなして計算する。

社会保険科目 370p

B 正 本肢のとおりである（法78条の28第2項）。なお，2以上の種別の被保険者であった期間を有する者についての当該2以上の種別の被保険者であった期間のうち一の期間に基づく老齢厚生年金の支給繰上げの請求は，他の期間に基づく老齢厚生年金についての支給繰上げの請求と同時に行わなければならない（法附則18条，法附則21条）。

社会保険科目 348p

C 誤 老齢厚生年金の受給権者がその権利を取得した当時，当該老齢厚生年金の額の計算の基礎となる被保険者期間の月数が240未満であったときは，いわゆる在職定時改定又は退職時改定の規定により当該月数が240以上となるに至った当時，加給年金額の対象となる配偶者がいた場合には，原則として，当該老齢厚生年金に加給年金額が「加算される」（法44条1項）。

社会保険科目 346p

D 正 本肢のとおりである（法22条）。なお，実施機関は，被保険者の資格を取得した者について，月，週その他一定の期間によって報酬が定められる場合には，被保険者の資格を取得した日の現在の報酬の額をその期間の総日数で除して得た額の30倍に相当する額を報酬月額として，その者の標準報酬月額を決定する。

社会保険科目 39, 303p

E 正 本肢のとおりである（法84条3項）。

社会保険科目 404p

キリトリ線

R元-1	総合問題	重要度 A

問 64 厚生年金保険法に関する次の記述のうち，誤っているものはどれか。

A 昭和36年４月２日以後生まれの男性である第１号厚生年金被保険者（坑内員たる被保険者であった期間及び船員たる被保険者であった期間を有しないものとする。）は特別支給の老齢厚生年金の支給対象にはならないが，所定の要件を満たす特定警察職員等は昭和36年４月２日以後生まれであっても昭和42年４月１日以前生まれであれば，男女を問わず特別支給の老齢厚生年金の支給対象になる。

B 厚生年金保険法第86条第２項の規定により厚生労働大臣が保険料の滞納者に対して督促をしたときは，保険料額に所定の割合を乗じて計算した延滞金を徴収するが，当該保険料額が1,000円未満の場合には，延滞金を徴収しない。また，当該保険料額に所定の割合を乗じて計算した延滞金が100円未満であるときも，延滞金を徴収しない。

D 老齢基礎年金の受給資格期間を満たしている場合であっても，１年以上の厚生年金保険の被保険者期間を有していない場合には，特別支給の老齢厚生年金の受給権は生じない。

E 平成26年４月１日以後に被保険者又は被保険者であった者が死亡し，その者の夫と子に遺族厚生年金の受給権が発生した。当該夫に対する当該遺族厚生年金は，当該被保険者又は被保険者であった者の死亡について，当該夫が国民年金法の規定による遺族基礎年金の受給権を有する場合でも，60歳に到達するまでの間，その支給を停止する。

※選択肢Cは，改正により，削除しました。

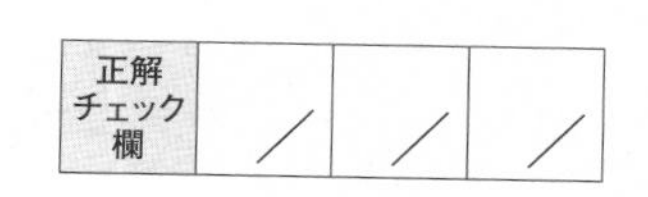

正解 E

A 正 本肢のとおりである（法附則8条の2第1項・4項ほか）なお，特定警察職員等である者の場合，特定警察職員等でない男子の支給開始年齢と比べて，6年遅れのスケジュールで支給開始年齢が引き上げられる。

社会保険科目 328p

B 正 本肢のとおりである（法87条1項・4項）。

社会保険科目 407p

D 正 本肢のとおりである（法附則8条）特別支給の老齢厚生年金は，次の①～③のいずれにも該当するに至ったときに支給される。

①60歳以上であること
②1年以上の被保険者期間（離婚時みなし被保険者期間及び被扶養配偶者みなし被保険者期間を除く）を有していること
③受給資格期間を満たしていること。

社会保険科目 329p

E 誤 夫に対する遺族厚生年金については，当該被保険者又は被保険者であった者の死亡について，夫が国民年金法の規定による遺族基礎年金の受給権を有するときは，当該夫が55歳以上60歳未満であっても，その支給は「停止されない」（法65条の2）。

社会保険科目 376p

※選択肢Cは，改正により，削除しました。

R元-2	総合問題	重要度 A

問 65 厚生年金保険法に関する次の記述のうち，正しいものはどれか。

A 厚生年金保険の標準報酬月額は標準報酬月額等級の第１級88,000円から第32級650,000円まで区分されており，この等級区分については毎年３月31日における全被保険者の標準報酬月額を平均した額の100分の200に相当する額が標準報酬月額等級の最高等級の標準報酬月額を超える場合において，その状態が継続すると認められるときは，その年の４月１日から，健康保険法第40条第１項に規定する標準報酬月額の等級区分を参酌して，政令で，当該最高等級の上に更に等級を加える標準報酬月額の等級区分の改定を行うことができる。

B 被保険者の使用される船舶について，当該船舶が滅失し，沈没し，又は全く運航に堪えなくなるに至った場合には，事業主は当該被保険者に係る保険料について，当該至った日の属する月以降の免除の申請を行うことができる。

C 厚生年金保険の保険料率は段階的に引き上げられてきたが，上限が1000分の183.00に固定（統一）されることになっている。第１号厚生年金被保険者の保険料率は平成29年９月に，第２号及び第３号厚生年金被保険者の保険料率は平成30年９月にそれぞれ上限に達したが，第４号厚生年金被保険者の保険料率は平成31年４月12日時点において上限に達していない。

D 被保険者であった妻が死亡した当時，当該妻により生計を維持していた54歳の夫と21歳の当該妻の子がいた場合，当該子は遺族厚生年金を受けることができる遺族ではないが，当該夫は遺族厚生年金を受けることができる遺族である。

E 育児休業期間中の第１号厚生年金被保険者に係る保険料の免除の規定については，任意単独被保険者は対象になるが，高齢任意加入被保険者はその対象にはならない。

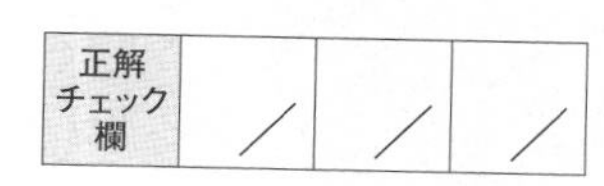

A 誤 本肢の標準報酬月額の等級区分の改定を行うことができるのは，その年の「9月1日」からである。その他の記述は正しい（法20条1項・2項）。

社会保険科目 302p

B 誤 本肢のような規定は設けられていない（法82条ほか）。なお，第1号厚生年金被保険者の保険料は，当該被保険者の使用される船舶について船舶所有者の変更があった場合，又は当該船舶が滅失し，沈没し，若しくは全く運航に堪えなくなるに至った場合，納期前であっても，すべて徴収することができる（法85条）。

C 正 本肢のとおりである（法81条，平24法附則84条～85条）。第4号厚生年金被保険者の保険料率が1,000分の183.00となるのは，原則として，令和9年4月以後の月分からである。

社会保険科目 400p

D 誤 本肢の子は20歳以上（21歳）であり，本肢の夫は55歳未満（54歳）であることから，当該子のみならず，「当該夫も，遺族厚生年金を受けることができる遺族ではない」（法59条1項）。

社会保険科目 367～368p

E 誤 任意単独被保険者のみならず，高齢任意加入被保険者についても，育児休業期間中の第1号厚生年金被保険者に係る保険料免除の対象に「なり得る」（法81条の2ほか）。

社会保険科目 401p

R元-3	総合問題	重要度 A

問 66 厚生年金保険法に関する次の記述のうち，誤っているものはどれか。

A 傷病に係る初診日に厚生年金保険の被保険者であった者であって，かつ，当該初診日の属する月の前々月までに，国民年金の被保険者期間を有しない者が，障害認定日において障害等級に該当する程度の障害の状態になかったが，障害認定日後から65歳に達する日までの間に，その傷病により障害等級に該当する程度の障害の状態に該当するに至った場合，その期間内に，障害厚生年金の支給を請求することができる。

B 傷病に係る初診日に厚生年金保険の被保険者であった者が，障害認定日において障害等級に該当する程度の障害の状態になかったが，その後64歳のときにその傷病により障害等級に該当する程度の障害の状態に該当するに至った場合，その者が支給繰上げの老齢厚生年金の受給権者であるときは，障害厚生年金の支給を請求することはできない。

C 障害等級1級に該当する者に支給する障害厚生年金の額は，老齢厚生年金の額の計算の例により計算した額（当該障害厚生年金の額の計算の基礎となる被保険者期間の月数が300に満たないときは，これを300とする。）の100分の125に相当する額とする。

D 障害等級1級又は2級に該当する障害の状態にある障害厚生年金の受給権者が死亡したときは，遺族厚生年金の支給要件について，死亡した当該受給権者の保険料納付要件が問われることはない。

E 障害厚生年金の受給権者である特定被保険者（厚生年金保険法第78条の14に規定する特定被保険者をいう。）の被扶養配偶者が3号分割標準報酬改定請求をする場合における特定期間に係る被保険者期間については，当該障害厚生年金の額の計算の基礎となった特定期間に係る被保険者期間を改定又は決定の対象から除くものとする。

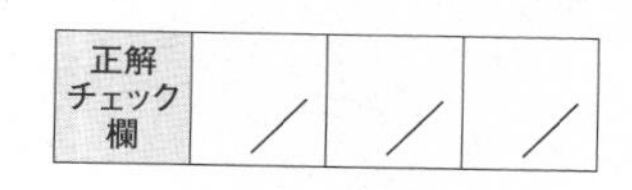

A　誤　事後重症による障害厚生年金は，障害認定日後65歳に達する日「の前日」までの間において，その傷病により障害等級に該当する程度の障害の状態に該当するに至ったときは，その期間内に請求することができる（法47条の２第１項）。

社会保険科目 354p

B　正　本肢のとおりである（法附則16条の３第１項）。繰上げ支給の老齢厚生年金の受給権者は，事後重症による障害厚生年金の支給を請求することはできない。

社会保険科目 354~355p

C　正　本肢のとおりである（法50条１項・２項）。

社会保険科目 355~356p

D　正　本肢のとおりである（法58条１項）。なお，老齢厚生年金の受給権者（保険料納付済期間，保険料免除期間及び合算対象期間を合算した期間が25年以上である者に限る）又は保険料納付済期間，保険料免除期間及び合算対象期間を合算した期間が25年以上である者が，死亡したときについても，死亡した当該受給権者の保険料納付要件が問われることはない。

社会保険科目 365~366p

E　正　本肢のとおりである（令３条の12の11）。なお，本肢の特定期間とは，３号分割における分割の対象となる期間のことであり，特定被保険者が被保険者であった期間であり，かつ，その被扶養配偶者が当該特定被保険者の配偶者として国民年金の第３号被保険者であった期間をいう（法78条の14第１項）。

R元-4	総合問題	重要度 A

問 67 厚生年金保険法に関する次の記述のうち，正しいものはどれか。

A 常時5人以上の従業員を使用する個人経営の畜産業者である事業主の事業所は，強制適用事業所となるので，適用事業所となるために厚生労働大臣から任意適用事業所の認可を受ける必要はない。

B 個人経営の青果商である事業主の事業所は，常時5人以上の従業員を使用していたため，適用事業所となっていたが，その従業員数が4人になった。この場合，適用事業所として継続するためには，任意適用事業所の認可申請を行う必要がある。

C 常時5人以上の従業員を使用する個人経営のと殺業者である事業主は，厚生労働大臣の認可を受けることで，当該事業所を適用事業所とすることができる。

D 初めて適用事業所（第1号厚生年金被保険者に係るものに限る。）となった事業所の事業主は，当該事実があった日から5日以内に日本年金機構に所定の事項を記載した届書を提出しなければならないが，それが船舶所有者の場合は10日以内に提出しなければならないとされている。

E 住所に変更があった事業主は，5日以内に日本年金機構に所定の事項を記載した届書を提出しなければならないが，それが船舶所有者の場合は10日以内に提出しなければならないとされている。

厚年法

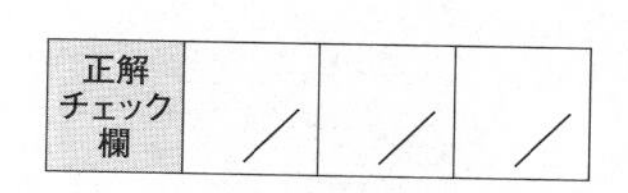

A 誤 本肢の事業所（畜産業者）は，法定17業種以外の事業所であり，個人経営であることから，「強制適用事業所には該当しない」ため，適用事業所となるためには厚生労働大臣から任意適用事業所の認可を受ける「必要がある」（法6条1項・3項）。

社会保険科目 19~20, 288~289p

B 誤 本肢の事業所（青果商）は，法定17業種の事業所であり，常時5人以上の従業員を使用する個人経営の事業所であることから，強制適用事業所に該当するが，強制適用事業所が従業員数の減少により強制適用事業所に該当しなくなったときは，その事業所について任意適用事業所の認可があったものとみなされるため，あらためて「任意適用事業所の認可申請を行う必要はない」（法6条1項・3項，法7条）。

社会保険科目 19~20, 288~289p

C 誤 本肢の事業所（と殺業者）は，法定17業種の事業所であり，常時5人以上の従業員を使用する個人経営の事業所であることから，強制適用事業所に該当するため，「適用事業所とするための厚生労働大臣の認可を受ける必要はない」（法6条1項）。

社会保険科目 19~20, 288~289p

社会保険科目 308p

D 正 本肢のとおりである（則13条1項・3項）。

E 誤 本肢の場合，船舶所有者は，「速やかに」本肢の届書を提出しなければならない。その他の記述は正しい（則23条1項・3項）。

社会保険科目 308p

R元-5　**総合問題**　重要度 **A**

問 68

厚生年金保険法に関する次のアからオの記述のうち，正しいものの組合せは，後記AからEまでのうちどれか。

ア　離婚の届出をしていないが，夫婦としての共同生活が営まれておらず，事実上離婚したと同様の事情にあると認められる場合であって，両当事者がともに当該事情にあると認めている場合には，いわゆる合意分割の請求ができる。

イ　離婚の届出をしていないが，夫婦としての共同生活が営まれておらず，事実上離婚したと同様の事情にあると認められる場合であって，両当事者がともに当該事情にあると認めている場合に該当し，かつ，特定被保険者（厚生年金保険法第78条の14に規定する特定被保険者をいう。）の被扶養配偶者が第３号被保険者としての国民年金の被保険者の資格を喪失している場合でも，いわゆる３号分割の請求はできない。

ウ　適用事業所に使用される70歳未満の被保険者が70歳に達したときは，それに該当するに至った日の翌日に被保険者の資格を喪失する。

エ　適用事業所に使用される70歳以上の者であって，老齢厚生年金，国民年金法による老齢基礎年金その他の老齢又は退職を支給事由とする年金たる給付であって政令で定める給付の受給権を有しないもの（厚生年金保険法第12条各号に該当する者を除く。）が高齢任意加入の申出をした場合は，実施機関への申出が受理された日に被保険者の資格を取得する。

オ　適用事業所以外の事業所に使用される70歳以上の者であって，老齢厚生年金，国民年金法による老齢基礎年金その他の老齢又は退職を支給事由とする年金たる給付であって政令で定める給付の受給権を有しないもの（厚生年金保険法第12条各号に該当する者を除く。）が高齢任意加入の申出をした場合は，厚生労働大臣の認可があった日に被保険者の資格を取得する。

A　（アとイ）　**B**　（アとエ）　**C**　（イとウ）
D　（ウとオ）　**E**　（エとオ）

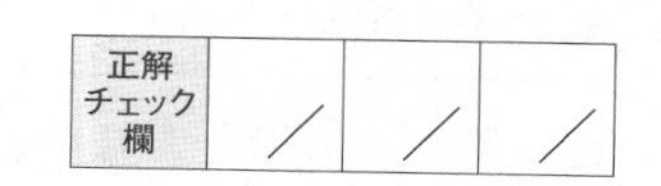

厚年法

本問のアからオまでのそれぞれの記述の正誤は以下のとおりであり，したがって，エとオを正しいとするEが解答となる。

ア　誤　いわゆる合意分割の適用対象となる離婚等とは，①離婚（婚姻の届出をしていないが事実上婚姻関係と同様の事情にあった者について，当該事情が解消した場合を除く），②婚姻の取消し，又は③婚姻の届出をしていないが事実上婚姻関係と同様の事情にあった当事者について，当該当事者の一方の被扶養配偶者である第3号被保険者であった当該当事者の他方が，当該第3号被保険者としての国民年金の被保険者の資格を喪失し，当該事情が解消したと認められること（当該当事者が婚姻の届出をしたことにより当該事情が解消した場合を除く）とされており，「事実上離婚をしたと同様の事情にあると認められる場合」は，合意分割の適用対象となる離婚等には含まれていない。したがって，本肢の場合，「合意分割の請求をすることはできない」（法78条の2第1項，則78条）。

社会保険科目 379～380p

イ　誤　いわゆる3号分割の請求のあった日に，離婚の届出をしていないが，夫婦としての共同生活が営まれておらず，事実上離婚したと同様の事情にあると認められる場合であって，3号分割の請求をするにつき両当事者がともに当該事情にあると認めている場合に該当し，かつ，特定被保険者の被扶養配偶者が第3号被保険者としての国民年金の被保険者の資格（当該特定被保険者の配偶者としての当該資格に限る）を喪失している場合には，その他の要件を満たしている限り，3号分割の請求をすることが「できる」（法78条の14第1項，則78条の14第2号）。

社会保険科目 386p

ウ　誤　適用事業所に使用される70歳未満の被保険者が70歳に達したときは，それに該当するに至った「その日」に，被保険者の資格を喪失する（法14条）。

社会保険科目 290～291p

エ　正　本肢のとおりである（法附則4条の3第1項・2項）。

社会保険科目 294p

オ　正　本肢のとおりである（法附則4条の5第1項，法13条2項）。

社会保険科目 296p

R元-6	総合問題	重要度 A

問 69 厚生年金保険法に関する次の記述のうち，正しいものはどれか。

A 行方不明となった航空機に乗っていた被保険者の生死が3か月間わからない場合は，遺族厚生年金の支給に関する規定の適用については，当該航空機の到着予定日から3か月が経過した日に当該被保険者が死亡したものと推定される。

B 老齢厚生年金の受給権者の属する世帯の世帯主その他その世帯に属する者は，当該受給権者の所在が3か月以上明らかでないときは，速やかに，所定の事項を記載した届書を日本年金機構に提出しなければならないとされている。

C 被保険者は，老齢厚生年金の受給権者でない場合であっても，国会議員となったときは，速やかに，国会議員となった年月日等所定の事項を記載した届書を日本年金機構に提出しなければならないとされている。

D 障害等級1級又は2級の障害の状態にある障害厚生年金の受給権者は，当該障害厚生年金の加給年金額の対象者である配偶者が65歳に達したときは，10日以内に所定の事項を記載した届書を日本年金機構に提出しなければならないとされている。

E 被保険者が故意に障害を生ぜしめたときは，当該障害を支給事由とする障害厚生年金又は障害手当金は支給されない。また，被保険者が重大な過失により障害を生ぜしめたときは，保険給付の全部又は一部を行わないことができる。

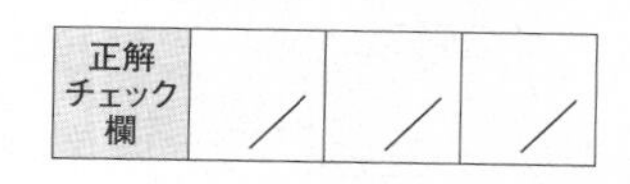

A 誤 本肢の場合，「その航空機が行方不明となった日」に，本肢の被保険者が死亡したものと推定される（法59条の2）。

社会保険科目 369p

B 誤 厚生労働大臣が支給する老齢厚生年金の受給権者の属する世帯の世帯主その他その世帯に属する者は，当該受給権者の所在が「1か月」以上明らかでないときは，速やかに，所定の事項を記載した届書を日本年金機構に提出しなければならない（則40条の2）。

社会保険科目 311p

C 誤 厚生労働大臣が支給する「老齢厚生年金の受給権者は」，国会議員等となったときは，速やかに，国会議員等となった年月日等所定の事項を記載した届書を日本年金機構に提出しなければならない（則32条の3）。

D 誤 障害等級1級又は2級の障害状態にある厚生労働大臣が支給する障害厚生年金の受給権者の加給年金額の対象である配偶者が65歳に達したときは，本肢の届書を日本年金機構に「提出する必要はない」（則46条）。

社会保険科目 310p

E 正 本肢のとおりである（法73条，法73条の2）。

社会保険科目 393p

R元-7	総合問題	重要度 A

問 70 厚生年金保険法に関する次の記述のうち，誤っているものはどれか。

A 被保険者が産前産後休業終了日の翌日に育児休業等を開始している場合には，当該産前産後休業を終了した際の標準報酬月額の改定は行われない。

B 実施機関は，被保険者が現に使用される事業所において継続した3か月間（各月とも，報酬支払の基礎となった日数が，17日以上であるものとする。）に受けた報酬の総額を3で除して得た額が，その者の標準報酬月額の基礎となった報酬月額に比べて，著しく高低を生じた場合において，必要があると認めるときは，その額を報酬月額として，その著しく高低を生じた月の翌月から，標準報酬月額を改定することができる。

C 被保険者の報酬月額について，厚生年金保険法第21条第1項の定時決定の規定によって算定することが困難であるとき，又は，同項の定時決定の規定によって算定された被保険者の報酬月額が著しく不当であるときは，当該規定にかかわらず，実施機関が算定する額を当該被保険者の報酬月額とする。

D 配偶者に対する遺族厚生年金は，その配偶者の所在が1年以上明らかでないときは，遺族厚生年金の受給権を有する子の申請によって，申請の日からその支給を停止する。

E 遺族厚生年金は，当該被保険者又は被保険者であった者の死亡について労働基準法第79条の規定による遺族補償の支給が行われるべきものであるときは，死亡の日から6年間，その支給を停止する。

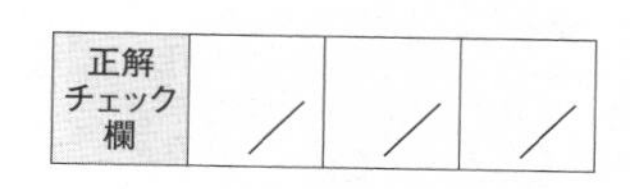

A 正 本肢のとおりである（法23条の3第1項）。なお，産前産後休業を終了した際の改定の規定が適用される場合，標準報酬月額は，産前産後休業終了日の翌日から起算して2月を経過した日の属する月の翌月から改定される（同条2項）。

社会保険科目 43, 303p

B 正 本肢のとおりである（法23条1項）。なお，継続した3月間のいずれかの月の報酬支払基礎日数が17日（一定の短時間労働者である被保険者は11日）未満である場合，当該3月間を基礎とした随時改定は行われない。

社会保険科目 40, 303p

C 正 本肢のとおりである（法24条1項）。

社会保険科目 304p

D 誤 本肢の場合，「その所在が明らかでなくなった時にさかのぼって」，当該所在不明の配偶者に対する遺族厚生年金の支給が停止される（法67条1項）。

社会保険科目 377p

E 正 本肢のとおりである（法64条）。なお，遺族厚生年金（その受給権者が65歳に達しているものに限る）は，その受給権者が老齢厚生年金の受給権を有するときは，当該老齢厚生年金の額に相当する部分の支給を停止する（法64条の2）。

社会保険科目 376p

R元-8	総合問題	重要度 A

問 71 厚生年金保険法に関する次の記述のうち，誤っているものはどれか。

A 厚生労働大臣は，住民基本台帳法第30条の9の規定による遺族厚生年金の受給権者に係る機構保存本人確認情報の提供を受けることができない場合には，当該受給権者に対し，所定の事項を記載し，かつ，自ら署名した届書を毎年指定日までに提出することを求めることができる。

B 月給制である給与を毎月末日に締め切り，翌月10日に支払っている場合，4月20日に育児休業から職場復帰した被保険者の育児休業等終了時改定は，5月10日に支払った給与，6月10日に支払った給与及び7月10日に支払った給与の平均により判断する。

C 事業主が同一である1又は2以上の適用事業所であって，当該1又は2以上の適用事業所に使用される特定労働者の総数が常時50人を超えるものの各適用事業所のことを特定適用事業所というが，初めて特定適用事業所となった適用事業所（第1号厚生年金被保険者に係るものに限る。）の事業主は，当該事実があった日から5日以内に所定の事項を記載した届書を日本年金機構に提出しなければならない。

D 厚生年金保険法施行規則第14条の4の規定による特定適用事業所の不該当の申出は，特定適用事業所に該当しなくなった適用事業所に使用される厚生年金保険の被保険者及び70歳以上の使用される者（被保険者であった70歳以上の者であって当該適用事業所に使用されるものとして厚生労働省令で定める要件に該当するものをいう。）の4分の3以上で組織する労働組合があるときは，当該労働組合の同意を得たことを証する書類を添えて行わなければならない。

E 加給年金額が加算された障害厚生年金の額について，当該加給年金額の対象になっている配偶者（大正15年4月1日以前に生まれた者を除く。）が65歳に達した場合は，当該加給年金額を加算しないものとし，その該当するに至った月の翌月から当該障害厚生年金の額を改定する。

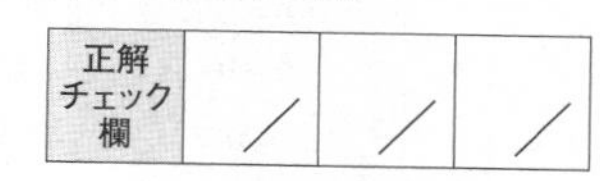

A 正 本肢のとおりである（則68条の2第1項）。なお，本肢の届書の提出を求められた受給権者は，毎年，指定日までに，当該届書を日本年金機構に提出しなければならない（同条2項）。

B 誤 育児休業等終了時改定による標準報酬月額の改定に当たっては，育児休業等終了日の翌日が属する月以後3月間に受けた報酬の総額をその期間の月数で除して得た額を報酬月額とする。本肢の場合，育児休業等終了日の翌日が属する月は4月であり，「育児休業等終了日の翌日が属する月以後3月間」は4月，5月及び6月となるため，「7月10日に支払った給与は含まれない」（法23条の2第1項）。

社会保険科目
41～42,
303p

C 正 本肢のとおりである（平24法附則17条12項，則14条の3第1項）。なお，本肢の「特定労働者」とは，70歳未満の者のうち，適用除外のいずれにも該当しないものであって，特定4分の3未満短時間労働者以外のものをいう（平24法附則17条12項）。

社会保険科目
308p

D 正 本肢のとおりである（平24法附則17条2項，則14条の4）。なお，本肢の申出は，次の事項を記載した申出書を日本年金機構に提出することによって行われる（則14条の2第1項）。

①事業所（事業主が法人であるときは，本店又は主たる事業所）の名称及び所在地

②事業主が法人であるときは，法人番号

E 正 本肢のとおりである（法50条の2第4項，法44条4項）。

社会保険科目
357p

R元-9	総合問題	重要度 A

問 72 厚生年金保険法に関する次の記述のうち，正しいものはどれか。

A 夫の死亡により，前妻との間に生まれた子（以下「夫の子」という。）及び後妻に遺族厚生年金の受給権が発生した。その後，後妻が死亡した場合において，死亡した後妻に支給すべき保険給付でまだ後妻に支給しなかったものがあるときは，後妻の死亡当時，後妻と生計を同じくしていた夫の子であって，後妻の死亡によって遺族厚生年金の支給停止が解除された当該子は，自己の名で，その未支給の保険給付の支給を請求することができる。

B 障害等級2級に該当する障害の状態にある子に遺族厚生年金の受給権が発生し，16歳のときに障害等級3級に該当する障害の状態になった場合は，18歳に達した日以後の最初の3月31日が終了したときに当該受給権は消滅する。一方，障害等級2級に該当する障害の状態にある子に遺族厚生年金の受給権が発生し，19歳のときに障害等級3級に該当する障害の状態になった場合は，20歳に達したときに当該受給権は消滅する。

C 老齢厚生年金と雇用保険法に基づく給付の調整は，特別支給の老齢厚生年金又は繰上げ支給の老齢厚生年金と基本手当又は高年齢求職者給付金との間で行われ，高年齢雇用継続給付との調整は行われない。

D 被保険者期間が6か月以上ある日本国籍を有しない者は，所定の要件を満たす場合に脱退一時金の支給を請求することができるが，かつて，脱退一時金を受給した者が再入国し，適用事業所に使用され，再度，被保険者期間が6か月以上となり，所定の要件を満たした場合であっても，再度，脱退一時金の支給を請求することはできない。

E 被保険者又は被保険者であった者の死亡の当時胎児であった子が出生したときは，その妻の有する遺族厚生年金に当該子の加給年金額が加算される。

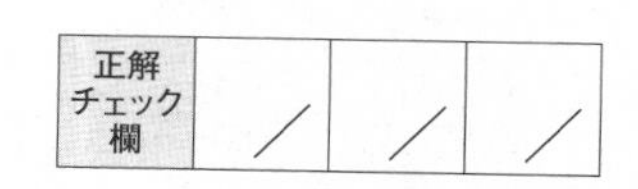

A 正 本肢のとおりである（法37条2項）。本肢の子は，死亡した後妻と養子縁組をしていない限り死亡した後妻の子ではないが，未支給の保険給付を請求することができる子とみなされ，自己の名で，本肢の未支給の保険給付の支給を請求することができる。

社会保険科目 317p

B 誤 障害等級の1級又は2級に該当する障害の状態にある子について，その事情がやんだときは，当該子が18歳に達する日以後の最初の3月31日までの間にあるときを除き，その事情がやんだときに，当該子の有する遺族厚生年金の受給権は消滅する。したがって，本肢後段の場合，「障害等級3級に該当する障害の状態になったとき」に，本肢後段の子の有する遺族厚生年金の受給権は消滅する。本肢前段の記述は正しい（法63条2項）。

社会保険科目 377~378p

C 誤 老齢厚生年金と雇用保険法に基づく給付の調整は，特別支給の老齢厚生年金（60歳台前半の老齢厚生年金）又は繰上げ支給の老齢厚生年金と基本手当又は「高年齢雇用継続給付」との間で行われる（法附則7条の4，法附則7条の5，法附則11条の5，法附則11条の6）。

社会保険科目 340~342p

D 誤 脱退一時金には，受給回数の制限は設けられておらず，かつて脱退一時金を受給した者が再入国して適用事業所に使用され，再度，所定の要件を満たしたときは，「再度，脱退一時金の支給を請求することができる」（法附則29条）。

社会保険科目 391~392p

E 誤 遺族厚生年金には，「加給年金額は加算されない」（法60条1項）。

社会保険科目 369~370p

R元-10	総合問題	重要度 A

問 73 厚生年金保険法に関する次のアからオの記述のうち，正しいものの組合せは，後記AからEまでのうちどれか。

ア　第1号厚生年金被保険者又は厚生年金保険法第27条に規定する70歳以上の使用される者（法律によって組織された共済組合の組合員又は私立学校教職員共済法の規定による私立学校教職員共済制度の加入者を除く。）は，同時に2以上の事業所（第1号厚生年金被保険者に係るものに限る。）に使用されるに至ったとき，当該2以上の事業所に係る日本年金機構の業務が2以上の年金事務所に分掌されている場合は，その者に係る日本年金機構の業務を分掌する年金事務所を選択しなければならない。

イ　船員たる被保険者であった期間が15年以上あり，特別支給の老齢厚生年金を受給することができる者であって，その者が昭和35年4月2日生まれである場合には，60歳から定額部分と報酬比例部分を受給することができる。

ウ　障害厚生年金の支給を受けている者が，当該障害厚生年金の支給要件となった傷病とは別の傷病により，障害手当金の支給を受けられる程度の障害の状態になった場合は，当該障害厚生年金と当該障害手当金を併給することができる。なお，当該別の傷病に係る初診日が被保険者期間中にあり，当該初診日の前日において，所定の保険料納付要件を満たしているものとする。

※エ　64歳である特別支給の老齢厚生年金の受給権者が，被保険者（前月以前の月に属する日から引き続き当該被保険者の資格を有する者に限る。）である日が属する月において，その者の標準報酬月額とその月以前の1年間の標準賞与額の総額を12で除して得た額とを合算して得た額及び特別支給の老齢厚生年金の額（加給年金額を除く。）を12で除して得た額との合計額が50万円を超えるときは，その月の分の当該特別支給の老齢厚生年金について，当該合計額から50万円を控除して得た額の2分の1に相当する額に12を乗じて得た額に相当する額が支給停止される。

オ　適用事業所の事業主は，第1号厚生年金被保険者であって，産前産後休業期間中や育児休業期間中における保険料の免除が適用されている者に対して，当該休業期間中に賞与を支給した場合は，賞与額の届出を行わなければならない。

A（アとエ）　**B**（アとオ）　**C**（イとウ）
D（イとエ）　**E**（ウとオ）

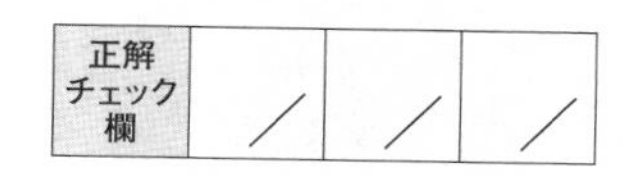

正解チェック欄	／	／	／

本問のアからオまでのそれぞれの記述の正誤は以下のとおりであり，したがって，正しい記述はア，エ及びオとなり，A及びBが解答となる。

ア　正　本肢のとおりである（則1条1項）。

社会保険科目 309p

イ　誤　報酬比例部分のみの60歳台前半の老齢厚生年金の受給権者がその権利を取得した当時，その者に係る船員たる被保険者であった期間が15年以上である場合において，その者が昭和35年4月2日生まれであるときは，「62歳」から，定額部分と報酬比例部分を受給することができる（法附則8条の2第3項，法附則9条の4第1項）。

社会保険科目 339p

ウ　誤　障害の程度を定めるべき日において年金たる保険給付の受給権者（最後に障害等級に該当する程度の障害の状態に該当しなくなった日から起算して当該障害状態に該当することなく3年を経過した障害厚生年金の受給権者で現に当該障害状態に該当しない者を除く）に該当する者には，障害手当金は支給されない。したがって，障害厚生年金の支給を受けている者には，障害手当金は「支給されない」（法55条，法56条）。

社会保険科目 363~364p

※**エ　正**　本肢のとおりである（法附則11条）。出題当時は誤っている記述であったが，在職老齢年金の改正により，正しい記述となった。

社会保険科目 339~340p

オ　正　本肢のとおりである（則19条の5ほか）。

社会保険科目 308p

R2-2	総合問題	重要度 A

問 74 厚生年金保険法に関する次の記述のうち，誤っているものはどれか。

A 第1号厚生年金被保険者は，同時に2以上の事業所に使用されるに至ったときは，その者に係る日本年金機構の業務を分掌する年金事務所を選択し，2以上の事業所に使用されるに至った日から5日以内に，所定の事項を記載した届書を日本年金機構に提出しなければならない。

B 厚生労働大臣による被保険者の資格に関する処分に不服がある者が行った審査請求は，時効の完成猶予及び更新に関しては，裁判上の請求とみなされる。

C 厚生年金保険法第27条の規定による当然被保険者（船員被保険者を除く。）の資格の取得の届出は，当該事実があった日から5日以内に，厚生年金保険被保険者資格取得届・70歳以上被用者該当届又は当該届書に記載すべき事項を記録した光ディスク（これに準ずる方法により一定の事項を確実に記録しておくことができる物を含む。）を日本年金機構に提出することによって行うものとされている。

D 適用事業所の事業主（船舶所有者を除く。）は，廃止，休止その他の事情により適用事業所に該当しなくなったときは，原則として，当該事実があった日から5日以内に，所定の事項を記載した届書を日本年金機構に提出しなければならない。

E 被保険者又は被保険者であった者の死亡の当時胎児であった子が出生したときは，父母，孫又は祖父母の有する遺族厚生年金の受給権は消滅する。一方，被保険者又は被保険者であった者の死亡の当時胎児であった子が出生したときでも，妻の有する遺族厚生年金の受給権は消滅しない。

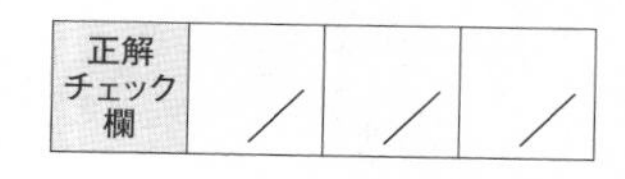

A　誤　第1号厚生年金被保険者は，同時に2以上の事業所に使用されるに至ったとき（当該2以上の事業所に係る日本年金機構の業務が2以上の年金事務所に分掌されている場合に限る）は，その者に係る日本年金機構の業務を分掌する年金事務所を選択しなければならず，当該選択は，2以上の事業所に使用されるに至った日から「10日以内」に，所定の事項を記載した届書を，日本年金機構に提出することによって行うものとされている（則1条1項・2項）。

社会保険科目
309p

B　正　本肢のとおりである（法90条4項）。

社会保険科目
411p

C　正　本肢のとおりである（則15条1項）。なお，法27条の規定による船員被保険者の資格取得の届出は，当該事実があった日から10日以内に所定の事項を記載した届書を日本年金機構に提出することによって行うものとする（同条3項）。

社会保険科目
308p

D　正　本肢のとおりである（則13条の2第1項）。

社会保険科目
308p

E　正　本肢のとおりである（法63条1項・3項）。なお，遺族厚生年金の受給権者は，本肢の規定による支給停止の申請をしようとするときは，所定の事項を記載した申請書に，所在不明者の所在が1年以上明らかでないことを証する書類を添えて，これを日本年金機構に提出しなければならない（則66条1項）。

社会保険科目
377~378p

キリトリ線

R2-3	総合問題	重要度 A

問 75 厚生年金保険法に関する次のアからオの記述のうち，正しいものの組合せは，後記ＡからＥまでのうちどれか。

ア　厚生年金保険の保険料は，被保険者の資格を取得した月についてはその期間が１日でもあれば徴収されるが，資格を喪失した月については徴収されない。よって月末日で退職したときは退職した日が属する月の保険料は徴収されない。

イ　特定被保険者が死亡した日から起算して１か月以内に被扶養配偶者（当該死亡前に当該特定被保険者と３号分割標準報酬改定請求の事由である離婚又は婚姻の取消しその他厚生年金保険法施行令第３条の12の10に規定する厚生労働省令で定めるこれらに準ずるものをした被扶養配偶者に限る。）から３号分割標準報酬改定請求があったときは，当該特定被保険者が死亡した日に３号分割標準報酬改定請求があったものとみなす。

ウ　厚生労働大臣は，滞納処分等その他の処分に係る納付義務者が滞納処分等その他の処分の執行を免れる目的でその財産について隠ぺいしているおそれがあることその他の政令で定める事情があるため，保険料その他厚生年金保険法の規定による徴収金の効果的な徴収を行う上で必要があると認めるときは，政令で定めるところにより，財務大臣に，当該納付義務者に関する情報その他必要な情報を提供するとともに，当該納付義務者に係る滞納処分等その他の処分の権限の全部又は一部を委任することができる。

エ　日本年金機構は，滞納処分等を行う場合には，あらかじめ，厚生労働大臣の認可を受けるとともに，厚生年金保険法第100条の７第１項に規定する滞納処分等実施規程に従い，徴収職員に行わせなければならない。

オ　障害等級３級の障害厚生年金の受給権者の障害の状態が障害等級に該当しなくなったため，当該障害厚生年金の支給が停止され，その状態のまま３年が経過した。その後，65歳に達する日の前日までに当該障害厚生年金に係る傷病により障害等級３級に該当する程度の障害の状態になったとしても，当該障害厚生年金は支給されない。

A（アとイ）　**B**（アとオ）　**C**（イとウ）
D（ウとエ）　**E**（エとオ）

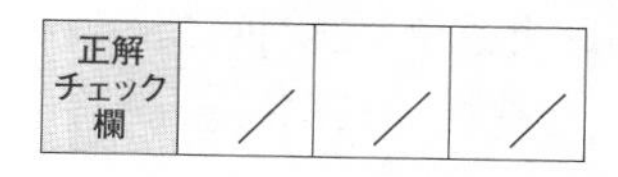

厚年法

本問のアからオまでのそれぞれの記述の正誤は以下のとおりであり，したがって，ウとエを正しいとするDが解答となる。

ア　誤　保険料は，被保険者期間の計算の基礎となる各月につき，徴収するものとされており，原則として，被保険者の資格を取得した月からその資格を喪失した月の前月までが被保険者期間に算入される。したがって，被保険者の資格を取得した月については，その期間が1日でもあれば保険料が徴収されるが，月末退職の場合，被保険者の資格を喪失するのは翌月の1日であることから，当該喪失月の前月である退職日が属する月の保険料は「徴収される」（法81条2項，法19条）。

社会保険科目 298, 400p

イ　誤　本肢の場合，当該特定被保険者が死亡した日「の前日」に，3号分割標準報酬改定請求があったものとみなされる（令3条の12の14）。

ウ　正　本肢のとおりである（法100条の5第1項）。

社会保険科目 406～407p

エ　正　本肢のとおりである（法100条の6第1項）。

社会保険科目 407p

オ　誤　障害厚生年金の受給権は，受給権者の障害の程度が軽減し，障害等級3級にも該当しなくなった場合において，そのまま障害等級3級にも該当することなく65歳に達した日又は3年を経過した日のいずれか遅い方に達したときには消滅する。したがって，障害等級3級にも該当しなくなり当該障害厚生年金の支給が停止されその状態のまま3年が経過しても，その後，65歳に達する日の前日までに当該障害厚生年金に係る傷病により障害等級3級に該当する程度の障害の状態になった場合には，当該障害厚生年金の受給権は消滅しておらず，当該障害厚生年金は「支給される」（法53条）。

社会保険科目 369～370p

R2-4	総合問題	重要度 B

問 76 厚生年金保険法に関する次の記述のうち，正しいものはどれか。

A 離婚した場合の3号分割標準報酬改定請求における特定期間（特定期間は複数ないものとする。）に係る被保険者期間については，特定期間の初日の属する月は被保険者期間に算入し，特定期間の末日の属する月は被保険者期間に算入しない。ただし，特定期間の初日と末日が同一の月に属するときは，その月は，特定期間に係る被保険者期間に算入しない。

B 71歳の高齢任意加入被保険者が障害認定日において障害等級3級に該当する障害の状態になった場合は，当該高齢任意加入被保険者期間中に当該障害に係る傷病の初診日があり，初診日の前日において保険料の納付要件を満たしているときであっても，障害厚生年金は支給されない。

C 障害等級2級に該当する障害基礎年金及び障害厚生年金の受給権者が，症状が軽減して障害等級3級の程度の障害の状態になったため当該2級の障害基礎年金は支給停止となった。その後，その者が65歳に達した日以後に再び障害の程度が増進して障害等級2級に該当する程度の障害の状態になった場合，障害等級2級の障害基礎年金及び障害厚生年金は支給されない。

D 障害等級3級の障害厚生年金には，配偶者についての加給年金額は加算されないが，最低保障額として障害等級2級の障害基礎年金の年金額の3分の2に相当する額が保障されている。

E 厚生年金保険の被保険者であった者が資格を喪失して国民年金の第1号被保険者の資格を取得したが，その後再び厚生年金保険の被保険者の資格を取得した。国民年金の第1号被保険者であった時に初診日がある傷病について，再び厚生年金保険の被保険者となってから障害等級3級に該当する障害の状態になった場合，保険料納付要件を満たしていれば当該被保険者は障害厚生年金を受給することができる。

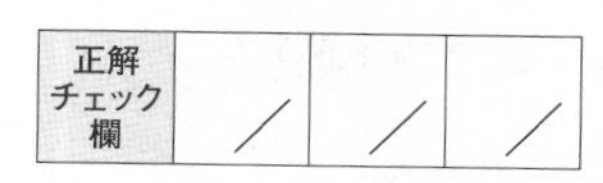

厚年法

A 正 本肢のとおりである（令3条の12の12）。

B 誤 本肢の場合，高齢任意加入被保険者に障害厚生年金が「支給される」（法47条）。障害厚生年金は，初診日に被保険者（高齢任意加入被保険者も含む）であった者が，障害認定日に1級から3級に該当する程度の障害の状態にあり，かつ，初診日の前日における保険料納付要件を満たしていれば，支給される。

社会保険科目 353p

C 誤 障害厚生年金の受給権者であって，当該障害厚生年金と「同一の支給事由に基づく障害基礎年金の受給権を有しないもの」については，65歳以後に障害の程度が増進した場合であっても，実施機関の診査又は受給権者からの改定請求による障害厚生年金の額の改定の規定は適用されないが，本肢の場合，障害厚生年金と同一の支給事由に基づく障害基礎年金は，支給停止されているだけであり，その受給権が消滅したわけではない。したがって，65歳以後に障害の程度が増進して障害等級2級に該当する程度の障害状態になった場合，「障害等級2級の障害基礎年金及び障害厚生年金は支給される」（法52条7項ほか）。

社会保険科目 360~361p

D 誤 障害等級3級の障害厚生年金には，配偶者についての加給年金額は加算されないが，最低保障額として障害等級2級の障害基礎年金の年金額の「4分の3」に相当する額が保障されている（法50条3項，法50条の2第1項）。

社会保険科目 356p

E 誤 障害厚生年金は，「初診日に厚生年金保険の被保険者であった者」でなければ支給されない。したがって，本肢の者は，障害厚生年金を受給することは「できない」（法47条1項，法47条の2第1項）。

社会保険科目 353p

R2-5	総合問題	重要度 A

問 77 厚生年金保険法に関する次の記述のうち，誤っているものはどれか。

A 被保険者の報酬月額の算定に当たり，報酬の一部が通貨以外のもので支払われている場合には，その価額は，その地方の時価によって，厚生労働大臣が定める。

B 被保険者の死亡当時10歳であった遺族厚生年金の受給権者である被保険者の子が，18歳に達した日以後の最初の3月31日が終了したことによりその受給権を失った場合において，その被保険者の死亡当時その被保険者によって生計を維持していたその被保険者の父がいる場合でも，当該父が遺族厚生年金の受給権者となることはない。

C 第1号厚生年金被保険者期間と第2号厚生年金被保険者期間を有する者について，第1号厚生年金被保険者期間に基づく老齢厚生年金と，第2号厚生年金被保険者期間に基づく老齢厚生年金は併給される。

D 障害厚生年金の保険給付を受ける権利は，国税滞納処分による差し押さえはできない。

E 老齢厚生年金の保険給付として支給を受けた金銭を標準として，租税その他の公課を課することはできない。

厚年法

正解チェック欄	／	／	／

A　正　本肢のとおりである（法25条）。なお，現物給与の価額は，「食事で支払われる報酬等」と「住宅で支払われる報酬等」について，各都道府県ごとに定められている（平24.1.31厚労告36号）。

社会保険科目 302p

B　正　本肢のとおりである（法59条2項）。遺族厚生年金には，いわゆる転給の制度は設けられておらず，死亡した被保険者の父は，当該被保険者の子が遺族厚生年金の受給権を取得したときは，遺族厚生年金を受けることができる遺族とされない。

社会保険科目 367～368p

C　正　本肢のとおりである（法78条の22）。なお，2以上の種別の被保険者であった期間を有する者に係る保険給付について損害賠償請求権の規定（免責）を適用する場合，受給権者が第三者から同一の事由について損害賠償を受けたときは，政府等は，損害賠償の価額をそれぞれの保険給付の価額に応じて按分した価額を限度として，保険給付をしないことができる（法78条の25）。

社会保険科目 318～319p

社会保険科目 325p

D　正　本肢のとおりである（法41条1項）。

E　誤　租税その他の公課は，原則として，保険給付として支給を受けた金銭を標準として，課することができないが，「老齢厚生年金については，この限りでない」ものとされている（法41条2項）。

社会保険科目 325p

R2-6	総合問題	重要度 B

問 78 厚生年金保険法に関する次の記述のうち，正しいものはどれか。

A 第2号厚生年金被保険者に係る厚生年金保険法第84条の5第1項の規定による拠出金の納付に関する事務は，実施機関としての国家公務員共済組合が行う。

B 任意適用事業所の認可を受けようとする事業主は，当該事業所に使用される者（厚生年金保険法第12条に規定する者及び特定4分の3未満短時間労働者を除く。）の3分の1以上の同意を得たことを証する書類を添えて，厚生年金保険任意適用申請書を日本年金機構に提出しなければならない。

C 船舶所有者による船員被保険者の資格の取得の届出については，船舶所有者は船長又は船長の職務を行う者を代理人として処理させることができる。

D 船舶所有者は，船舶が適用事業所に該当しなくなったときは，当該事実があった日から5日以内に，所定の事項を記載した届書を提出しなければならない。

E 株式会社の代表取締役は，70歳未満であっても被保険者となることはないが，代表取締役以外の取締役は被保険者となることがある。

正解チェック欄	／	／	／

A 誤 第2号厚生年金被保険者に係る法84条の5第1項の規定による拠出金の納付に関する事務は,「国家公務員共済組合連合会」が行う(法2条の5第1項2号)。

社会保険科目 285p

B 誤 本肢の厚生年金保険任意適用申請書に添付しなければならない「同意を得たことを証する書類」は,当該事業所に使用される者(法12条に規定する適用除外者及び特定4分の3未満短時間労働者を除く)の「2分の1」以上の同意を得たことを証する書類である(法6条4項,則13条の3ほか)。

社会保険科目 289p

C 正 本肢のとおりである(則15条,則29条の2)。

D 誤 船舶所有者は,船舶が適用事業所に該当しなくなったときは,当該事実があった日から「10日以内」に,所定の事項を記載した届書を提出しなければならない(則13条の2第4項)。

社会保険科目 308p

E 誤 法人の理事,監事,取締役,代表社員及び無限責任社員等法人の代表者又は業務執行者であっても,法人から,労務の対償として報酬を受けている者は,70歳未満であり,適用除外事由のいずれにも該当しない場合には,被保険者とされる。したがって,70歳未満であれば,株式会社の代表取締役以外の取締役のみならず,「株式会社の代表取締役も被保険者となることがある」(法9条,昭24.7.28保発74号ほか)。

キリトリ線

R2-8	総合問題	重要度 B

問 79 厚生年金保険法に関する次の記述のうち，誤っているものはどれか。

A 厚生労働大臣は，毎月，住民基本台帳法第30条の9の規定による老齢厚生年金の受給権者に係る機構保存本人確認情報の提供を受け，必要な事項について確認を行うが，当該受給権者の生存若しくは死亡の事実が確認されなかったとき（厚生年金保険法施行規則第35条の2第1項に規定する場合を除く。）又は必要と認めるときには，当該受給権者に対し，当該受給権者の生存の事実について確認できる書類の提出を求めることができる。

B 死亡した被保険者の2人の子が遺族厚生年金の受給権者である場合に，そのうちの1人の所在が1年以上明らかでないときは，他の受給権者の申請によってその所在が明らかでなくなった時にさかのぼってその支給が停止されるが，支給停止された者はいつでもその支給停止の解除を申請することができる。

C 厚生労働大臣は，適用事業所以外の事業所に使用される70歳未満の者を厚生年金保険の被保険者とする認可を行ったときは，その旨を当該被保険者に通知しなければならない。

D 配偶者以外の者に遺族厚生年金を支給する場合において，受給権者の数に増減を生じたときは，増減を生じた月の翌月から，年金の額を改定する。

E 年金たる保険給付の受給権者が，正当な理由がなくて，実施機関が必要があると認めて行った受給権者の身分関係に係る事項に関する職員の質問に応じなかったときは，年金たる保険給付の額の全部又は一部につき，その支給を停止することができる。

厚年法

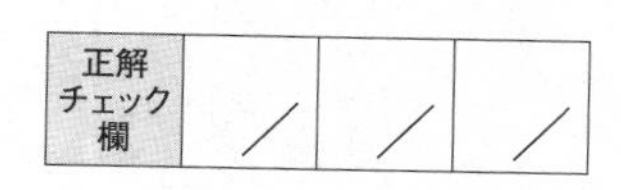

A　正　本肢のとおりである（則35条1項・3項）。なお，厚生労働大臣は，本肢の規定により機構保存本人確認情報の提供を受けるために必要と認める場合は，老齢厚生年金の受給権者に対し，当該受給権者に係る個人番号の報告を求めることができる（同条2項）。

社会保険科目
311p

B　正　本肢のとおりである（法68条1項・2項）。なお，遺族厚生年金の受給権者は，本肢の規定による支給停止の申請をしようとするときは，所定の事項を記載した申請書に，所在不明者の所在が1年以上明らかでないことを証する書類を添えて，これを日本年金機構に提出しなければならない（則66条1項）。

社会保険科目
377p

C　誤　厚生労働大臣は，本肢の認可（任意単独被保険者となることの認可）を行ったときは，その旨を当該「事業主に」通知しなければならない（法29条1項）。

社会保険科目
371p

D　正　本肢のとおりである（法61条1項）。

社会保険科目
394p

E　正　本肢のとおりである（法77条1項1号）。

キリトリ線

R2-9	総合問題	重要度 B

問 80 厚生年金保険法に関する次の記述のうち，正しいものはどれか。

A 被保険者である老齢厚生年金の受給者（昭和25年7月1日生まれ）が70歳になり当該被保険者の資格を喪失した場合における老齢厚生年金は，当該被保険者の資格を喪失した月前における被保険者であった期間も老齢厚生年金の額の計算の基礎となり，令和2年8月分から年金の額が改定される。

B 第1号厚生年金被保険者に係る適用事業所の事業主は，被保険者が70歳に到達し，引き続き当該事業所に使用されることにより70歳以上の使用される者の要件（厚生年金保険法施行規則第10条の4の要件をいう。）に該当する場合であって，当該者の標準報酬月額に相当する額が70歳到達日の前日における標準報酬月額と同額である場合は，70歳以上被用者該当届及び70歳到達時の被保険者資格喪失届を省略することができる。

C 適用事業所以外の事業所に使用される70歳未満の者であって，任意単独被保険者になることを希望する者は，当該事業所の事業主の同意を得たうえで資格取得に係る認可の申請をしなければならないが，事業主の同意を得られなかった場合でも保険料をその者が全額自己負担するのであれば，申請することができる。

D 特定適用事業所以外の適用事業所においては，1週間の所定労働時間及び1か月間の所定労働日数が，同一の事業所に使用される通常の労働者の1週間の所定労働時間及び1か月間の所定労働日数の4分の3以上（以下「4分の3基準」という。）である者を被保険者として取り扱うこととされているが，雇用契約書における所定労働時間又は所定労働日数と実際の労働時間又は労働日数が乖離していることが常態化しているとき，4分の3基準を満たさないものの，事業主等に対する事情の聴取やタイムカード等の書類の確認を行った結果，実際の労働時間又は労働日数が直近6か月において4分の3基準を満たしている場合で，今後も同様の状態が続くことが見込まれるときは，4分の3基準を満たしているものとして取り扱うこととされている。

E 障害厚生年金の支給を受けたことがある場合でも，障害の状態が軽減し，脱退一時金の請求時に障害厚生年金の支給を受けていなければ脱退一時金の支給を受けることができる。

正解チェック欄	／	／	／

厚年法

A 誤 被保険者である老齢厚生年金の受給権者が70歳に達して被保険者の資格を喪失した場合における老齢厚生年金の額改定は，70歳に達した日から起算して1月を経過した日の属する月から行われる。したがって，本肢の場合，本肢の者が70歳に達した日である令和2年6月30日から起算して1月を経過した日の属する月である令和2年「7月分」から，老齢厚生年金の額が改定される（法43条3項）。

社会保険科目
345p

B 正 本肢のとおりである（則15条の2第1項，則22条1項4号）。

社会保険科目
308p

C 誤 本肢後段の例外規定は設けられていない。したがって，「事業主の同意を得なければ，任意単独被保険者となるための認可申請をすることはできない」（法10条）。

社会保険科目
291p

D 誤 雇用契約書における所定労働時間又は所定労働日数と実際の労働時間又は労働日数が乖離していることが常態化している場合の取り扱いは，所定労働時間又は所定労働日数は本肢の4分の3基準を満たさないものの，事業主等に対する事情聴取やタイムカード等の書類の確認を行った結果，残業当を除いた基本となる実際の労働時間又は労働日数が「直前2か月」において当該4分の3基準を満たしている場合で，今後も同様の状態が続くことが見込まれるときは，当該所定労働時間又は所定労働日数は当該4分の3基準を満たしているものとして取り扱うこととされている。本肢前段の記述は正しい（平28.5.13保保発0513第1号）。

E 誤 障害厚生年金その他政令で定める保険給付の受給権を有したことがあるときは，脱退一時金は支給されない。したがって，障害厚生年金の支給を受けたことがある場合には，脱退一時金の請求時に障害厚生年金の支給を受けていなかったとしても，脱退一時金は「支給されない」（法附則29条1項）。

社会保険科目
391～392p

R3-1	総合問題	重要度 B

問 81 厚生年金保険法に関する次の記述のうち，正しいものはどれか。

A 夫の死亡により，厚生年金保険法第58条第1項第4号に規定するいわゆる長期要件に該当する遺族厚生年金（その額の計算の基礎となる被保険者期間の月数が240以上であるものとする。）の受給権者となった妻が，その権利を取得した当時60歳であった場合は，中高齢寡婦加算として遺族厚生年金の額に満額の遺族基礎年金の額が加算されるが，その妻が，当該夫の死亡により遺族基礎年金も受給できるときは，その間，当該加算される額に相当する部分の支給が停止される。

B 昭和32年4月1日生まれの妻は，遺族厚生年金の受給権者であり，中高齢寡婦加算が加算されている。当該妻が65歳に達したときは，中高齢寡婦加算は加算されなくなるが，経過的寡婦加算の額が加算される。

C 2以上の種別の被保険者であった期間を有する者について，3号分割標準報酬改定請求の規定を適用する場合においては，各号の厚生年金被保険者期間のうち1の期間に係る標準報酬についての当該請求は，他の期間に係る標準報酬についての当該請求と同時に行わなければならない。

D 3号分割標準報酬改定請求は，離婚が成立した日の翌日から起算して2年を経過したときまでに行う必要があるが，3号分割標準報酬改定請求に併せて厚生年金保険法第78条の2に規定するいわゆる合意分割の請求を行う場合であって，按分割合に関する審判の申立てをした場合は，その審判が確定した日の翌日から起算して2年を経過する日までは3号分割標準報酬改定請求を行うことができる。

E 厚生年金保険法第78条の14に規定する特定被保険者が，特定期間の全部をその額の計算の基礎とする障害厚生年金の受給権者であったとしても，当該特定被保険者の被扶養配偶者は3号分割標準報酬改定請求をすることができる。

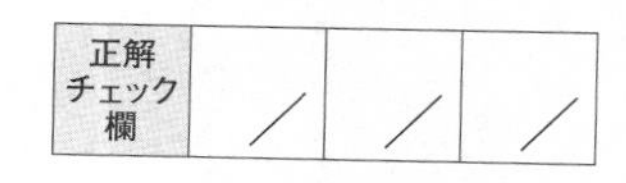

正解チェック欄	／	／	／

A 誤 中高齢寡婦加算の額は，「遺族基礎年金の額に４分の３を乗じて得た額」である。その他の記述は正しい（法62条１項，法65条）。

社会保険科目 372〜373p

B 誤 本肢の妻の遺族厚生年金には，「経過的寡婦加算の額は加算されない」。遺族厚生年金に経過的寡婦加算の額が加算されるのは，遺族厚生年金の受給権者である妻が「昭和31年４月１日以前生まれ」であって，所定の要件を満たしたときである。本肢前段の記述は正しい（昭60法附則73条ほか）。

社会保険科目 374p

C 正 本肢のとおりである（法78条の36第１項）。

社会保険科目 387〜388p

D 誤 本肢の場合，離婚が成立した日の翌日から起算して２年を経過した日前にいわゆる合意分割に係る請求すべき按分割合に関する審判の申し立てがあったときは，その審判が確定した日の翌日から起算して「６月」を経過する日までは，３号分割標準報酬改定請求を行うことができる。その他の記述は正しい（法78条の14第１項ただし書，則78条の３第２項，則78条の17第２項）。

E 誤 本肢の特定被保険者は，特定期間の全部をその額の計算の基礎とする障害厚生年金の受給権者であるため，当該特定被保険者の被扶養配偶者は，３号分割標準報酬改定請求を「することはできない」（法78条の14第１項ただし書，令３条の12の11，則78条の17第１項）。

社会保険科目 388p

R3-2	総合問題	重要度 A

問 82 厚生年金保険法に関する次の記述のうち，正しいものはどれか。

A 厚生年金保険の被保険者期間の月数にかかわらず，60歳以上の厚生年金保険の被保険者期間は，老齢厚生年金における経過的加算額の計算の基礎とされない。

B 経過的加算額の計算においては，第3種被保険者期間がある場合，当該被保険者期間に係る特例が適用され，当該被保険者期間は必ず3分の4倍又は5分の6倍される。

C 第1号厚生年金被保険者（船員被保険者を除く。）の資格喪失の届出が必要な場合は，当該事実があった日から10日以内に，所定の届書又は所定の届書に記載すべき事項を記録した光ディスクを日本年金機構に提出しなければならない。

D 船員被保険者の資格喪失の届出が必要な場合は，当該事実があった日から14日以内に，被保険者の氏名など必要な事項を記載した届書を日本年金機構に提出しなければならない。

E 老齢厚生年金の受給権を取得することにより，適用事業所に使用される高齢任意加入被保険者が資格を喪失した場合には，資格喪失の届出は必要ない。

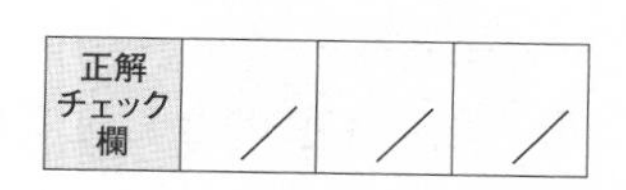

A 誤 老齢厚生年金における経過的加算額の計算は，下記のとおりであり，60歳以上の厚生年金保険の被保険者期間は，下記②の計算の基礎とはされないが，「下記①の計算においては，原則として，その計算の基礎とされる」。したがって，本肢は誤りとなる（昭60法附則59条２項）。

経過的加算額＝下記①－下記②

①60歳台前半の老齢厚生年金の定額部分相当額
　原則として1,628円×改定率×厚生年金保険の被保険者期間の月数（原則として480月を上限とする）

②厚生年金保険の加入期間に係る老齢基礎年金の額
　国民年金法27条本文に規定する老齢基礎年金の額×（イ÷ロ）
　イ　昭和36年４月１日以後で20歳以上60歳未満の厚生年金保険の被保険者期間の月数
　ロ　加入可能月数

B 誤 経過的加算額は，①60歳台前半の老齢厚生年金の定額部分相当額から②厚生年金保険の加入期間に係る老齢基礎年金額相当額を差し引いた額であるが，①の計算においては本肢の特例は適用されるが，「②の計算においては本肢の特例は適用されない」（昭60法附則47条３項・４項，昭60法附則59条２項）。

C 誤 第１号厚生年金被保険者（船員被保険者を除く）の資格喪失の届出は，当該事実があった日から「５日以内」に行わなければならない（則22条１項）。

社会保険科目
308p

D 誤 法27条の規定による船員被保険者の資格喪失の届出は，当該事実があった日から「10日以内」に行わなければならない（則22条４項）。

社会保険科目
308p

E 正 本肢のとおりである（則22条１項２号）。

社会保険科目
298p

R3-3	総合問題	重要度 B

問 83 厚生年金保険法に関する次の記述のうち，誤っているものはどれか。

A 障害等級２級に該当する程度の障害の状態であり老齢厚生年金における加給年金額の加算の対象となっている受給権者の子が，17歳の時に障害の状態が軽減し障害等級２級に該当する程度の障害の状態でなくなった場合，その時点で加給年金額の加算の対象から外れ，その月の翌月から年金の額が改定される。

B 老齢厚生年金の受給権者の子（15歳）の住民票上の住所が受給権者と異なっている場合でも，加給年金額の加算の対象となることがある。

C 厚生年金保険法附則第８条の２に定める「特例による老齢厚生年金の支給開始年齢の特例」の規定によると，昭和35年８月22日生まれの第１号厚生年金被保険者期間のみを有する女子と，同日生まれの第１号厚生年金被保険者期間のみを有する男子とでは，特別支給の老齢厚生年金の支給開始年齢が異なる。なお，いずれの場合も，坑内員たる被保険者であった期間及び船員たる被保険者であった期間を有しないものとする。

D 厚生年金保険法附則第８条の２に定める「特例による老齢厚生年金の支給開始年齢の特例」の規定によると，昭和35年８月22日生まれの第４号厚生年金被保険者期間のみを有する女子と，同日生まれの第４号厚生年金被保険者期間のみを有する男子とでは，特別支給の老齢厚生年金の支給開始年齢は同じである。

E 脱退一時金の額の計算に当たっては，平成15年３月31日以前の被保険者期間については，その期間の各月の標準報酬月額に1.3を乗じて得た額を使用する。

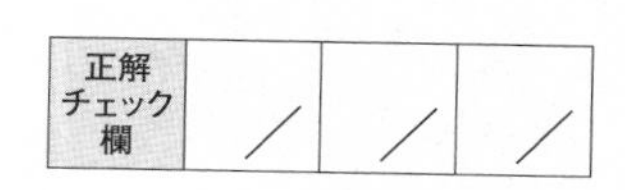

A 誤 本肢の子の障害が軽減して障害等級2級に該当する程度の障害の状態でなくなった時点では，当該子は17歳（18歳に達する日以後の最初の3月31日までの間にある）であるため，「その時点では，老齢厚生年金の加給年金額の加算の対象となっている」。したがって，「年金の額は改定されない」（法44条4項）。

社会保険科目 336～337p

B 正 本肢のとおりである（平23.3.23年発0323第1号）。本肢の子は，その住民票上の住所が受給権者と異なっている場合でも，現に起居を共にし，かつ，消費生活上の家計を一にしていると認められるときや，単身赴任，就学又は病気療養等の止むを得ない事情により住所が住民票上異なっているが，生活費，療養費等の経済的な援助が行われているとき等の一定の要件に該当し，かつ，収入に関する認定要件に該当しているときは，原則として，加給年金額の対象となる。

C 正 本肢のとおりである（法附則8条の2第1項・2項）。60歳台前半の老齢厚生年金の支給開始年齢は，本肢の女子の場合は62歳であり，本肢の男子の場合は64歳である。

社会保険科目 328p

D 正 本肢のとおりである（法附則8条の2第1項）。60歳台前半の老齢厚生年金の支給開始年齢は，本肢の女子の場合も，本肢の男子の場合も，64歳である。

社会保険科目 328p

E 正 本肢のとおりである（平12法附則22条1項）。

キリトリ線

R3-6	総合問題	重要度 A

問 84 厚生年金保険法に関する次の記述のうち，誤っているものはどれか。

A 第1号厚生年金被保険者であり，又は第1号厚生年金被保険者であった者は，厚生労働大臣において備えている被保険者に関する原簿（以下本問において「厚生年金保険原簿」という。）に記録された自己に係る特定厚生年金保険原簿記録（第1号厚生年金被保険者の資格の取得及び喪失の年月日，標準報酬その他厚生労働省令で定める事項の内容をいう。以下本問において同じ。）が事実でない，又は厚生年金保険原簿に自己に係る特定厚生年金保険原簿記録が記録されていないと思料するときは，厚生労働省令で定めるところにより，厚生労働大臣に対し，厚生年金保険原簿の訂正の請求をすることができる。

B 事故が第三者の行為によって生じた場合において，2以上の種別の被保険者であった期間を有する者に係る保険給付の受給権者が，当該第三者から同一の事由について損害賠償を受けたときは，政府及び実施機関（厚生労働大臣を除く。）は，その価額をそれぞれの保険給付の価額に応じて按分した価額の限度で，保険給付をしないことができる。

C 同一の月において被保険者の種別に変更があったときは，その月は変更後の被保険者の種別の被保険者であった月とみなす。なお，同一月において2回以上にわたり被保険者の種別に変更があったときは，最後の被保険者の種別の被保険者であった月とみなす。

D 育児休業等を終了した際の標準報酬月額の改定若しくは産前産後休業を終了した際の標準報酬月額の改定を行うためには，被保険者が現に使用される事業所において，育児休業等終了日又は産前産後休業終了日の翌日が属する月以後3か月間の各月とも，報酬支払の基礎となった日数が17日以上でなければならない。

E 被保険者自身の行為により事業者から懲戒としての降格処分を受けたために標準報酬月額が低下した場合であっても，所定の要件を満たす限り，育児休業等を終了した際の標準報酬月額の改定は行われる。

正解チェック欄	／	／	／

厚年法

キリトリ線

A 正 本肢のとおりである（法28条の2第1項）。なお，厚生労働大臣は，法28条の4第1項及び2項の規定（厚生年金保険原簿の訂正請求に対する措置）に係る決定を使用とするときは，あらかじめ，社会保障審議会に諮問しなければならない（法28条の4第3項）。

社会保険科目
312p

B 正 本肢のとおりである（法40条2項，法78条の25）。なお，2以上の種別の被保険者であった期間を有する者に係る年金たる保険給付の受給権者について，一の期間に基づく年金たる保険給付についての受給権者の申出による支給停止に係る申出又は当該申出の撤回は，当該一の期間に基づく年金たる保険給付と同一の支給事由に基づく他の期間に基づく年金たる保険給付についての当該申出又は当該撤回と同時に行わなければならない（法78条の23）。

社会保険科目
324p

C 正 本肢のとおりである（法19条5項）。なお，被保険者の資格を喪失した後，更にその資格を取得した者については，前後の被保険者期間を合算する（同条3項）。

社会保険科目
299p

D 誤 育児休業等を終了した際の標準報酬月額の改定若しくは産前産後休業を終了した際の標準報酬の改定を行うためには，育児休業等終了日の翌日又は産前産後休業終了日の翌日が属する月以後3か月間の「各月とも報酬支払基礎日数が17日以上である必要はない」。これらの終了日の翌日が属する月以後3月間に報酬支払基礎日数が17日未満である月があるときは，「その月を除いて」報酬月額が算定され，その他の要件を満たしていれば，当該報酬月額を基に，標準報酬月額が改定される（法23条の2第1項，法23条の3第1項）。

社会保険科目
42, 303p

E 正 本肢のとおりである（法23条の2ほか）。随時改定とは異なり，固定的賃金の変動又は賃金体系の変更を伴わない場合や標準報酬月額に2等級以上の差が生じない場合であっても，他の要件を満たす限り，育児休業等を終了した際の改定は行われる。

社会保険科目
42, 303p

R3-7 **総合問題** 重要度 **B**

問 85 厚生年金保険法に関する次の記述のうち，正しいものはどれか。

A 3歳に満たない子を養育している被保険者又は被保険者であった者が，当該子を養育することとなった日の属する月から当該子が3歳に達するに至った日の翌日の属する月の前月までの各月において，年金額の計算に使用する平均標準報酬月額の特例の取扱いがあるが，当該特例は，当該特例の申出が行われた日の属する月前の月にあっては，当該特例の申出が行われた日の属する月の前月までの3年間のうちにあるものに限られている。

B 在職中の老齢厚生年金の支給停止の際に用いる総報酬月額相当額とは，被保険者である日の属する月において，その者の標準報酬月額とその月以前の1年間の標準賞与額の総額を12で除して得た額とを合算して得た額のことをいい，また基本月額とは，老齢厚生年金の額（その者に加給年金額が加算されていればそれを加算した額）を12で除して得た額のことをいう。

C 実施機関は，被保険者が賞与を受けた月において，その月に当該被保険者が受けた賞与額に基づき，これに千円未満の端数を生じたときはこれを切り捨てて，その月における標準賞与額を決定する。この場合において，当該標準賞与額が1つの適用事業所において年間の累計額が150万円（厚生年金保険法第20条第2項の規定による標準報酬月額の等級区分の改定が行われたときは，政令で定める額とする。以下本問において同じ。）を超えるときは，これを150万円とする。

D 第1号厚生年金被保険者が同時に第2号厚生年金被保険者の資格を有するに至ったときは，その日に，当該第1号厚生年金被保険者の資格を喪失する。

E 2以上の種別の被保険者であった期間を有する老齢厚生年金の受給権者が死亡した場合における遺族厚生年金（中高齢の寡婦加算額が加算されるものとする。）は，各号の厚生年金被保険者期間に係る被保険者期間ごとに支給するものとし，そのそれぞれの額は，死亡した者に係る2以上の被保険者の種別に係る被保険者であった期間を合算し，1の期間に係る被保険者期間のみを有するものとみなして遺族厚生年金の額の計算に関する規定により計算した額に中高齢の寡婦加算額を加算し，それぞれ1の期間に係る被保険者期間を計算の基礎として計算した額に応じて按分した額とする。

正解チェック欄	／	／	／

厚年法

A 誤 本肢の特例の対象となるのは，当該特例の申出が行われた日の属する月前の月にあっては，当該特例の申出が行われた日の属する月の前月までの「2年間」のうちにあるものに限られている。本肢前段の記述は正しい（法26条1項）。

社会保険科目 304~305p

B 誤 本肢の基本月額を計算するときは，「加給年金額を除いて計算する」。総報酬月額相当額についての記述は原則として正しい（法46条1項）。

社会保険科目 339~340, 351~352p

C 誤 標準賞与額の上限は，年間の累計額についての上限ではなく，「その賞与を受けた月における標準賞与額についての上限」であり，当該「賞与を受けた月」における標準賞与額が150万円（法20条2項の規定による標準報酬月額の等級区分の改定が行われたときは，政令で定める額。以下本肢において同じ）を超えるときは，これを150万円とする（法24条の4第1項）。

社会保険科目 304p

D 正 本肢のとおりである（法18条の2第2項）。

社会保険科目 298p

E 誤 2以上の種別の被保険者であった期間を有する老齢厚生年金の受給権者が死亡した場合における「長期要件による」遺族厚生年金に，中高齢寡婦加算が加算される場合には，原則として，「各号の厚生年金被保険者期間のうち最も長い一の期間に基づく遺族厚生年金に加算される」（法78条の32，令3条の13の7ほか）。

社会保険科目 370p

R3-8	総合問題	重要度 B

問 86 厚生年金保険法に関する次の記述のうち，正しいものはどれか。

A 育児休業を終了した被保険者に対して昇給があり，固定的賃金の変動があった。ところが職場復帰後，育児のために短時間勤務制度の適用を受けることにより労働時間が減少したため，育児休業等終了日の翌日が属する月以後3か月間に受けた報酬をもとに計算した結果，従前の標準報酬月額等級から2等級下がることになった場合は，育児休業等終了時改定には該当せず随時改定に該当する。

B 60歳台前半の老齢厚生年金の受給権者が同時に雇用保険法に基づく基本手当を受給することができるとき，当該老齢厚生年金は支給停止されるが，同法第33条第1項に規定されている正当な理由がなく自己の都合によって退職した場合などの離職理由による給付制限により基本手当を支給しないとされる期間を含めて支給停止される。

C 63歳の被保険者の死亡により，その配偶者（老齢厚生年金の受給権を有し，65歳に達している者とする。）が遺族厚生年金を受給したときの遺族厚生年金の額は，死亡した被保険者の被保険者期間を基礎として計算した老齢厚生年金の額の4分の3に相当する額と，当該遺族厚生年金の受給権者の有する老齢厚生年金の額に3分の2を乗じて計算した額のうちいずれか多い額とする。

D 老齢厚生年金における加給年金額の加算の対象となる配偶者が，障害等級1級若しくは2級の障害厚生年金及び障害基礎年金を受給している間，当該加給年金額は支給停止されるが，障害等級3級の障害厚生年金若しくは障害手当金を受給している場合は支給停止されることはない。

E 老齢厚生年金に配偶者の加給年金額が加算されるためには，老齢厚生年金の年金額の計算の基礎となる被保険者期間の月数が240以上という要件があるが，当該被保険者期間には，離婚時みなし被保険者期間を含めることはできない。

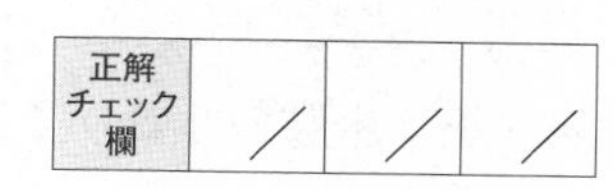

正解チェック欄	／	／	／

厚年法

A 誤 固定的賃金の増額・減額と実際の報酬月額の増額・減額が一致しない場合，随時改定の対象とならない。本肢の場合，昇給という固定的賃金の増額変動があったものの，短時間勤務により実際に支払われた賃金が減少したため，標準報酬月額が2等級下がっており，固定的賃金の変動（増額）と実際の報酬月額の変動（減額）が一致していない。したがって，「随時改定は行われない」。なお，所定の要件を満たす限り，育児休業等終了時改定は行われる（法23条1項，法23条の2第1項）。

社会保険科目
40～42，
303p

B 誤 60歳台前半の老齢厚生年金と基本手当との調整は，受給権者が「求職の申込みをした」場合に行われるものである。したがって，求職の申込みをしない限りは当該調整は行われないため，受給権者が基本手当を受給することができるときに当該老齢厚生年金が支給停止されるとする本肢の記述は誤りである（法附則11条の5，令6条の4）。

C 誤 本肢の遺族厚生年金の額は，死亡した被保険者の被保険者期間を基礎として計算した老齢厚生年金の額の4分の3に相当する額（いわゆる原則額）又は「当該原則額に3分の2を乗じて得た額と当該遺族厚生年金の受給権者の有する老齢厚生年金の額（加給年金額を除く）に2分の1を乗じて得た額を合算額した額」とのうち，いずれか多い額である（法60条1項2号）。

社会保険科目
371p

D 誤 老齢厚生年金における加給年金額の加算の対象となる配偶者が，障害等級1級若しくは2級の障害厚生年金を受給している間のみならず，「障害等級3級の障害厚生年金を受給しているときにも」その間，当該配偶者に係る加給年金額は支給停止される。障害手当金に係る記述については正しい（法46条6項，令3条の7）。

社会保険科目
337p

E 正 本肢のとおりである（法44条1項，法78条の11）。

社会保険科目
334～335p

R3-9 **総合問題** 重要度 **B**

問 87 厚生年金保険法に関する次の記述のうち，誤っているものはどれか。

A 昭和35年4月10日生まれの女性は，第1号厚生年金被保険者として5年，第2号厚生年金被保険者として35年加入してきた（これらの期間以外被保険者期間は有していないものとする。）。当該女性は，62歳から第1号厚生年金被保険者期間としての報酬比例部分の特別支給の老齢厚生年金が支給され，64歳からは，第2号厚生年金被保険者期間としての報酬比例部分の特別支給の老齢厚生年金についても支給される。

B 昭和33年4月10日生まれの男性は，第1号厚生年金被保険者として4年，第2号厚生年金被保険者として40年加入してきた（これらの期間以外被保険者期間は有していないものとする。）。当該男性は，厚生年金保険の被保険者でなければ，63歳から定額部分と報酬比例部分の特別支給の老齢厚生年金が支給される。

C ある日本国籍を有しない者について，最後に厚生年金保険の被保険者資格を喪失した日から起算して2年が経過しており，かつ，最後に国民年金の被保険者資格を喪失した日（同日において日本国内に住所を有していた者にあっては，同日後初めて，日本国内に住所を有しなくなった日）から起算して1年が経過した。この時点で，この者が，厚生年金保険の被保険者期間を6か月以上有しており，かつ，障害厚生年金等の受給権を有したことがない場合，厚生年金保険法に定める脱退一時金の請求が可能である。

D 脱退一時金の額の計算における平均標準報酬額の算出に当たっては，被保険者期間の計算の基礎となる各月の標準報酬月額と標準賞与額に再評価率を乗じることはない。

E 昭和28年4月10日生まれの女性は，65歳から老齢基礎年金を受給し，老齢厚生年金は繰下げし70歳から受給する予定でいたが，配偶者が死亡したことにより，女性が68歳の時に遺族厚生年金の受給権を取得した。この場合，68歳で老齢厚生年金の繰下げの申出をせずに，65歳に老齢厚生年金を請求したものとして遡って老齢厚生年金を受給することができる。また，遺族厚生年金の受給権を取得してからは，その老齢厚生年金の年金額と遺族厚生年金の年金額を比較して遺族厚生年金の年金額が高ければ，その差額分を遺族厚生年金として受給することができる。

正解チェック欄	／	／	／

A　正　本肢のとおりである（法附則8条の2第1項・2項，法附則20条1項）。なお，本肢のように，第1号厚生年金被保険者期間と第2号厚生年金被保険者期間の両方を有する者に対する老齢厚生年金は，第1号厚生年金被保険者期間に基づいて計算された老齢厚生年金は厚生労働大臣が支給し，第2号厚生年金被保険者期間に基づいて計算された老齢厚生年金は国家公務員共済組合等が支給する。

社会保険科目
328p

B　誤　2以上の種別の被保険者であった期間を有する者について，本肢のいわゆる長期加入者の特例を適用する場合には，各号の厚生年金被保険者期間ごとに適用する。本肢の男性は第1号厚生年金被保険者期間を4年，第2号厚生年金被保険者期間を40年有しており，それぞれの期間はいずれも44年未満であるため，本肢の男性には，「長期加入者の特例は適用されず，定額部分は支給されない」（法附則9条の3第1項，法附則20条2項ほか）。

社会保険科目
339p

C　正　本肢のとおりである（法附則29条）。本肢の者は，最後に国民年金の被保険者の資格を喪失した日（同日において日本国内に住所を有していた者にあっては，同日後初めて，日本国内に住所を有しなくなった日）から起算して2年を経過していないため，その他の要件を満たしていれば，脱退一時金の支給を請求することができる。

社会保険科目
391~392p

D　正　本肢のとおりである（法附則29条3項）。なお，厚生労働大臣による脱退一時金に関する処分取消しの訴えは，当該処分についての審査請求に対する社会保険審査会の裁決を経た後でなければ，提起することができない（法附則29条8項，令13条）。

社会保険科目
392p

E　正　本肢のとおりである（法44条の3第2項，法64条の2，法92条ほか）。

MEMO

厚年法

R3-10	総合問題

問 88　厚生年金保険法に関する次の記述のうち，正しいものはどれか。

A　20歳から30歳まで国民年金の第1号被保険者，30歳から60歳まで第2号厚生年金被保険者であった者が，60歳で第1号厚生年金被保険者となり，第1号厚生年金被保険者期間中に64歳で死亡した。当該被保険者の遺族が当該被保険者の死亡当時生計を維持されていた60歳の妻のみである場合，当該妻に支給される遺族厚生年金は，妻が別段の申出をしたときを除き，厚生年金保険法第58条第1項第4号に規定するいわゆる長期要件のみに該当する遺族厚生年金として年金額が算出される。

B　第1号厚生年金被保険者期間中の60歳の時に業務上災害で負傷し，初診日から1年6か月が経過した際に傷病の症状が安定し，治療の効果が期待できない状態（治癒）になった。その障害状態において障害手当金の受給権を取得することができ，また，労災保険法に規定されている障害補償給付の受給権も取得することができた。この場合，両方の保険給付が支給される。

C　遺族基礎年金と遺族厚生年金の受給権を有する妻が，障害基礎年金と障害厚生年金の受給権を取得した。妻は，障害基礎年金と障害厚生年金を選択したため，遺族基礎年金と遺族厚生年金は全額支給停止となった。妻には生計を同じくする子がいるが，子の遺族基礎年金については，引き続き支給停止となるが，妻の遺族厚生年金が全額支給停止であることから，子の遺族厚生年金は支給停止が解除される。

重要度 B

D　平成13年4月から平成23年3月までの10年間婚姻関係であった夫婦が平成23年3月に離婚が成立し，その後事実上の婚姻関係を平成23年4月から令和3年3月までの10年間続けていたが，令和3年4月2日に事実上の婚姻関係を解消することになった。事実上の婚姻関係を解消することになった時点において，平成13年4月から平成23年3月までの期間についての厚生年金保険法第78条の2に規定するいわゆる合意分割の請求を行うことはできない。なお，平成13年4月から平成23年3月までの期間においては，夫婦共に第1号厚生年金被保険者であったものとし，平成23年4月から令和3年3月までの期間においては，夫は第1号厚生年金被保険者，妻は国民年金の第3号被保険者であったものとする。

E　第1号厚生年金被保険者が死亡したことにより，当該被保険者の母が遺族厚生年金の受給権者となった。その後，当該母に事実上の婚姻関係にある配偶者が生じた場合でも，当該母は，自身の老齢基礎年金と当該遺族厚生年金の両方を受給することができる。

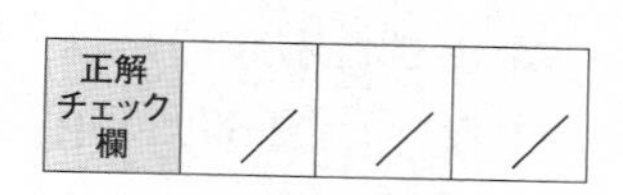

正解チェック欄	／	／	／

A　誤　本肢の場合，遺族厚生年金のいわゆる短期要件（厚生年金保険の被保険者の死亡）及び長期要件（保険料納付済期間が25年以上である者の死亡）のいずれにも該当しており，本肢の妻に支給される遺族厚生年金は，当該妻が遺族厚生年金を請求したときに別段の申出をした場合を除き，「いわゆる短期要件のみ」に該当する遺族厚生年金として年金額が算出される（法58条2項）。

社会保険科目
365〜366p

B　誤　本肢の者は，障害手当金に係る障害の程度を定めるべき日において，同一の負傷について労災保険法の規定による障害補償給付を受ける権利を有しているため，本肢の者には「障害手当金は支給されない」（法56条）。

社会保険科目
364p

C　誤　子に対する遺族厚生年金は，配偶者が遺族厚生年金の受給権を有する期間は，たとえ配偶者の遺族厚生年金の支給が併給調整により支給停止されている期間であっても，「その支給が停止される」（法66条1項）。

社会保険科目
376p

D　正　本肢のとおりである（則78条の2，則78条の3）。いわゆる合意分割の請求は，離婚等をしたときから2年を経過したときは，することができない。本肢の場合，事実上の婚姻関係を解消することになった時点（令和3年4月）において，「婚姻関係の10年間（平成13年4月から平成23年3月まで）」は，すでに2年を経過していることから，この10年間については，いわゆる合意分割の請求を行うことはできない。

社会保険科目
379〜380p

E　誤　遺族厚生年金の受給権は，受給権者が婚姻（届出をしていないが，事実上婚姻関係と同様の事情にある場合を含む）をしたときは，消滅する。したがって，事実上の婚姻関係にある配偶者が生じた本肢の母は，「本肢の遺族厚生年金を受給することはできない」（法63条1項，国民年金法29条ほか）。

社会保険科目
377〜378p

R4-3 **総合問題** 重要度 **A**

問 89 厚生年金保険法に関する次の記述のうち，誤っているものはどれか。

A 甲は，昭和62年5月1日に第3種被保険者の資格を取得し，平成元年11月30日に当該被保険者資格を喪失した。甲についての，この期間の厚生年金保険の被保険者期間は，36月である。

B 老齢厚生年金の加給年金額の加算の対象となっていた子（障害等級に該当する障害の状態にないものとする。）が，18歳に達した日以後の最初の3月31日よりも前に婚姻したときは，その子が婚姻した月の翌月から加給年金額の加算がされなくなる。

C 適用事業所に使用されている第1号厚生年金被保険者である者は，いつでも，当該被保険者の資格の取得に係る厚生労働大臣の確認を請求することができるが，当該被保険者であった者が適用事業所に使用されなくなった後も同様に確認を請求することができる。

D 障害手当金の受給要件に該当する被保険者が，障害手当金の障害の程度を定めるべき日において遺族厚生年金の受給権者である場合は，その者には障害手当金は支給されない。

E 同時に2以上の適用事業所で報酬を受ける厚生年金保険の被保険者について標準報酬月額を算定する場合においては，事業所ごとに報酬月額を算定し，その算定した額の平均額をその者の報酬月額とする。

正解チェック欄	／	／	／

A 正 本肢のとおりである（法19条1項，昭60法附則47条4項）。本肢の者の被保険者期間は，被保険者資格取得月である昭和62年5月から被保険者資格喪失月の前月である平成元年10月までであり，この期間の第3種被保険者期間についてはその期間（30月）に5分の6を乗じて得た期間（36月）をもって厚生年金保険の被保険者期間とされる。

社会保険科目
298～300p

B 正 本肢のとおりである（法44条4項）。

社会保険科目
336p

C 正 本肢のとおりである（法31条1項）。第1号厚生年金被保険者のみならず，第1号厚生年金被保険者であった者も，いつでも，当該被保険者の資格取得及び喪失に係る厚生労働大臣の確認を請求することができる。

社会保険科目
298p

D 正 本肢のとおりである（法56条1項）。障害手当金の障害の程度を定めるべき日において，年金たる保険給付の受給権者（最後に障害等級に該当する程度の障害状態に該当しなくなった日から起算して当該障害状態に該当することなく3年を経過した障害厚生年金の受給権者であって現に当該障害状態に該当しない者を除く）に該当する者には，障害手当金は支給されない。

社会保険科目
364p

E 誤 本肢の場合，各事業所について定時決定等の規定によって報酬月額を算定し，その算定した額の「合算額」をその者の報酬月額とする（法24条2項）。

社会保険科目
304p

R4-9	総合問題	重要度 A

問 90 厚生年金保険法に関する次の記述のうち，誤っているものはどれか。

A　1つの種別の厚生年金保険の被保険者期間のみを有する者の総報酬制導入後の老齢厚生年金の報酬比例部分の額の計算では，総報酬制導入後の被保険者期間の各月の標準報酬月額と標準賞与額に再評価率を乗じて得た額の総額を当該被保険者期間の月数で除して得た平均標準報酬額を用いる。

B　65歳以上の老齢厚生年金受給者については，毎年基準日である7月1日において被保険者である場合，基準日の属する月前の被保険者であった期間をその計算の基礎として，基準日の属する月の翌月から，年金の額を改定する在職定時改定が導入された。

C　保険給付を受ける権利に基づき支払期月ごとに支払うものとされる保険給付の支給を受ける権利については，「支払期月の翌月の初日」がいわゆる時効の起算点とされ，各起算点となる日から5年を経過したときに時効によって消滅する。

D　2つの種別の厚生年金保険の被保険者期間を有する者が，老齢厚生年金の支給繰下げの申出を行う場合，両種別の被保険者期間に基づく老齢厚生年金の繰下げについて，申出は同時に行わなければならない。

E　加給年金額が加算されている老齢厚生年金の受給者である夫について，その加算の対象となっている妻である配偶者が，老齢厚生年金の計算の基礎となる被保険者期間が240月以上となり，退職し再就職はせずに，老齢厚生年金の支給を受けることができるようになった場合，老齢厚生年金の受給者である夫に加算されていた加給年金額は支給停止となる。

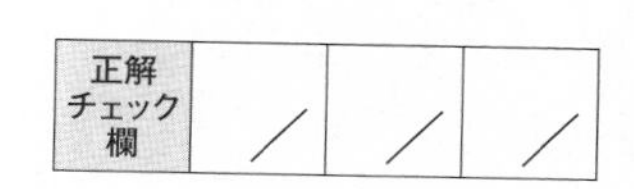

厚年法

A 正 本肢のとおりである（法43条1項）。なお，本肢の「再評価率」は，過去の標準報酬を最近の水準に再評価するために用いるものであり，受給権者の生年月日及び被保険者であった月が属する期間の区分に応じて定められている。

社会保険科目
330～331p

B 誤 本肢の在職定時改定に係る基準日は，毎年「9月1日」である。その他の記述は正しい（法43条2項）。

社会保険科目
344～345p

C 正 本肢のとおりである（法92条1項）。なお，保険料その他この法律の規定による徴収金を徴収し，若しくはその還付を受ける権利又は保険給付の返還を受ける権利の時効については，その援用を要せず，また，その利益を放棄することができないものとする（同条2項）。

社会保険科目
413p

D 正 本肢のとおりである（法78条の28）。なお，2以上の種別の被保険者であった期間を有する者についての当該2以上の種別の被保険者であった期間のうち一の期間に基づく老齢厚生年金の支給繰上げの請求は，他の期間に基づく老齢厚生年金についての支給繰上げの請求と同時に行わなければならない（法附則18条，法附則21条）。

社会保険科目
349p

E 正 本肢のとおりである（法46条6項，令3条の7）。なお，加給年金額の加算の要件となっている配偶者が，障害厚生年金や国民年金法による障害基礎年金（その全額につき支給を停止されているものを除く）等の支給を受けることができるときについても，その間，当該配偶者に係る加給年金額に相当する部分の支給が停止される。

社会保険科目
337p

R4-10	総合問題	重要度 A

問 91 厚生年金保険法に関する次の記述のうち，正しいものはどれか。

A 常時5人の従業員を使用する個人経営の美容業の事業所については，法人化した場合であっても適用事業所とはならず，当該法人化した事業所が適用事業所となるためには，厚生労働大臣から任意適用事業所の認可を受けなければならない。

B 適用事業所に使用される70歳未満の者であって，2か月以内の期間を定めて臨時に使用される者（船舶所有者に使用される船員を除く。）は，厚生年金保険法第12条第1号に規定する適用除外に該当せず，使用される当初から厚生年金保険の被保険者となる。

C 被保険者であった45歳の夫が死亡した当時，当該夫により生計を維持していた子のいない38歳の妻は遺族厚生年金を受けることができる遺族となり中高齢寡婦加算も支給されるが，一方で，被保険者であった45歳の妻が死亡した当時，当該妻により生計を維持していた子のいない38歳の夫は遺族厚生年金を受けることができる遺族とはならない。

D 障害等級2級の障害厚生年金の額は，老齢厚生年金の例により計算した額となるが，被保険者期間については，障害認定日の属する月の前月までの被保険者期間を基礎とし，計算の基礎となる月数が300に満たないときは，これを300とする。

E 保険給付の受給権者が死亡し，その死亡した者に支給すべき保険給付でまだその者に支給しなかったものがあるときにおいて，未支給の保険給付を受けるべき同順位者が2人以上あるときは，その1人のした請求は，全員のためその全額につきしたものとみなし，その1人に対しての支給は，全員に対してしたものとみなされる。

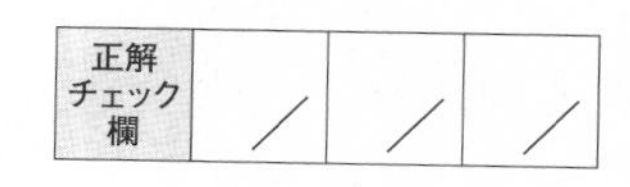

A 誤 本肢の美容業の事業所は，いわゆる法定17業種以外の事業所であり，個人経営であれば任意に適用事業所となることができる事業所であるが，当該事業所が法人化した場合には「強制適用事業所に該当する」ことから，「厚生労働大臣の任意適用事業所の認可を受けることなく，法律上当然に適用事業所となる」（法6条1項・3項）。

社会保険科目 288～289p

B 誤 本肢の者は，「厚生年金保険法12条1号に規定する適用除外に該当する」ため，「被保険者とならない」（法9条，法12条）。なお，本肢の者が定めた期間を超え引き続き使用されるに至った場合には，他の適用除外事由に該当しない限り，当該所定の期間を超えた日から被保険者となる。

社会保険科目 293p

C 誤 子のいない妻の遺族厚生年金に中高齢寡婦加算が加算されるのは，夫の死亡当時当該妻が40歳以上65歳未満であった場合であるため，本肢前段の子のいない38歳の妻は，遺族厚生年金を受けることができる遺族となるが，当該妻の遺族厚生年金には「中高齢寡婦加算は加算されない」。本肢後段の子のいない38歳の夫は，原則として，遺族厚生年金を受けることができる遺族とはならない（法58条1項，法59条1項，法62条1項ほか）。

社会保険科目 372～373p

D 誤 本肢の障害厚生年金の額の計算に用いる被保険者期間については，「障害認定日の属する月まで」の被保険者期間が基礎となる。その他の記述は正しい（法50条1項，法51条）。

社会保険科目 355～356p

E 正 本肢のとおりである（法37条5項）。

社会保険科目 317p

R5-3	総合問題	重要度 B

問 92 厚生年金保険法に関する次の記述のうち，正しいものはどれか。

A 任意適用事業所の事業主は，厚生労働大臣の認可を受けることにより当該事業所を適用事業所でなくすることができるが，このためには，当該事業所に使用される者の全員の同意を得ることが必要である。なお，当該事業所には厚生年金保険法第12条各号のいずれかに該当する者又は特定４分の３未満短時間労働者に該当する者はいないものとする。

B 死亡した被保険者に死亡の当時生計を維持していた妻と子があった場合，妻が国民年金法による遺族基礎年金の受給権を有しない場合であって，子が当該遺族基礎年金の受給権を有していても，その間，妻に対する遺族厚生年金は支給される。

C 適用事業所に使用される70歳未満の者は，厚生年金保険の被保険者となるが，船舶所有者に臨時に使用される船員であって日々雇い入れられる者は被保険者とはならない。

D 老齢厚生年金における加給年金額の加算対象となる配偶者が，繰上げ支給の老齢基礎年金の支給を受けるときは，当該配偶者に係る加給年金額は支給が停止される。

E 被保険者であった70歳以上の者で，日々雇い入れられる者として船舶所有者以外の適用事業所に臨時に使用されている場合（1か月を超えて引き続き使用されるに至っていないものとする。），その者は，厚生年金保険法第27条で規定する「70歳以上の使用される者」には該当しない。

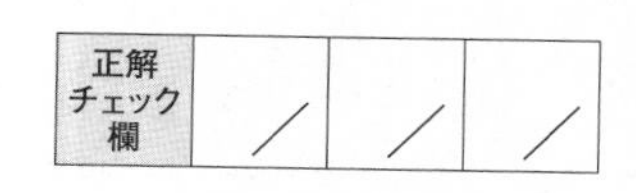

A　誤　適用事業所でなくするための厚生労働大臣の認可を受けようとするときは，当該事業所の事業主は，当該事業所に使用される者（適用除外に該当する者及び特定4分の3未満短時間労働者を除く）の「4分の3以上」の同意を得て，厚生労働大臣に申請しなければならない。その他の記述は正しい（法8条2項，平24法附則17条の2第1項）。

社会保険科目
289p

B　誤　配偶者に対する遺族厚生年金は，当該被保険者又は被保険者であった者の死亡について，配偶者が遺族基礎年金の受給権を有しない場合であって子が当該遺族基礎年金の受給権を有するときは，原則として，その間，その支給を「停止される」（法66条2項）。

社会保険科目
376p

C　誤　船舶所有者に使用される船員は，臨時に使用される者であって，日々雇い入れられるものであっても，「被保険者となる」。本肢前段の記述は正しい（法12条）。

社会保険科目
288, 293p

D　誤　本肢のような規定はない。加給年金額の加算対象となっている配偶者が繰上げ支給の老齢基礎年金の支給を受けることとなった場合であっても，所定の要件を満たしている限り，当該配偶者に係る加給年金額の支給は「停止されない」（法44条4項）。

社会保険科目
336p

E　正　本肢のとおりである（則10条の4）。被保険者の適用除外事由に該当する70歳以上の者は，70歳以上の使用される者に該当しない。

R5-4	総合問題	重要度 B

問 93 厚生年金保険法に関する次のアからオの記述のうち，正しいものはいくつあるか。

ア　被保険者期間を計算する場合には，月によるものとし，被保険者の資格を取得した月からその資格を喪失した月の前月までをこれに算入する。

イ　厚生年金保険の適用事業所で使用される70歳以上の者であっても，厚生年金保険法第12条各号に規定する適用除外に該当する者は，在職老齢年金の仕組みによる老齢厚生年金の支給停止の対象とはならない。

ウ　被保険者が同時に2以上の事業所に使用される場合における各事業主の負担すべき標準賞与額に係る保険料の額は，各事業所についてその月に各事業主が支払った賞与額をその月に当該被保険者が受けた賞与額で除して得た数を当該被保険者の保険料の額に乗じて得た額とされている。

エ　中高齢寡婦加算が加算された遺族厚生年金の受給権者である妻が，被保険者又は被保険者であった者の死亡について遺族基礎年金の支給を受けることができるときは，その間，中高齢寡婦加算は支給が停止される。

オ　経過的寡婦加算が加算された遺族厚生年金の受給権者である妻が，障害基礎年金の受給権を有し，当該障害基礎年金の支給がされているときは，その間，経過的寡婦加算は支給が停止される。

A　一つ
B　二つ
C　三つ
D　四つ
E　五つ

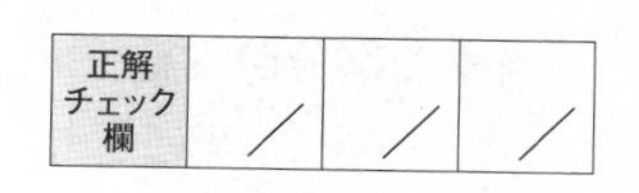

本問アからオまでのそれぞれの記述の正誤は以下のとおりである。したがって，正しい記述はア，イ，エ及びオの4つであり，Dが解答となる。

ア　正　本肢のとおりである（法19条1項）。なお，被保険者の資格を喪失した後，更にその資格を取得した者については，前後の被保険者期間を合算する（同条3項）。

社会保険科目 298p

イ　正　本肢のとおりである（法46条1項，則10条の4）。

社会保険科目 351~352p

ウ　誤　第1号厚生年金被保険者が同時に2以上の事業所に使用される場合における各事業主の負担すべき標準賞与額に係る保険料の額は，各事業所についてその月に各事業主が支払った賞与額をその月に当該被保険者が受けた賞与額で除して得た数を当該被保険者の保険料の「半額」に乗じて得た額とする（令4条2項）。

社会保険科目 403p

エ　正　本肢のとおりである（法65条）。なお，中高齢寡婦加算を開始すべき事由又は中高齢寡婦加算を廃止すべき事由が生じた場合における遺族厚生年金の額の改定は，それぞれ当該事由が生じた月の翌月から行う（法62条2項）。

社会保険科目 374p

オ　正　本肢のとおりである（昭60法附則73条1項）。なお，遺族厚生年金の受給権者が，①国民年金法による障害基礎年金又は旧国民年金法による障害年金の受給権を有するとき（その支給を停止されているときを除く）又は②同一の支給事由に基づき国民年金法による遺族基礎年金の支給を受けることができるときに該当する場合には，それぞれに該当する間，経過的寡婦加算の額に相当する部分が支給停止される。

社会保険科目 374~375p

キリトリ線

R5-5	総合問題	重要度 B

問 94 厚生年金保険法に関する次の記述のうち，誤っているものはどれか。

A 夫の死亡による遺族厚生年金を受給している者が，死亡した夫の血族との姻族関係を終了させる届出を提出した場合でも，遺族厚生年金の受給権は失権しない。

B 夫の死亡による遺族基礎年金と遺族厚生年金を受給していた甲が，新たに障害厚生年金の受給権を取得した。甲が障害厚生年金の受給を選択すれば，夫の死亡当時，夫によって生計を維持されていた甲の子（現在10歳）に遺族厚生年金が支給されるようになる。

C 船舶が行方不明となった際，現にその船舶に乗っていた被保険者若しくは被保険者であった者の生死が3か月間分からない場合は，遺族厚生年金の支給に関する規定の適用については，当該船舶が行方不明になった日に，その者は死亡したものと推定される。

D 配偶者と離別した父子家庭の父が死亡し，当該死亡の当時，生計を維持していた子が遺族厚生年金の受給権を取得した場合，当該子が死亡した父の元配偶者である母と同居することになったとしても，当該子に対する遺族厚生年金は支給停止とはならない。

E 被保険者又は被保険者であった者の死亡の当時，その者と生計を同じくしていた配偶者で，前年収入が年額800万円であった者は，定期昇給によって，近い将来に収入が年額850万円を超えることが見込まれる場合であっても，その被保険者又は被保険者であった者によって生計を維持していたと認められる。

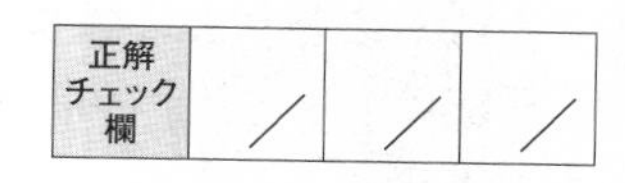

正解 B

A 正 本肢のとおりである（昭30.4.12保文発3441号）。なお，「離縁」とは，養子縁組による親族関係の解消をいうため，夫婦の一方が死亡した場合において，生存配偶者が姻族関係を終了させる意思を表示したときはこれに含まない。したがって，姻族関係を終了させる意思表示は，法63条1項4号の遺族厚生年金の失権事由には該当しない。

B 誤 子に対する遺族厚生年金は，配偶者の遺族厚生年金が，①若年支給停止，②配偶者が遺族基礎年金の受給権を有さないことによる支給停止又は③配偶者の所在不明による支給停止の規定によってその支給を停止されている間を除き，配偶者が遺族厚生年金の受給権を有する期間，その支給を停止する。併給調整による支給停止は上記①～③の支給停止のいずれにも該当しないため，子の遺族厚生年金は「支給停止される」（法66条1項）。

社会保険科目 376p

C 正 本肢のとおりである（法59条の2）。なお，本肢の規定（死亡の推定）は，遺族年金の支給規定の適用に限られるものであるから，受給権者の死亡による未支給の保険給付に関しての死亡の推定はなされない（昭40.6.5庁保発22号）。

社会保険科目 369p

D 正 本肢のとおりである（法66条ほか）。子と生計を同じくするその子の父又は母があることは，遺族基礎年金の支給停止事由ではあるが，遺族厚生年金の支給停止事由ではない。

社会保険科目 376p

E 正 本肢のとおりである（平23.3.23年発0323第1号）。本肢の場合における生計維持関係の認定に係る基準は，被保険者又は被保険者であった者の死亡の当時，原則として，その者と生計を同じくしていた者であって厚生労働大臣の定める金額（年額850万円）以上の収入を将来にわたって有する者以外のものであることとされているが，本肢のように「前年収入が年額850万円未満であったこと」等に該当する者は，厚生労働大臣の定める金額（年額850万円）以上の収入を将来にわたって有する者以外のものに該当する。

社会保険科目 367p

R5-8	総合問題	重要度 B

問 95 厚生年金保険法に関する次の記述のうち，正しいものはどれか。

A 特定４分の３未満短時間労働者に対して厚生年金保険が適用されることとなる特定適用事業所とは，事業主が同一である１又は２以上の適用事業所であって，当該１又は２以上の適用事業所に使用される労働者の総数が常時50人を超える事業所のことである。

B 毎年12月31日における全被保険者の標準報酬月額を平均した額の100分の200に相当する額が標準報酬月額等級の最高等級の標準報酬月額を超える場合において，その状態が継続すると認められるときは，政令で，当該最高等級の上に更に等級を加える標準報酬月額の等級区分の改定を行わなければならない。

C 政府は，令和元年８月に，国民年金及び厚生年金に係る財政の現況及び見通しを公表した。そのため，遅くとも令和７年12月末までには，新たな国民年金及び厚生年金に係る財政の現況及び見通しを作成しなければならない。

D 国民年金法による年金たる給付及び厚生年金保険法による年金たる保険給付については，モデル年金の所得代替率が100分の50を上回ることとなるような給付水準を将来にわたり確保するものとされている。この所得代替率の分母の基準となる額は，当該年度の前年度の男子被保険者の平均的な標準報酬額に相当する額から当該額に係る公租公課の額を控除して得た額に相当する額である。

E 厚生年金保険の任意単独被保険者となっている者は，厚生労働大臣の認可を受けて，被保険者の資格を喪失することができるが，資格喪失に際しては，事業主の同意を得る必要がある。

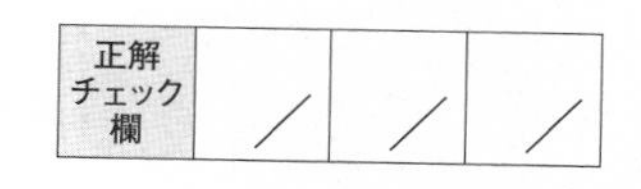

A　誤　特定適用事業所とは，事業主が同一である１又は２以上の適用事業所であって，当該１又は２以上の適用事業所に使用される「特定労働者」の総数が常時50人を超えるものの各適用事業所をいう（平24法附則17条12項）。

社会保険科目
26, 294p

B　誤　毎年「３月」31日における全被保険者の標準報酬月額を平均した額の100分の200に相当する額が標準報酬月額等級の最高等級の標準報酬月額を超える場合において，その状態が継続すると認められるときは，その年の９月１日から，健康保険法40条１項に規定する標準報酬月額の等級区分を参酌して，政令で，当該最高等級の上に更に等級を加える標準報酬月額の等級区分の改定を「行うことができる」（法20条２項）。

社会保険科目
302p

C　誤　政府は，少なくとも「５年」ごとに，財政の現況及び見通しを作成しなければならない。したがって，遅くとも「令和６年８月」までには，新たな財政の現況及び見通しを作成しなければならない（法２条の４第１項）。

社会保険科目
284p

D　正　本肢のとおりである（平16法附則２条１項）。

E　誤　任意単独被保険者が厚生労働大臣の認可を受けてその資格を喪失する際，「事業主の同意を得る必要はない」（法11条）。

社会保険科目
292p

R6-2	総合問題	重要度 A

問 96 厚生年金保険法に関する次の記述のうち，正しいものはどれか。

A 甲は第1号厚生年金被保険者期間を140か月有していたが，後に第2号厚生年金被保険者期間を150か月有するに至り，それぞれの被保険者期間に基づく老齢厚生年金の受給権が同じ日に発生した（これら以外の被保険者期間は有していない。）。甲について加給年金額の加算の対象となる配偶者がいる場合，第1号厚生年金被保険者期間に基づく老齢厚生年金に加給年金額が加算される。

B 厚生年金保険の保険料を滞納した者に対して督促が行われたときは，原則として延滞金が徴収されるが，納付義務者の住所及び居所がともに明らかでないため公示送達の方法によって督促したときは，延滞金は徴収されない。

C 厚生年金保険の保険料を滞納した者に対して督促が行われた場合において，督促状に指定した期限までに保険料を完納したとき，又は厚生年金保険法第87条第1項から第3項までの規定によって計算した金額が1,000円未満であるときは，延滞金は徴収しない。

D 保険料の納付の督促を受けた納付義務者がその指定の期限までに保険料を納付しないときは，厚生労働大臣は，自ら国税滞納処分の例によってこれを処分することができるほか，納付義務者の居住地等の市町村（特別区を含む。以下本肢において同じ。）に対して市町村税の例による処分を請求することもできる。後者の場合，厚生労働大臣は徴収金の100分の5に相当する額を当該市町村に交付しなければならない。

E 滞納処分等を行う徴収職員は，滞納処分等に係る法令に関する知識並びに実務に必要な知識及び能力を有する日本年金機構の職員のうちから厚生労働大臣が任命する。

正解チェック欄	／	／	／

A 誤 本肢の場合，２以上の種別の被保険者であった期間を有する者に係る老齢厚生年金の受給権発生日が同じ日であるため，そのうち最も長い一の期間に基づく老齢厚生年金である「第２号厚生年金被保険者期間に基づく老齢厚生年金」に加給年金額が加算される（法78条27，令３条の13第２項）。

社会保険科目 335p

B 正 本肢のとおりである（法87条１項３号）。

社会保険科目 407p

C 誤 保険料滞納者に対して厚生労働大臣による督促が行われた場合において，督促状に指定した期限までに保険料を完納したとき，又は法87条１項から３項までの規定によって計算した金額が「100円未満」であるときは，延滞金は徴収しない（法87条４項）。

社会保険科目 407p

D 誤 本肢の場合において厚生労働大臣が納付義務者の居住地等の市町村に対して市町村税の例による処分を請求した場合，厚生労働大臣は徴収金の「100分の４」に相当する額を当該市町村に交付しなければならない。本肢前段の記述は正しい（法86条１項・６項）。

社会保険科目 407p

E 誤 本肢の徴収職員は，「厚生労働大臣の認可を受けて，日本年金機構の理事長が任命する」。その他の記述は正しい（法100条の６第２項）。

R6-3	総合問題	重要度 A

問 97 厚生年金保険法に関する次の記述のうち，誤っているものはどれか。

A 同一人に対して国民年金法による年金たる給付の支給を停止して年金たる保険給付（厚生労働大臣が支給するものに限る。以下本肢において同じ。）を支給すべき場合において，年金たる保険給付を支給すべき事由が生じた月の翌月以後の分として同法による年金たる給付の支払いが行われたときは，その支払われた同法による年金たる給付は，年金たる保険給付の内払いとみなすことができる。

B 適用事業所に使用される70歳以上の者であって，老齢厚生年金，国民年金法による老齢基礎年金その他の老齢又は退職を支給事由とする年金たる給付であって政令で定める給付の受給権を有しないもの（厚生年金保険法第12条各号に該当する者を除く。）は，厚生年金保険法第9条の規定にかかわらず，実施機関に申し出て被保険者となることができる。

C 適用事業所に使用される高齢任意加入被保険者（厚生労働大臣が住民基本台帳法第30条の9の規定により地方公共団体情報システム機構が保存する本人確認情報の提供を受けることができる者を除く。）は，その住所を変更したときは，所定の事項を記載した届書を10日以内に日本年金機構に提出しなければならない。

D 甲は，令和6年5月1日に厚生年金保険の被保険者の資格を取得したが，同月15日にその資格を喪失し，同日，国民年金の第1号被保険者の資格を取得した。この場合，同年5月分については，1か月として厚生年金保険における被保険者期間に算入する。

E 厚生年金保険法第28条によれば，実施機関は，被保険者に関する原簿を備え，これに所定の事項を記録しなければならないとされるが，この規定は第2号厚生年金被保険者についても適用される。

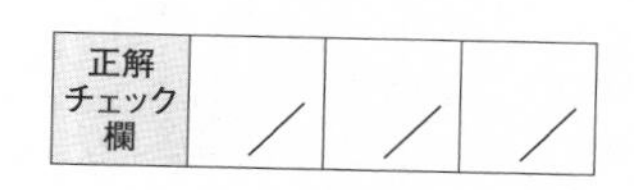

正解 D

必修基本書

A 正 本肢のとおりである（法39条3項）。

社会保険科目 323p

B 正 本肢のとおりである（法附則4条の3第1項）。

社会保険科目 294p

C 正 本肢のとおりである（則5条の5）。

社会保険科目 309p

D 誤 被保険者資格を取得した月にその資格を喪失し，その月にさらに国民年金の第1号被保険者の資格を取得した本肢の場合，当該月である令和6年5月は厚生年金保険における被保険者期間には「算入されない」（法19条2項）。

社会保険科目 299p

E 正 本肢のとおりである（法28条）。

社会保険科目 312p

キリトリ線

R6-6	総合問題	重要度 B

問 98 厚生年金保険法に関する次の記述のうち，正しいものはどれか。

A 特定適用事業所で使用されている甲（所定内賃金が月額88，000円以上，かつ，学生ではない。）は，雇用契約書で定められた所定労働時間が週20時間未満である。しかし，業務の都合によって，2か月連続で実際の労働時間が週20時間以上となっている。引き続き同様の状態が続くと見込まれる場合は，実際の労働時間が週20時間以上となった月の3か月目の初日に，甲は厚生年金保険の被保険者資格を取得する。

B 第1号厚生年金被保険者が，2か所の適用事業所（管轄の年金事務所が異なる適用事業所）に同時に使用されることになった場合は，その者に係る日本年金機構の業務を分掌する年金事務所を選択しなければならない。この選択に関する届出は，被保険者が選択した適用事業所の事業主が，所定の事項を記載した届書を日本年金機構に提出することとされている。

C 老齢厚生年金の報酬比例部分の年金額を計算する際に，総報酬制導入以後の被保険者期間分については，平均標準報酬額×給付乗率×被保険者期間の月数で計算する。この給付乗率は原則として1000分の5.481であるが，昭和36年4月1日以前に生まれた者については，異なる数値が用いられる。

D 届出による婚姻関係にある者が重ねて他の者と内縁関係にある場合は，婚姻の成立が届出により法律上の効力を生ずることとされていることから，届出による婚姻関係が優先される。そのため，届出による婚姻関係がその実態を全く失ったものとなっているときでも，内縁関係にある者が事実婚関係にある者として認定されることはない。

E 厚生年金保険法第47条の2に規定される事後重症による障害厚生年金は，その支給が決定した場合，請求者が障害等級に該当する障害の状態に至ったと推定される日の属する月の翌月まで遡って支給される。

厚年法

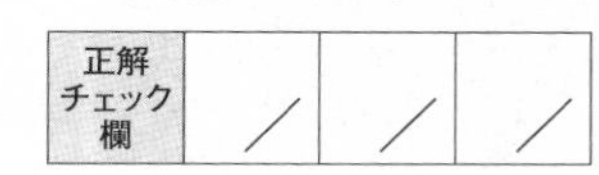

A　正　本肢のとおりである（法12条5号，令4.9.28事務連絡）。

B　誤　本肢の年金事務所の選択は，「第1号厚生年金被保険者自身が行わなければならず」，当該選択に関する届書は，「当該被保険者が提出する」（則1条）。

社会保険科目 309p

C　誤　本肢の給付乗率の読み替えは，「昭和21年4月1日以前生まれの者」について行われる（昭60法附則59条1項ほか）。

社会保険科目 330～331p

D　誤　届出による婚姻関係がその実態を全く失ったものとなっているときは，内縁関係にある者が事実婚関係にあるものとして「認定される」。本肢前段の記述は正しい（平23.3.23年発0323第1号）。

E　誤　事後重症による障害厚生年金は，請求することによって初めてその受給権が発生し，「当該受給権が発生した月（すなわち請求した日の属する月）の翌月」から支給される（法47条の2第1項，法36条1項）。

社会保険科目 355p

キリトリ線

R6-7	総合問題	重要度 A

問 99 厚生年金保険法に関する次の記述のうち，誤っているものはどれか。

A 令和2年9月から厚生年金保険の標準報酬月額の上限について，政令によって読み替えて法の規定を適用することとされており，変更前の最高等級である第31級の上に第32級が追加された。第32級の標準報酬月額は65万円である。

B 厚生年金保険法第22条によれば，実施機関は，被保険者の資格を取得した者について，月，週その他一定期間によって報酬が定められる場合には，被保険者の資格を取得した日の現在の報酬の額をその期間の総日数で除して得た額の30倍に相当する額を報酬月額として，その者の標準報酬月額を決定する。

C 事業主は，その使用する被保険者及び自己の負担する保険料を納付する義務を負う。毎月の保険料は，翌月末日までに，納付しなければならない。高齢任意加入被保険者の場合は，被保険者が保険料の全額を負担し，自己の負担する保険料を納付する義務を負うことがあるが，その場合も，保険料の納期限は翌月末日である。

D 厚生労働大臣は，保険料等の効果的な徴収を行う上で必要があると認めるときは，滞納者に対する滞納処分等の権限の全部又は一部を財務大臣に委任することができる。この権限委任をすることができる要件のひとつは，納付義務者が1年以上の保険料を滞納していることである。

E 産前産後休業をしている被保険者に係る保険料については，事業主負担分及び被保険者負担分の両方が免除される。

キリトリ線

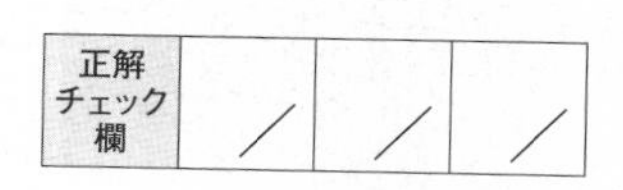

A 正 本肢のとおりである（法20条1項，令2.8.14政令246号1条）。

社会保険科目 303p

B 正 本肢のとおりである（法22条1項1号）。

社会保険科目 39, 303p

C 正 本肢のとおりである（法82条2項，法83条1項，法附則4条の3第7項）。なお，第2号厚生年金被保険者，第3号厚生年金被保険者又は第4号厚生年金被保険者に係る保険料の徴収については，本肢の規定にかかわらず，共済各法の定めるところによる（法84条の2）。

社会保険科目 295, 402~403p

D 誤 本肢の滞納処分等に係る権限の財務大臣への委任要件のひとつは，納付義務者が「24月分以上」の保険料を滞納していることである。本肢前段の記述は正しい（法100条の5，令4条の2の16第1号，則99条）。

社会保険科目 406~407p

E 正 本肢のとおりである（法81条の2の2）。

社会保険科目 402p

キリトリ線

R6-8	総合問題	重要度 A

問 100 厚生年金保険法に関する次の記述のうち，誤っているものはどれか。

A　脱退一時金の支給額は，被保険者であった期間の平均標準報酬額に支給率を乗じた額である。この支給率は，最終月（最後に被保険者の資格を喪失した日の属する月の前月）の属する年の前年10月（最終月が1月から8月までの場合は，前々年10月）の保険料率に2分の1を乗じて得た率に，被保険者であった期間に応じて政令で定める数を乗じて得た率である。なお，当該政令で定める数の最大値は60である。

B　遺族厚生年金に加算される中高齢寡婦加算の金額は，国民年金法第38条に規定する遺族基礎年金の額に4分の3を乗じて得た額（その額に50円未満の端数が生じたときはこれを切り捨て，50円以上100円未満の端数が生じたときはこれを100円に切り上げるものとする。）である。また，中高齢寡婦加算は，65歳以上の者に支給されることはない。

C　加給年金額が加算されている老齢厚生年金の受給権者であっても，在職老齢年金の仕組みにより，自身の老齢厚生年金の一部の支給が停止される場合，加給年金額は支給停止となる。

D　未支給の保険給付の支給を請求できる遺族として，死亡した受給権者とその死亡の当時生計を同じくしていた妹と祖父がいる場合，祖父が先順位者になる。

E　離婚の届出がなされ，戸籍簿上も離婚の処理がなされているものの，離婚後も事実上婚姻関係と同様の事情にある者については，その者の状態が事実婚関係の認定の要件に該当すれば，これを事実婚関係にある者として認定する。

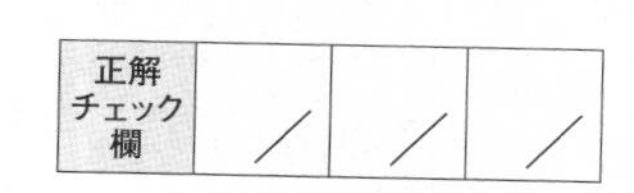

正解 C

A 正 本肢のとおりである（法附則29条３項・４項，令12条の２）。

社会保険科目 392p

B 正 本肢のとおりである（法62条１項）。

社会保険科目 372~373p

C 誤 在職老齢年金の仕組みにより自身の老齢厚生年金の一部しか支給停止されていない本肢の場合，加給年金額は「支給停止されるとは限らない」。在職老齢年金の仕組みによる支給停止基準額が老齢厚生年金の額（加給年金額，繰下げ加算額及び経過的加算額を除く）以上であるときは，老齢厚生年金の全部（繰下げ加算額及び経過的加算額を除く）の支給が停止され，この場合には，加給年金額も全額支給停止される（法46条１項ほか）。

社会保険科目 337p

D 正 本肢のとおりである（法37条１項・４項，令３条の２）。未支給の保険給付を請求することができる遺族の順位は，死亡した受給権者とその死亡の当時生計を同じくしていた死亡した者の配偶者，子，父母，孫，祖父母，兄弟姉妹及びこれらの者以外の３親等内の親族の順序とされる。

社会保険科目 317p

E 正 本肢のとおりである（平23.3.23年発0323第１号）。

第 4 編

社会保険に関する一般常識

過去10年間の出題傾向

社会保険に関する一般常識

□…選択式　○…択一式

出題項目＼年度	平成27年	平成28年	平成29年	平成30年	令和元年	令和2年	令和3年	令和4年	令和5年	令和6年
国民健康保険法	○	□○	□○	○	□○	□○	□○	○		□○
高齢者医療確保法	□○		○	○	○	○	○	○	○	□○
介護保険法	□○	○	□○	□○	□○	□○	○	□○	○	
船員保険法		○		○	□○	○	□○	○	□○	○
児童手当法	□	□	□	□○		○	□	□○	□	
確定給付企業年金法		○	○	□		○	□	○	□	○
確定拠出年金法	○		○	○	□	□	○	□	○	○
社会保険労務士法※	□									
社会保険審査官及び社会保険審査会法			○						○	
プログラム法	○									
健康保険法				○						
国民年金法										
厚生年金保険法				○						
年金制度		○		○			○			□○
医療保険制度		○					○			
その他の社会保障制度		○	○			□				□
沿革		□	○	○	○					

※社会保険労務士法は，社会保険に関する一般常識として出題されたものについてのみ，本書に掲載しています。

社一

H29-選択	社会保険関係法令

問 1

次の文中の［　　　］の部分を選択肢の中の最も適切な語句で埋め，完全な文章とせよ。

1　国民健康保険法第1条では，「この法律は，国民健康保険事業の健全な運営を確保し，もって［　A　］に寄与することを目的とする。」としており，同法第2条では，「国民健康保険は，［　B　］に関して必要な保険給付を行うものとする。」と規定している。

2　介護保険法第4条第1項では，「国民は，自ら要介護状態となることを予防するため，加齢に伴って生ずる心身の変化を自覚して［　C　］とともに，要介護状態となった場合においても，進んでリハビリテーションその他の適切な保健医療サービス及び福祉サービスを利用することにより，その有する能力の維持向上に努めるものとする。」と規定している。

3　児童手当の一般受給資格者（公務員である者を除く。）は，児童手当の支給を受けようとするときは，その受給資格及び児童手当の額について，内閣府令で定めるところにより，［　D　］の認定を受けなければならない。児童手当は，毎年［　E　］に，それぞれの前月までの分を支払う。ただし，前支払期月に支払うべきであった児童手当又は支給すべき事由が消滅した場合におけるその期の児童手当は，その支払期月でない月であっても，支払うものとする。なお，本問において一般受給資格者は，法人でないものとする。

キリトリ線

重要度 A

選択肢

①	1月，4月，7月及び10月の4期		
②	2月，4月，6月，8月，10月及び12月の6期		
③	3月，6月，9月及び12月の4期		
④	1月，3月，5月，7月，9月及び11月の6期		
⑤	医療の質の向上	⑥	健全な国民生活の維持及び向上
⑦	厚生労働大臣	⑧	国民の疾病，負傷，出産又は死亡
⑨	国民の生活の安定と福祉の向上		
⑩	社会保障及び国民保健の向上		
⑪	住所地の市町村長（特別区の区長を含む。）		
⑫	住み慣れた地域で必要な援助を受ける		
⑬	その有する能力に応じ自立した日常生活を営む		
⑭	常に健康の保持増進に努める	⑮	都道府県知事
⑯	内閣総理大臣		
⑰	被保険者及び組合員の疾病，負傷又は死亡		
⑱	被保険者の業務災害以外の疾病，負傷，出産又は死亡		
⑲	被保険者の疾病，負傷，出産又は死亡		
⑳	要介護状態等の軽減又は悪化の防止に努める		

社一

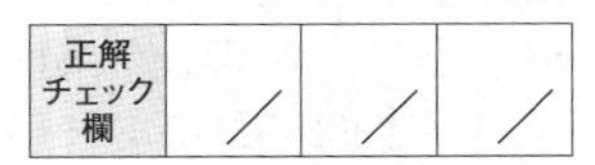

正解チェック欄	／	／	／

【解　答】

A　⑩ 社会保障及び国民保健の向上

B　⑲ 被保険者の疾病，負傷，出産又は死亡

C　⑭ 常に健康の保持増進に努める

D　⑪ 住所地の市町村長（特別区の区長を含む。）

E　② 2月，4月，6月，8月，10月及び12月の6期

【解　説】

本問1は，国民健康保険法からの出題であり，国民健康保険法1条及び同法2条からの出題である。

国民健康保険法第1条では，「この法律は，国民健康保険事業の健全な運営を確保し，もって社会保障及び国民保健の向上に寄与することを目的とする。」としており，同法第2条では，「国民健康保険は，被保険者の疾病，負傷，出産又は向上に関して必要な保険給付を行うものとする。」と規定している。

社会保険科目 426p

本問2は，介護保険法からの出題であり，同法4条1項からの出題である。

介護保険法第4条第1項では，「国民は，自ら要介護状態となることを予防するため，加齢に伴って生ずる心身の変化を自覚して常に健康の保持増進に努めるとともに，要介護状態となった場合においても，進んでリハビリテーションその他の適切な保健医療サービス及び福祉サービスを利用することにより，その有する能力の維持向上に努めるものとする。」と規定している。

本問3は，児童手当法からの出題であり，同法7条1項，及び同法8条4項からの出題である。

児童手当の一般受給資格者（公務員である者を除く。）は，児童手当の支給を受けようとするときは，その受給資格及び児童手当の額について，内閣府令で定めるところにより，住所地の市町村長（特別区の区長を含む。）の認定を受けなければならない。児童手当は，毎年2月，4月，6月，8月，10月及び12月の6期に，それぞれの前月までの分を支払う。ただし，前支払期月に支払うべきであった児童手当又は支給すべき事由が消滅した場合におけるその期の児童手当は，その支払期月でない月であっても，支払うものとする。なお，本問において一般受給資格者は，法人でないものとする。

社会保険科目 481p

MEMO

H27-選択	社会保険関係法令

問 2　次の文中の［　　］の部分を選択肢の中の最も適切な語句で埋め，完全な文章とせよ。

1　社会保険労務士法第1条は，「この法律は，社会保険労務士の制度を定めて，その業務の適正を図り，もって労働及び社会保険に関する法令の円滑な実施に寄与するとともに，［　A　］を目的とする。」と規定している。

2　児童手当法第1条は，「この法律は，子ども・子育て支援法第7条第1項に規定する子供・子育て支援の適切な実施を図るため，父母その他の保護者が子育てについての第一義的責任を有するという基本的認識の下に，児童を養育している者に児童手当を支給することにより，家庭等における生活の安定に寄与するとともに，［　B　］を目的とする。」と規定している。

3　介護保険法第1条は，「この法律は，加齢に伴って生ずる心身の変化に起因する疾病等により要介護状態となり，入浴，排せつ，食事等の介護，［　C　］並びに看護及び療養上の管理その他の医療を要する者等について，これらの者が尊厳を保持し，その有する能力に応じ自立した日常生活を営むことができるよう，必要な保健医療サービス及び福祉サービスに係る給付を行うため，［　D　］に基づき介護保険制度を設け，その行う保険給付等に関して必要な事項を定め，もって国民の保険医療の向上及び福祉の増進を図ることを目的とする。」と規定している。

4　高齢者医療確保法第2条第1項は，「国民は，［　E　］に基づき，自ら加齢に伴って生ずる心身の変化を自覚して常に健康の保持増進に努めるとともに，高齢者の医療に要する費用を公平に負担するものとする。」と規定している。

キリトリ線

重要度 A

選択肢

① 機能訓練
② 経済及び産業の発展と国民の利便に資すること
③ 経済及び産業の発展と社会福祉の増進に寄与すること
④ 公的責任の実現と社会連帯の精神
⑤ 高齢者の尊厳と相互扶助の理念
⑥ 国民の共同連帯の理念
⑦ 国民の相互扶助の理念
⑧ 作業療法
⑨ 施設サービス
⑩ 社会保障制度の健全な発展と福祉の増進を図ること
⑪ 事業の健全な発達と労働者等の福祉の向上に資すること
⑫ 自己管理と世代間扶養の理念
⑬ 自助と連帯の精神
⑭ 次代の社会を担う児童が育成される社会の形成に資すること
⑮ 次代の社会を担う児童の健やかな成長に資すること
⑯ 児童の福祉の増進を図ること
⑰ 自立と公助の精神
⑱ 一人一人の児童が健やかに成長することができる社会の実現に寄与すること
⑲ 扶助と貢献の精神 ⑳ 理学療法

社一

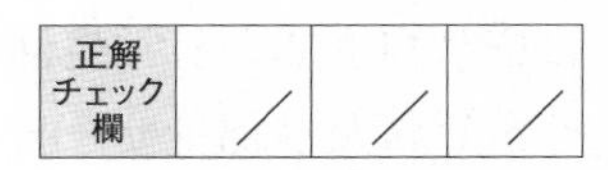

正解チェック欄	／	／	／

【解　答】

A　⑪ 事業の健全な発達と労働者等の福祉の向上に資すること

B　⑮ 次代の社会を担う児童の健やかな成長に資すること

C　① 機能訓練

D　⑥ 国民の共同連帯の理念

E　⑬ 自助と連帯の精神

【解　説】

本問は，社会保険労務士法，児童手当法及び介護保険法の目的並びに高齢者の医療の確保に関する法律の基本的理念に関する問題であり，社会保険労務士法1条，児童手当法1条，介護保険法1条，高齢者の医療の確保に関する法律2条1項からの出題である。

社会保険労務士法第1条は，「この法律は，社会保険労務士の制度を定めて，その業務の適正を図り，もって労働及び社会保険に関する法令の円滑な実施に寄与するとともに，事業の健全な発達と労働者等の福祉の向上に資することを目的とする。」と規定している。

労働科目 684p

児童手当法第1条は，「この法律は，子ども・子育て支援法第7条第1項に規定する子ども・子育て支援の適切な実施を図るため，父母その他の保護者が子育てについての第一義的責任を有するという基本的認識の下に，児童を養育している者に児童手当を支給することにより，家庭等における生活の安定に寄与するとともに，次代の社会を担う児童の健やかな成長に資することを目的とする。」と規定している。

社会保険科目 478p

介護保険法第1条は，「この法律は，加齢に伴って生ずる心身の変化に起因する疾病等により要介護状態となり，入浴，排せつ，食事等の介護，機能訓練並びに看護及び療養上の管理その他の医療を要する者等について，これらの者が尊厳を保持し，その有する能力に応じ自立した日常生活を営むことができるよう，必要な保健医療サービス及び福祉サービスに係る給付を行うため，国民の共同連帯の理念に基づき介護保険制度を設け，その行う保険給付等に関して必要な事項を定め，もって国民の保健医療の向上及び福祉の増進を図ることを目的とする。」と規定している。

社会保険科目
458p

高齢者医療確保法第2条第1項は，「国民は，自助と連帯の精神に基づき，自ら加齢に伴って生ずる心身の変化を自覚して常に健康の保持増進に努めるとともに，高齢者の医療に要する費用を公平に負担するものとする。」と規定している。

社会保険科目
445p

H30-選択	社会保険関係法令

問 3　次の文中の□の部分を選択肢の中の最も適切な語句で埋め，完全な文章とせよ。

1　介護保険法第129条の規定では，市町村又は特別区が介護保険事業に要する費用に充てるため徴収しなければならない保険料は，第1号被保険者に対し，政令で定める基準に従い条例で定めるところにより算定された保険料率により算定された額とされ，その保険料率は，おおむね［A］を通じ財政の均衡を保つことができるものでなければならないとされている。

2　11歳，8歳，5歳の3人の児童を監護し，かつ，この3人の児童と生計を同じくしている日本国内に住所を有する父に支給する児童手当の額は，1か月につき［B］である。なお，この3人の児童は，施設入所等児童ではない。

3　確定給付企業年金法第29条第1項では，事業主（企業年金基金を設立して実施する確定給付企業年金を実施する場合にあっては，企業年金基金。）は，次に掲げる給付を行うものとすると規定している。

(1)　老齢給付金

(2)　［C］

4　確定給付企業年金法第36条の規定によると，老齢給付金は，加入者又は加入者であった者が，規約で定める老齢給付金を受けるための要件を満たすこととなったときに，その者に支給するものとするが，この規約で定める要件は，次に掲げる要件を満たすものでなければならないとされている。

(1)　［D］の規約で定める年齢に達したときに支給するものであること。

(2)　政令で定める年齢以上(1)の規約で定める年齢未満の規約で定める年齢に達した日以後に実施事業所に使用されなくなったときに支給するものであること（規約において当該状態に至ったときに老齢給付金を支給する旨が定められている場合に限る。）。

また，(2)の政令で定める年齢は，［E］であってはならないとされている。

重要度 A

選択肢

① 2　年	② 3　年
③ 5　年	④ 10　年
⑤ 40歳未満	⑥ 45歳未満
⑦ 50歳未満	⑧ 55歳以上65歳以下
⑨ 55歳未満	⑩ 60歳以上70歳以下
⑪ 60歳以上65歳以下	⑫ 65歳以上70歳以下
⑬ 30,000円	⑭ 35,000円
⑮ 40,000円	⑯ 45,000円
⑰ 遺族給付金	⑱ 障害給付金
⑲ 脱退一時金	⑳ 特別給付金

社一

正解チェック欄	／	／	／

【解　答】

A　② 3年

B　⑮ 40,000円

C　⑲ 脱退一時金

D　⑩ 60歳以上70歳以下

E　⑦ 50歳未満

【解　説】

本問1は，介護保険料率に関する問題であり，介護保険法129条からの出題である。

介護保険法129条の規定では，市町村又は特別区が介護保険事業に要する費用に充てるため徴収しなければならない保険料は，第1号被保険者に対し，政令で定める基準に従い条例で定めるところにより算定された保険料率により算定された額とされ，その保険料率は，おおむね3年を通じ財政の均衡を保つことができるものでなければならないとされている。

社会保険科目 469p

本問2は，児童手当の額の計算に関する問題であり，児童手当法6条からの出題である。

11歳，8歳，5歳の3人の児童を監護し，かつ，この3人の児童と生計を同じくしている日本国内に住所を有する父に支給する児童手当の額は，1か月につき40,000円である。なお，この3人の児童は，施設入所等児童ではないものとする。

社会保険科目 480p

本問3は，確定給付企業年金における給付の種類に関する問題であり，確定給付企業年金法29条1項からの出題である。

確定給付企業年金法29条1項では，事業主（企業年金基金を設立して実施する確定給付企業年金を実施する場合にあっては，企業年金基金。）は，次に掲げる給付を行うものとすると規定している。

(1)　老齢給付金

(2)　脱退一時金

本問4は，確定給付企業年金における老齢給付金の支給要件に関する問題であり，確定給付企業年金法36条からの出題である。

確定給付企業年金法36条の規定によると，老齢給付金は，加入者又は加入者であった者が，規約で定める老齢給付金を受けるための要件を満たすこととなったときに，その者に支給するものとするが，この規約で定める要件は，次に掲げる要件を満たすものでなければならないとされている。

(1) 60歳以上70歳以下の規約で定める年齢に達したときに支給するものであること。

(2) 政令で定める年齢以上(1)の規約で定める年齢未満の規約で定める年齢に達した日以後に実施事業所に使用されなくなったときに支給するものであること（規約において当該状態に至ったときに老齢給付金を支給する旨が定められている場合に限る。）。

社会保険科目 490p

また，(2)の政令で定める年齢は，50歳未満であってはならないとされている。

R元-選択	社会保険関係法令

問 4 次の文中の［　　］の部分を選択肢の中の最も適切な語句で埋め，完全な文章とせよ。

1　船員保険法の規定では，被保険者であった者が，［ A ］に職務外の事由により死亡した場合は，被保険者であった者により生計を維持していた者であって，葬祭を行う者に対し，葬祭料として［ B ］を支給するとされている。また，船員保険法施行令の規定では，葬祭料の支給に併せて葬祭料付加金を支給することとされている。

2　介護保険法第115条の46第1項の規定によると，地域包括支援センターは，第1号介護予防支援事業（居宅要支援被保険者に係るものを除く。）及び包括的支援事業その他厚生労働省令で定める事業を実施し，地域住民の心身の健康の保持及び生活の安定のために必要な援助を行うことにより，［ C ］を包括的に支援することを目的とする施設とされている。

3　国民健康保険法第4条第2項の規定によると，都道府県は，［ D ］，市町村の国民健康保険事業の効率的な実施の確保その他の都道府県及び当該都道府県内の市町村の国民健康保険事業の健全な運営について中心的な役割を果たすものとされている。

4　確定拠出年金法第37条第1項によると，企業型年金加入者又は企業型年金加入者であった者（当該企業型年金に個人別管理資産がある者に限る。）が，傷病について［ E ］までの間において，その傷病により政令で定める程度の障害の状態に該当するに至ったときは，その者は，その期間内に企業型記録関連運営管理機関等に障害給付金の支給を請求することができるとされている。

重要度 C

選択肢

① 30,000円　② 50,000円
③ 70,000円　④ 100,000円
⑤ 安定的な財政運営
⑥ 継続給付を受けなくなってから３か月以内
⑦ 継続して１年以上被保険者であった期間を有し，その資格を喪失した後６か月以内
⑧ 国民健康保険の運営方針の策定　⑨ 事務の標準化及び広域化の促進
⑩ 障害認定日から65歳に達する日
⑪ 障害認定日から75歳に達する日の前日
⑫ 初診日から65歳に達する日の前日
⑬ 初診日から75歳に達する日　⑭ 自立した日常生活
⑮ 船舶所有者に使用されなくなってから６か月以内
⑯ その資格を喪失した後３か月以内　⑰ その地域における医療及び介護
⑱ その保健医療の向上及び福祉の増進
⑲ 地域住民との身近な関係性の構築
⑳ 要介護状態等の軽減又は悪化の防止

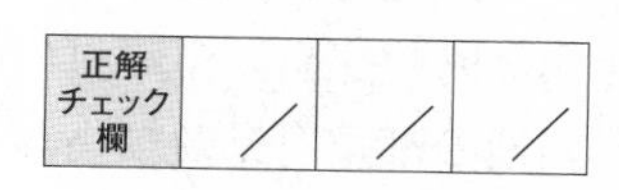

【解　答】

A　⑯ その資格を喪失した後3か月以内

B　② 50,000円

C　⑱ その保健医療の向上及び福祉の増進

D　⑤ 安定的な財政運営

E　⑪ 障害認定日から75歳に達する日の前日

【解　説】

本問1は，船員保険法における葬祭料に関する問題であり，同法72条1項2号及び同法施行令6条からの出題である。

船員保険法の規定では，被保険者であった者が，その資格を喪失した後3か月以内に職務外の事由により死亡した場合は，被保険者であった者により生計を維持していた者であって，葬祭を行う者に対し，葬祭料として50,000円を支給するとされている。また，船員保険法施行令の規定では，葬祭料の支給に併せて葬祭料付加金を支給することとされている。

本問2は，介護保険法における地域包括支援センターに関する問題であり，同法115条の46第1項からの出題である。

介護保険法第115条の46第1項の規定によると，地域包括支援センターは，第1号介護予防支援事業（居宅要支援被保険者に係るものを除く。）及び包括的支援事業その他厚生労働省令で定める事業を実施し，地域住民の心身の健康の保持及び生活の安定のために必要な援助を行うことにより，その保健医療の向上及び福祉の増進を包括的に支援することを目的とする施設とされている。

社会保険科目 466p

本問3は，国民健康保険法における都道府県の責務に関する問題であり，同法4条2項からの出題である。

国民健康保険法第4条第2項の規定によると，都道府県は，安定的な財政運営，市町村の国民健康保険事業の効率的な実施の確保その他の都道府県及び当該都道府県内の市町村の国民健康保険事業の

社会保険科目 428p

健全な運営について中心的な役割を果たすものとされている。

本問4は，確定拠出年金法における企業型年金に係る障害給付金に関する問題であり，同法37条1項からの出題である。

確定拠出年金法第37条第1項によると，企業型年金加入者又は企業型年金加入者であった者（当該企業型年金に個人別管理資産がある者に限る。）が，傷病について障害認定日から75歳に達する日の前日までの間において，その傷病により政令で定める程度の障害の状態に該当するに至ったときは，その者は，その期間内に企業型記録関連運営管理機関等に障害給付金の支給を請求することができるとされている。

H28-選択	社会保険関係法令

問 5

次の文中の［　　］の部分を選択肢の中の適当な語句で埋め，完全な文章とせよ。なお，本問の1は，平成23年版厚生労働白書を参照している。

1　世界初の社会保険は，［A］で誕生した。当時の［A］では，資本主義経済の発達に伴って深刻化した労働問題や労働運動に対処するため，明治16年に医療保険に相当する疾病保険法，翌年には労災保険に相当する災害保険法を公布した。

一方日本では，政府は，労使関係の対立緩和，社会不安の沈静化を図る観点から，［A］に倣い労働者を対象とする疾病保険制度の検討を開始し，［B］に「健康保険法」を制定した。

2　児童手当の一般受給資格者が死亡した場合において，その死亡した者に支払うべき児童手当（その者が監護していた［C］に係る部分に限る。）で，まだその者に支払っていなかったものがあるときは，当該［C］にその未支払の児童手当を支払うことができる。

キリトリ線

重要度 A

選択肢

① 1年間	② 1年6か月間
③ 2年間	④ 6か月間
⑤ 18歳に達する日以後の最初の3月31日までの児童であった者	
⑥ アメリカ	⑦ イギリス
⑧ 小学校修了前の児童であった者	
⑨ 昭和13年	⑩ 昭和16年
⑪ 大正11年	⑫ 大正15年
⑬ 中学校修了前の児童であった者	⑭ 適用認定証
⑮ ドイツ	⑯ 被保険者資格証明書
⑰ 被保険者受給資格者証	⑱ フランス
⑲ 満20歳に満たない者	⑳ 療養受療証

社一

※本問の空欄D及びEについては，国民健康保健法の被保険者証等に関する問題であったが，改正により，令和6年12月2日からは，新たな被保険者証の交付は行われないこととなり，問題として成り立たなくなったため，空欄A～Cまでの問題として掲載している。なお，この改正規定の施行の際現に市町村（特別区を含む）又は国民健康保険組合から被保険者証又は被保険者資格証明書の交付を受けている者が，当該改正規定の施行日以後に保険医療機関等から療養を受ける場合又は指定訪問看護事業者から指定訪問看護を受ける場合における当該被保険者証又は被保険者資格証明書については，改正前の規定により定められた当該被保険者証又は被保険者資格証明書の有効期間が経過するまでの間（当該有効期間の末日が当該改正規定施行日から起算して1年を経過する日の翌日以後であるときは，当該施行日から起算して1年間とする）は，なお，従前の例によるものとされている（令5年法律48号附則16条）。

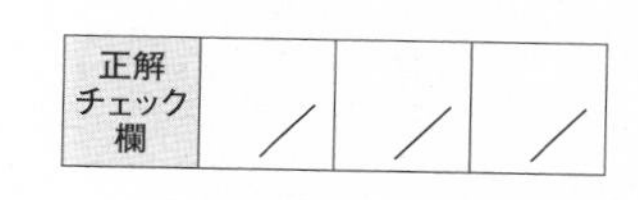

【解　答】

A　⑮ ドイツ

B　⑪ 大正11年

C　⑬ 中学校修了前の児童であった者

※空欄D及びEは，改正により，削除しました。

【解　説】

本問1は，社会保険の沿革に関する問題であり，平成23年版厚生労働白書35頁及び36頁からの出題である。

世界初の社会保険は，ドイツで誕生した。当時のドイツでは，資本主義経済の発達に伴って深刻化した労働問題や労働運動に対処するため，明治16年に医療保険に相当する疾病保険法，翌年には労災保険に相当する災害保険法を公布した。

一方日本では，政府は，労使関係の対立緩和，社会不安の沈静化を図る観点から，ドイツに倣い労働者を対象とする疾病保険制度の検討を開始し，大正11年に「健康保険法」を制定した。

社会保険科目 518p

本問2は，未支払の児童手当に関する問題であり，児童手当法12条1項からの出題である。

児童手当の一般受給資格者が死亡した場合において，その死亡した者に支払うべき児童手当（その者が監護していた中学校修了前の児童であった者に係る部分に限る。）で，まだその者に支払っていなかったものがあるときは，当該中学校修了前の児童であった者にその未支払の児童手当を支払うことができる。

社会保険科目 482p

MEMO

R3-選択 社会保険関係法令

問 6

次の文中の□の部分を選択肢の中の最も適切な語句で埋め，完全な文章とせよ。

1 市町村（特別区を含む。以下本問において同じ。）は，当該市町村の国民健康保険に関する特別会計において負担する［ A ］に要する費用（当該市町村が属する都道府県の国民健康保険に関する特別会計において負担する前期高齢者納付金等及び後期高齢者支援金等，介護納付金並びに流行初期医療確保拠出金等の納付に要する費用を含む。），財政安定化基金拠出金の納付に要する費用その他の［ B ］に充てるため，被保険者の属する世帯の世帯主（当該市町村の区域内に住所を有する世帯主に限る。）から国民健康保険の保険料を徴収しなければならない。ただし，地方税法の規定により国民健康保険税を課するときは，この限りでない。

2 船員保険法第93条では，「被保険者が職務上の事由により行方不明となったときは，その期間，［ C ］に対し，行方不明手当金を支給する。ただし，行方不明の期間が一月未満であるときは，この限りでない。」と規定している。

3 児童手当法第8条第3項の規定によると，同法第7条の認定をした一般受給資格者及び施設等受給資格者（以下本問において「受給資格者」という。）が住所を変更した場合又は災害その他やむを得ない理由により同法第7条の規定による認定の請求をすることができなかった場合において，住所を変更した後又はやむを得ない理由がやんだ後［ D ］以内にその請求をしたときは，児童手当の支給は，同法第8条第2項の規定にかかわらず，受給資格者が住所を変更した日又はやむを得ない理由により当該認定の請求をすることができなくなった日の属する月の翌月から始めるとされている。

4 確定給付企業年金法第41条第3項の規定によると，脱退一時金を受けるための要件として，規約において，［ E ］を超える加入者期間を定めてはならないとされている。

重要度 A

選択肢

①	3　年	②	5　年
③	10　年	④	15　日
⑤	15　年	⑥	25　日
⑦	35　日	⑧	45　日
⑨	遺　族	⑩	国民健康保険事業に要する費用

⑪ 国民健康保険事業費納付金の納付
⑫ 国民健康保険保険給付費等交付金の交付
⑬ 地域支援事業等の調整額の交付
⑭ 特定給付額及び特定納付費用額の合算額の納付
⑮ 特定健康診査等に要する費用
⑯ 特別高額医療費共同事業拠出金に要した費用

⑰	配偶者又は子	⑱	被扶養者
⑲	民法上の相続人	⑳	療養の給付等に要する費用

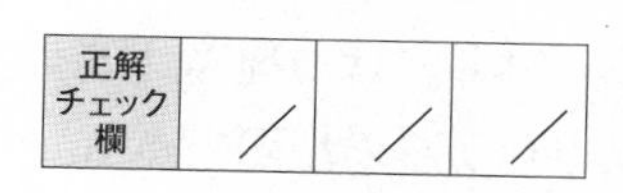

正解チェック欄	／	／	／

【解　答】

A　⑪ 国民健康保険事業費納付金の納付

B　⑩ 国民健康保険事業に要する費用

C　⑱ 被扶養者

D　④ 15日

E　① 3年

【解　説】

本問1は，保険料に関する問題であり，国民健康保険法76条1項からの出題である。

市町村（特別区を含む。以下本問において同じ）は，当該市町村の国民健康保険に関する特別会計において負担する国民健康保険事業費納付金の納付に要する費用（当該市町村が属する都道府県の国民健康保険に関する特別会計において負担する前期高齢者納付金等及び後期高齢者支援金等，介護納付金並びに流行初期医療確保拠出金等の納付に要する費用を含む。），財政安定化基金拠出金の納付に要する費用その他の国民健康保険事業に要する費用に充てるため，被保険者の属する世帯の世帯主（当該市町村の区域内に住所を有する世帯主に限る）から国民健康保険の保険料を徴収しなければならない。ただし，地方税法の規定により国民健康保険税を課するときは，この限りでない。

社会保険科目 440p

本問2は，行方不明手当金に関する問題であり，船員保険法93条からの出題である。

船員保険法93条では，「被保険者が職務上の事由により行方不明となったときは，その期間，被扶養者に対し，行方不明手当金を支給する。ただし，行方不明の期間が一月未満であるときは，この限りでない。」と規定している。

社会保険科目 476p

本問3は，児童手当の支給に関する問題であり，児童手当法8条3項からの出題である。

児童手当法8条3項の規定によると，同法7条の認定をした一般受給資格者及び施設等受給資格者（以下本問において「受給資格者」という。）が住所を変更した場合又は災害その他やむを得ない理由により同法7条の規定による認定の請求をすることができなかった場合において，住所を変更した後又はやむを得ない理由がやんだ後15日以内にその請求をしたときは，児童手当の支給は，同法第8条第2項の規定にかかわらず，受給資格者が住所を変更した日又はやむを得ない理由により当該認定の請求をすることができなくなった日の属する月の翌月から始めるとされている。

本問4は，確定給付企業年金法に係る脱退一時金に関する問題であり，同法41条3項からの出題である。

確定給付企業年金法41条3項の規定によると，脱退一時金を受けるための要件として，規約において，3年を超える加入者期間を定めてはならないとされている。

社会保険科目
490p

R5-選択

社会保険関係法令・高齢者の割合

問 7　次の文中の□の部分を選択肢の中の最も適切な語句で埋め，完全な文章とせよ。なお，本問の「5」は「令和4年版厚生労働白書（厚生労働省）」を参照しており，当該白書又は当該白書が引用している調査による用語及び統計等を利用している。

1　船員保険法第69条第5項の規定によると，傷病手当金の支給期間は，同一の疾病又は負傷及びこれにより発した疾病に関しては，その支給を始めた日から通算して［A］間とされている。

2　高齢者医療確保法第20条の規定によると，保険者は，特定健康診査等実施計画に基づき，厚生労働省令で定めるところにより，［B］以上の加入者に対し，特定健康診査を行うものとする。ただし，加入者が特定健康診査に相当する健康診査を受け，その結果を証明する書面の提出を受けたとき，又は同法第26条第2項の規定により特定健康診査に関する記録の送付を受けたときは，この限りでない。

3　確定給付企業年金法第57条では，「掛金の額は，給付に要する費用の額の予想額及び予定運用収入の額に照らし，厚生労働省令で定めるところにより，将来にわたって［C］ができるように計算されるものでなければならない。」と規定している。

4　14歳の児童1人を監護し，かつ，この児童と生計を同じくしている日本国内に住所を有する父に支給する児童手当の額は，1か月につき［D］である。なお，この児童は施設入所等児童ではないものとする。

5　高齢化が更に進行し，「団塊の世代」の全員が75歳以上となる2025（令和7）年の日本では，およそ［E］人に1人が75歳以上高齢者となり，認知症の高齢者の割合や，世帯主が高齢者の単独世帯・夫婦のみの世帯の割合が増加していくと推計されている。

重要度 A

選択肢

① 3.5	② 5.5
③ 7.5	④ 9.5
⑤ 1年	⑥ 1年6か月
⑦ 2年	⑧ 3年
⑨ 35歳	⑩ 40歳
⑪ 65歳	⑫ 75歳
⑬ 10,000円	⑭ 15,000円
⑮ 20,000円	⑯ 30,000円
⑰ 掛金を負担すること	⑱ 財政の均衡を保つこと

⑲ 立金の額が最低積立基準額を満たすこと

⑳ 必要な給付を行うこと

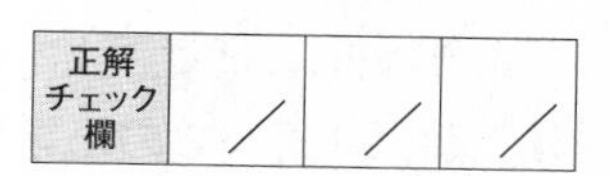

【解　答】

A　⑧ 3年

B　⑩ 40歳

C　⑱ 財政の均衡を保つこと

D　⑬ 10,000円

E　② 5.5

【解　説】

本問1は，船員保険法における傷病手当金の支給期間に関する問題であり，同法69条5項からの出題である。

船員保険法69条5項の規定によると，傷病手当金の支給期間は，同一の疾病又は負傷及びこれにより発した疾病に関しては，その支給を始めた日から通算して3年間とされている。

社会保険科目 475p

本問2は，高齢者医療確保法における特定健康診査に関する問題であり，同法20条からの出題である。

高齢者医療確保法20条の規定によると，保険者は，特定健康診査等実施計画に基づき，厚生労働省令で定めるところにより，40歳以上の加入者に対し，特定健康診査を行うものとする。ただし，加入者が特定健康診査に相当する健康診査を受け，その結果を証明する書面の提出を受けたとき，又は同法26条2項の規定により特定健康診査に関する記録の送付を受けたときは，この限りでない。

社会保険科目 448p

本問3は，確定給付企業年金法における掛金の額の基準に関する問題であり，同法57条からの出題である。

確定給付企業年金法57条では，「掛金の額は，給付に要する費用の額の予想額及び予定運用収入の額に照らし，厚生労働省令で定めるところにより，将来にわたって財政の均衡を保つことができるように計算されるものでなければならない。」と規定している。

社会保険科目 491p

本問4は，児童手当法における児童手当の額に関する問題であり，同法6条からの出題である。

14歳の児童１人を監護し，かつ，この児童と生計を同じくしている日本国内に住所を有する父に支給する児童手当の額は，１か月につき10,000円である。なお，この児童は施設入所等児童ではないものとする。

社会保険科目
480p

本問５は，高齢者の割合に関する問題であり，令和４年版厚生労働白書348頁からの出題である。

高齢化が更に進行し，「団塊の世代」の全員が75歳以上となる2025（令和７）年の日本では，およそ5.5人に１人が75歳以上高齢者となり，認知症の高齢者の割合や，世帯主が高齢者の単独世帯・夫婦のみの世帯の割合が増加していくと推計されている。

※空欄Ｅについて，令和５年版厚生労働白書によると，「団塊の世代」の全員が75歳以上となる令和７年には，およそ「5.6人」に１人が75歳以上高齢者となるとされている（同白書313頁)。

R2-選択	社会保障費用・社会保険関係法令

問 8

次の文中の［　　］の部分を選択肢の中の最も適切な語句で埋め，完全な文章とせよ。

1　「平成29年度社会保障費用統計（国立社会保障・人口問題研究所）」によると，平成29年度の社会保障給付費（ILO基準）の総額は約［　A　］円である。部門別にみると，額が最も大きいのは「［　B　］」であり，総額に占める割合は45.6％となっている。

2　介護保険法第67条第1項及び介護保険法施行規則第103条の規定によると，市町村は，保険給付を受けることができる第1号被保険者である要介護被保険者等が保険料を滞納しており，かつ，当該保険料の納期限から［　C　］が経過するまでの間に当該保険料を納付しない場合においては，当該保険料の滞納につき災害その他の政令で定める特別の事情があると認める場合を除き，厚生労働省令で定めるところにより，保険給付の全部又は一部の支払を一時差し止めるものとするとされている。

3　国民健康保険法第13条の規定によると，国民健康保険組合は，同種の事業又は業務に従事する者で当該組合の地区内に住所を有するものを組合員として組織し，当該組合の地区は，［　D　］の区域によるものとされている。ただし，特別の理由があるときは，この区域によらないことができるとされている。

4　国民年金の第1号被保険者が，国民年金基金に加入し，月額20,000円を納付している場合において，この者が個人型確定拠出年金に加入し，掛金を拠出するときは，月額で［　E　］円まで拠出することができる。なお，この者は，掛金を毎月定額で納付するものとする。

重要度 B

選択肢

① 3,000	② 23,000
③ 48,000	④ 68,000
⑤ 1　年	⑥ 1年6か月
⑦ 1又は2以上の市町村	⑧ 1又は2以上の都道府県
⑨ 2以上の隣接する市町村	⑩ 2以上の隣接する都道府県
⑪ 2　年	⑫ 6か月
⑬ 100兆	⑭ 120兆
⑮ 140兆	⑯ 160兆
⑰ 医　療	⑱ 介護対策
⑲ 年　金	⑳ 福祉その他

社一

正解チェック欄	／	／	／

解答・解説

【解　答】

A　⑭ 120兆

B　⑲ 年金

C　⑥ 1年6か月

D　⑦ 1又は2以上の市町村

E　③ 48,000

【解　説】

本問1は，社会保障給付費に関する問題であり，平成29年度社会保障費用統計（国立社会保障・人口問題研究所）からの出題である。

「平成29年度社会保障費用統計（国立社会保障・人口問題研究所）」によると，平成29年度の社会保障給付費（ILO基準）の総額は約120兆円である。部門別にみると，額が最も大きいのは「年金」であり，総額に占める割合は45.6％となっている。

本問2は，保険給付の支給制限に関する問題であり，介護保険法67条1項及び同法施行規則103条からの出題である。

介護保険法67条1項及び介護保険法施行規則103条の規定によると，市町村は，保険給付を受けることができる第1号被保険者である要介護被保険者等が保険料を滞納しており，かつ，当該保険料の納期限から1年6か月が経過するまでの間に当該保険料を納付しない場合においては，当該保険料の滞納につき災害その他の政令で定める特別の事情があると認める場合を除き，厚生労働省令で定めるところにより，保険給付の全部又は一部の支払を一時差し止めるものとするとされている。

本問3は，国民健康保険組合の組織に関する問題であり，国民健康保険法13条からの出題である。

国民健康保険法13条の規定によると，国民健康保険組合は，同種の事業又は業務に従事する者で当該組合の地区内に住所を有するものを組合員として組織し，当該組合の地区は，1又は2以上の市町村の区域によるものとされている。ただし，特別の理由があるときは，この区域によらないことができるとされている。

本問4は，確定拠出年金における個人型年金の拠出限度額に関する問題であり，確定拠出年金法69条及び同法施行令36条からの出題である。

国民年金の第1号被保険者が，国民年金基金に加入し，月額20,000円を納付している場合において，この者が個人型確定拠出年金に加入し，掛金を拠出するときは，月額で48,000円（本問の者は第1号加入者であるため，その拠出限度額は付加保険料又は国民年金基金の掛金と合算して月額相当額68,000円である）まで拠出することができる。なお，この者は，掛金を毎月定額で納付するものとする。

社会保険科目 503p

R4-選択	国民医療費・社会保険関係法令

問 9

次の文中の[　　]の部分を選択肢の中の最も適切な語句で埋め，完全な文章とせよ。

1　厚生労働省から令和3年11月に公表された「令和元年度国民医療費の概況」によると，令和元年度の国民医療費は44兆3,895億円である。年齢階級別国民医療費の構成割合についてみると，「65歳以上」の構成割合は[A]パーセントとなっている。

2　企業型確定拠出年金の加入者又は企業型確定拠出年金の加入者であった者（当該確定拠出年金に個人別管理資産がある者に限る。）が死亡したときは，その者の遺族に，死亡した者の死亡の当時主としてその収入によって生計を維持されていなかった配偶者及び実父母，死亡した者の死亡の当時主としてその収入によって生計を維持されていた子，養父母及び兄弟姉妹がいた場合，死亡一時金を受け取ることができる遺族の第1順位は，[B]となる。ただし，死亡した者は，死亡する前に死亡一時金を受ける者を指定してその旨を企業型記録関連運営管理機関等に対して表示していなかったものとする。

4　介護保険法における「要介護状態」とは，[C]があるために，入浴，排せつ，食事等の日常生活における基本的な動作の全部又は一部について，[D]の期間にわたり継続して，常時介護を要すると見込まれる状態であって，その介護の必要の程度に応じて厚生労働省令で定める区分のいずれかに該当するもの（要支援状態に該当するものを除く。）をいう。ただし，「要介護状態」にある40歳以上65歳未満の者であって，その「要介護状態」の原因である[D]が加齢に伴って生ずる心身の変化に起因する疾病であって政令で定めるもの（以下「特定疾病」という。）によって生じたものであり，当該特定疾病ががん（医師が一般に認められている医学的知見に基づき回復の見込みがない状態に至ったと判断したものに限る。）である場合の継続見込期間については，その余命が[E]に満たないと判断される場合にあっては，死亡までの間とする。

重要度 **B**

選択肢

① 3か月		② 6か月	
③ 12か月			
④ 15歳に達する日以後の最初の3月31日までの間にある者			
⑤ 18か月			
⑥ 18歳に達する日以後の最初の3月31日までの間にある者			
⑦ 31.0	⑧ 46.0	⑨ 61.0	⑩ 76.0
⑪ 加齢に伴って生ずる心身の変化に起因する疾病			
⑫ 義務教育就学前の児童			
⑬ 子		⑭ 実父母	
⑮ 小学校修了前の児童			
⑯ 心身の機能の低下		⑰ 身体上又は精神上の障害	
⑱ 配偶者		⑲ 慢性的な認知機能の悪化	
⑳ 養父母			

※本問の空欄Cについては，児童手当の費用の負担に関する問題であったが，令6法律47号により令和6年10月1日から児童手当の費用の負担が改正されたため，問題として成り立たなくなったため，空欄A，B，D及びEの問題として掲載している。

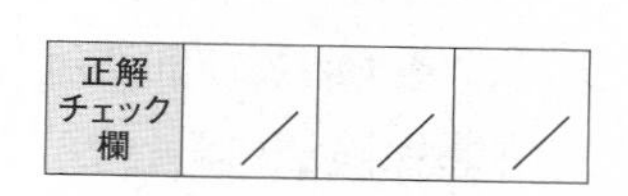

解答・解説

【解　答】

A　⑨ 61.0

B　⑱ 配偶者

D　⑰ 身体上又は精神上の障害

E　② 6か月

※空欄Cは，改正により，削除しました。

【解　説】

本問1は，国民医療費に関する問題であり，令和元年度国民医療費の概況（厚生労働省）からの出題である。

厚生労働省から令和3年11月に公表された「令和元年度国民医療費の概況」によると，令和元年度の国民医療費は44兆3,895億円である。年齢階級別国民医療費の構成割合についてみると，「65歳以上」の構成割合は61.0パーセントとなっている。

本問2は，企業型確定拠出年金に係る死亡一時金に関する問題であり，確定拠出年金法41条1項・2項からの出題である。

企業型確定拠出年金の加入者又は企業型確定拠出年金の加入者であった者（当該確定拠出年金に個人別管理資産がある者に限る。）が死亡したときは，その者の遺族に，死亡した者の死亡の当時主としてその収入によって生計を維持されていなかった配偶者及び実父母，死亡した者の死亡の当時主としてその収入によって生計を維持されていた子，養父母及び兄弟姉妹がいた場合，死亡一時金を受け取ることができる遺族の第1順位は，配偶者となる。ただし，死亡した者は，死亡する前に死亡一時金を受ける者を指定してその旨を企業型記録関連運営管理機関等に対して表示していなかったものとする。

本問4は，介護保険法における要介護状態に関する問題であり，同法7条1項及び同法施行規則2条からの出題である。

介護保険法における「要介護状態」とは，身体上又は精神上の障害があるために，入浴，排せつ，食事等の日常生活における基本的な動作の全部又は一部について，6か月の期間にわたり継続して，常時介護を要すると見込まれる状態であって，その介護の必要の程度に応じて厚生労働省令で定める区分のいずれかに該当するもの（要支援状態に該当するものを除く。）をいう。ただし，「要介護状態」にある40歳以上65歳未満の者であって，その「要介護状態」の原因である身体上又は精神上の障害が加齢に伴って生ずる心身の変化に起因する疾病であって政令で定めるもの（以下「特定疾病」という。）によって生じたものであり，当該特定疾病ががん（医師が一般に認められている医学的知見に基づき回復の見込みがない状態に至ったと判断したものに限る。）である場合の継続見込期間については，その余命が6か月に満たないと判断される場合にあっては，死亡までの間とする。

社会保険科目
459p

R6-選択	高齢者世帯に係る公的年金・恩給の総所得に占める割合・社会保険関係法令等

問 10

次の文中の[ ]の部分を選択肢の中の最も適切な語句で埋め，完全な文章とせよ。

1 厚生労働省から令和5年7月に公表された「2022（令和4）年 国民生活基礎調査の概況」によると，公的年金・恩給を受給している高齢者世帯における公的年金・恩給の総所得に占める割合別世帯数の構成割合についてみると，公的年金・恩給の総所得に占める割合が[A]の世帯が44.0％となっている。なお，国民生活基礎調査において，「高齢者世帯」とは，65歳以上の者のみで構成するか，又はこれに18歳未満の未婚の者が加わった世帯をいう。

2 厚生労働省から令和5年8月に公表された「令和3年度介護保険事業状況報告（年報）」によると，令和3年度末において，第1号被保険者のうち要介護又は要支援の認定者（以下本肢において「認定者」という。）は677万人であり，第1号被保険者に占める認定者の割合は全国平均で[B]％となっている。

3 国民健康保険法第1条では，「この法律は，国民健康保険事業の健全な運営を確保し，もつて[C]に寄与することを目的とする。」と規定している。

4 高齢者医療確保法第1条では，「この法律は，国民の高齢期における適切な医療の確保を図るため，医療費の適正化を推進するための計画の作成及び保険者による健康診査等の実施に関する措置を講ずるとともに，高齢者の医療について，国民の[D]の理念等に基づき，前期高齢者に係る保険者間の[E]の調整，後期高齢者に対する適切な医療の給付等を行うために必要な制度を設け，もつて国民保健の向上及び高齢者の福祉の増進を図ることを目的とする。」と規定している。

キリトリ線

重要度 B

選択肢

① 3.9	② 18.9
③ 33.9	④ 48.9
⑤ 40～60％未満	⑥ 60～80％未満
⑦ 80～100％未満	⑧ 100％
⑨ 給付費用	⑩ 給付割合
⑪ 共助連帯	⑫ 共同連帯
⑬ 自助と共助	⑭ 自助と連帯
⑮ 社会保険及び国民福祉の向上	⑯ 社会保険及び国民保健の向上
⑰ 社会保障及び国民福祉の向上	⑱ 社会保障及び国民保健の向上
⑲ 費用負担	⑳ 負担割合

社一

正解チェック欄	／	／	／

【解　答】
A　⑧ 100%
B　② 18.9
C　⑱ 社会保障及び国民保健の向上
D　⑫ 共同連帯
E　⑲ 費用負担

【解　説】

本問1は，高齢者世帯における公的年金・恩給の総所得に占める割合に関する問題であり，2022（令和4）年 国民生活基礎調査の概況からの出題である。

厚生労働省から令和5年7月に公表された「2022（令和4）年 国民生活基礎調査の概況」によると，公的年金・恩給を受給している高齢者世帯における公的年金・恩給の総所得に占める割合別世帯数の構成割合についてみると，公的年金・恩給の総所得に占める割合が100%の世帯が44.0%となっている。なお，国民生活基礎調査において，「高齢者世帯」とは，65歳以上の者のみで構成するか，又はこれに18歳未満の未婚の者が加わった世帯をいう。

本問2は，介護保険に係る第1号被保険者に占める要介護又は要支援の認定者の割合に関する問題であり，令和3年度介護保険事業状況報告（年報）からの出題である。

厚生労働省から令和5年8月に公表された「令和3年度介護保険事業状況報告（年報）」によると，令和3年度末において，第1号被保険者のうち要介護又は要支援の認定者（以下本肢において「認定者」という。）は677万人であり，第1号被保険者に占める認定者の割合は全国平均で18.9%となっている。

本問3は，国民健康保険法の目的に関する問題であり，同法1条からの出題である。

国民健康保険法1条では，「この法律は，国民健康保険事業の健

キーワード集
必修基本書

全な運営を確保し，もつて社会保障及び国民保健の向上に寄与することを目的とする。」と規定している。

社会保険科目
426p

本問3は，高齢者医療確保法の目的に関する問題であり，同法1条からの出題である。

高齢者医療確保法1条では，「この法律は，国民の高齢期における適切な医療の確保を図るため，医療費の適正化を推進するための計画の作成及び保険者による健康診査等の実施に関する措置を講ずるとともに，高齢者の医療について，国民の社会保障及び国民保健の向上の理念等に基づき，前期高齢者に係る保険者間の費用負担の調整，後期高齢者に対する適切な医療の給付等を行うために必要な制度を設け，もつて国民保健の向上及び高齢者の福祉の増進を図ることを目的とする。」と規定している。

社会保険科目
445p

MEMO

R元-6	国民健康保険法	重要度 A

問 1 国民健康保険法に関する次の記述のうち，誤っているものはどれか。

A 市町村（特別区を含む。以下本問において同じ。）及び国民健康保険組合（以下本問において「組合」という。）は，保険料滞納世帯主等が，当該保険料の納期限から厚生労働省令で定める期間が経過するまでの間に，当該市町村又は国民健康保険組合が保険料納付の勧奨等を行ってもなお当該保険料を納付しない場合においては，当該保険料の滞納につき災害その他の政令で定める特別の事情があると認められる場合を除き，当該世帯に属する被保険者（所定の者及び18歳に達する日以後の最初の3月31日までの間にある者を除く。）が保険医療機関等又は指定訪問看護事業者から療養等を受けたときは，その療養等に要した費用について，当該保険料滞納世帯主等に対し，療養費を支給する。

B 市町村及び組合は，被保険者の出産及び死亡に関しては，条例又は規約の定めるところにより，出産育児一時金の支給又は葬祭費の支給若しくは葬祭の給付を行うものとする。ただし，特別の理由があるときは，その全部又は一部を行わないことができる。

C 都道府県若しくは市町村又は組合は，共同してその目的を達成するため，国民健康保険団体連合会を設立することができる。

D 国民健康保険団体連合会を設立しようとするときは，当該連合会の区域をその区域に含む都道府県を統轄する都道府県知事の認可を受けなければならない。

E 保険給付に関する処分（電子資格確認を受けることができない場合等の書面の交付又は電磁的方法による提供の求めに対する処分を含む。）又は保険料その他国民健康保険法の規定による徴収金に関する処分に不服がある者は，国民健康保険審査会に審査請求をすることができる。

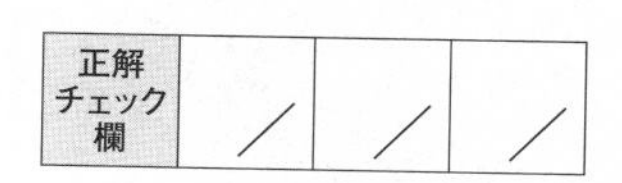

社一

A 誤 本肢の場合，保険料滞納世帯主等に対し，その療養等に要した費用について，「特別療養費」が支給される（国民健康保険法（以下本問において「法」とする）54条の3第1項）。

社会保険科目 436p

B 正 本肢のとおりである（法58条1項）。本肢の保険給付は，いわゆる法定任意給付である。

社会保険科目 432p

C 正 本肢のとおりである（法83条1項）。なお，国民健康保険団体連合会は，法人とする（同条2項）。

社会保険科目 442p

D 正 本肢のとおりである（法84条1項）。なお，国民健康保険団体連合会は，本肢の設立の認可を受けた時に成立する（同条2項）。

社会保険科目 442p

E 正 本肢のとおりである（法91条1項）。なお，本肢の審査請求は，時効の完成猶予及び更新に関しては，裁判上の請求とみなす（同条2項）。

社会保険科目 442～443p

R3-7	国民健康保険法	重要度 A

問 2 国民健康保険法に関する次の記述のうち，正しいものはどれか。

A 都道府県が当該都道府県内の市町村（特別区を含む。以下本問において同じ。）とともに行う国民健康保険（以下本問において「都道府県等が行う国民健康保険」という。）の被保険者は，都道府県の区域内に住所を有するに至った日の翌日又は国民健康保険法第6条各号のいずれにも該当しなくなった日の翌日から，その資格を取得する。

B 生活保護法による保護を受けている世帯に属する者は，都道府県等が行う国民健康保険の被保険者となる。

C 市町村及び国民健康保険組合（以下本問において「組合」という。）は，被保険者又は被保険者であった者が，正当な理由なしに療養に関する指示に従わないときは，療養の給付等の一部を行わないことができる。

D 国民健康保険診療報酬審査委員会は，都道府県の区域を区域とする国民健康保険団体連合会（その区域内の都道府県若しくは市町村又は組合の3分の2以上が加入しないものを除く。）に置かれ，都道府県知事が定める保険医及び保険薬剤師を代表する委員，保険者を代表する委員並びに被保険者を代表する委員をもって組織される。

E 市町村は，条例で，偽りその他不正の行為により保険料その他国民健康保険法の規定による徴収金の徴収を免れた者に対し，その徴収を免れた金額の10倍に相当する金額以下の過料を科する規定を設けることができる。

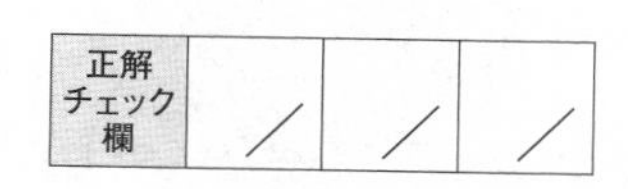

正解チェック欄	／	／	／

A 誤 都道府県等が行う国民健康保険の被保険者は，都道府県の区域内に住所を有するに至った「日」又は法6条各号（適用除外）のいずれにも該当しなくなった「日」から，その資格を取得する(国民健康保険法（以下本問において「法」とする）7条)。

B 誤 生活保護法による保護を受けている世帯（その保護を停止されている世帯を除く）に属する者は，都道府県等が行う国民健康保険の「被保険者とならない」(法6条9号)。

社会保険科目 429p

C 正 本肢のとおりである（法62条）。

社会保険科目 437p

D 誤 国民健康保険診療報酬審査委員会は，都道府県知事が定める保険医及び保険薬剤師を代表する委員，保険者を代表する委員並びに「公益」を代表する委員をもって組織する。本肢前段の記述は正しい（法87条1項，法88条1項）。

社会保険科目 442p

E 誤 市町村（特別区を含む）は，条例で，偽りその他不正の行為により保険料その他国民健康保険法の規定による徴収金の徴収を免れた者に対し，その徴収を免れた金額の「5倍」に相当する金額以下の過料を科する規定を設けることができる（法127条3項)。

R6-8	国民健康保険法	重要度 A

問 3 国民健康保険法に関する次の記述のうち，正しいものはどれか。

A 市町村（特別区を含む。以下本問において同じ。）は，国民健康保険事業の運営が適切かつ円滑に行われるよう，国民健康保険組合（以下「国保組合」という。）その他の関係者に対し，必要な指導及び助言を行うものとする。

B 国保組合は，規約の定めるところにより，組合員の世帯に属する者を包括して被保険者としないことができる。

C 国保組合が解散したときは，破産手続開始の決定による解散の場合を除き，監事がその清算人となる。ただし，規約に別段の定めがあるとき，又は組合会において監事以外の者を選任したときは，この限りでない。

D 国民健康保険審査会は，各都道府県に置かれ，被保険者を代表する委員，保険者を代表する委員及び保険医又は保険薬剤師を代表する委員各3人をもって組織される。

E 市町村若しくは国保組合又は国民健康保険団体連合会は，厚生労働省令で定めるところにより，事業状況を厚生労働大臣に報告しなければならない。

社一

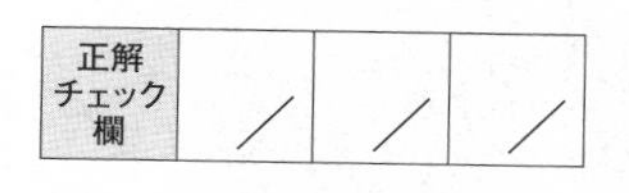

A　誤　「都道府県」は，国民健康保険事業の運営が適切かつ円滑に行われるよう，国民健康保険組合その他の関係者に対し，必要な指導及び助言を行うものとされている（国民健康保険法（以下本問において「法」とする）4条5項）。

社会保険科目 428p

B　正　本肢のとおりである（法19条2項）。

社会保険科目 429p

C　誤　国民健康保険組合が解散したときは，破産手続開始の決定による解散の場合を除き，「理事」がその清算人となる。ただし，規約に別段の定めがあるとき，又は組合会において「理事」以外の者を選任したときは，この限りでない（法32条の4）。

D　誤　国民健康保険審査会は，被保険者を代表する委員，保険者を代表する委員及び「公益を代表する委員」各3人をもって組織される。本肢前段の記述は正しい（法92条，法93条1項）。

社会保険科目 443p

E　誤　市町村若しくは国民健康保険組合又は国民健康保険団体連合会は，事業状況を，「当該市町村若しくは国民健康保険組合又は国民健康保険団体連合会をその区域内に含む都道府県を統括する都道府県知事」に報告しなければならない（法107条）。

H29-8	高齢者医療確保法	重要度 A

問 4 高齢者医療確保法に関する次の記述のうち，誤っているものはどれか。

A 後期高齢者医療は，高齢者の疾病又は負傷に関して必要な給付を行うものとしており，死亡に関しては給付を行わない。

B 保険者は，特定健康診査等基本指針に即して，6年ごとに，6年を1期として，特定健康診査等の実施に関する計画を定めるものとされている。

C 高齢者医療確保法における保険者には，医療保険各法の規定により医療に関する給付を行う全国健康保険協会，健康保険組合，市町村（特別区を含む。以下本問において同じ。），国民健康保険組合のほか，共済組合及び日本私立学校振興・共済事業団も含まれる。

D 後期高齢者医療広域連合は，後期高齢者医療の事務（保険料の徴収の事務及び被保険者の便益の増進に寄与するものとして政令で定める事務を除く。）を処理するため，都道府県の区域ごとに当該区域内のすべての市町村が加入して設けられる。

E 市町村は，政令で定めるところにより，後期高齢者医療広域連合に対し，その一般会計において，負担対象総額の一部を負担している。

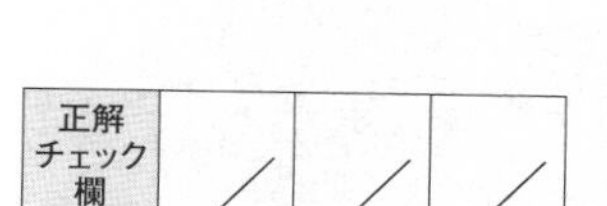

A 誤 後期高齢者医療は，高齢者の疾病，負傷又は「死亡」に関して必要な給付を行うものとされている（高齢者医療確保法（以下本問において「法」とする）47条）。

社会保険科目 448p

B 正 本肢のとおりである（法19条1項）。

社会保険科目 447p

C 正 本肢のとおりである（法7条2項）。

社会保険科目 446p

D 正 本肢のとおりである（法48条）。なお，市町村は，後期高齢者医療に要する費用に充てるため，保険料を徴収しなければならない（法104条1項）。

社会保険科目 448~449p

E 正 本肢のとおりである（法98条）。市町村は，政令で定めるところにより，後期高齢者医療広域連合に対し，その一般会計において，負担対象総額の12分の1に相当する額を負担する。

H30-7	高齢者医療確保法	重要度 B

問 5 高齢者医療確保法に関する次の記述のうち，正しいものはどれか。

A 都道府県は，医療費適正化基本方針に即して，5年ごとに，5年を1期として，当該都道府県における医療費適正化を推進するための計画（以下本問において「都道府県医療費適正化計画」という。）を定めるものとする。

B 都道府県は，都道府県医療費適正化計画を定め，又はこれを変更したときは，遅滞なく，これを公表するよう努めるとともに，厚生労働大臣に提出するものとする。

C 偽りその他不正の行為によって後期高齢者医療給付を受けた者があるときは，都道府県は，その者からその後期高齢者医療給付の価額の全部又は一部を徴収することができる。

D 保険医療機関等は療養の給付に関し，保険医等は後期高齢者医療の診療又は調剤に関し，都道府県知事から指導を受けることはない。

E 療養の給付の取扱い及び担当に関する基準並びに療養の給付に要する費用の額の算定に関する基準については，厚生労働大臣が後期高齢者医療広域連合の意見を聴いて定めるものとする。

正解チェック欄	／	／	／

A　誤　都道府県は，医療費適正化基本方針に即して，「6年ごとに6年を1期として」，当該都道府県における医療費適正化を推進するための計画（以下本問において「都道府県医療費適正化計画」という）を定めるものとされている（高齢者医療確保法（以下本問において「法」とする）9条1項）。

社会保険科目 447p

B　正　本肢のとおりである（法9条8項）。なお，厚生労働大臣は，都道府県に対し，都道府県医療費適正化計画の作成の手法その他都道府県医療費適正化計画の作成上重要な技術的事項について必要な助言をすることができる（法10条）。

C　誤　偽りその他不正の行為によって後期高齢者医療給付を受けた者があるときは，「後期高齢者医療広域連合」は，その者からその後期高齢者医療給付の価額の全部又は一部を徴収することができる（法59条1項）。

D　誤　保険医療機関等は療養の給付に関し，保険医等は後期高齢者医療の診療又は調剤に関し，厚生労働大臣「又は都道府県知事の指導を受けなければならない」（法66条1項）。

E　誤　療養の給付の取扱い及び担当に関する基準並びに療養の給付に要する費用の額の算定に関する基準については，厚生労働大臣が「中央社会保険医療協議会」の意見を聴いて定めるものとされている（法71条1項）。

R元-8	高齢者医療確保法	重要度 A

問 6 高齢者医療確保法に関する次の記述のうち，正しいものはどれか。

A 後期高齢者医療広域連合は，生活療養標準負担額を定めた後に勘案又はしん酌すべき事項に係る事情が著しく変動したときは，速やかにその額を改定しなければならない。

B 厚生労働大臣は，指定訪問看護の事業の運営に関する基準（指定訪問看護の取扱いに関する部分に限る。）を定めようとするときは，あらかじめ後期高齢者医療審査会の意見を聴かなければならない。

C 指定訪問看護事業者及び当該指定に係る事業所の看護師その他の従業者は，指定訪問看護に関し，市町村長（特別区の区長を含む。）の指導を受けなければならない。

D 後期高齢者医療広域連合は，被保険者が療養の給付（保険外併用療養費に係る療養及び特別療養費に係る療養を含む。）を受けるため病院又は診療所に移送されたときは，当該被保険者に対し，移送費として，厚生労働省令で定めるところにより算定した額を支給する。この移送費は，厚生労働省令で定めるところにより，後期高齢者医療広域連合が必要であると認める場合に限り，支給するものとする。

E 後期高齢者医療広域連合は，被保険者の死亡に関しては，あらかじめ中央社会保険医療協議会の意見を聴いて，葬祭費の支給又は葬祭の給付を行うものとする。ただし，特別の理由があるときは，その全部又は一部を行わないことができる。

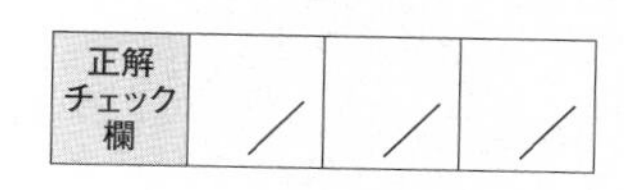

正解チェック欄	／	／	／

A 誤 「厚生労働大臣」は，生活療養標準負担額を定めた後に勘案又はしん酌すべき事項に係る事情が著しく変動したときは，速やかにその額を改定しなければならない（高齢者医療確保法（以下本問において「法」とする）75条3項）。

B 誤 本肢の場合，厚生労働大臣は，あらかじめ「中央社会保険医療協議会」の意見を聴かなければならない（法79条3項）。

C 誤 指定訪問看護事業者及び当該指定に係る事業所の看護師その他の従業者は，指定訪問看護に関し，「厚生労働大臣又は都道府県知事」の指導を受けなければならない（法80条）。

D 正 本肢のとおりである（法83条）。

E 誤 後期高齢者医療広域連合は，被保険者の死亡に関しては，「条例の定めるところにより」，葬祭費の支給又は葬祭の給付を行うものとする。ただし，特別の理由があるときは，その全部又は一部を行わないことができる（法86条1項）。

社会保険科目
451p

キリトリ線

R4-7	高齢者医療確保法	重要度 A

問 7　高齢者医療確保法に関する次の記述のうち，誤っているものはどれか。

A　後期高齢者医療広域連合（以下本問において「広域連合」という。）の区域内に住所を有する75歳以上の者及び広域連合の区域内に住所を有する65歳以上75歳未満の者であって，厚生労働省令で定めるところにより，政令で定める程度の障害の状態にある旨の当該広域連合の認定を受けたもののいずれかに該当する者は，広域連合が行う後期高齢者医療の被保険者とする。

B　被保険者は，厚生労働省令で定めるところにより，当該被保険者の資格の取得及び喪失に関する事項その他必要な事項を広域連合に届け出なければならないが，当該被保険者の属する世帯の世帯主は，当該被保険者に代わって届出をすることができない。

C　広域連合は，広域連合の条例の定めるところにより，傷病手当金の支給その他の後期高齢者医療給付を行うことができる。

D　市町村（特別区を含む。以下本問において同じ。）は，普通徴収の方法によって徴収する保険料の徴収の事務については，収入の確保及び被保険者の便益の増進に寄与すると認める場合に限り，地方自治法第243条の2第1項の規定により指定する者に委託することができる。

E　後期高齢者医療給付に関する処分（電子資格確認を受けることができない場合等の書面の交付又は電磁的方法による提供の求めに対する処分を含む。）又は保険料その他高齢者医療確保法第4章の規定による徴収金（市町村及び広域連合が徴収するものに限る。）に関する処分に不服がある者は，後期高齢者医療審査会に審査請求をすることができる。

社一

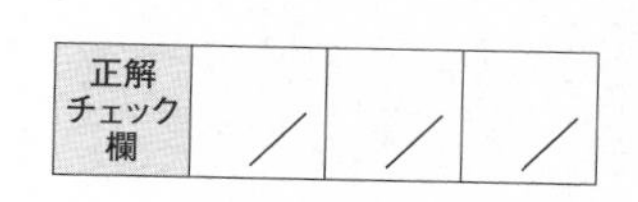

正解チェック欄	／	／	／

A 正 本肢のとおりである（高齢者医療確保法（本問において「法」とする）50条）。なお，本肢の規定にかかわらず，次の①又は②のいずれかに該当する者は，後期高齢者医療広域連合が行う後期高齢者医療の被保険者としない（法51条）。

①生活保護法による保護を受けている世帯（その保護を停止されている世帯を除く）に属する者

②上記①に掲げるもののほか，後期高齢者医療の適用除外とすべき特別の理由がある者で厚生労働省令で定めるもの

社会保険科目 449p

B 誤 被保険者の属する世帯の世帯主は，本肢の被保険者に代わって本肢の届出をすることが「できる」。その他の記述は正しい（法54条1項・2項）。

社会保険科目 450p

C 正 本肢のとおりである（法86条2項）。後期高齢者医療給付においては，本肢の傷病手当金は，条例の定めるところにより行うことができるいわゆる任意給付である。

社会保険科目 451p

D 正 本肢のとおりである（法114条）。なお，被保険者は，市町村がその者の保険料を普通徴収の方法によって徴収しようとする場合においては，当該保険料を納付しなければならない（同法108条1項）。

E 正 本肢のとおりである（法128条1項）。なお，本肢の審査請求は，時効の完成猶予及び更新に関しては，裁判上の請求とみなす（同条2項）。

社会保険科目 455~456p

R5-10

高齢者医療確保法

重要度 A

問 8 高齢者医療確保法に関する次の記述のうち，正しいものはどれか。

A 都道府県は，年度ごとに，保険者から，後期高齢者支援金及び後期高齢者関係事務費拠出金を徴収する。

B 都道府県は，医療費適正化基本方針に即して，6年ごとに，6年を1期として，当該都道府県における医療費適正化を推進するための計画を定めるものとする。

C 都道府県は，後期高齢者医療の事務（保険料の徴収の事務及び被保険者の便益の増進に寄与するものとして政令で定める事務を除く。）を処理するため，都道府県の区域ごとに当該区域内のすべての市町村が加入する広域連合（以下本問において「後期高齢者医療広域連合」という。）を設けるものとする。

D 市町村は，後期高齢者医療に要する費用に充てるため，保険料を徴収し，後期高齢者医療広域連合に対し納付する。市町村による保険料の徴収については，市町村が老齢等年金給付を受ける被保険者（政令で定める者を除く。）から老齢等年金給付の支払をする者に保険料を徴収させ，かつ，その徴収すべき保険料を納入させる普通徴収の方法による場合を除くほか，地方自治法の規定により納入の通知をすることによって保険料を徴収する特別徴収の方法によらなければならない。

E 都道府県は，被保険者の死亡に関しては，高齢者医療確保法の定めるところにより，葬祭費の支給又は葬祭の給付を行うものとする。ただし，特別の理由があるときは，その全部又は一部を行わないことができる。

社一

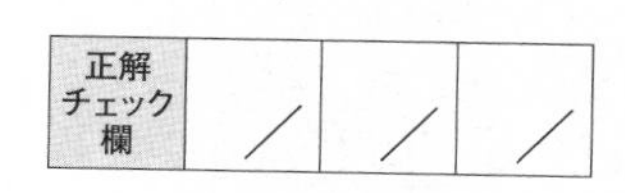

正解チェック欄	／	／	／

A　誤　「社会保険診療報酬支払基金」は，年度ごとに，保険者（国民健康保険にあっては，都道府県）から，後期高齢者支援金及び後期高齢者関係事務費拠出金を徴収する（高齢者医療確保法（以下本問において「法」とする）118条1項）。

B　正　本肢のとおりである（法9条1項）。

C　誤　「市町村」は，後期高齢者医療の事務（保険料の徴収の事務及び被保険者の便益の増進に寄与するものとして政令で定める事務を除く）を処理するため，都道府県の区域ごとに当該区域内のすべての市町村が加入する広域連合（後期高齢者医療広域連合）を設けるものとする（法48条）。

社会保険科目
448~449p

D　誤　市町村による保険料の徴収については，市町村が老齢等年金給付を受ける被保険者（政令で定める者を除く）から老齢等年金給付の支払をする者に保険料を徴収させ，かつ，その徴収すべき保険料を納入させる「特別徴収」の方法による場合を除くほか，地方自治法の規定により納入の通知をすることによって保険料を徴収する「普通徴収」の方法によらなければならない。本肢前段の記述は正しい（法104条1項，法105条，法107条1項）。

社会保険科目
452~453p

E　誤　後期高齢者医療広域連合は，被保険者の死亡に関しては，「条例」の定めるところにより，葬祭費の支給又は葬祭の給付を行うものとする。本肢ただし書は正しい（法86条1項）。

社会保険科目
451p

H27-7	介護保険法	重要度 A

問 9 介護保険法に関する次の記述のうち，正しいものはどれか。

A 市町村又は特別区（以下本問において「市町村」という。）は，介護保険事業の運営が健全かつ円滑に行われるよう保健医療サービス及び福祉サービスを提供する体制の確保に関する施策その他の必要な各般の措置を講じなければならない。

B 市町村は，介護保険法第38条第2項に規定する審査判定業務を行わせるため介護認定審査会を設置するが，市町村がこれを共同で設置することはできない。

C 市町村は，政令で定めるところにより，その一般会計において，介護給付及び予防給付に要する費用の額の100分の25に相当する額を負担する。

D 市町村は，政令で定めるところにより，その一般会計において，介護予防・日常生活支援総合事業に要する費用の額の100分の12.5に相当する額を負担する。

E 要介護認定を受けようとする被保険者は，厚生労働省令で定めるところにより，申請書に被保険者証を添付して市町村に申請をしなければならず，当該申請に関する手続を代行又は代理することができるのは社会保険労務士のみである。

正解チェック欄	／	／	／

社一

A 誤 「国」は，介護保険事業の運営が健全かつ円滑に行われるよう保健医療サービス及び福祉サービスを提供する体制の確保に関する施策その他の必要な各般の措置を講じなければならない（介護保険法（以下本問において「法」とする）5条1項）。

社会保険科目 459p

B 誤 市町村は，審査判定業務を行わせるため介護認定審査会を設置するが，市町村がこれを「共同で設置することもできる」（法14条，地方自治法252条の7第1項）。

C 誤 市町村は，政令で定めるところにより，その一般会計において，介護給付及び予防給付に要する費用の額の「100分の12.5」に相当する額を負担する（法124条1項）。

社会保険科目 467～468p

D 正 本肢のとおりである（法124条3項）。

社会保険科目 468p

E 誤 要介護認定の申請は，原則として，本人が行うべきものであるが，指定居宅介護支援事業者，地域密着型介護老人福祉施設若しくは一定の介護保険施設又は地域包括支援センターに，当該申請に関する手続を代わって行わせることもできる（法27条1項）。なお，社会保険労務士も業として当該申請の代行等をすることができ，社会保険労務士以外の者も，社会保険労務士法に抵触しない範囲（すなわち報酬を得て，業として当該申請の代行を行わない限り）で，当該申請の代行等をすることはできる。

キリトリ線

H29-7	介護保険法	重要度 A

問 10 介護保険法に関する次の記述のうち，誤っているものはどれか。

※**A** 介護認定審査会は，市町村又は特別区（以下本問において「市町村」という。）から要介護認定の審査及び判定を求められたときは，厚生労働大臣が定める基準に従い審査及び判定を行い，その結果を市町村に通知するものとされている。

B 要介護認定の申請に対する処分は，当該申請に係る被保険者の心身の状況の調査に日時を要する等特別な理由がある場合を除き，当該申請のあった日から30日以内にしなければならない。

C 要介護認定は，要介護状態区分に応じて厚生労働省令で定める期間（以下本問において「有効期間」という。）内に限り，その効力を有する。要介護認定を受けた被保険者は，有効期間の満了後においても要介護状態に該当すると見込まれるときは，厚生労働省令で定めるところにより，市町村に対し，当該要介護認定の更新の申請をすることができる。

D 介護保険法による保険給付には，被保険者の要介護状態に関する保険給付である「介護給付」及び被保険者の要支援状態に関する保険給付である「予防給付」のほかに，要介護状態等の軽減又は悪化の防止に資する保険給付として条例で定める「市町村特別給付」がある。

E 第2号被保険者は，医療保険加入者でなくなった日以後も，医療保険者に申し出ることにより第2号被保険者の資格を継続することができる。

社一

キリトリ線

正解チェック欄	／	／	／

A　正　本肢のとおりである（介護保険法（以下本問において「法」とする）27条5項）。なお，市町村は，本肢の規定により通知された介護認定審査会の審査及び判定の結果に基づき，要介護認定をしたときは，その結果を当該要介護認定に係る被保険者に通知しなければならない（同条7項）。

B　正　本肢のとおりである（法27条11項）。なお，本肢の申請に係る被保険者の心身の状況の調査に日時を要する等特別な理由がある場合は，当該申請のあった日から30日以内に，当該被保険者に対し，当該申請に対する処分をするためになお要する期間（「処理見込期間」という）及びその理由を通知し，これを延期することができる（同条ただし書）。

C　正　本肢のとおりである（法28条1項・2項）。なお，本肢の申請をすることができる被保険者が，災害その他やむを得ない理由により当該申請に係る要介護認定の有効期間の満了前に当該申請をすることができなかったときは，当該被保険者は，その理由がやんだ日から1月以内に限り，要介護更新認定の申請をすることができる（同条3項）。

社会保険科目 463p

D　正　本肢のとおりである（法18条）。なお，介護給付を受けようとする被保険者は，要介護者に該当すること及びその該当する要介護状態区分について，市町村の認定（要介護認定）を受けなければならず，予防給付を受けようとする被保険者は，要支援者に該当すること及びその該当する要支援状態区分について，市町村の認定（要支援認定）を受けなければならない（同法19条）。

社会保険科目 461p

E　誤　第2号被保険者は，医療保険加入者でなくなった日から，その資格を喪失するものとされており，本肢のような「例外規定は設けられていない」（法11条2項）。

キリトリ線

R元-7	介護保険法	重要度 A

問 11 介護保険法に関する次の記述のうち，誤っているものはどれか。

A 要介護認定は，その申請のあった日にさかのぼってその効力を生ずる。

B 厚生労働大臣又は都道府県知事は，必要があると認めるときは，介護給付等（居宅介護住宅改修費の支給及び介護予防住宅改修費の支給を除く。）を受けた被保険者又は被保険者であった者に対し，当該介護給付等に係る居宅サービス等の内容に関し，報告を命じ，又は当該職員に質問させることができる。

C 居宅介護住宅改修費は，厚生労働省令で定めるところにより，市町村（特別区を含む。以下本問において同じ。）が必要と認める場合に限り，支給するものとする。居宅介護住宅改修費の額は，現に住宅改修に要した費用の額の100分の75に相当する額とする。

D 市町村は，地域支援事業の利用者に対し，厚生労働省令で定めるところにより，利用料を請求することができる。

E 市町村は，基本指針に即して，3年を1期とする当該市町村が行う介護保険事業に係る保険給付の円滑な実施に関する計画を定めるものとする。

社一

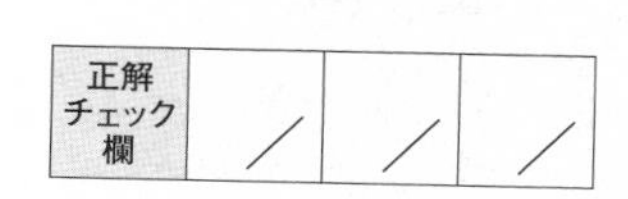

A 正 本肢のとおりである（介護保険法（以下本問において「法」とする）27条8項)。なお，要介護認定を受けた被保険者は，有効期間の満了後においても要介護状態に該当すると見込まれるときは，厚生労働省令で定めるところにより，市町村に対し，当該要介護認定の更新の申請をすることができる（法28条2項)。

社会保険科目 463p

B 正 本肢のとおりである（法24条2項)。なお，本肢の質問を行う場合においては，当該職員は，その身分を示す証明書を携帯し，かつ，関係人の請求があるときは，これを提示しなければならない（同条3項)。

C 誤 居宅介護住宅改修費の額は，原則として，現に住宅改修に要した費用の額の「100分の90」に相当する額である（法45条2項・3項)。本肢前段の記述は正しい。なお，第1号被保険者である要介護被保険者が次の①又は②である場合には，本肢解説の「100分の90」とあるのは，それぞれ①又は②となる（法49条の2)。

①一定以上所得者（下記②を除く）である場合は「100分の80」

②上記①のうち特に所得の高い者の場合は「100分の70」

社会保険科目 464~465p

D 正 本肢のとおりである（法115条の45第10項)。なお，地域支援事業は，当該市町村における介護予防に関する事業の実施状況，介護保険の運営の状況，75歳以上の被保険者の数その他の状況を勘案して政令で定める額の範囲内で行うものとする（同条4項)。

E 正 本肢のとおりである（法117条1項)。

社会保険科目 467p

R3-8	介護保険法	重要度 A

問 12 介護保険法に関する次の記述のうち，正しいものはどれか。

A 市町村（特別区を含む。以下本問において同じ。）は，第2号被保険者から保険料を普通徴収の方法によって徴収する。

B 介護認定審査会は，市町村に置かれ，介護認定審査会の委員は，介護保険法第7条第5項に規定する介護支援専門員から任命される。

C 配偶者（婚姻の届出をしていないが，事実上婚姻関係と同様の事情にある者を含む。）の一方は，市町村が第1号被保険者である他方の保険料を普通徴収の方法によって徴収しようとする場合において，当該保険料を連帯して納付する義務を負うものではない。

D 介護保険審査会は，各都道府県に置かれ，保険給付に関する処分に対する審査請求は，当該処分をした市町村をその区域に含む都道府県の介護保険審査会に対してしなければならない。

E 介護保険法第28条第2項の規定による要介護更新認定の申請をすることができる被保険者が，災害その他やむを得ない理由により当該申請に係る要介護認定の有効期間の満了前に当該申請をすることができなかったときは，当該被保険者は，その理由のやんだ日から14日以内に限り，要介護更新認定の申請をすることができる。

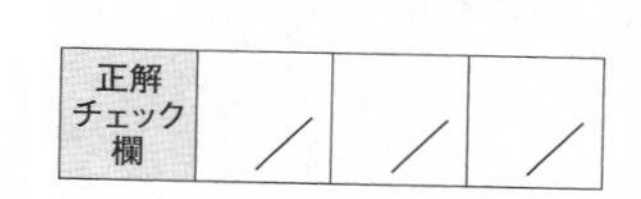

A　誤　「市町村（特別区を含む。以下本問において同じ）は，第2号被保険者からは保険料を徴収しない」。第2号被保険者の保険料については，各医療保険の保険料の一部として賦課・徴収されたものが，社会保険診療報酬支払基金を介して，介護給付費交付金及び地域支援事業支援交付金として，各市町村に設けられた介護保険特別会計に対して交付される仕組みとなっている（法129条4項，法125条ほか）。なお，市町村が徴収する第1号被保険者に係る保険料の徴収方法は，特別徴収の方法による場合のほか，普通徴収の方法によらなければならない（介護保険法（以下本問において「法」とする）131条ほか）。

社会保険科目 469p

B　誤　介護認定審査会は，市町村に置かれ，その委員は，「要介護者等の保健，医療又は福祉に関する学識経験を有する者のうちから」，市町村長（特別区にあっては，区長）が任命する（法14条，法15条2項）。

C　誤　配偶者（婚姻の届出をしていないが，事実上婚姻関係と同様の事情にある者を含む）の一方は，市町村が第1号被保険者たる他方の保険料を普通徴収の方法によって徴収しようとする場合において，当該保険料を連帯して納付する「義務を負う」（法132条3項）。

D　正　本肢のとおりである（法183条1項，法184条ほか）。

社会保険科目 470p

E　誤　本肢の要介護更新認定の申請は，その理由がやんだ日から「1月以内」に限り，することができる。その他の記述は正しい（法28条3項）。

キリトリ線

R5-8	介護保険法	重要度 A

問 13 介護保険法に関する次の記述のうち，正しいものはどれか。

A 都道府県及び市町村（特別区を含む。以下本問において同じ。）は，介護保険法の定めるところにより，介護保険を行うものとする。

B 「介護保険施設」とは，指定介護老人福祉施設（都道府県知事が指定する介護老人福祉施設），介護専用型特定施設及び介護医療院をいう。

C 要介護認定は，市町村が当該認定をした日からその効力を生ずる。

D 要介護認定を受けた被保険者は，その介護の必要の程度が現に受けている要介護認定に係る要介護状態区分以外の要介護状態区分に該当すると認めるときは，厚生労働省令で定めるところにより，市町村に対し，要介護状態区分の変更の認定の申請をすることができる。

E 保険給付に関する処分（被保険者証の交付の請求に関する処分及び要介護認定又は要支援認定に関する処分を含む。）に不服がある者は，介護保険審査会に審査請求をすることができる。介護保険審査会の決定に不服がある者は，社会保険審査会に対して再審査請求をすることができる。

社一

正解チェック欄	／	／	／

A 誤 「市町村及び特別区」は，介護保険法の定めるところにより，介護保険を行うものとする（介護保険法（以下本問において「法」とする）3条1項）。

社会保険科目 458p

B 誤 「介護保険施設」とは，指定介護老人福祉施設，「介護老人保健施設」及び介護医療院をいう（法8条25項）。

C 誤 要介護認定は，その「申請のあった日にさかのぼって」その効力を生ずる（法27条8項）。

社会保険科目 463p

D 正 本肢のとおりである（法29条1項）。

E 誤 本肢後段のような規定はない。介護保険審査会の裁決に不服がある場合であっても，社会保険審査会に対して再審査請求をすることはできない。本肢前段の記述は正しい（法183条1項）。

社会保険科目 470p

H28-7	船員保険法	重要度 B

問 14 船員保険法に関する次の記述のうち，誤っているものはどれか。

A 被保険者又は被保険者であった者の給付対象傷病に関しては，療養の給付を行なうが，自宅以外の場所における療養に必要な宿泊及び食事の支給も当該療養の給付に含まれる。

B 傷病手当金の支給期間は，同一の疾病又は負傷及びこれにより発した疾病に関しては，その支給を始めた日から通算してして1年6か月間とする。

C 出産手当金の支給期間は，出産の日以前において妊娠中のため職務に服さなかった期間及び出産の日後56日以内において職務に服さなかった期間である。

D 休業手当金は，被保険者又は被保険者であった者が職務上の事由又は通勤による疾病又は負傷及びこれにより発した疾病につき療養のため労働することができないために報酬を受けない日について支給され，当該報酬を受けない最初の日から支給の対象となる。

E 被保険者が職務上の事由により行方不明となったときは，その期間，被扶養者に対し，行方不明手当金を支給する。ただし，行方不明の期間が1か月未満であるときは，この限りでない。また，被保険者の行方不明の期間に係る報酬が支払われる場合においては，その報酬の額の限度において行方不明手当金を支給しない。

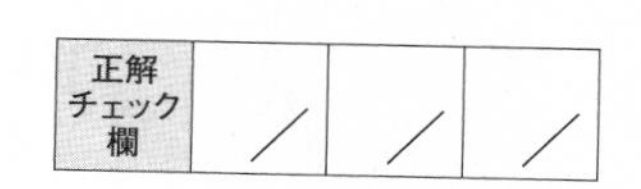

A　正　本肢のとおりである（船員保険法（以下本問において「法」とする）53条1項6号）。なお，本肢後段の宿泊及び食事の支給は，船員保険独自の給付で，職務外の事由による傷病のほか，職務上の事由及び通勤による傷病についても支給される（同条4項）。

社会保険科目
474p

B　誤　傷病手当金の支給期間は，同一の疾病又は負傷及びこれにより発した疾病に関しては，その支給を始めた日から通算して「3年」間とされている（法69条5項）。

社会保険科目
475p

C　正　本肢のとおりである（法74条1項）。被保険者又は被保険者であった者が出産したときは，出産の日以前（妊娠が判明した日から）及び出産の日後56日以内において職務に服さなかった期間，出産手当金が支給される。なお，出産手当金の額は，原則として，1日につき，出産手当金の支給を始める日（被保険者であった者にあっては，その資格を喪失した日）の属する月以前の直近の継続した12月間の各月の標準報酬月額を平均した額の30分の1に相当する額の3分の2に相当する金額とされる（同条3項）。

社会保険科目
475p

D　正　本肢のとおりである（法85条1項・2項）。

社会保険科目
475p

E　正　本肢のとおりである（法93条，法96条）。

社会保険科目
476p

H30-8 **船員保険法** 重要度 **B**

問 15 船員保険法に関する次の記述のうち，正しいものはどれか。

A 船員保険法第２条第２項に規定する疾病任意継続被保険者となるための申出は，被保険者の資格を喪失した日から20日以内にしなければならないとされている。ただし，全国健康保険協会（以下本問において「協会」という。）は，正当な理由があると認めるときは，この期間を経過した後の申出であっても，受理することができるとされている。

B 標準報酬月額は，被保険者の報酬月額に基づき，第１級から第31級までの等級区分に応じた額によって定めることとされている。

C 一般保険料率は，疾病保険料率，災害保健福祉保険料率及び介護保険料率を合算して得た率とされている。ただし，後期高齢者医療の被保険者等である被保険者及び独立行政法人等職員被保険者にあっては，一般保険料率は，災害保健福祉保険料率のみとされている。

D 疾病保険料率は，1000分の10から1000分の35までの範囲内において，協会が決定するものとされている。

E 災害保健福祉保険料率は，1000分の40から1000分の130までの範囲内において，協会が決定するものとされている。

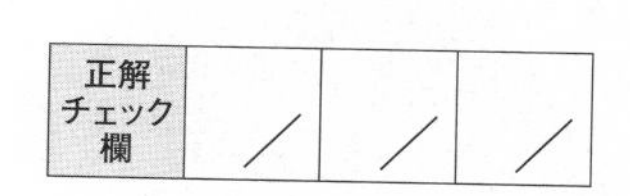

A　正　本肢のとおりである（船員保険法（以下本問において「法」とする）13条1項）。

社会保険科目 473p

B　誤　標準報酬月額は，被保険者の報酬月額に基づき，第1級（5万8千円）から「第50級（139万円）」までの等級区分に応じた額によって定めることとされている（法16条1項）。

C　誤　一般保険料率は，「疾病保険料率と災害保健福祉保険料率とを合計して得た率」とされており，一般保険料率には「介護保険料率は含まれていない」。その他の記述は正しい（法120条）。

社会保険科目 476p

D　誤　疾病保険料率は，1,000分の「40」から1,000分の「130」までの範囲内において，全国健康保険協会が決定するものとされている（法121条1項）。

社会保険科目 476p

E　誤　災害保健福祉保険料率は，1,000分の「10」から1,000分の「35」までの範囲内において，全国健康保険協会が決定するものとされている（法122条1項）。

社会保険科目 476p

キリトリ線

R2-7	船員保険法	重要度 A

問 16 船員保険法に関する次の記述のうち，誤っているものはどれか。

A　育児休業等をしている被保険者（産前産後休業による保険料免除の適用を受けている被保険者を除く。）を使用する船舶所有者が，厚生労働省令で定めるところにより厚生労働大臣に申出をしたときは，その育児休業等を開始した日の属する月とその育児休業等が終了する日の翌日が属する月とが異なる場合，その育児休業等を開始した日の属する月からその育児休業等が終了する日の翌日の属する月の前月までの期間，当該被保険者に関する保険料は徴収されない。

B　遺族年金を受けることができる遺族の範囲は，被保険者又は被保険者であった者の配偶者（婚姻の届出をしていないが，事実上婚姻関係と同様の事情にある者を含む。），子，父母，孫，祖父母及び兄弟姉妹であって，被保険者又は被保険者であった者の死亡の当時その収入によって生計を維持していたものである。なお，年齢に関する要件など所定の要件は満たしているものとする。

C　被保険者又は被保険者であった者が被保険者の資格を喪失する前に発した職務外の事由による疾病又は負傷及びこれにより発した疾病につき療養のため職務に服することができないときは，その職務に服することができなくなった日から起算して3日を経過した日から職務に服することができない期間，傷病手当金を支給する。

D　障害年金及び遺族年金の支給は，支給すべき事由が生じた月の翌月から始め，支給を受ける権利が消滅した月で終わるものとする。

E　被保険者が職務上の事由により行方不明となったときは，その期間，被扶養者に対し，行方不明手当金を支給する。ただし，行方不明の期間が1か月未満であるときは，この限りでない。

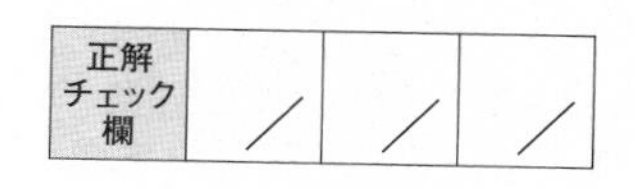

正解チェック欄	／	／	／

A 正 本肢のとおりである（船員保険法（以下本問において「法」とする）118条）。

B 正 本肢のとおりである（法35条1項）。なお，遺族年金を受けるべき遺族の順位は，本肢の配偶者，子，父母，孫，祖父母及び兄弟姉妹の順序とする（同条3項）。

C 誤 船員保険法における傷病手当金は，「待期期間が必要とされない」。したがって，傷病手当金は，第1日目から傷病手当金が支給される（法69条1項）。

社会保険科目 475p

D 正 本肢のとおりである（法41条1項）。なお，障害年金及び遺族年金は，毎年2月，4月，6月，8月，10月及び12月の6期に，それぞれの前月分までを支払う。ただし，支給を受ける権利が消滅した場合におけるその期の年金は，支払期月でない月であっても，支払うものとする（同条3項）。

E 正 本肢のとおりである（法93条）。なお，行方不明手当金を受けることができる被扶養者の範囲は，被保険者が行方不明となった当時主としてその収入によって生計を維持していた①被保険者の配偶者，子，父母，孫及び祖父母，②被保険者の三親等内の親族であってその被保険者と同一の世帯に属するもの，③被保険者の配偶者で婚姻の届出をしていないが事実上婚姻関係と同様の事情にあるものの子及び父母であってその被保険者と同一の世帯に属するものとされている（同法34条1項）。

社会保険科目 476p

キリトリ線

R5-7	船員保険法	重要度 A

問 17 船員保険法に関する次の記述のうち，誤っているものはどれか。

A 被保険者（疾病任意継続被保険者を除く。）は，船員として船舶所有者に使用されるに至った日から，被保険者の資格を取得する。

B 船舶所有者は，厚生労働省令で定めるところにより，被保険者の資格の取得及び喪失並びに報酬月額及び賞与額に関する事項を厚生労働大臣に届け出なければならない。

C 被保険者であった者（後期高齢者医療の被保険者等である者を除く。）がその資格を喪失した日後に出産したことにより船員保険法第73条第1項の規定による出産育児一時金の支給を受けるには，被保険者であった者がその資格を喪失した日より6か月以内に出産したこと及び被保険者であった期間が支給要件期間であることを要する。

D 行方不明手当金の支給を受ける期間は，被保険者が行方不明となった日の翌日から起算して2か月を限度とする。

E 厚生労働大臣は，船員保険事業に要する費用（前期高齢者納付金等及び後期高齢者支援金等，介護納付金並びに流行初期医療確保拠出金等の納付に要する費用を含む。）に充てるため，保険料（疾病任意継続被保険者に関する保険料を除く。）を徴収する。

社一

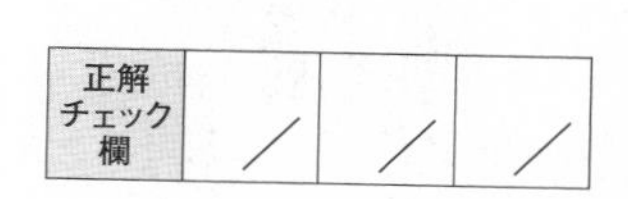

正解チェック欄	／	／	／

A 正 本肢のとおりである（船員保険法（以下本問において「法」とする）11条)。なお，本肢の被保険者は，死亡した日又は船員として船舶所有者に使用されなくなるに至った日の翌日（その事実があった日に更に被保険者の資格を取得するに至ったときは，その日）から，被保険者の資格を喪失する（法12条)。

社会保険科目 473p

B 正 本肢のとおりである（法24条)。なお，厚生労働大臣は，本肢の規定による届出があった場合において，その届出に係る事実がないと認めるときは，その旨をその届出をした船舶所有者に通知しなければならない（法26条１項)。

C 正 本肢のとおりである（法73条２項)。なお，被保険者又は被保険者であった者（後期高齢者医療の被保険者等である者を除く）が出産したときは，出産育児一時金として，政令で定める金額を支給する（同条１項)。

D 誤 行方不明手当金の支給を受ける期間は，被保険者が行方不明となった日の翌日から起算して「３か月」を限度とする（法95条)。

社会保険科目 476p

E 正 本肢のとおりである（法114条)。なお，疾病任意継続被保険者に関する保険料は，全国健康保険協会が徴収する。

キリトリ線

R2-8	児童手当法	重要度 A

問 18 児童手当法に関する次の記述のうち，誤っているものはどれか。

A 「児童」とは，18歳に達する日以後の最初の3月31日までの間にある者であって，日本国内に住所を有するもの又は留学その他の内閣府令で定める理由により日本国内に住所を有しないものをいう。

B 児童手当は，毎年1月，5月及び9月の3期に，それぞれの前月までの分を支払う。ただし，前支払期月に支払うべきであった児童手当又は支給すべき事由が消滅した場合におけるその期の児童手当は，その支払期月でない月であっても，支払うものとする。

C 児童手当の支給を受けている者につき，児童手当の額が増額することとなるに至った場合における児童手当の額の改定は，その者がその改定後の額につき認定の請求をした日の属する月の翌月から行う。

D 児童手当の一般受給資格者が死亡した場合において，その死亡した者に支払うべき児童手当（その者が監護していた児童であった者に係る部分に限る。）で，まだその者に支払っていなかったものがあるときは，当該児童であった者にその未支払の児童手当を支払うことができる。

E 偽りその他不正の手段により児童手当の支給を受けた者は，3年以下の懲役又は30万円以下の罰金に処する。ただし，刑法に正条があるときは，刑法による。

社一

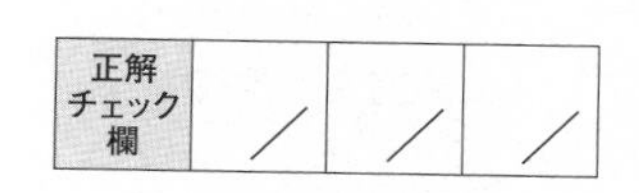

正解チェック欄	／	／	／

A 正 本肢のとおりである（児童手当法（以下本問において「法」とする）3条1項）。

社会保険科目 479p

B 誤 児童手当は，毎年「2月，4月，6月，8月，10月及び12月の6期」に，それぞれの前月までの分を支払うものとされている。本肢後段の記述は正しい（法8条4項）。

社会保険科目 481p

C 正 本肢のとおりである（法9条1項）。なお，児童手当の支給を受けている者が住所を変更した場合又は災害その他やむを得ない理由により，本肢の改定の請求をすることができなかった場合において，住所を変更した後又はやむを得ない理由がやんだ後15日以内にその請求をしたときは，児童手当の額の改定は，本肢の規定にかかわらず，児童手当の支給を受けている者が住所を変更した日又はやむを得ない理由により当該改定の請求をすることができなくなった日の属する月の翌月から行なう（法8条3項，法9条2項）。

社会保険科目 481～482p

D 正 本肢のとおりである（法12条1項）。なお，児童手当を支給すべきでないにもかかわらず，児童手当の支給としての支払が行われたときは，その支払われた児童手当は，その後に支払うべき児童手当の内払とみなすことができる（法13条）。

社会保険科目 482p

E 正 本肢のとおりである（法31条）。

H28-8	確定給付企業年金法	重要度 A

問 19 確定給付企業年金法に関する次の記述のうち，正しいものはどれか。

A 加入者である期間を計算する場合には，原則として月によるものとし，加入者の資格を取得した月から加入者の資格を喪失した月の前月までをこれに算入する。ただし，規約で別段の定めをすることができる。

B 確定給付企業年金法における「厚生年金保険の被保険者」には，厚生年金保険法に規定する第4号厚生年金被保険者は含まれない。

C 企業年金基金の設立については，厚生労働大臣の許可を受けなければならない。

D 事業主は，給付に関する事業に要する費用に充てるため，規約で定めるところにより，毎月，翌月末までに掛金を拠出しなければならない。

E 事業主等は企業年金連合会（以下「連合会」という。）を設立することができる。連合会は，都道府県単位で，又は複数の都道府県が共同で設立することができる。

正解チェック欄	／	／	／

A　正　本肢のとおりである（確定給付企業年金法（以下本問において「法」とする）28条）。

B　誤　確定給付企業年金法における「厚生年金保険の被保険者」とは，厚生年金保険法の被保険者（厚生年金保険法に規定する第1号厚生年金被保険者又は第4号厚生年金被保険者に限る）をいい，第4号厚生年金被保険者が「含まれる」（法2条3項）。

社会保険科目 487p

C　誤　企業年金基金の設立については，厚生労働大臣の「認可」を受けなければならない（法3条1項）。なお，厚生年金適用事業所の事業主が確定給付企業年金を実施しようとするときは，確定給付企業年金を実施しようとする厚生年金適用事業所に使用される厚生年金保険の被保険者の過半数で組織する労働組合（当該労働組合がないときは当該厚生年金保険の被保険者の過半数を代表する者）の同意を得て，確定給付企業年金に係る規約を作成しなければならず，かつ，基金型企業年金の場合は企業年金基金の設立についての厚生労働大臣の認可，規約型企業年金の場合は作成した規約についての厚生労働大臣の承認を受けなければならない。

社会保険科目 489p

D　誤　事業主は，給付に関する事業に要する費用に充てるため，規約で定めるところにより，「年1回以上，定期的に」掛金を拠出しなければならない（法55条）。

社会保険科目 490p

E　誤　事業主等は，確定給付企業年金の中途脱退者及び終了制度加入者等に係る老齢給付金の支給を共同して行うとともに，一定の場合における積立金の移換を円滑に行うため，企業年金連合会を設立することができるが，企業年金連合会は，「全国を通じて1個」とされる（法91条の2）。

社会保険科目 492p

R2-6	確定給付企業年金法	重要度 B

問 20 確定給付企業年金法に関する次の記述のうち，正しいものはどれか。

A 加入者である期間を計算する場合には，月によるものとし，加入者の資格を取得した月から加入者の資格を喪失した月までをこれに算入する。ただし，規約で別段の定めをした場合にあっては，この限りでない。

B 加入者は，政令で定める基準に従い規約で定めるところにより，事業主が拠出すべき掛金の全部を負担することができる。

C 年金給付の支給期間及び支払期月は，政令で定める基準に従い規約で定めるところによる。ただし，終身又は10年以上にわたり，毎年1回以上定期的に支給するものでなければならない。

D 老齢給付金の受給権者が，障害給付金を支給されたときは，確定給付企業年金法第36条第1項の規定にかかわらず，政令で定める基準に従い規約で定めるところにより，老齢給付金の額の全部又は一部につき，その支給を停止することができる。

E 老齢給付金の受給権は，老齢給付金の受給権者が死亡したとき又は老齢給付金の支給期間が終了したときにのみ，消滅する。

社一

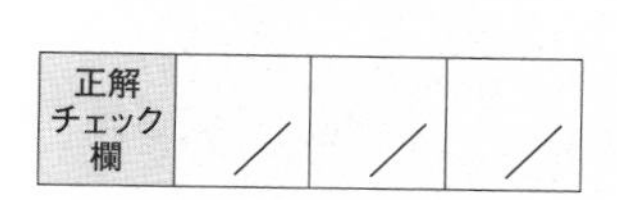

正解チェック欄	／	／	／

A 誤 加入者である期間を計算する場合には，月によるものとし，加入者の資格を取得した月から加入者の資格を喪失した月の「前月」までをこれに算入する。本肢後段の記述は正しい（確定給付企業年金法（以下本問において「法」とする）28条1項）。

B 誤 加入者は，政令で定める基準に従い規約で定めるところにより，事業主が拠出すべき掛金の「一部」を負担することができる（法55条2項）。

社会保険科目 490p

C 誤 年金給付の支給期間及び支払期月は，政令で定める基準に従い規約で定めるところによる。ただし，終身又は「5年以上」にわたり，毎年1回以上定期的に支給するものでなければならない（法33条）。

社会保険科目 490p

D 正 本肢のとおりである（法39条）。

E 誤 老齢給付金の受給権は，次のいずれかに該当することとなったときは，消滅する（法40条）。

①老齢給付金の受給権者が死亡したとき。
②老齢給付金の支給期間が終了したとき。
③「老齢給付金の全部を一時金として支給されたとき。」

キリトリ線

R4-6	確定給付企業年金法	重要度 A

問 21 確定給付企業年金法に関する次の記述のうち，正しいものはどれか。

A 確定給付企業年金法第16条の規定によると，企業年金基金（以下本問において「基金」という。）は，規約の変更（厚生労働省令で定める軽微な変更を除く。）をしようとするときは，その変更について厚生労働大臣の同意を得なければならないとされている。

B 事業主（基金を設立して実施する確定給付企業年金を実施する場合にあっては，基金。以下本問において「事業主等」という。）は，障害給付金の給付を行わなければならない。

C 掛金の額は，給付に要する費用の額の予想額及び予定運用収入の額に照らし，厚生労働省令で定めるところにより，将来にわたって財政の均衡を保つことができるように計算されるものでなければならない。この基準にしたがって，事業主等は，少なくとも6年ごとに掛金の額を再計算しなければならない。

D 企業年金連合会（以下本問において「連合会」という。）を設立するには，その会員となろうとする10以上の事業主等が発起人とならなければならない。

E 連合会は，毎事業年度終了後6か月以内に，厚生労働省令で定めるところにより，その業務についての報告書を作成し，厚生労働大臣に提出しなければならない。

社一

正解チェック欄	／	／	／

A 誤 企業年金基金は，規約の変更（厚生労働省令で定める軽微な変更を除く）をしようとするときは，その変更について厚生労働大臣の「認可を受けなければならない」（確定給付企業年金法（本問において「法」とする）16条1項）。

B 誤 確定給付企業年金においては，障害給付金はいわゆる「任意給付」であり，事業主等は，規約で定めるところにより，「障害給付金の給付を行うことができる」（法29条2項）。なお，確定給付企業年金においては，いわゆる法定給付は，老齢給付金及び脱退一時金であり，いわゆる任意給付は，障害給付金及び遺族給付金である（同条1項・2項）。

社会保険科目 490p

C 誤 本肢の場合，事業主等は，少なくとも「5年ごとに」，本肢前段の基準に従って掛金の額を再計算しなければならない。本肢前段の記述は正しい（法57条，法58条1項）。

社会保険科目 491p

D 誤 企業年金連合会を設立するには，その会員となろうとする「20以上」の事業主等が発起人とならなければならない（法91条の5）。

E 正 本肢のとおりである（法100条の2第1項）。

キリトリ線

R6-6	確定給付企業年金法	重要度 C

問 22 確定給付企業年金法に関する次の記述のうち，正しいものはどれか。

A 企業年金基金（以下本問において「基金」という。）は，分割しようとするときは，厚生労働大臣の認可を受けなければならない。また，基金の分割は，実施事業所の一部について行うことができる。

B 確定給付企業年金法第78条第1項によると，事業主等がその実施事業所を増加させ，又は減少させようとするときは，その増加又は減少に係る厚生年金適用事業所の事業主の過半数の同意及び労働組合等の同意を得なければならない。

C 基金は，代議員会において代議員の定数の3分の2以上の多数により議決したとき，又は基金の事業の継続が不可能となったときは，厚生労働大臣の認可を受けて，解散することができる。

D 確定給付企業年金を実施する厚生年金適用事業所の事業主は，厚生労働大臣の認可を受けて，その実施する確定給付企業年金の清算人になることができる。

E 確定給付企業年金法第89条第6項によると，終了した確定給付企業年金の残余財産（政令で定めるものを除く。）は，政令で定める基準に従い規約で定めるところにより，その終了した日において当該確定給付企業年金を実施する事業主等が給付の支給に関する義務を負っていた者に分配しなければならない。

社一

正解チェック欄	／	／	／

A 誤 企業年金基金の分割は，実施事業所の一部について「行うことはできない」。本肢前段の記述は正しい（確定給付企業年金法（以下本問において「法」とする）77条2項）。

B 誤 事業主等がその実施事業所を増加させ，又は減少させようとするときは，その増加又は減少に係る厚生年金適用事業所の事業主の「全部」の同意及び労働組合等の同意を得なければならない（法78条1項）。

C 誤 企業年金基金は，代議員会において代議員の定数の「4分の3以上」の多数により議決したとき，又は企業年金基金の事業の継続が不可能となったときは，厚生労働大臣の認可を受けて，解散することができる（法85条1項）。

D 誤 事業主その他政令で定める者は，その実施する確定給付企業年金の「清算人になることができない」（法89条3項）。

E 正 本肢のとおりである（法89条6項）。

キリトリ線

H27-8	確定拠出年金法	重要度 A

問 23 確定拠出年金法に関する次の記述のうち，誤っているものはどれか。

A 「個人型年金」とは，国民年金基金連合会が，確定拠出年金法第３章の規定に基づいて実施する年金制度をいう。

B 「個人型年金加入者」とは，個人型年金において，掛金を拠出し，かつ，その個人別管理資産について運用の指図を行う者をいう。

C 第２号加入者である個人型年金加入者の拠出限度額は，月額25,000円である。

D 企業型年金加入者の拠出限度額について，他制度加入者でない者の拠出限度額は，企業型年金加入者期間（他の企業型年金の企業型年金加入者の資格に係る期間を除く）の計算の基礎となる期間の各月につき，月額55,000円である。

E 企業型年金の企業型年金加入者であった者（当該企業型年金に個人別管理資産がある者に限る。）が国民年金基金連合会に対し，その個人別管理資産の移換の申出をした場合であって，当該移換の申出と同時に確定拠出年金法第62条第１項の規定による個人型年金への加入の申出をしたときは，当該企業型年金の資産管理機関は，当該申出をした者の個人別管理資産を国民年金基金連合会に移換するものとする。

社一

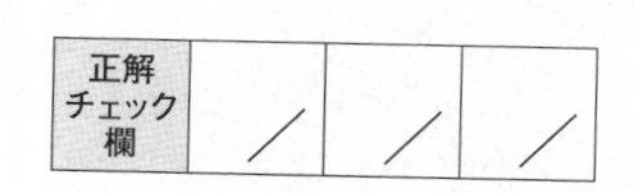

正解チェック欄	／	／	／

A 正 本肢のとおりである（確定拠出年金法（以下本問において「法」とする）2条3項）。この法律において「確定拠出年金」とは，企業型年金及び個人型年金をいい，「企業型年金」とは，厚生年金適用事業所の事業主が，単独で又は共同して，この法律に基づいて実施する年金制度をいう（法2条1項・2項）。

社会保険科目 493p

B 正 本肢のとおりである（法2条10項）。なお，確定拠出年金法において「企業型年金加入者」とは，企業型年金において，その者について，企業型年金を実施する厚生年金適用事業所の事業主により掛金が拠出され，かつ，その個人別管理資産について運用の指図を行う者をいう（同条8項）。

社会保険科目 494p

C 誤 第2号加入者である個人型年金加入に係る拠出限度額は，「一律に同じ額ではなく，企業型年金加入者であるか否か及び他制度加入者であるか否かなどにより異なる額」とされおり，いずれにしても，「月額25,000円ではない」（確定拠出年金法施行令36条2号）。

社会保険科目 502～503p

D 正 本肢のとおりである（確定拠出年金法施行令11条1号）。

社会保険科目 498～499p

E 正 本肢のとおりである（法82条1項）。

R3-6

確定拠出年金法

重要度 A

問 24

確定拠出年金法に関する次の記述のうち，誤っているものはどれか。

A　企業型年金加入者の資格を取得した月にその資格を喪失した者は，その資格を取得した月のみ，企業型年金加入者となる。

B　企業型年金において，事業主は，政令で定めるところにより，年1回以上，定期的に掛金を拠出する。

C　企業型年金加入者掛金の額は，企業型年金規約で定めるところにより，企業型年金加入者が決定し，又は変更する。

D　国民年金法第7条第1項第3号に規定する第3号被保険者は，厚生労働省令で定めるところにより，国民年金基金連合会に申し出て，個人型年金加入者となることができる。

E　個人型年金加入者期間を計算する場合には，個人型年金加入者の資格を喪失した後，さらにその資格を取得した者については，前後の個人型年金加入者期間を合算する。

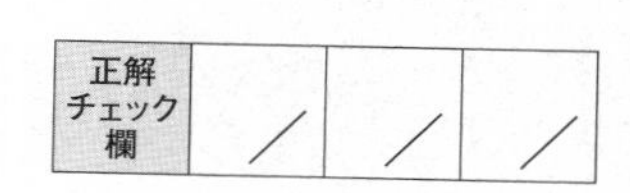

正解チェック欄	／	／	／

A 誤 企業型年金加入者の資格を取得した月にその資格を喪失した者は,「その資格を取得した月にさかのぼって,企業型年金加入者でなかったものとみなされる」(確定拠出年金法(以下本問において「法」とする)12条)。

B 正 本肢のとおりである(法19条1項)。なお,事業主掛金の額は,企業型年金規約で定めるものとする。ただし,簡易企業型年金に係る事業主掛金の額については,政令で定める基準に従い企業型年金規約で定める額とする(同条2項)。

社会保険科目 498p

C 正 本肢のとおりである(法19条4項)。なお,企業型年金加入者は,政令で定める基準に従い,企業型年金規約で定めるところにより,年1回以上,定期的に自ら掛金を拠出することができる(同条3項)。

社会保険科目 498p

D 正 本肢のとおりである(法62条1項3号)。なお,個人型年金加入者は,確定拠出年金法62条に規定する個人型年金加入者になる旨の申出をした日に個人型年金加入者の資格を取得する(同条3項)。

社会保険科目 494p

E 正 本肢のとおりである(法63条2項)。なお,企業型年金加入者期間を計算する場合においても,同様の規定があり,企業型年金加入者の資格を喪失した後,再びもとの企業型年金の企業型年金加入者の資格を取得した者については,当該企業型年金における前後の企業型年金加入者期間は合算される(同法14条2項)。

R5-6	確定拠出年金法	重要度 A

問 25 確定拠出年金法に関する次の記述のうち，正しいものはどれか。

A 確定拠出年金法第２条第12項によると，「個人別管理資産」とは，個人型年金加入者又は個人型年金加入者であった者のみに支給する給付に充てるべきものとして，個人型年金のみにおいて積み立てられている資産をいう。

B 同時に２以上の企業型年金の企業型年金加入者となる資格を有する者は，確定拠出年金法第９条の規定にかかわらず，その者の選択する１つの企業型年金以外の企業型年金の企業型年金加入者としないものとする。この場合，その者が２以上の企業型年金の企業型年金加入者となる資格を有するに至った日から起算して20日以内に，１つの企業型年金を選択しなければならない。

C 企業型年金加入者又は企業型年金加入者であった者（当該企業型年金に個人別管理資産がある者に限る。）が確定拠出年金法第33条の規定により老齢給付金の支給を請求することなく75歳に達したときは，資産管理機関は，その者に，企業型記録関連運営管理機関等の裁定に基づいて，老齢給付金を支給する。

D 個人型年金加入者は，政令で定めるところにより，年２回以上，定期的に掛金を拠出する。

E 個人型年金加入者は，個人型年金規約で定めるところにより，個人型年金加入者掛金を確定拠出年金運営管理機関に納付するものとする。

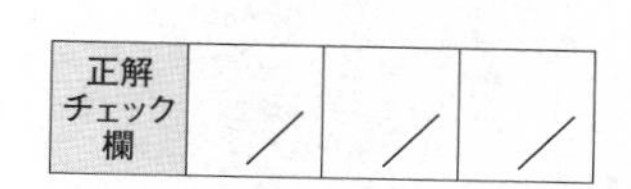

正解チェック欄	／	／	／

A 誤 「個人別管理資産」とは，「企業型年金加入者若しくは企業型年金加入者であった者」又は個人型年金加入者若しくは個人型年金加入者であった者に支給する給付に充てるべきものとして，一の「企業型年金」又は個人型年金において積み立てられている資産をいう（確定拠出年金法（以下本問において「法」とする）2条12項）。

B 誤 本肢の選択は，その者が2以上の企業型年金の企業型年金加入者となる資格を有するに至った日から起算して「10日以内」にしなければならない。本肢前段の記述は正しい（法13条1項・2項）。

C 正 本肢のとおりである（法34条）。

労働科目 498p

D 誤 個人型年金加入者は，政令で定めるところにより，「年1回以上」，定期的に掛金を拠出する（法68条1項）。

労働科目 502p

E 誤 個人型年金加入者は，個人型年金規約で定めるところにより，個人型年金加入者掛金を「国民年金基金連合会」に納付するものとする（法70条1項）。

労働科目 504p

R6-7	確定拠出年金法	重要度 A

問 26 確定拠出年金法に関する次の記述のうち，誤っているものはどれか。

A 企業型年金加入者は，政令で定める基準に従い企業型年金規約で定めるところにより，年1回以上，定期的に自ら掛金を拠出することができる。

B 企業型年金加入者掛金を拠出する企業型年金加入者は，企業型年金加入者掛金を企業型年金規約で定める日までに事業主を介して資産管理機関に納付するものとする。

C 企業型年金の給付のうち年金として支給されるもの（以下本肢において「年金給付」という。）の支給は，これを支給すべき事由が生じた月の翌月から始め，権利が消滅した月で終わるものとする。年金給付の支払期月については，企業型年金規約で定めるところによる。

D 個人型年金加入者は，厚生労働省令で定めるところにより，氏名及び住所その他の事項を，当該個人型年金加入者が指定した運用関連業務を行う確定拠出年金運営管理機関に届け出なければならない。

E 個人型年金加入者掛金の額は，個人型年金規約で定めるところにより，個人型年金加入者が決定し，又は変更する。

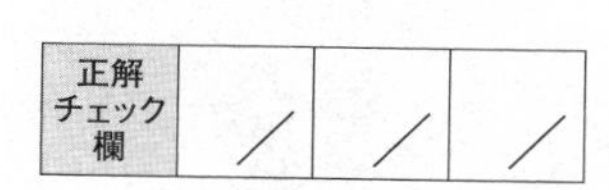

正解チェック欄	／	／	／

A 正 本肢のとおりである（確定拠出年金法（以下本問において「法」とする）19条3項）。

社会保険科目 498p

B 正 本肢のとおりである（法21条の2第1項）。

社会保険科目 499p

C 正 本肢のとおりである（法31条）。

D 誤 個人型年金加入者は，氏名及び住所その他の事項を「国民年金基金連合会」に届け出なければならない（法66条1項）。

E 正 本肢のとおりである（法68条2項）。

社会保険科目 502p

社会保険審査官及び社会保険審査会法 重要度 A

問 27 社会保険審査官及び社会保険審査会法に関する次の記述のうち，誤っているものはどれか。

A 審査請求は，政令の定めるところにより，文書のみならず口頭でもすることができる。

B 審査請求は，代理人によってすることができる。代理人は，各自，審査請求人のために，当該審査請求に関する一切の行為をすることができる。ただし，審査請求の取下げは，特別の委任を受けた場合に限り，することができる。

C 社会保険審査官は，原処分の執行の停止又は執行の停止の取消をしたときは，審査請求人及び社会保険審査官及び社会保険審査会法第9条第1項の規定により通知を受けた保険者以外の利害関係人に通知しなければならない。

D 審査請求人は，社会保険審査官の決定があるまでは，いつでも審査請求を取り下げることができる。審査請求の取下げは，文書のみならず口頭でもすることができる。

E 健康保険法の被保険者の資格に関する処分に不服がある者が行った審査請求に対する社会保険審査官の決定に不服がある場合の，社会保険審査会に対する再審査請求は，社会保険審査官の決定書の謄本が送付された日の翌日から起算して2か月を経過したときは，することができない。ただし，正当な事由によりこの期間内に再審査請求をすることができなかったことを疎明したときは，この限りでない。

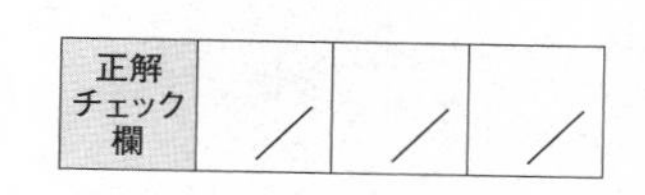

A 正 本肢のとおりである（社会保険審査官及び社会保険審査会法（以下本問において「法」とする）5条1項）。

社会保険科目 508p

B 正 本肢のとおりである（法5条の2）。なお，審査請求が不適法であって補正することができないものであるときは，社会保険審査官は，決定をもって，これを却下しなければならない（法6条）。

社会保険科目 508p

C 正 本肢のとおりである（法10条5項）。なお，執行の停止又は執行の停止の取消は，文書より，且つ，理由を附し，原処分をした保険者に通知することによって行う（同条4項）。

D 誤 審査請求の取下げは，「文書でしなければならない」。本肢前段の記述は正しい（法12条の2）。

社会保険科目 508p

E 正 本肢のとおりである（法32条1項・3項）。なお，再審査請求は，政令で定めるところにより，文書又は口頭ですることができる（法5条1項，法32条4項）。

社会保険科目 507p

R5-9 社会保険審査官及び社会保険審査会法 重要度 B

問 28 社会保険審査官及び社会保険審査会法に関する次の記述のうち，誤っているものはどれか。

A 社会保険審査官（以下本問において「審査官」という。）は，厚生労働省の職員のうちから厚生労働大臣が命じ，各地方厚生局（地方厚生支局を含む。）に置かれる。

B 審査請求は，原処分の執行を停止しない。ただし，審査官は，原処分の執行により生ずることのある償うことの困難な損害を避けるため緊急の必要があると認めるときは，職権でその執行を停止することができる。その執行の停止は，審査請求があった日から2か月以内に審査請求についての決定がない場合において，審査請求人が，審査請求を棄却する決定があったものとみなして再審査請求をしたときは，その効力を失う。

C 審査請求の決定は，審査請求人に送達されたときに，その効力を生じる。決定の送達は，決定書の謄本を送付することによって行う。ただし，送達を受けるべき者の所在が知れないとき，その他決定書の謄本を送付することができないときは，公示の方法によってすることができる。

D 社会保険審査会（以下本問において「審査会」という。）は，審査会が定める場合を除き，委員長及び委員のうちから，審査会が指名する者3人をもって構成する合議体で，再審査請求又は審査請求の事件を取り扱う。審査会の合議は，公開しない。

E 審査会は，必要があると認めるときは，申立てにより又は職権で，利害関係のある第三者を当事者として再審査請求又は審査請求の手続に参加させることができるが，再審査請求又は審査請求への参加は，代理人によってすることができない。

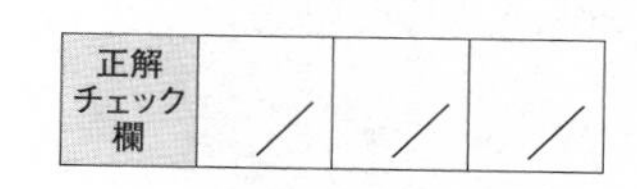

正解チェック欄	／	／	／

社会保険科目
507p

A　正　本肢のとおりである（社会保険審査官及び社会保険審査会法（以下本問において「法」とする）1条1項，法2条）。なお，社会保険審査官の定数は，103人とされている（同法施行令1条）。

B　正　本肢のとおりである（法10条1項・3項）。なお，社会保険審査官は，いつでも本肢の執行の停止を取り消すことができる（同条2項）。

C　正　本肢のとおりである（法15条1項・2項）。なお，公示の方法による送達は，社会保険審査官が決定書の謄本を保管し，いつでもその送達を受けるべき者に交付する旨を当該審査官が職務を行なう場所の掲示場に掲示し，かつ，その旨を官報その他の公報に少なくとも1回掲載してするものとする。この場合においては，その掲示を始めた日の翌日から起算して2週間を経過した時に決定書の謄本の送付があったものとみなす（同条3項）。

D　正　本肢のとおりである（法27条1項，法42条）。なお，社会保険審査会の委員長及び委員は，人格が高潔であって，社会保障に関する識見を有し，かつ，法律又は社会保険に関する学識経験を有する者のうちから，両議院の同意を得て，厚生労働大臣が任命する（同法22条1項）。

E　誤　本肢の再審査請求又は審査請求への参加は，「代理人によってすることができる」。本肢前段の記述は正しい（法34条1項・3項）。

R3-9	総合問題	重要度 A

問 29 社会保険制度の目的条文に関する次の記述のうち，誤っているものはどれか。

A 国民健康保険法第1条では，「この法律は，被保険者の疾病，負傷，出産又は死亡に関して必要な保険給付を行い，もって社会保障及び国民保健の向上に寄与することを目的とする。」と規定している。

B 健康保険法第1条では，「この法律は，労働者又はその被扶養者の業務災害（労働者災害補償保険法（昭和二十二年法律第五十号）第七条第一項第一号に規定する業務災害をいう。）以外の疾病，負傷若しくは死亡又は出産に関して保険給付を行い，もって国民の生活の安定と福祉の向上に寄与することを目的とする。」と規定している。

C 高齢者医療確保法第1条では，「この法律は，国民の高齢期における適切な医療の確保を図るため，医療費の適正化を推進するための計画の作成及び保険者による健康診査等の実施に関する措置を講ずるとともに，高齢者の医療について，国民の共同連帯の理念等に基づき，前期高齢者に係る保険者間の費用負担の調整，後期高齢者に対する適切な医療の給付等を行うために必要な制度を設け，もつて国民保健の向上及び高齢者の福祉の増進を図ることを目的とする。」と規定している。

D 船員保険法第1条では，「この法律は，船員又はその被扶養者の職務外の事由による疾病，負傷若しくは死亡又は出産に関して保険給付を行うとともに，労働者災害補償保険による保険給付と併せて船員の職務上の事由又は通勤による疾病，負傷，障害又は死亡に関して保険給付を行うこと等により，船員の生活の安定と福祉の向上に寄与することを目的とする。」と規定している。

E 介護保険法第1条では，「この法律は，加齢に伴って生ずる心身の変化に起因する疾病等により要介護状態となり，入浴，排せつ，食事等の介護，機能訓練並びに看護及び療養上の管理その他の医療を要する者等について，これらの者が尊厳を保持し，その有する能力に応じ自立した日常生活を営むことができるよう，必要な保健医療サービス及び福祉サービスに係る給付を行うため，国民の共同連帯の理念に基づき介護保険制度を設け，その行う保険給付等に関して必要な事項を定め，もって国民の保健医療の向上及び福祉の増進を図ることを目的とする。」と規定している。

正解チェック欄	／	／	／

社一

A　誤　国民健康保険法1条では，「この法律は，「国民健康保険事業の健全な運営を確保し」，もって社会保障及び国民保健の向上に寄与することを目的とする」と規定している（国民健康保険法1条）。

社会保険科目 426p

B　正　本肢のとおりである（健康保険法1条）。なお，健康保険制度については，これが医療保険制度の基本をなすものであることにかんがみ，高齢化の進展，疾病構造の変化，社会経済情勢の変化等に対応し，その他の医療保険制度及び後期高齢者医療制度並びにこれらに密接に関連する制度と併せてその在り方に関して常に検討が加えられ，その結果に基づき，医療保険の運営の効率化，給付の内容及び費用の負担の適正化並びに国民が受ける医療の質の向上を総合的に図りつつ，実施されなければならない（同法2条）。

社会保険科目 7p

C　正　本肢のとおりである（高齢者医療確保法1条）。なお，国は，国民の高齢期における医療に要する費用の適正化を図るための取組が円滑に実施され，高齢者医療制度（前期高齢者に係る保険者間の費用負担の調整及び後期高齢者医療制度をいう）の運営が健全に行われるよう必要な各般の措置を講ずるとともに，高齢者医療確保法1条に規定する目的の達成に資するため，医療，公衆衛生，社会福祉その他の関連施策を積極的に推進しなければならない（同法3条）。

社会保険科目 445p

D　正　本肢のとおりである（船員保険法1条）。なお，船員保険法における「被保険者」とは，船員法1条に規定する船員として船舶所有者に使用される者及び疾病任意継続被保険者をいう（同法2条1項）。

社会保険科目 472p

E　正　本肢のとおりである（介護保険法1条）。なお，市町村及び特別区は，介護保険法の定めるところにより，介護保険を行うものとする（同法3条1項）。

社会保険科目 458p

H27-6	総合問題	重要度 B

問 30 次の記述のうち，誤っているものはどれか。

A 国民健康保険法では，国は，都道府県等が行う国民健康保険の財政の安定化を図るため，政令で定めるところにより，都道府県に対し，当該都道府県内の市町村による療養の給付等に要する費用並びに前期高齢者納付金及び後期高齢者支援金，介護納付金並びに流行初期医療確保拠出金の納付に要する費用について，一定の額の合算額の100分の32を負担することを規定している。

B 国民健康保険法施行令では，市町村が徴収する世帯主に対する保険料の賦課額のうちの基礎賦課額は，16万円を超えることはできないことを規定している。

C 高齢者医療確保法では，市町村が後期高齢者医療に要する費用に充てるため徴収する保険料は，後期高齢者医療広域連合（以下本問において「広域連合」という。）が被保険者に対し，広域連合の全区域にわたって均一の保険料率であることその他の政令で定める基準に従い広域連合の条例で定めるところにより算定された保険料率によって算定された保険料額によって課する，ただし，離島その他の医療の確保が著しく困難であって厚生労働大臣が定める基準に該当するものに住所を有する被保険者の保険料についてはこの限りではないことを規定している。

D 高齢者医療確保法では，配偶者の一方は，市町村が被保険者たる他方の保険料を普通徴収の方法によって徴収しようとする場合において，当該保険料を連帯して納付する義務を負うことを規定している。

E 高齢者医療確保法施行令第18条第1項第6号では，後期高齢者医療広域連合が被保険者に対して課する保険料の賦課額は，80万円を超えることができないものであることを規定している。

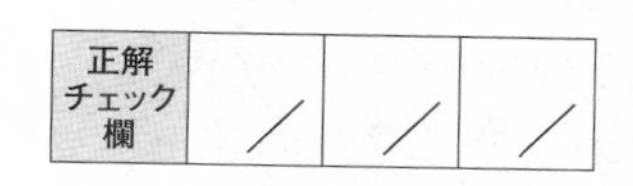

正解チェック欄	／	／	／

正解 B

A 正 本肢のとおりである（国民健康保険法70条１項）。

社会保険科目 438p

B 誤 市町村が徴収する世帯主に対する保険料の賦課額のうちの基礎賦課額は，「65万円」を超えることができない（国民健康保険法施行令29条の７第２項９号）。

C 正 本肢のとおりである（高齢者医療確保法104条２項）。後期高齢者医療の被保険者に係る保険料は，市町村が徴収し，市町村は，徴収した保険料その他徴収金を，後期高齢者医療広域連合が行う後期高齢者医療に要する費用に充てるため，後期高齢者医療広域連合に納付するものとされている（同法104条１項，同法105条）。また，保険料率は，おおむね２年を通じ，財政の均衡を保つことができるものでなければならない（同法104条３項）。

社会保険科目 452p

D 正 本肢のとおりである（高齢者医療確保法108条３項）。なお，後期高齢者医療広域連合は，条例で定めるところにより，特別の理由がある者に対し，保険料を減免し，又はその徴収を猶予することができる（同法111条）。

E 正 本肢のとおりである（高齢者医療確保法施行令18条１項６号）。

社会保険科目 453p

H28-6	総合問題	重要度 A

問 31

次のアからオまでの記述のうち，誤っているものの組合せは，後記AからEまでのうちどれか。

ア　国民健康保険法では，国民健康保険組合を設立しようとするときは，主たる事務所の所在地の都道府県知事の認可を受けなければならないことを規定している。

※イ　国民健康保険法では，国民健康保険事業の運営に関する一定の事項を審議させるため，都道府県に都道府県の国民健康保険事業の運営に関する協議会を置くことを規定している。

ウ　高齢者医療確保法では，都道府県は，年度ごとに，保険者（国民健康保険にあっては，都道府県）から，後期高齢者支援金及び後期高齢者関係事務費拠出金を徴収することを規定している。

エ　高齢者医療確保法では，生活保護法による保護を受けている世帯（その保護を停止されている世帯を除く。）に属する者は，後期高齢者医療広域連合が行う後期高齢者医療の被保険者としないことを規定している。

オ　介護保険法では，指定介護予防サービス事業者は，当該指定介護予防サービスの事業を廃止し，又は休止しようとするときは，厚生労働省令で定めるところにより，その廃止又は休止の日の1か月前までに，その旨を都道府県知事に届け出なければならないことを規定している。

A　（アとエ）　**B**　（アとオ）　**C**　（イとウ）
D　（イとオ）　**E**　（ウとエ）

正解チェック欄	／	／	／

正解 なし

ア　正　本肢のとおりである（国民健康保険法17条1項）。

社会保険科目
427p

※**イ　正**　出題当時は誤りの記述であったが，改正により，都道府県に国民健康保険事業の運営に関する協議会を置くこととされたため，正しい記述となる（国民健康保険法11条1項）。

社会保険科目
427p

ウ　誤　高齢者医療確保法では，「社会保険診療報酬支払基金」は，年度ごとに，保険者（国民健康保険にあっては，都道府県）から，後期高齢者支援金及び後期高齢者関係事務費拠出金を徴収することを規定している（高齢者医療確保法118条1項）。

社会保険科目
454p

エ　正　本肢のとおりである（高齢者医療確保法51条）。

社会保険科目
449p

オ　正　本肢のとおりである（介護保険法115条の5第2項）。

キリトリ線

H29-6	総合問題	重要度 A

問 32

次の記述のうち，正しいものはどれか。

A 社会保険審査官は，人格が高潔であって，社会保障に関する識見を有し，かつ，法律又は社会保険に関する学識経験を有する者のうちから，厚生労働大臣が任命することとされている。

B 国民健康保険の保険料に関する処分の取消しの訴えは，当該処分についての審査請求に対する裁決を経た後でなければ，提起することができない。

C 介護保険法の要介護認定に関する処分に不服がある者は，都道府県知事に審査請求をすることができる。

D 社会保険審査会の審理は，原則として非公開とされる。ただし，当事者の申立があったときは，公開することができる。

E 全国社会保険労務士会連合会が行う試験事務に係る処分又はその不作為について不服がある者は，地方厚生局長又は都道府県労働局長に対して審査請求をすることができる。

社一

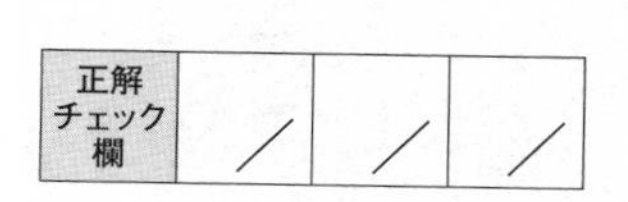

正解チェック欄	／	／	／

A 誤 社会保険審査官は,「厚生労働省の職員」のうちから,厚生労働大臣が任命する(社会保険審査官及び社会保険審査会法2条)。

社会保険科目 507p

B 正 本肢のとおりである(国民健康保険法103条)。

社会保険科目 443p

C 誤 要介護認定に関する処分に不服がある者は,「介護保険審査会」に審査請求をすることができる(介護保険法183条)。

社会保険科目 470p

D 誤 社会保険審査会の審理は,原則として,「公開しなければならない」(社会保険審査官及び社会保険審査会法37条)。なお,社会保険審査会の審理は,当事者の申立があったときは,公開しないことができる。

E 誤 全国社会保険労務士会連合会が行う試験事務に係る処分又はその不作為について不服がある者は,「厚生労働大臣」に対して審査請求をすることができる(社会保険労務士法13条の2)。

H29-9	総合問題	重要度 B

問 33 次の記述のうち，誤っているものはどれか。

A 厚生年金保険法の改正により平成26年4月1日以降は，経過措置に該当する場合を除き新たな厚生年金基金の設立は認められないこととされた。

B 確定拠出年金法の改正により，平成29年1月から60歳未満の第4号厚生年金被保険者（所定の者を除く。）は，確定拠出年金の個人型年金の加入者になることができるとされた。

C 障害基礎年金の受給権者であることにより，国民年金保険料の法定免除の適用を受けている者は，確定拠出年金の個人型年金の加入者になることができる。

D 確定拠出年金の個人型年金に加入していた者は，一定要件を満たした場合，脱退一時金を請求することができるが，この要件においては，通算拠出期間については4年以下であること，個人別管理資産の額として政令で定めるところにより計算した額については50万円未満であることとされている。

E 確定給付企業年金を実施している企業を退職したため，その加入者の資格を喪失した一定要件を満たしている者が，転職し，転職先企業において他の確定給付企業年金の加入者の資格を取得した場合，当該他の確定給付企業年金の規約において，あらかじめ，転職前の企業が実施している確定給付企業年金の資産管理運用機関等から脱退一時金相当額の移換を受けることができる旨が定められているときは，その者は，転職前の企業が実施している確定給付企業年金の事業主等に脱退一時金相当額の移換を申し出ることができる。

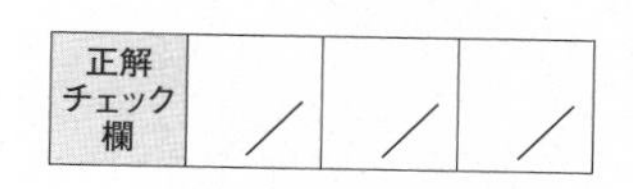

正解チェック欄	／	／	／

A　正　本肢のとおりである（平25法律63号附則5条ほか）。

B　正　本肢のとおりである（確定拠出年金法2条6項，同法62条1項）。なお，出題当時は，第1号～第4号厚生年金被保険者の場合，60歳未満で所定の要件を満たす者でなければ個人型年金加入者となることができなかったが，その後の改正（令和4年施行）により，60歳未満であっても，「国民年金の第2号被保険者（企業型掛金拠出者等を除く）」は，確定拠出年金における個人型年金の老齢給付金や所定の老齢・退職年金の受給権を有する者等を除き，個人型年金加入者となることができるようになった。

C　正　本肢のとおりである（確定拠出年金法62条1項1号）。国民年金の第1号被保険者であって，国民年金法の法定免除（生活保護法による生活扶助等を受けていることにより保険料が免除されている者に限る），申請全額免除，学生の保険料の納付特例又は50歳未満の保険料納付猶予制度により同法の保険料を納付することを要しないものとされている者，及び申請4分の3免除，申請半額免除又は申請4分の1免除の規定によりその一部につき同法の保険料を納付することを要しないものとされている者は，確定拠出年金の個人型年金加入者となることができない。

D　誤　確定拠出年金の個人型年金に加入していた者に係る脱退一時金の支給を請求するための要件においては，その者の通算拠出期間が「1月以上5年以下」であること又は請求した日における個人別管理資産の額として政令で定めるところにより計算した額が「25万円以下」であることとされている（確定拠出年金法附則3条1項・3項，同法施行令60条2項）。なお，個人型年金に加入していた者に係る脱退一時金の支給を請求するためには，本肢の要件のほか，①60歳未満であること，②企業型年金加入者でないこと，③個人型年金加入者となることができる者に該当しないこと，④国民年金の任意加入被保険者となることができる者のうち，日本国籍を有する者等で日本国内に住所を有しない20歳以上65歳未満の者に該当しないこと，⑤障害給付金の受給権者でないこと，⑥最後に企業型年金加入者又は個人型年金加入者の資格を喪失した日から起算して2年を経過していないこと，のいずれの要件をも満たす必要がある。

社会保険科目
501～502p

E　正　本肢のとおりである（確定給付企業年金法81条の2）。

社会保険科目
491～492p

キリトリ線

H30-6	総合問題	重要度 A

問 34　次の記述のうち，誤っているものはどれか。

A　健康保険法では，健康保険組合の組合員でない被保険者に係る健康保険事業を行うため，全国健康保険協会を設けるが，その主たる事務所は東京都に，従たる事務所は各都道府県に設置すると規定している。

B　船員保険法では，船員保険は，健康保険法による全国健康保険協会が管掌し，船員保険事業に関して船舶所有者及び被保険者（その意見を代表する者を含む。）の意見を聴き，当該事業の円滑な運営を図るため，全国健康保険協会に船員保険協議会を置くと規定している。

C　介護保険法では，訪問看護とは，居宅要介護者（主治の医師がその治療の必要の程度につき厚生労働省令で定める基準に適合していると認めたものに限る。）について，その者の居宅において看護師その他厚生労働省令で定める者により行われる療養上の世話又は必要な診療の補助をいうと規定している。

D　高齢者医療確保法では，社会保険診療報酬支払基金は，高齢者医療制度関係業務に関し，当該業務の開始前に，業務方法書を作成し，厚生労働大臣の認可を受けなければならず，これを変更するときも同様とすると規定している。

E　児童手当法では，児童手当の支給を受けている者につき，児童手当の額が減額することとなるに至った場合における児童手当の額の改定は，その事由が生じた日の属する月から行うと規定している。

社一

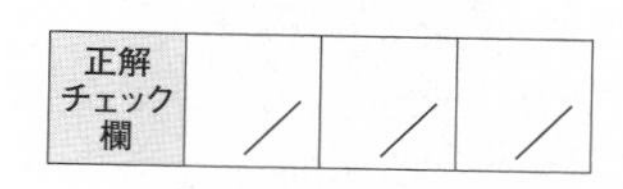

正解チェック欄	／	／	／

A　正　本肢のとおりである（健康保険法７条の２第１項，同法７条の４）。

B　正　本肢のとおりである（船員保険法４条１項，同法６条１項）。

社会保険科目
472〜473p

C　正　本肢のとおりである（介護保険法８条４項）。なお，介護保険法において「訪問入浴介護」とは，居宅要介護者について，その者の居宅を訪問し，浴槽を提供して行われる入浴の介護をいう（同条３項）。

D　正　本肢のとおりである（高齢者医療確保法141条１項）。なお，社会保険診療報酬支払基金は，高齢者医療制度関係業務に関し，毎事業年度，予算，事業計画及び資金計画を作成し，当該事業年度の開始前に，厚生労働大臣の認可を受けなければならず，これを変更するときも同様とされている（同法144条）。

E　誤　児童手当法では，児童手当の支給を受けている者につき，児童手当の額が減額することとなるに至った場合における児童手当の額の改定は，その事由が生じた日の属する月の「翌月」から行うと規定している（児童手当法９条３項）。なお，児童手当の支給を受けている者につき，児童手当の額が増額することとなるに至った場合における児童手当の額の改定は，その者が改定後の額につき認定の請求をした日の属する月の翌月から行われる（同条１項）。

社会保険科目
482p

H30-9	総合問題	重要度 B

問 35 社会保険制度の保険料等に関する次の記述のうち，正しいものはどれか。

A 国民健康保険法施行令第29条の7の規定では，市町村が徴収する世帯主に対する国民健康保険料の賦課額は，世帯主の世帯に属する被保険者につき算定した基礎賦課額，前期高齢者納付金等賦課額，後期高齢者支援金等賦課額及び介護納付金賦課額の合算額とされている。

B 厚生年金保険法では，第1号厚生年金被保険者に係る保険料率は，平成16年10月分から毎年0.354％ずつ引き上げられ，平成29年9月分以後は，19.3％で固定されている。

C 高齢者医療確保法では，老齢基礎年金の年間の給付額が18万円以上である場合，後期高齢者医療制度の被保険者が支払う後期高齢者医療制度の保険料は，年金からの特別徴収の方法によらなければならず，口座振替の方法により保険料を納付することは一切できない。

D 健康保険法では，健康保険組合は，規約で定めるところにより，介護保険第2号被保険者である被保険者以外の被保険者（介護保険第2号被保険者である被扶養者があるものに限る。）に関する保険料額を一般保険料額と介護保険料額との合算額とすることができるとされている。

E 国民年金第1号被保険者，健康保険法に規定する任意継続被保険者，厚生年金保険法に規定する適用事業所に使用される高齢任意加入被保険者及び船員保険法に規定する疾病任意継続被保険者は，被保険者自身が保険料を全額納付する義務を負い，毎月の保険料は各月の納付期限までに納付しなければならないが，いずれの被保険者も申出により一定期間の保険料を前納することができる。

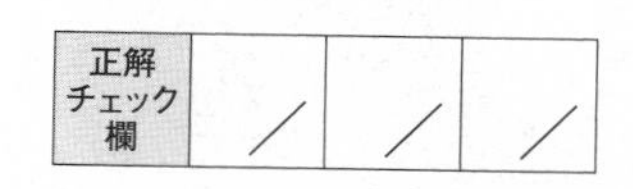

正解チェック欄	／	／	／

A 誤 市町村が徴収する世帯主に対する国民健康保険料の賦課額は，世帯主の世帯に属する被保険者につき算定した「基礎賦課額，後期高齢者支援金等賦課額及び介護納付金賦課額」の合算額とされている（国民健康保険法施行令29条の7第1項）。

B 誤 厚生年金保険法では，第1号厚生年金被保険者に係る保険料率は，平成29年9月分以後は「18.3％」で固定されている。その他の記述は正しい（厚生年金保険法81条）。

社会保険科目
400p

C 誤 高齢者医療確保法では，年金額が年額18万円以上の老齢等年金給付の支払を受ける被保険者の保険料については，原則として，年金からの特別徴収の方法によるものとされているが，口座振替の方法により保険料を納付する旨を申し出た被保険者であって，特別徴収の方法によって徴収するよりも普通徴収の方法によって徴収することが保険料の徴収を円滑に行うことができると市町村が認めるものについては，「特別徴収の対象とならない」ものとされており，口座振替の方法により保険料を納付することが「一切できない訳ではない」（高齢者医療確保法107条，同法110条，同法施行令22条，同法施行令23条3号）。

D 正 本肢のとおりである（健康保険法附則7条1項）。なお，介護保険第2号被保険者である被保険者以外の被保険者（介護保険第2号被保険者である被扶養者があるものに限る）のことを，「特定被保険者」という。

E　誤　厚生年金保険法に規定する適用事業所に使用される高齢任意加入被保険者は，保険料を「前納することはできない」。また，第1号厚生年金被保険者である適用事業所に使用される高齢任意加入被保険者については，その者を使用する事業主の同意があれば，「事業主が保険料の半額を負担し，事業主がその被保険者及び自己の負担する保険料を納付する義務を負う」（国民年金法88条，国民年金法93条，健康保険法161条1項・3項，健康保険法165条，厚生年金保険法附則4条の3，船員保険法126条2項，船員保険法128条）。なお，国民年金第1号被保険者については，その者の世帯主及び配偶者についても，被保険者と連帯して被保険者の保険料を納付する義務を負うものとされている。

社会保険科目
124~125,
242,
251~252,
403, 477p

MEMO

キリトリ線

R元-9	総合問題	重要度 C

問 36 社会保険制度の保険者及び被保険者等に関する次の記述のうち，正しいものはどれか。

A A県A市に住所を有していた介護保険の第2号被保険者（健康保険の被扶養者）が，B県B市の介護保険法に規定する介護保険施設に入所することとなり住民票を異動させた。この場合，住所地特例の適用を受けることはなく，住民票の異動により介護保険の保険者はB県B市となる。

B 国民健康保険に加入する50歳の世帯主，45歳の世帯主の妻，15歳の世帯主の子のいる世帯では，1年間保険料を滞納したため，世帯主は，居住する市から全員の被保険者証の返還を求められ，被保険者証を返還した。この場合は，その世帯に属する被保険者全員に係る被保険者資格証明書が交付される。

C 船員保険の被保険者であった者が，74歳で船員保険の被保険者資格を喪失した。喪失した日に保険者である全国健康保険協会へ申出をし，疾病任意継続被保険者となった場合，当該被保険者は，75歳となっても後期高齢者医療制度の被保険者とはならず，疾病任意継続被保険者の資格を喪失しない。

D A県A市に居住していた国民健康保険の被保険者が，B県B市の病院に入院し，住民票を異動させたが，住所地特例の適用を受けることにより入院前のA県A市が保険者となり，引き続きA県A市の国民健康保険の被保険者となっている。その者が入院中に国民健康保険の被保険者から後期高齢者医療制度の被保険者となった場合は，入院前のA県の後期高齢者医療広域連合が行う後期高齢者医療の被保険者となるのではなく，住民票上のB県の後期高齢者医療広域連合が行う後期高齢者医療の被保険者となる。

E A県A市に住所を有する医療保険加入者（介護保険法に規定する医療保険加入者をいう。以下同じ。）ではない60歳の者は，介護保険の被保険者とならないが，A県A市に住所を有する医療保険加入者ではない65歳の者は，介護保険の被保険者となる。なお，介護保険法施行法に規定する適用除外に関する経過措置には該当しないものとする。

正解チェック欄	／	／	／

社一

A 誤 本肢の場合，住所地特例の適用を「受けることになり」，介護保険の保険者は，「A県A市」となる（介護保険法13条1項）。

B 誤 改正により，令和6年12月2日からは，新たな被保険者証の交付は行われないこととなった（国民健康保険法9条，同法54条の3ほか）。なお，保険料滞納世帯主等が，当該保険料の納期限から厚生労働省令で定める期間（1年間）が経過するまでの間に，当該市町村又は国民健康保険組合が保険料納付の勧奨等を行ってもなお当該保険料を納付しない場合において，当該世帯に属する被保険者（所定の者及び18歳に達する日以後の最初の3月31日までの間にある者を除く）が保険医療機関等又は指定訪問看護事業者から療養等を受けたときは，原則として，その療養等に要した費用について，当該保険料滞納世帯主等に対し，特別療養費が支給される。

社会保険科目
430～431p

C 誤 船員保険の疾病任意継続被保険者が75歳となった場合，後期高齢者医療の適用除外者に該当しない限り「後期高齢者医療の被保険者となり」，そのなった日から，「船員保険の疾病任意継続被保険者の資格を喪失する」（高齢者医療確保法52条，船員保険法14条6号ほか）。

社会保険科目
449～450p

D 誤 本肢の場合，その者の「入院前のA県の後期高齢者医療広域連合が行う後期高齢者医療の被保険者となる」（国民健康保険法6条8号，同法116条の2第1項，高齢者医療確保法55条の2第1項ほか）。

E 正 本肢のとおりである（介護保険法9条，同法10条）。市町村又は特別区の区域内に住所を有する40歳以上65歳未満の者が，医療保険加入者である場合は介護保険第2号被保険者となるが，医療保険加入者でない場合には介護保険第2号被保険者とはならない。市町村又は特別区の区域内に住所を有する65歳以上の者については，医療保険加入者であるか否かにかかわらず，介護保険第1号被保険者となる。

R2-10	総合問題	重要度 C

問 37 社会保険制度の費用の負担及び保険料等に関する次の記述のうち，正しいものはどれか。

A 介護保険の第1号被保険者である要介護被保険者が，介護保険料の納期限から1年が経過するまでの間に，当該保険料を納付しない場合は，特別の事情等があると認められる場合を除き，市町村は，被保険者に被保険者証の返還を求め，被保険者が被保険者証を返還したときは，被保険者資格証明書を交付する。

B 特別療養費の支給対象となっている世帯主であって，市町村が保険料納付の勧奨等を行ってもなお保険料を滞納していることにより保険給付の全部又は一部の支払を一時差止めされている世帯主が，なお滞納している保険料を納付しないときは，市町村は，あらかじめ，当該世帯主に通知して，当該一時差し止めに係る保険給付の額から当該世帯主が滞納している保険料額を控除することができる。

C 船員法第1条に規定する船員として船舶所有者に使用されている後期高齢者医療制度の被保険者である船員保険の被保険者に対する船員保険の保険料額は，標準報酬月額及び標準賞与額にそれぞれ疾病保険料率と災害保健福祉保険料率とを合算した率を乗じて算定される。

D 単身世帯である後期高齢者医療制度の80歳の被保険者（昭和15年4月2日生まれ）は，対象となる市町村課税標準額が145万円以上であり，本来であれば，保険医療機関等で療養の給付を受けるごとに自己負担として3割相当を支払う一定以上の所得者に該当するところであるが，対象となる年間収入が380万円であったことから，この場合，被保険者による申請を要することなく，後期高齢者医療広域連合の職権により一定以上の所得者には該当せず，自己負担は1割相当となる。

E 10歳と11歳の子を監護し，かつ，この2人の子と生計を同じくしている父と母のそれぞれの所得は，児童手当法に規定する所得制限額を下回っているものの，父と母の所得を合算すると所得制限額を超えている。この場合の児童手当は，特例給付に該当し，月額1万円（10歳の子の分として月額5千円，11歳の子の分として月額5千円）が支給されることになる。

正解チェック欄	／	／	／

社 一

A　誤　市町村は，保険料を滞納している第1号被保険者である要介護被保険者等（所定の者を除く）が，当該保険料の納期限から1年を経過するまでの間に当該保険料を納付しない場合においては，当該保険料の滞納につき災害その他の政令で定める特別の事情があると認める場合を除き，当該要介護被保険者等に対し被保険者証の「提出」を求め，当該被保険者証に，「支払方法変更の記載」（現物給付とする規定を適用しない旨の記載）をするものとされている（介護保険法66条1項，同法施行規則99条）。

B　正　本肢のとおりである（国民健康保険法63条の2第3項）。

C　誤　後期高齢者医療の被保険者である船員保険の被保険者に対する船員保険の保険料額は，標準報酬月額及び標準賞与額にそれぞれ「災害保健福祉保険料率」を乗じて算定される（船員保険法116条1項，同法120条2項）。

社会保険科目
476～477p

D　誤　所定の所得額が145万円以上の者は，本来であれば一部負担金の割合が3割の一定以上の所得者（現役並み所得者）に該当するが，対象となる年間収入が単身者で383万円未満の場合，「原則として申請することにより」，「現役並み所得者の負担割合（3割負担）は適用されない」（高齢者医療確保法67条1項，同法施行令7条4項・5項）。なお，改正により，所得額が28万円以上145万円未満の者の一部負担金の割合は原則として2割とすることとされたが，当該者であっても，その者及びその属する世帯の他の世帯員である被保険者について算定した所定の収入額が320万円（当該世帯に他の被保険者がいない者にあっては200万円）未満の場合又は市町村民税世帯非課税者の場合には，一部負担金の割合は1割とされる（同法施行令7条2項・3項）。

E 誤 改正により，令和6年10月1日から，児童手当の支給要件の1つだった所得の要件（所得制限）が削除され，また，特例給付の規定も削除されることとなった。したがって，児童手当の支給を受けるに当たって，「当該児童手当の支給要件に該当している者の所得は考慮されない」。なお，児童手当の支給要件を満たす父，母，未成年後見員並びに父母指定者のうちいずれか2以上の者が当該父，母の子である児童を監護し，かつ，これと生計を同じくするときは，当該児童は，当該父若しくは母，未成年後見人又は父母指定者のうちいずれか当該児童の生計を維持する程度の高い者によって監護され，かつ，これを生計を同じくするものとみなされる（児童手当法4条1項・3項）。

MEMO

キリトリ線

R4-8	総合問題	重要度 A

問 38 社会保険制度の保険者及び被保険者に関する次の記述のうち，正しいものはどれか。

A 国民健康保険組合（以下本問において「組合」という。）を設立しようとするときは，主たる事務所の所在地の都道府県知事の認可を受けなければならない。当該認可の申請は，10人以上の発起人が規約を作成し，組合員となるべき者100人以上の同意を得て行うものとされている。

B 後期高齢者医療広域連合は，被保険者の資格，後期高齢者医療給付及び保険料に関して必要があると認めるときは，被保険者，被保険者の配偶者若しくは被保険者の属する世帯の世帯主その他その世帯に属する者又はこれらであった者に対し，文書その他の物件の提出若しくは提示を命じ，又は当該職員に質問させることができる。

C 介護保険の第2号被保険者（市町村（特別区を含む。以下本問において同じ。）の区域内に住所を有する40歳以上65歳未満の，介護保険法第7条第8項に規定する医療保険加入者）は，当該医療保険加入者でなくなった日の翌日から，その資格を喪失する。

D 船員保険は，全国健康保険協会が管掌する。船員保険事業に関して船舶所有者及び被保険者（その意見を代表する者を含む。）の意見を聴き，当該事業の円滑な運営を図るため，全国健康保険協会に船員保険協議会を置く。船員保険協議会の委員は，10人以内とし，船舶所有者及び被保険者のうちから，厚生労働大臣が任命する。

E 都道府県若しくは市町村又は組合は，共同してその目的を達成するため，国民健康保険団体連合会（以下本問において「連合会」という。）を設立することができる。都道府県の区域を区域とする連合会に，その区域内の都道府県及び市町村並びに組合の2分の1以上が加入したときは，当該区域内のその他の都道府県及び市町村並びに組合は，すべて当該連合会の会員となる。

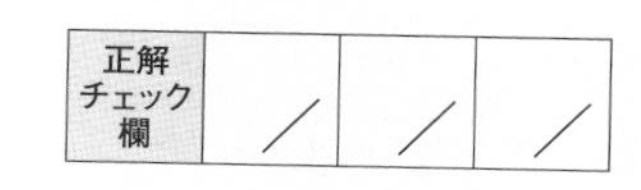

社
一

A 誤 国民健康保険組合の設立の認可申請は，「15人以上」の発起人が規約を作成し，組合員となるべき者「300人以上」の同意を得て行うものとされている。本肢前段の記述は正しい（国民健康保険法17条１項・２項）。

社会保険科目
427p

B 正 本肢のとおりである（高齢者医療確保法137条１項）。

C 誤 介護保険第２号被保険者は，介護保険法７条８項に規定する医療保険加入者でなくなった「日」から，その資格を喪失する（介護保険法９条，同法11条２項）。

D 誤 船員保険協議会の委員は，「12人以内」とし，船舶所有者，被保険者「及び船員保険事業の円滑かつ適正な運営に必要な学識経験を有する者」のうちから，厚生労働大臣が任命する。その他の記述は正しい（船員保険法４条１項，同法６条１項・２項）。

E 誤 都道府県の区域を区域とする国民健康保険団体連合会に，その区域内の都道府県及び市町村並びに国民健康保険組合の「３分の２以上」が加入したときは，当該区域内のその他の都道府県及び市町村並びに国民健康保険組合は，全て当該国民健康保険団体連合会の会員となる。その他の記述は正しい（国民健康保険法83条１項，同法84条３項）。

キリトリ線

R4-9	総合問題	重要度 A

問 39 社会保険制度の保険料及び給付に関する次の記述のうち，誤っているものはどれか。

A 国民健康保険において，都道府県は，毎年度，厚生労働省令で定めるところにより，当該都道府県内の市町村（特別区を含む。以下本問において同じ。）ごとの保険料率の標準的な水準を表す数値を算定するものとされている。

B 船員保険において，被保険者の行方不明の期間に係る報酬が支払われる場合には，その報酬の額の限度において行方不明手当金は支給されない。

C 介護保険において，市町村は，要介護被保険者又は居宅要支援被保険者（要支援認定を受けた被保険者のうち居宅において支援を受けるもの）に対し，条例で定めるところにより，市町村特別給付（要介護状態等の軽減又は悪化の防止に資する保険給付として条例で定めるもの）を行わなければならない。

D 後期高齢者医療制度において，世帯主は，市町村が当該世帯に属する被保険者の保険料を普通徴収の方法によって徴収しようとする場合において，当該保険料を連帯して納付する義務を負う。

E 後期高齢者医療制度において，後期高齢者医療広域連合は，被保険者が，自己の選定する保険医療機関等について評価療養，患者申出療養又は選定療養を受けたときは，当該被保険者に対し，その療養に要した費用について，保険外併用療養費を支給する。ただし，当該被保険者が特別療養費の支給を受けている間は，この限りでない。

社一

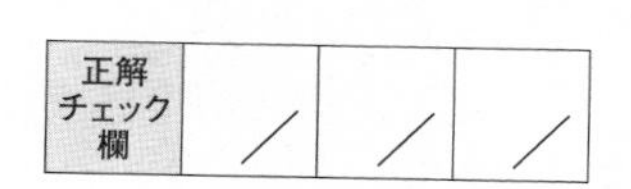

A 正 本肢のとおりである（国民健康保険法82条の3第1項）。なお，本肢の市町村ごとの保険料率の標準的な水準を表す数値を「市町村標準保険料率」という。

B 正 本肢のとおりである（船員保険法96条）。なお，行方不明手当金の支給期間は，被保険者が行方不明となった日の翌日から起算して3月を限度とする（同法95条）。

社会保険科目 476p

C 誤 本肢の市町村特別給付は，市町村が，「条例で定めるところにより行うことができる」ものとされている（介護保険法18条，同法53条1項，同法62条）。

社会保険科目 461p

D 正 本肢のとおりである（高齢者医療確保法108条2項）。なお，普通徴収の方法によって徴収する保険料の納期は，市町村の条例で定める（同法109条）。

E 正 本肢のとおりである（高齢者医療確保法76条1項）。なお，保険医療機関等及び保険医等は，厚生労働大臣が定める保険外併用療養費に係る療養の取扱い及び担当に関する基準に従い，保険外併用療養費に係る療養を取り扱い，又は担当しなければならない（同条3項）。

R4-10	総合問題	重要度 B

問 40 社会保険制度の保険給付等に関する次の記述のうち，誤っているものはどれか。

A 児童手当の支給を受ける権利は，譲り渡し，担保に供し，又は差し押えることができない。

B 国民健康保険組合の被保険者が，業務上の事故により負傷し，労災保険法の規定による療養補償給付を受けることができるときは，国民健康保険法による療養の給付は行われない。

C 児童手当の受給資格者が，次代の社会を担う児童の健やかな成長を支援するため，当該受給資格者に児童手当を支給する市町村（特別区を含む。以下本問において同じ。）に対し，当該児童手当の支払を受ける前に，内閣府令で定めるところにより，当該児童手当の額の全部又は一部を当該市町村に寄附する旨を申し出たときは，当該市町村は，内閣府令で定めるところにより，当該寄附を受けるため，当該受給資格者が支払を受けるべき児童手当の額のうち当該寄附に係る部分を，当該受給資格者に代わって受けることができる。

D 船員保険の被保険者であった者が，令和3年10月5日にその資格を喪失したが，同日，疾病任意継続被保険者の資格を取得した。その後，令和4年4月11日に発した職務外の事由による疾病若しくは負傷又はこれにより発した疾病につき療養のため職務に服することができない状況となった場合は，船員保険の傷病手当金の支給を受けることはできない。

E 介護保険法における特定施設は，有料老人ホームその他厚生労働省令で定める施設であって，地域密着型特定施設ではないものをいい，介護保険の被保険者が自身の居宅からこれら特定施設に入居することとなり，当該特定施設の所在する場所に住民票を移した場合は，住所地特例により，当該特定施設に入居する前に住所を有していた自身の居宅が所在する市町村が引き続き保険者となる。

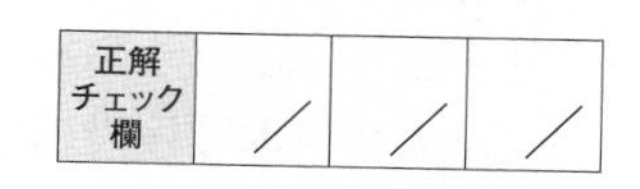

正解チェック欄	／	／	／

社
一

A 正 本肢のとおりである（児童手当法15条）。なお，租税その他の公課は，児童手当として支給を受けた金銭を標準として，課することができない（同法16条）。

社会保険科目 482p

B 正 本肢のとおりである（国民健康保険法56条1項）。なお，労災保険法を含んだ同項に規定されている法令以外の法令により国若しくは地方公共団体の負担において医療に関する給付が行われたときも，国民健康保険法による療養の給付は行われない。

C 正 本肢のとおりである（児童手当法20条1項）。なお，市町村は，本肢の規定により受けた寄附を，次代の社会を担う児童の健やかな成長を支援するために使用しなければならない（同条2項）。

社会保険科目 484p

D 誤 疾病任意継続被保険者又は疾病任意継続被保険者であった者に係る傷病手当金の支給は，当該被保険者の資格を取得した日から起算して1年以上経過したときに発した疾病若しくは負傷又はこれにより発した疾病（以下本解説において「傷病等」という）については行わないものとされているが，本肢の場合，傷病等が発した日である令和4年4月11日は，疾病任意継続被保険者の資格を取得した日（令和3年10月5日）から起算して1年未満であるため，傷病手当金の支給を受けることが「できる」（船員保険法69条4項）。

E 正 本肢のとおりである（介護保険法8条11項，同法13条1項）。なお，介護保険の被保険者が自身の居宅から介護保険施設及び老人福祉法20条の4に規定する養護老人ホーム（老人福祉法の所定の規定による入所措置がとられた者に限る）に入居することとなり，これらの施設の所在する場所に住民票を移した場合についても，本肢後段の規定が適用される。

R6-10 **総合問題** 重要度 **C**

問 41 社会保険制度の死亡に係る給付に関する次の記述のうち，正しいものはどれか。

A 船員保険の被保険者が職務外の事由により死亡したとき，又は船員保険の被保険者であった者が，その資格を喪失した後6か月以内に職務外の事由により死亡したときは，被保険者又は被保険者であった者により生計を維持していた者であって，埋葬を行った者に対し，埋葬料として，5万円を支給する。

B 市町村（特別区を含む。）及び国保組合は，国民健康保険の被保険者の死亡に関しては，条例又は規約の定めるところにより，埋葬料として，5万円を支給する。

C 健康保険の日雇特例被保険者が死亡した場合において，その死亡の日の属する月の前2か月間に通算して26日分以上若しくは当該月の前6か月間に通算して78日分以上の保険料がその者について納付されていなくても，その死亡の際その者が療養の給付を受けていたときは，その者により生計を維持していた者であって，埋葬を行うものに対し，埋葬料として，5万円を支給する。

D 健康保険の被保険者が死亡したときに，その者により生計を維持していた者がいない場合には，埋葬を行った者に対し，埋葬料として，5万円を支給する。

E 後期高齢者医療広域連合は，高齢者医療確保法の被保険者の死亡に関しては，条例の定めるところにより，埋葬料として，5万円を支給する。

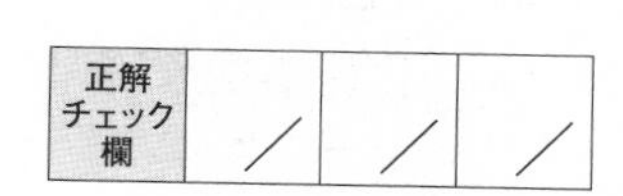

A　誤　船員保険の被保険者が職務外の事由により死亡したとき，又は船員保険の被保険者であった者がその資格を喪失した後「3月以内」に職務外の事由により死亡したときは，当該被保険者又は被保険者であった者により生計を維持していた者であって，「葬祭」を行うものに対し，「葬祭料」として5万円が支給される（船員保険法72条1項，船員保険法施行令6条）。

社会保険科目
475p

B　誤　市町村及び国民健康保険組合は，被保険者の死亡に関しては，条例又は規約の定めるところにより，「葬祭費の支給又は葬祭の給付」を行うものとされている。また，その金額も条例又は規約の定めるところによるため，「5万円と法定化されているわけではない」（国民健康保険法58条1項）。

社会保険科目
432p

C　正　本肢のとおりである（健康保険法136条1項，健康保険法施行令35条）。

社会保険科目
109p

D　誤　死亡した被保険者により生計を維持していた者がいなかったことにより埋葬料の支給を受けるべき者がない場合においては，埋葬を行った者に対し，「埋葬料の金額（5万円）の範囲内においてその埋葬に要した費用に相当する金額」が支給される（健康保険法100条2項）。

社会保険科目
87p

E　誤　後期高齢者医療広域連合は，被保険者の死亡に関しては，条例の定めるところにより，「葬祭費の支給又は葬祭の給付」を行うものとされている。ただし，特別の理由があるときは，その全部又は一部を行わないことができる。なお，その金額も条例の定めるところによるため，「5万円と法定化されているわけではない」（高齢者医療確保法86条1項）。

社会保険科目
451p

キリトリ線

R元-10	沿　革	重要度 B

問 42 社会保険制度の改正に関する次の①から⑥の記述について，改正の施行日が古いものからの順序で記載されているものは，後記AからEまでのうちどれか。

① 被用者年金一元化により，所定の要件に該当する国家公務員共済組合の組合員が厚生年金保険の被保険者資格を取得した。

② 健康保険の傷病手当金の1日当たりの金額が，原則，支給開始日の属する月以前の直近の継続した12か月間の各月の標準報酬月額を平均した額を30で除した額に3分の2を乗じた額となった。

③ 国民年金第3号被保険者が，個人型確定拠出年金に加入できるようになった。

④ 基礎年金番号を記載して行っていた老齢基礎年金の年金請求について，個人番号（マイナンバー）でも行えるようになった。

⑤ 老齢基礎年金の受給資格期間が25年以上から10年以上に短縮された。

⑥ 国民年金第1号被保険者の産前産後期間の国民年金保険料が免除されるようになった。

A ①→②→③→⑤→④→⑥
B ③→①→②→⑤→⑥→④
C ②→①→④→⑤→③→⑥
D ③→②→①→⑤→⑥→④
E ②→③→①→⑤→⑥→④

社一

正解チェック欄	／	／	／

本問のアからオまでのそれぞれの記述の改正施行日は以下のとおりである。したがって，改正施行日が古いものからの順序で記載されているAが解答となる。

---

① 本肢の改正施行日は，平成27年10月1日である（平24年法律63号附則1条ほか）。

社会保険科目 521p

---

② 本肢の改正施行日は，平成28年4月1日である（平27年法律31号附則1条ほか）。

---

③ 本肢の改正施行日は，平成29年1月1日である（平28年法律66号附則1条ほか）。

社会保険科目 522p

---

④ 本肢の改正施行日は，平成30年3月5日である（平30年厚生労働省令10号附則1条ほか）。

---

⑤ 本肢の改正施行日は，平成29年8月1日である（平24年法律62号附則1条ほか）。

社会保険科目 522p

---

⑥ 本肢の改正施行日は，平成31年4月1日である（平28年法律114号附則1条ほか）。

社会保険科目 522p

H27-9	社会保障制度	重要度 B

問 43 次の記述のうち，誤っているものはどれか。なお，本問は平成26年版厚生労働白書を参照している。

A 社会保障と税の一体改革では，年金，高齢者医療，介護といった「高齢者三経費」に消費税増収分の全てを充てることが消費税法等に明記された。

B 社会保障制度改革国民会議において取りまとめられた報告書等を踏まえ，社会保障制度改革の全体像及び進め方を明らかにするための「持続可能な社会保障制度の確立を図るための改革の推進に関する法律」が平成25年12月に成立・施行（一部の規定を除く。）された。この法律では，講ずべき社会保障制度改革の措置等として，受益と負担の均衡が取れた持続可能な社会保障制度の確立を図るため，医療制度，介護保険制度等の改革について，①改革の検討項目，②改革の実施時期と関連法案の国会提出時期の目途を明らかにしている。

C 国民健康保険及び後期高齢者医療の保険料（税）は，被保険者の負担能力に応じて賦課される応能分と，受益に応じて等しく被保険者に賦課される応益分から構成され，世帯の所得が一定額以下の場合には，応益分保険料（税）の7割，5割又は2割を軽減している。低所得者の保険料（税）負担を軽減するため，平成26年度の保険料（税）から，5割軽減と2割軽減の対象世帯を拡大することとした。

D 年金制度では，少なくとも5年に一度，将来の人口や経済の前提を設定した上で，長期的な年金財政の見通しを作成し，給付と負担の均衡が図られているかどうかの確認である「財政検証」を行っている。平成16年改正以前は，給付に必要な保険料を再計算していたが，平成16年改正により，保険料水準を固定し，給付水準の自動調整を図る仕組みの下で年金財政の健全性を検証する現在の財政検証へ転換した。

E 日本の高齢化率（人口に対する65歳以上人口の占める割合）は，昭和45年に7％を超えて，いわゆる高齢化社会となったが，その後の急速な少子高齢化の進展により，平成25年9月にはついに25％を超える状況となった。

正解チェック欄	／	／	／

社
一

A 誤 社会保障と税の一体改革では，年金，高齢者医療及び介護のいわゆる高齢者三経費に「子育てや現役世代の医療を加えた『社会保障四経費』」に消費税増収分の全てを充てることが消費税法等に明記された（平成26年版厚生労働白書252頁）。

B 正 本肢のとおりである（平成26年版厚生労働白書253～254頁）。

C 正 本肢のとおりである（平成26年版厚生労働白書395頁）。

D 正 本肢のとおりである（平成26年版厚生労働白書360頁）。

E 正 本肢のとおりである（平成26年版厚生労働白書250頁）。

H30-10

社会保障制度

重要度 B

問 44 次の記述のうち，誤っているものはどれか。なお，本問は，平成29年版厚生労働白書を参照している。

A 我が国の国民負担率（社会保障負担と租税負担の合計額の国民所得比）は，昭和45年度の24.3％から平成27年度の42.8％へと45年間で約1.8倍となっている。

B 第190回国会において成立した「確定拠出年金法等の一部を改正する法律」では，私的年金の普及・拡大を図るため，個人型確定拠出年金の加入者範囲を基本的に20歳以上60歳未満の全ての方に拡大した。

C 年金額については，マクロ経済スライドによる調整をできるだけ早期に実施するために，現在の年金受給者に配慮する観点から，年金の名目額が前年度を下回らない措置（名目下限措置）は維持しつつ，賃金・物価上昇の範囲内で，前年度までの未調整分（キャリーオーバー分）を含めて調整することとした。この調整ルールの見直しは，平成30年４月に施行された。

D 年金積立金の運用状況については，年金積立金管理運用独立行政法人が半期に１度公表を行っている。厚生労働大臣が年金積立金の自主運用を開始した平成11年度から平成27年度までの運用実績の累積収益額は，約56.5兆円となっており，収益率でみると名目賃金上昇率を平均で約3.1％下回っている。

E 国民健康保険制度の安定化を図るため，持続可能な医療保険制度を構築するための国民健康保険法等の一部を改正する法律が平成27年５月に成立した。改正の内容の１つの柱が，国民健康保険への財政支援の拡充等により，財政基盤を強化することであり，もう１つの柱は，都道府県が安定的な財政運営や効率的な事業運営の確保等の国民健康保険の運営に中心的な役割を担うことである。

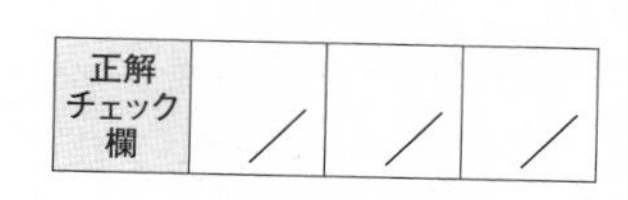

正解チェック欄	／	／	／

A　正　本肢のとおりである（平成29年版厚生労働白書12頁）。なお，国民負担率の増加の内訳を租税負担率と社会保障負担率とに分けて見ると，租税負担率は1970年度の18.9％からバブル期とその後の不況を経て，2015年度では25.5％と1970年度と比較しても約1.3倍の伸びにとどまっている。一方で，社会保障負担率は1970年度の5.4％からほぼ一貫して上昇しており，2015年度では17.3％と45年間で3倍超となっている。

B　正　本肢のとおりである（平成29年版厚生労働白書289頁）。

社会保険科目 522p

C　正　本肢のとおりである（平成29年版厚生労働白書285～286頁）。

社会保険科目 522p

D　誤　年金積立金の運用状況については，年金積立金管理運用独立行政法人（ＧＰＩＦ）が「四半期ごとに」公表を行っている。厚生労働大臣が年金積立金の自主運用を開始した「平成13年度」から平成27年度までの運用実績の累積収益額は，約56.5兆円となっており，収益率でみると名目賃金上昇率を平均で約3.1％「上回り」，年金財政に貢献していると言える（平成29年版厚生労働白書287頁）。

E　正　本肢のとおりである（平成29年版厚生労働白書331頁）。

R3-10	社会保障制度	重要度 B

問 45 次の記述のうち，正しいものはどれか。なお，本問は，「令和2年版厚生労働白書（厚生労働省）」を参照しており，当該白書又は当該白書が引用している調査による用語及び統計等を利用している。

A　公的年金制度の被保険者数の増減について見ると，第1号被保険者は，対前年比70万人増で近年増加傾向にある一方，第2号被保険者等（65歳以上70歳未満の厚生年金被保険者を含む。）や第3号被保険者は，それぞれ対前年比34万人減，23万人減で，近年減少傾向にある。これらの要因として，新型コロナウイルス感染症の影響による生活に困窮する人の増加，失業率の上昇等があげられる。

B　年金を受給しながら生活をしている高齢者や障害者などの中で，年金を含めても所得が低い方々を支援するため，年金に上乗せして支給する「年金生活者支援給付金制度」がある。老齢年金生活者支援給付金の支給要件に該当している場合は，本人による請求手続きは一切不要であり，日本年金機構が職権で認定手続きを行う。

C　2008（平成20）年度の後期高齢者医療制度発足時における75歳以上の保険料の激変緩和措置として，政令で定めた軽減割合を超えて，予算措置により軽減を行っていたが，段階的に見直しを実施し，保険料の所得割を5割軽減する特例について，2019（令和元）年度から本則（軽減なし）とし，元被扶養者の保険料の均等割を9割軽減する特例について，2020（令和2）年度から本則（資格取得後3年間に限り7割軽減とする。）とするといった見直しを行っている。

D　社会保障給付費の部門別構成割合の推移を見ると，1989（平成元）年度においては医療が49.5％，介護，福祉その他が39.4％を占めていたが，医療は1990年台半ばから，介護，福祉その他は2004（平成16）年度からその割合が減少に転じ，年金の割合が増加してきている。2017（平成29）年度には，年金が21.6％と1989年度の約2倍となっている。

E　保険医療機関等で療養の給付等を受ける場合の被保険者資格の確認について，確実な本人確認と保険資格確認を可能とし，医療保険事務の効率化や患者の利便性の向上等を図るため，オンライン資格確認の導入を進める。オンライン資格確認に当たっては，既存の健康保険証による資格確認に加えて，個人番号カード（マイナンバーカード）による資格確認を可能とする。

正解チェック欄	／	／	／

A 誤 公的年金制度の被保険者数の増減について見ると，「第2号被保険者等（65歳以上70歳未満の厚生年金被保険者を含む）」は対前年比70万人増で，近年増加傾向にある一方，「第1号被保険者」や第3号被保険者はそれぞれ対前年比34万人減，23万人減で，近年減少傾向にある。これらの要因として，「被用者保険の適用拡大や厚生年金の加入促進策の実施，高齢者等の就労促進などが考えられる」（令和2年版厚生労働白書296頁）。

B 誤 年金生活者支援給付金の支給を受けるには，「本人による給付金の認定の請求手続きが必要」である。本肢前段の記述は正しい（令和2年版厚生労働白書304頁）。年金生活者支援給付金の支給を受けようとするときは，年金生活者支援給付金の支給要件に該当する者（受給資格者）は，厚生労働大臣に対し，その受給資格及び年金生活者支援給付金の額について認定の請求をしなければならない（年金生活者支援給付金支給法5条ほか）。

C 誤 2008（平成20）年度の後期高齢者医療制度発足当時における75歳以上の保険料の激変緩和措置として，政令で定めた軽減割合を超えて，予算措置により軽減を行っていたが，段階的に見直しを実施し，保険料の所得割を5割軽減する特例について，「2018（平成30）年度」から本則（軽減なし）とし，元被扶養者の保険料の均等割を9割軽減する特例について，「2019（令和元）年度」から本則（資格取得後「2年間」に限り「5割」軽減とする）とするといった見直しを行っている（令和2年版厚生労働白書359頁）。

D　誤　社会保障給付費の部門別構成割合の推移を見ると，1989（平成元）年度においては「年金」が49.5％，「医療」が39.4％を占めていたが，医療は1990年代半ばから，「年金」は2004（平成16）年度からその割合が減少に転じ，「介護，福祉その他」の割合が増加してきている。2017年度には，「介護と福祉その他」を合わせて21.6％と，1989年度の約2倍となっている（令和2年版厚生労働白書120頁）。

E　正　本肢のとおりである（令和2年版厚生労働白書355頁）。本肢のオンライン資格確認（電子資格確認）とは，保険医療機関等（療養の給付に係る病院若しくは診療所又は薬局）から療養を受けようとする者又は指定訪問看護事業者から指定訪問看護を受けようとする者が，保険者に対し，個人番号カードに記録された利用者証明用電子証明書を送信する方法その他の厚生労働省令で定める方法により，被保険者又は被扶養者の資格に係る情報（保険給付に係る費用の請求に必要な情報を含む）の照会を行い，電子情報処理組織を使用する方法その他の情報通信の技術を利用する方法により，保険者から回答を受けて当該情報を当該保険医機関等又は指定訪問看護事業者に提供し，当該保険医療機関等又は指定訪問看護事業者から被保険者又は被扶養者であることの確認を受けることをいう（健康保険法3条13項）。

R6-9	社会保障制度

問 46 社会保障制度に関する次のアからオの記述のうち，正しいものの組合せは，後記AからEまでのうちどれか。なお，本問の「ア，イ，ウ」は「令和5年版厚生労働白書（厚生労働省）」を参照しており，当該白書又は当該白書が引用している調査による用語及び統計等を利用している。

ア　日本の公的年金制度は，予測することが難しい将来のリスクに対して，社会全体であらかじめ備えるための制度であり，現役世代の保険料負担により，その時々の高齢世代の年金給付をまかなう世代間扶養である賦課方式を基本とした仕組みで運営されている。賃金や物価の変化を年金額に反映させながら，生涯にわたって年金が支給される制度として設計されており，必要なときに給付を受けることができる保険として機能している。

イ　公的年金制度の給付の状況としては，全人口の約3割が公的年金の受給権を有している。高齢者世帯に関してみれば，その収入の約8割を公的年金等が占めるなど，年金給付が国民の老後生活の基本を支えるものとしての役割を担っていることがわかる。

ウ 「年金制度の機能強化のための国民年金法等の一部を改正する法律」による短時間労働者に対する被用者保険の適用拡大には，これまで国民年金・国民健康保険に加入していた人が被用者保険の適用を受けることにより，基礎年金に加えて報酬比例の厚生年金保険給付が支給されることに加え，障害厚生年金には，障害等級3級や障害手当金も用意されているといった大きなメリットがある。また，医療保険においても傷病手当金や出産手当金が支給される。

エ　日本から海外に派遣され就労する邦人等が日本と外国の年金制度等に加入し保険料を二重に負担することを防ぎ，また，両国での年金制度の加入期間を通算できるようにすることを目的として，外国との間で社会保障協定の締結を進めている。2024（令和6）年4月1日現在，22か国との間で協定が発効しており，一番初めに協定を締結した国はドイツである。

重要度 B

オ　日本と社会保障協定を発効している国のうち英国，韓国，中国及びイタリアとの協定については，「両国での年金制度の加入期間を通算すること」を主な内容としている。

A　（アとイ）　**B**　（アとウ）　**C**　（イとエ）
D　（ウとオ）　**E**　（エとオ）

正解チェック欄	／	／	／

本問アからオまでのそれぞれの記述の正誤は以下のとおりである。したがって，アとウを正しい記述とするBが解答となる。

ア　正　本肢のとおりである（令和５年版厚生労働白書256頁）。

イ　誤　公的年金制度の給付の状況としては，全人口の約３割にあたる4,023万人（2021年度末）が公的年金の受給権を有している。高齢者世帯に関してみれば，その収入の「約６割」を公的年金等が占めている（令和５年版厚生労働白書256頁）。

ウ　正　本肢のとおりである（令和５年版厚生労働白書258頁）。

エ　誤　令和６年４月１日現在，「23か国」との間で社会保障協定が発効している。その他の記述については正しい。

オ　誤　英国，韓国，中国及びイタリアとの社会保障協定においては，「年金加入期間の通算規定はない」。

H29-10	社会保障協定特例法	重要度 C

問 47

社会保障協定及び社会保障協定の実施に伴う厚生年金保険法等の特例等に関する法律に関する次の記述のうち，正しいものはどれか。

A 社会保障協定とは，日本の年金制度と外国の年金制度の重複適用の回避をするために締結される年金に関する条約その他の国際約束であり，日本の医療保険制度と外国の医療保険制度の重複適用の回避については，対象とされていない。

B 平成29年3月末日現在，日本と社会保障協定を締結している全ての国との協定において，日本と相手国の年金制度における給付を受ける資格を得るために必要とされる期間の通算並びに当該通算により支給することとされる給付の額の計算に関する事項が定められている。

C 日本の事業所で勤務し厚生年金保険の被保険者である40歳の労働者が，3年の期間を定めて，日本と社会保障協定を締結している国に派遣されて当該事業所の駐在員として働く場合は，社会保障協定に基づいて派遣先の国における年金制度の適用が免除され，引き続き日本の厚生年金保険の被保険者でいることとなる。

D 社会保障協定により相手国の年金制度の適用が免除されるのは，厚生年金保険の被保険者であり，国民年金の第1号被保険者については，当該協定により相手国の年金制度の適用が免除されることはない。

E 日本と社会保障協定を締結している相手国に居住し，日本国籍を有する40歳の者が，当該相手国の企業に現地採用されることとなった場合でも，その雇用期間が一定期間以内であれば，日本の年金制度に加入することとなり，相手国の年金制度に加入することはない。

正解チェック欄	／	／	／

正解 C

A 誤 社会保障協定とは，日本と日本以外の締約国との間の社会保障に関する条約その他の国際約束であって，次に掲げる事項の一以上について定めるものをいう。①医療保険制度に係る日本の法令及び相手国法令の重複適用の回避に関する事項，②年金制度に係る日本の法令及び相手国法令の重複適用の回避に関する事項，③日本及び相手国の年金制度における給付を受ける資格を得るために必要とされる期間の通算並びに当該通算により支給することとされる給付の額の計算に関する事項。したがって，年金制度の重複適用の回避のみならず，医療保険制度の重複適用の回避についても「対象とされている」（社会保障協定の実施に伴う厚生年金保険法等の特例等に関する法律2条1号ほか）。なお，医療保険制度の重複適用の回避規定については，社会保障協定を締結している全ての国との間で当該規定が設けられているわけではない（社会保障に関する日本国とグレート・ブリテン及び北部アイルランド連合王国との間の協定ほか）。

B 誤 年金制度における期間通算等に関する事項は，平成29年3月末現在，日本と社会保障協定を締結している「全ての国との協定において定められているわけではない」（社会保障に関する日本国とグレート・ブリテン及び北部アイルランド連合王国との間の協定ほか）。

C 正 本肢のとおりである（社会保障に関する日本国とアメリカ合衆国との間の協定ほか）。本肢の場合，相手国への派遣期間が5年以内と見込まれるため，引き続き日本の厚生年金保険の被保険者でいることとなる。なお，相手国への派遣期間が5年を超えると見込まれる場合には，原則として，相手国の年金制度のみに加入することとなる。

D　誤　国民年金の第1号被保険者についても，社会保障協定により相手国の年金制度の適用が免除されることが「ある」（社会保障に関する日本国とアメリカ合衆国との間の協定ほか）。日本の自営業者が，一時的に相手国で自営業活動を行う場合には，相手国の年金制度の適用が免除され，引き続き日本の年金制度に加入することとなる。

E　誤　社会保障協定を締結している相手国に居住し，当該相手国の企業に現地採用される場合には，原則として，日本の年金制度ではなく相手国の年金制度に加入することとなる（社会保障に関する日本国とアメリカ合衆国との間の協定ほか）。

MEMO

キリトリ線

H28-10	社会保障制度に関する統計調査	重要度 C

問 48 次の記述のうち，正しいものはどれか。なお，本問は平成27年版厚生労働白書を参照している。

A 75歳以上の方々の医療給付費は，その約4割を現役世代からの後期高齢者支援金によって賄われている。この支援金は，加入者数に応じた負担から負担能力に応じた負担とする観点から，被用者保険者間の按分について，平成22年度から3分の1を総報酬割（被保険者の給与や賞与などすべての所得で按分），残りの3分の2を加入者割とする負担方法を導入した。また，より負担能力に応じた負担とするために，平成26年度には総報酬割を2分の1，平成27年度には3分の2と段階的に引き上げ，平成28年度からは全面総報酬割を実施することとされた。

B 主治医と大病院に係る外来の機能分化をさらに進めるとともに，病院勤務医の負担軽減を図るため，平成28年度から，特定機能病院等において，紹介状なく受診する患者に対して，原則として療養に要した費用の2割の負担を求めることとされた。

C 平成22年に厚生労働省が実施した「介護保険制度に関する国民の皆さからのご意見募集」によれば，「介護保険を評価している（「大いに評価」又は「多少は評価」）」と回答した方は全体の約2割にとどまっている。

D 平成12年から平成14年にかけ，物価が下落したにも関わらず，特例措置により年金額を据え置いた結果，平成25年9月時点において本来の年金額より2.5％高い水準（特例水準）の年金額が支給されている状況であったが，国民年金法等の一部を改正する法律等の一部を改正する法律（平成24年法律第99号）の施行により，平成25年10月から平成27年4月にかけて特例水準の解消が行われた。この特例水準が解消したことにより，平成16年の制度改正により導入されたマクロ経済スライドが，平成27年4月から初めて発動されることとなった。

E 日本年金機構では，毎年誕生月に送付している「ねんきん定期便」によって，国民年金・厚生年金保険の全ての現役加入者及び受給権者に対し，年金加入期間，年金見込額，保険料納付額，国民年金の納付状況や厚生年金保険の標準報酬月額等をお知らせしている。

正解チェック欄	／	／	／

社一

A　誤　被用者保険者の後期高齢者支援金について，より負担能力に応じた負担とするため，総報酬割部分を「平成27年度」に2分の1，「平成28年度」に3分の2と段階的に引き上げ，「平成29年度」から全面総報酬割を実施することとされた。その他の記述については正しい（平成27年版厚生労働白書409・410頁）。

B　誤　平成28年度から，特定機能病院等において，紹介状なく受診する患者に対して，原則として「一定額」の負担を求めることとされた。その他の記述については正しい（平成27年版厚生労働白書410頁）。

C　誤　平成22年に厚生労働省が実施した「介護保険制度に関する国民の皆さまからのご意見募集」によれば，「介護保険を評価している（「大いに評価」又は「多少は評価」）」と回答した方は全体の「60％を超えている」（平成27年版厚生労働白書412頁）。

D　正　本肢のとおりである（平成27年版厚生労働白書367頁）。

E　誤　日本年金機構では，毎年誕生月に送付している「ねんきん定期便」によって，国民年金・厚生年金保険の「全ての現役加入者」に対し，年金加入期間，年金見込額，保険料納付額のほか，最近の月別状況として直近1年間の国民年金の納付状況や厚生年金保険の標準報酬月額等をお知らせしている（平成27年版厚生労働白書381頁）。

H27-10	社会保障制度に関する統計調査	重要度 C

問 49 次の記述のうち，正しいものはどれか。

A 「平成24年度社会保障費用統計（国立社会保障・人口問題研究所）」によると，平成24年度の社会保障給付費の総額は108兆5,568億円であり，部門別にみると，「医療」が53兆9,861億円で全体の49.7％を占めている。次いで「年金」が34兆6,230億円で全体の31.9％，「福祉その他」は19兆9,476億円で18.4％となっている。

B 「平成25年国民生活基礎調査（厚生労働省）」によると，高齢者世帯（65歳以上の者のみで構成するか，又はこれに18歳未満の未婚の者が加わった世帯。以下，本問において同じ。）における所得の種類別に1世帯当たりの平均所得金額の構成割合をみると，「公的年金・恩給」が68.5％と最も高くなっている。なお，公的年金・恩給を受給している高齢者世帯のなかで「公的年金・恩給の総所得に占める割合が100％の世帯」は57.8％となっている。

C 「平成25年度厚生年金保険・国民年金事業の概況（厚生労働省）」によると，国民年金の第1号被保険者数（任意加入被保険者を含む。以下本問において同じ。）は，平成25年度末現在で1,805万人となっており，前年度末に比べて3.1％増加し，第1号被保険者数は，対前年度末比において5年連続増加となっている。

D 「平成26年度後期高齢者医療制度被保険者実態調査（厚生労働省）」によると，平成26年9月30日現在の後期高齢者医療制度の被保険者数は，5,547千人となっており，うち75歳以上の被保険者数は被保険者の79.6％を占めている。

E 「平成24年度介護保険事業状況報告（厚生労働省）」によると，要介護（要支援）認定者数は，平成24年度末現在で1,561万人となっており，そのうち軽度（要支援1から要介護2）の認定者が，全体の約83.5％を占めている。

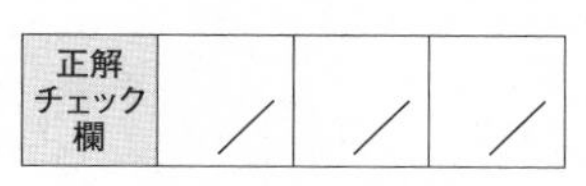

社一

A 誤 平成24年度の社会保障給付費の総額は108兆5,568億円であり，部門別にみると，『年金』が53兆9,861億円で全体の49.7％を占めており，次いで『医療』が34兆6,230億円で全体の31.9％，「福祉その他」は19兆9,476億円で18.4％となっている（平成24年度社会保障費用統計）。

B 正 本肢のとおりである（平成25年国民生活基礎調査）。

C 誤 国民年金の第1号被保険者数（任意加入被保険者を含む。以下本肢において同じ）は，平成25年度末現在で1,805万人となっており，前年度末に比べて3.1％「減少」し，第1号被保険者数は，対前年度末比において10年連続「減少」している（平成25年度厚生年金保険・国民年金事業の概況）。

D 誤 平成26年9月30日現在の後期高齢者医療制度の被保険者数は，「15,547千人」となっており，うち75歳以上の被保険者数は被保険者の「97.6％」を占めている（平成26年度後期高齢者医療制度被保険者実態調査報告）。

E 誤 要介護（要支援）認定者数は，平成24年度末現在で「561万人」となっており，そのうち軽度（要支援1から要介護2）の認定者が，全体の「約63.5％」を占めている（平成24年度介護保険事業状況報告）。

H28-9 社会保障制度に関する統計調査 重要度 A

問 50 各種統計調査等に関する次の記述のうち，誤っているものはどれか。

A 厚生労働省から平成27年12月に公表された「平成26年国民年金被保険者実態調査結果の概要」によると，平成24年度及び平成25年度の納付対象月の国民年金保険料を全く納付していない者（平成25年度末に申請全額免除，学生納付特例又は若年者納付猶予を受けていた者を除く。）が納付しない理由は，「保険料が高く，経済的に支払うのが困難」が約7割と最も高くなっている。

B 厚生労働省から平成27年12月に公表された「平成26年年金制度基礎調査（障害年金受給者実態調査）」によると，障害年金受給者（本問において，当該調査における障害厚生年金又は障害基礎年金等を受給している者をいう。）のうち，生活保護を受給している者の割合は，日本の全人口に対する生活保護受給人口の割合（1.7％）より高くなっている。

C 厚生労働省から平成27年10月に公表された「平成25年度国民医療費の概況」（以下本問において「平成25年度国民医療費の概況」という。）によると，医療機関等における保険診療の対象となり得る傷病の治療に要した費用の推計である平成25年度の国民医療費は全体で40兆円を超え，人口一人当たりでは30万円を超えている。

D 「平成25年度国民医療費の概況」によると，「公費負担医療給付分」，「医療保険等給付分」，「後期高齢者医療給付分」，「患者等負担分」等に区分される平成25年度の制度区分別国民医療費において，「後期高齢者医療給付分」は全体の30％を超えている。

E 厚生労働省が公表した平成26年度の国民年金保険料の納付状況によると，平成26年度中に納付された現年度分保険料にかかる納付率は73.1％となり，前年度の70.9％から2.2ポイントの上昇となった。また，国民年金保険料の納付率（現年度分）の推移をみてみると，基礎年金制度が導入された時から約10年は，納付率は80％台であったが，平成14年度以降，現在に至るまで70％台になっている。

正解チェック欄	／	／	／

A　正　本肢のとおりである（平成26年国民年金被保険者実態調査結果の概要）。

B　正　本肢のとおりである（平成26年年金制度基礎調査（障害年金受給者実態調査））。

C　正　本肢のとおりである（平成25年度国民医療費の概況）。

D　正　本肢のとおりである（平成25年度国民医療費の概況）。

E　誤　平成26年度中に納付された現年度分保険料に係る納付率は「63.1％」となり，前年度の「60.9％」から2.2ポイントの上昇となった。また，国民年金保険料の納付率（現年度分）の推移をみてみると，基礎年金制度が導入された時から約10年は，納付率は80％台であったが，平成14年度以降，現在に至るまで「70％台にはなっていない」（平成26年度の国民年金保険料の納付状況（厚生労働省））。平成14年度から平成21年度までは60％台，平成22年度から平成24年度までは50％台，平成25年度及び平成26年度は60％台となっている。

出る順社労士シリーズ
2025年版 出る順社労士 必修過去問題集 ②社会保険編

1993年12月15日　第１版　第１刷発行
2024年12月５日　第32版　第１刷発行
編著者●株式会社　東京リーガルマインド
LEC総合研究所　社会保険労務士試験部
発行所●株式会社　東京リーガルマインド
〒164-0001　東京都中野区中野4-11-10
アーバンネット中野ビル
LECコールセンター　0570-064-464
受付時間　平日9：30〜19：30/土・日・祝10：00〜18：00
※このナビダイヤルは通話料お客様ご負担となります。
書店様専用受注センター　TEL 048-999-7581 / FAX 048-999-7591
受付時間　平日9：00〜17：00/土・日・祝休み
www.lec-jp.com/

本文デザイン●エー・シープランニング　千代田 朗
印刷・製本●情報印刷株式会社

ISBN978-4-8449-6887-0

コース［全73回］

6月	7月	8月
横断攻略講座［全2回］	白書・統計攻略講座［全2回］	社会保険労務士試験
答練 ～選択式・択一式～［全7回］		
	全日本社労士公開模試［全3回］	

Message

澤井講師からのメッセージ

社労士試験の合格基準は択一式・選択式それぞれの総合点と各科目の基準点をクリアーすることが必要です。そのためには本論編でしっかりとした知識を取り込み、答案練習や模試のアウトプットにつなげていくことが大切です。通学の方も通信の方も不得意科目をつくらずコンスタントに学習を進めていきましょう。

工藤講師からのメッセージ

社労士試験に合格するためには、乗り越えなければならない大変な困難があります。膨大な条文の理解のみならず時には試験テクニックも必要とされます、仕事や家庭との両立の悩みなど、とても独学で乗り越えられるものではありません。私は皆さんに、学習は苦痛ではなく、知らなかったことが理解できた時の嬉しさを感じて頂き、むしろもっと知りたい！と思う気持ちを伝えたいと思っています。メンタル面も含め、これから私が皆さんのサポーターです！

さらに直前対策を強化したい方向け別売オプション

別売 直前対策強化パック［全8回］

選択式予想講座 全2回（2.5H×2回）

選択式問題の出題傾向を徹底分析⇒必要な知識の解説、解き方のコツを伝授します！

年金横断講座 全4回（2.5H×4回）

「年金の壁」を乗り越え、得点源にしよう！

判例マスター講座 全2回（2.5H×2回）

出題可能性の高い重要判例を効率よくかつ丁寧に学習し、得点力を強化します。

法律のLECだから創ることができた、最強の

2025年 年金キーパー＋中上級コー

2024年9月～

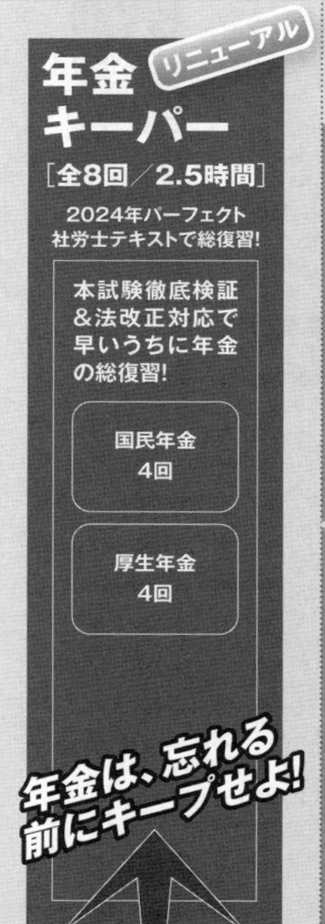

年金キーパーは、
こんな中上級生に
オススメ!

❶苦手な年金科目を得意科目にしておきたい方
❷せっかく覚えた知識を忘れたくない方
❸今年の知識を、来年向けに再構築しておきたい方

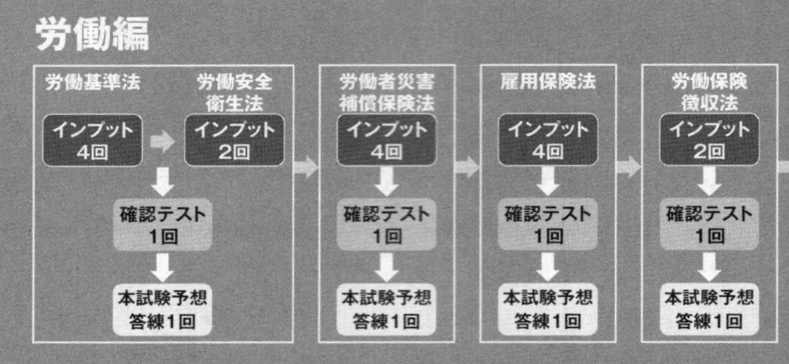

社会保険編

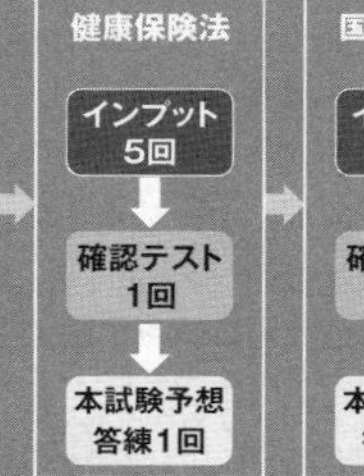

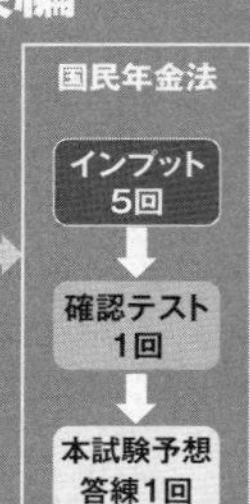

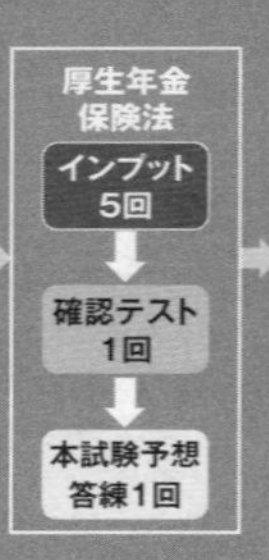

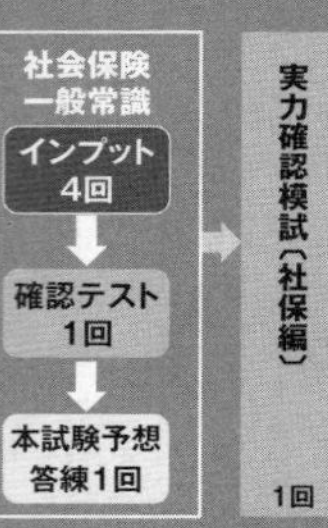

リニューアル

LECコース生限定オプション講座で、さらに実力アップ!

レベルアップオプション講座	椛島克彦講師
澤井の厳選!過去問セレクト	澤井清治講師
山下塾 過去10年分 過去問分析と解き方講座	山下良一講師
大野の主要科目過去問特訓ゼミ	大野公一講師
華ちゃんチョイス 過去問ナビ	西園寺華講師
一般常識徹底解説講座	滝則茂講師
早川の過去問ポイント攻略講座	早川秀市講師
吉田の過去問×肢ピックアップ講座	吉田達生講師
実力完成講座OPUSシリーズ	工藤寿年講師

LEC全国学校案内

＊講座のお問合せ，受講相談は最寄りのLEC各校へ

LEC本校

北海道・東北

札　幌本校 ☎011(210)5002
〒060-0004 北海道札幌市中央区北4条西5-1　アスティ45ビル

仙　台本校 ☎022(380)7001
〒980-0022 宮城県仙台市青葉区五橋1-1-10　第二河北ビル

関東

渋谷駅前本校 ☎03(3464)5001
〒150-0043 東京都渋谷区道玄坂2-6-17　渋東シネタワー

池　袋本校 ☎03(3984)5001
〒171-0022 東京都豊島区南池袋1-25-11　第15野萩ビル

水道橋本校 ☎03(3265)5001
〒101-0061 東京都千代田区神田三崎町2-2-15　Daiwa三崎町ビル

新宿エルタワー本校 ☎03(5325)6001
〒163-1518 東京都新宿区西新宿1-6-1　新宿エルタワー

早稲田本校 ☎03(5155)5501
〒162-0045 東京都新宿区馬場下町62　三朝庵ビル

中　野本校 ☎03(5913)6005
〒164-0001 東京都中野区中野4-11-10　アーバンネット中野ビル

立　川本校 ☎042(524)5001
〒190-0012 東京都立川市曙町1-14-13　立川MKビル

町　田本校 ☎042(709)0581
〒194-0013 東京都町田市原町田4-5-8　MIキューブ町田イースト

横　浜本校 ☎045(311)5001
〒220-0004 神奈川県横浜市西区北幸2-4-3　北幸GM21ビル

千　葉本校 ☎043(222)5009
〒260-0015 千葉県千葉市中央区富士見2-3-1　塚本大千葉ビル

大　宮本校 ☎048(740)5501
〒330-0802 埼玉県さいたま市大宮区宮町1-24　大宮GSビル

東海

名古屋駅前本校 ☎052(586)5001
〒450-0002 愛知県名古屋市中村区名駅4-6-23　第三堀内ビル

静　岡本校 ☎054(255)5001
〒420-0857 静岡県静岡市葵区御幸町3-21　ペガサート

北陸

富　山本校 ☎076(443)5810
〒930-0002 富山県富山市新富町2-4-25　カーニープレイス富山

関西

梅田駅前本校 ☎06(6374)5001
〒530-0013 大阪府大阪市北区茶屋町1-27　ABC-MART梅田ビル

難波駅前本校 ☎06(6646)6911
〒556-0017 大阪府大阪市浪速区湊町1-4-1
大阪シティエアターミナルビル

京都駅前本校 ☎075(353)9531
〒600-8216 京都府京都市下京区東洞院通七条下ル2丁目
東塩小路町680-2　木村食品ビル

四条烏丸本校 ☎075(353)2531
〒600-8413　京都府京都市下京区烏丸通仏光寺下ル
大政所町680-1　第八長谷ビル

神　戸本校 ☎078(325)0511
〒650-0021 兵庫県神戸市中央区三宮町1-1-2　三宮セントラルビル

中国・四国

岡　山本校 ☎086(227)5001
〒700-0901 岡山県岡山市北区本町10-22　本町ビル

広　島本校 ☎082(511)7001
〒730-0011 広島県広島市中区基町11-13　合人社広島紙屋町アネクス

山　口本校 ☎083(921)8911
〒753-0814 山口県山口市吉敷下東 3-4-7　リアライズⅢ

高　松本校 ☎087(851)3411
〒760-0023 香川県高松市寿町2-4-20　高松センタービル

松　山本校 ☎089(961)1333
〒790-0003 愛媛県松山市三番町7-13-13　ミツネビルディング

九州・沖縄

福　岡本校 ☎092(715)5001
〒810-0001 福岡県福岡市中央区天神4-4-11
天神ショッパーズ福岡

那　覇本校 ☎098(867)5001
〒902-0067 沖縄県那覇市安里2-9-10　丸姫産業第2ビル

EYE関西

EYE 大阪本校 ☎06(7222)365
〒530-0013　大阪府大阪市北区茶屋町1-27　ABC-MART梅田ビ

EYE 京都本校 ☎075(353)253
〒600-8413　京都府京都市下京区烏丸通仏光寺下ル
大政所町680-1　第八長谷ビル

LEC提携校

＊提携校はLECとは別の経営母体が運営をしております。
＊提携校は実施講座およびサービスにおいてLECと異なる部分がございます。

北海道・東北

八戸中央校【提携校】 ☎0178(47)5011
〒031-0035　青森県八戸市寺横町13　第1朋友ビル
新教育センター内

弘前校【提携校】 ☎0172(55)8831
〒036-8093　青森県弘前市城東中央1-5-2
まなびの森　弘前城東予備校内

秋田校【提携校】 ☎018(863)9341
〒010-0964　秋田県秋田市八橋鯲沼町1-60
株式会社アキタシステムマネジメント内

関東

水戸校【提携校】 ☎029(297)6611
〒310-0912　茨城県水戸市見川2-3079-5

所沢校【提携校】 ☎050(6865)6996
〒359-0037　埼玉県所沢市くすのき台3-18-4　所沢K・Sビル
合同会社LPエデュケーション内

日本橋校【提携校】 ☎03(6661)1188
〒103-0025　東京都中央区日本橋茅場町2-5-6　日本橋大江戸ビル
株式会社大江戸コンサルタント内

北陸

新潟校【提携校】 ☎025(240)7781
〒950-0901　新潟県新潟市中央区弁天3-2-20　弁天501ビル
株式会社大江戸コンサルタント内

金沢校【提携校】 ☎076(237)3925
〒920-8217　石川県金沢市近岡町845-1
株式会社アイ・アイ・ピー金沢内

福井南校【提携校】 ☎0776(35)8230
〒918-8114　福井県福井市羽水2-701
株式会社ヒューマン・デザイン内

中国・四国

松江殿町校【提携校】 ☎0852(31)1661
〒690-0887　島根県松江市殿町517　アルファステイツ殿町
山路イングリッシュスクール内

岩国駅前校【提携校】 ☎0827(23)7424
〒740-0018　山口県岩国市麻里布町1-3-3　岡村ビル　英光学院内

新居浜駅前校【提携校】 ☎0897(32)5356
〒792-0812　愛媛県新居浜市坂井町2-3-8
パルティフジ新居浜駅前店内

九州・沖縄

佐世保駅前校【提携校】 ☎0956(22)8623
〒857-0862　長崎県佐世保市白南風町5-15　智翔館内

日野校【提携校】 ☎0956(48)2239
〒858-0925　長崎県佐世保市椎木町336-1　智翔館日野校内

長崎駅前校【提携校】 ☎095(895)5917
〒850-0057 長崎県長崎市大黒町10-10　KoKoRoビル
minatoコワーキングスペース内

高原校【提携校】 ☎098(989)8009
〒904-2163　沖縄県沖縄市大里2-24-1
有限会社スキップヒューマンワーク内

※上記は2024年10月1日現在のものです。

書籍の訂正情報について

このたびは，弊社発行書籍をご購入いただき，誠にありがとうございます。
万が一誤りの箇所がございましたら，以下の方法にてご確認ください。

1 訂正情報の確認方法

書籍発行後に判明した訂正情報を順次掲載しております。
下記Webサイトよりご確認ください。

www.lec-jp.com/system/correct/

2 ご連絡方法

上記Webサイトに訂正情報の掲載がない場合は，下記Webサイトの入力フォームよりご連絡ください。

lec.jp/system/soudan/web.html

フォームのご入力にあたりましては，「Web教材・サービスのご利用について」の最下部の「ご質問内容」に下記事項をご記載ください。

- 対象書籍名（○○年版，第○版の記載がある書籍は併せてご記載ください）
- ご指摘箇所（具体的にページ数と内容の記載をお願いいたします）

ご連絡期限は，次の改訂版の発行日までとさせていただきます。
また，改訂版を発行しない書籍は，販売終了日までとさせていただきます。

※上記「2ご連絡方法」のフォームをご利用になれない場合は，①書籍名，②発行年月日，③ご指摘箇所，を記載の上，郵送にて下記送付先にご送付ください。確認した上で，内容理解の妨げとなる誤りについては，訂正情報として掲載させていただきます。なお，郵送でご連絡いただいた場合は個別に返信しておりません。

送付先：〒164-0001 東京都中野区中野4-11-10 アーバンネット中野ビル
株式会社東京リーガルマインド 出版部 訂正情報係

- 誤りの箇所のご連絡以外の書籍の内容に関する質問は受け付けておりません。
また，書籍の内容に関する解説，受験指導等は一切行っておりませんので，あらかじめご了承ください。
- お電話でのお問合せは受け付けておりません。